베스트셀러 1위! 에듀윌 취업

대기업 인적성 시리즈

GSAT 삼성직무적성검사
기본서

GSAT 봉투모의고사

온라인 GSAT 파이널 모의고사

SKCT SK종합역량검사
기본서

22대기업 인적성 통합
봉투모의고사

LG그룹 인적성검사
기본서

CJ그룹 종합적성검사
기본서

롯데 L-TAB 실전모의고사

끝까지 살아남는 대기업 자소서

공기업 NCS 시리즈

NCS의 정석 | 모듈형
기본서

공기업 NCS 통합
기본서 | 봉투모의고사

한국철도공사
기본서 | 봉투모의고사

부산교통공사 | 서울교통공사
봉투모의고사 | 추가특별판 봉투모의고사

교통공사 통합
봉투모의고사

PSAT형 자료해석 실전서

국민건강보험공단
기본서 | 봉투모의고사

한국전력공사
기본서 | 봉투모의고사

한국수자원공사
봉투모의고사

한수원+5대 발전회사
봉투모의고사 | 한수원특별판

농협은행 | 지역농협 6급
기본서 | 봉투모의고사

한국토지주택공사
봉투모의고사

IBK기업은행
봉투모의고사

NCS 결정적 기출문제집

면접관이 말하는 자소서와 면접
사무·행정 | 전기

에듀윌
취업
노른자

에듀윌 취업 교재엔
취업 영양만점 노른자 페이지가 있습니다.

eduwill

에듀윌 취업 노른자

농협은행 필기시험은 어떻게 출제되나요?

농협은행 필기시험 경향 분석

➋ P.4

2018~2020년 기간 동안 농협은행 필기시험의 많은 구성 변화가 있었습니다. 자세한 내용은 '농협은행 필기시험 경향 분석'를 통해 확인할 수 있습니다.

직무상식평가는 어떻게 대비해야 할까요?

농협은행 新영역 '직무상식평가'

➋ P.6

2019년부터 농협은행 필기시험에 직무상식평가가 새로 추가되었습니다. 자세한 내용은 '농협은행 新영역 '직무상식평가''를 통해 확인할 수 있습니다.

농협은행
**채용은 어떻게
진행되나요?**

농협은행의
**인재상은
무엇인가요?**

농협은행과
**지역농협의
차이점은
무엇인가요?**

농협은행의 채용 정보

농협은행 채용의 모든 과정을
한눈에 쉽게 파악할 수 있도
록 정리하였습니다. 자세한 내
용은 '농협은행의 채용 정보'를
통해 확인할 수 있습니다.

농협은행의 기업 소개

농협은행 채용 대비 반드시 알
아야 하는 기업 정보의 핵심만
모아 제시하였습니다. 자세한
내용은 '농협은행의 기업 소개'
를 통해 확인할 수 있습니다.

농협은행 vs 지역농협

농협은행과 지역농협의 차이
를 모르는 취준생을 위해 비교
분석하여 확실하게 짚어드립니
다. 자세한 내용은 '농협은행vs
지역농협'을 통해 확인할 수 있
습니다.

농협은행 필기시험 경향 분석

01 3개년 시험 구성 변화

2018~2020년 3년 동안 NH농협은행 6급 필기시험의 문항 수, 시험 시간, 출제 영역 등 구성이 계속 변경되면서 취준생들의 혼란을 야기하였다. 기존 NCS 기반의 직무능력평가만 준비하던 과정에 농협, 경제·금융 등 전공지식이 필요한 직무상식평가의 학습이 추가로 요구된다. 더불어 시험 구성은 계속 변화될 수 있다는 점을 유념해두고, 다양한 유형의 문제풀이와 시간관리 등에 집중하여 대비해야 할 것이다.

02 2018~2020년 필기시험 구성

■ 2018년(상반기 2018. 03. 04. / 하반기 2018. 10. 14.)

교시	구분	문항 수	시간	출제 범위
1	인·적성평가 (Level2)	375문항(객관식)	50분	조직적합성, 성취 잠재력
2	직무능력평가	40문항(객관식)	50분	의사소통능력, 문제해결능력, 수리능력, 정보능력 등

■ 2019년(2019. 03. 17.)

교시	구분	문항 수	시간	출제 범위	
1	인·적성평가 (Level2)	325문항(객관식)	45분	직업윤리, 대인관계능력, 문제해결능력	
2	직무능력평가	50문항(객관식)	60분	의사소통능력, 문제해결능력, 수리능력, 정보능력 등	
	직무상식평가	20문항(객관식)	20분	금융·경제	금융·경제 분야 상식
				IT	데이터베이스, 전자계산기 구조, 운영체제, 소프트웨어 공학, 데이터 통신

■ 2020년(2020. 02. 23.)

교시	구분	문항 수	시간	출제 범위	
1	인·적성평가 (Level2)	325문항(객관식)	45분	조직적합성, 성취 잠재력	
2	직무능력평가	50문항(객관식)	60분	• 의사소통능력, 문제해결능력, 수리능력, 정보능력 등 • 농업·농촌 관련 이해도, 농협 추진사업	
	직무상식평가	30문항(객관식)	25분	공통(전체)	• 디지털 상식 • 농업·농촌 관련 시사
				일반분야	금융·경제 분야 용어·시사
				IT분야	데이터베이스, 전자계산기 구조, 운영체제, 소프트웨어 공학, 데이터 통신

03   최신 시험 영역별 출제 경향(2020년 상반기)

1 의사소통능력

농협 실무와 직접적으로 연관된 금융 및 농업 관련 지문을 정확하게 이해해야 하는 추론, 일치/불일치 유형과 어휘, 그리고 고객 응대 매뉴얼을 보고 상황 판단 및 해결해야 하는 고객문의 유형이 주로 출제된다.

2 문제해결능력

문제 상황을 파악하여 최선의 결과를 찾아 해결해야 하는 농협은행만의 고유한 출제 유형으로, 일반적인 공기업 NCS 문제해결능력과는 조금 다른 문제해결 융합형 문제가 출제된다.

3 수리능력

실무 중에 접할 수 있는 다양한 자료를 바탕으로 합리적인 의사결정을 내려야 하는 자료해석 유형과 소금물, 거속시와 같은 단순한 문제가 아닌 환율, 이자 등을 계산하는 금융 관련 소재의 응용수리 유형이 출제된다.

4 정보능력 등

엑셀 등 단편적인 이론의 문제 위주로 출제되어 온 기존과는 달리 최근에는 C, JAVA 등 기초적인 프로그래밍 언어 관련 유형 문제가 출제되고 있다.

5 직무상식평가

2019년부터 새로 추가된 직무상식평가에 대한 중요도가 2020년에도 이어져 필기시험 내 비중이 증가하고 있는 추세이다. 직무상식평가의 출제 분야는 크게 농업ㆍ농촌 관련 시사, 금융ㆍ경제 용어 및 시사, IT분야로 구분된다.

04   2021 필기시험 대비 합격 전략

3개년의 농협은행 필기시험의 출제 경향 흐름을 통해 직무상식능력의 비중이 점점 커지고 있음을 확인하였으므로, 이에 대한 맞춤 전략이 필요하다. NCS는 물론, 농업, 금융ㆍ경제, IT 분야까지 다양하게 시사를 접하도록 하되, 이들을 응용하여 접목시킨 문제풀이 연습 또한 필수적이다.

농협은행에서는 금융상품 비교분석/언어논리(문제해결능력), 수학 이론/공식/해석의 속도(수리능력), 독해/언어 유추(의사소통능력), 엑셀 함수(정보능력)을 중시하므로, 이 부분은 시험 때 단어나 유형이 낯설지 않도록 최대한 많은 연습을 해야 한다. 실질적인 은행 업무와 연관성 있는 문제(환율, 금리 등)가 출제되므로 관련 공부도 병행하는 것이 좋다. 마지막으로 시험에서 모르는 문제의 정답을 아무거나 기입할 경우 불이익이 있다는 사실을 인지하고, 모르는 문제는 넘어가도록 한다.

농협은행 新영역 '직무상식평가'

01 직무상식평가 신설

2019년부터 직무상식평가 영역이 새로 추가되었다. 이는 지적 잠재력을 평가하는 시험이므로, 기업 입장에서 지원자들 중 직무 적합성에 부합하는 인재를 필기시험에서 가려내겠다는 의도로 보인다. 2020년 상반기 직무상식평가에서는 농협의 범위에서 더 나아가 협동조합의 역사, 농민운동과 같은 범위의 일반상식도 출제되었다. 더불어 앞으로는 디지털 역량이 중요해지면서 농업·경제·금융뿐만 아니라 IT분야의 문제도 출제되는 추세이다.

02 시험 출제 구성

구분	2019년 상반기	2020년 상반기
문항 수	20문항	30문항
시험 시간	20분	25분
시험 범위	• 금융·경제: 금융·경제 분야 상식 • IT: 데이터베이스, 전자계산기 구조, 운영체제, 소프트웨어 공학, 데이터 통신	• 공통: 디지털 상식, 농업·농촌 관련 시사 • 일반분야: 금융·경제 분야 용어·시사 • IT분야: 데이터베이스, 전자계산기 구조, 운영체제, 소프트웨어 공학, 데이터 통신

03 시험 출제 예시 문항

1 농협·농촌·협동조합 분야

다음 중 협동조합에 대한 설명으로 옳지 <u>않은</u> 것을 고르면?

① 근대적 협동조합 운동은 19세기 스웨덴에서 처음 등장하였다.
② 최초의 농업 협동조합은 덴마크에서 설립되었다.
③ 독일의 협동조합은 신용 협동조합을 시초로 확장되었다.
④ 미국의 협동조합은 구매 협동조합을 중심으로 발전하였다.
⑤ 우리나라의 협동조합 운동은 애국 계몽 운동과 맞물려 전개되었다.

> 최신 기출 키워드
> • 각 나라별 협동조합
> • 국내 협동조합의 역사 관련 문제
> • 농협의 역사

2 금융·경제 분야

다음 헥셔-올린 모형에 대한 설명으로 옳은 것을 [보기]에서 고르면?

|보기|
- ㉠ 부존자원이 이동은 불가능하다.
- ㉡ 국가 간 생산함수에 차이가 있다.
- ㉢ 무역이 이루어지면 양국의 산업구조는 유사해진다.
- ㉣ 상대적으로 풍부한 요소가 집약적인 재화를 더 많이 생산한다.

① ㉠, ㉡   ② ㉠, ㉢   ③ ㉠, ㉣
④ ㉡, ㉢   ⑤ ㉡, ㉣

 최신 기출 키워드

- 국내 금융시장의 역사   · 무차별곡선/단기비용함수/가격제한제도
- 코즈의 정리/헥셔-올린 모형   · 본원통화/환율 변동
- 독점적 경쟁시장/완전경쟁시장   · 장단기금리역전 현상

3 IT 분야

다음 글에서 설명하는 용어로 알맞은 것을 고르면?

다양한 기능 중 고객이 필요한 서비스만 이용할 수 있도록 한 소프트웨어이다. 공급 업체는 하나의 플랫폼을 이용해 다수의 고객에게 서비스를 제공하고, 고객은 이용한 만큼의 돈을 지불한다. 따라서 불필요한 기능에 대해 요금을 낼 필요 없이 개인이 필요한 기능만을 이용할 수 있다. 이를 통해 개인이나 기업이 새로운 소프트웨어 기능을 이용하기 위해 투입되는 비용을 절감할 수 있도록 하여 관리 부담을 피할 수 있다.

① BaaS   ② IaaS   ③ MaaS
④ PaaS   ⑤ SaaS

 최신 기출 키워드

- 스마트 시티 구성 요소   · 4차 산업혁명
- 빅데이터/클라우드   · IPv6
- 크라우드 펀딩   · 램/USB

04 시험 대비 학습 전략

직무상식평가의 도입의 목적은 지적 잠재력을 평가하기 위함이다. 하지만 대부분 서류전형에 합격한 이후부터 준비하다 보니, 광범위한 범위로 인해 학습 방향을 제대로 잡지 못하고 방황하기 마련이다. 따라서 평소 경제 신문 읽기 등 학업을 통해 잠재력을 향상시키는 것이 중요하다. 본 교재에서는 실제 출제된 각 분야별 핵심 기출 상식 용어·개념을 선별한 이론을 통해 먼저 파악하고, 이를 응용한 문제를 제시하여 연습할 수 있도록 하였다.

농협은행의 채용 정보

(2020년 상반기 6급 채용 기준)

01 채용 공고일

구분	공고일	채용인원	접수기간	필기시험	필기발표
2020년	2019. 12. 30.	○○명	2019. 12. 31.~2020. 01. 06.	2020. 02. 23. (코로나 여파로 연기)	2020. 02. 28.
2019년	2019. 02. 13.	○○명	2019. 02. 14.~02. 20.	2019. 03. 17.	2019. 03. 22.
2018년(상)	2018. 02. 01.	○○명	2018. 02. 01.~02. 07.	2018. 03. 04.	2018. 03. 09.
2018년(하)	2018. 09. 20.	○○명	2018. 09. 20.~09. 28.	2018. 10. 14.	2018. 10. 19.

02 채용 절차

지원서 작성	• 채용 공고문을 확인하고, 접수 기간에 본인의 입사지원서 및 자기소개서를 작성하도록 한다. • 지원서 및 자기소개서 허위 작성 시 합격이 취소될 수 있다. • 블라인드 기준(성명, 출신학교 등 기재 금지) 위반 시에는 불이익이 있으니 평가 기준을 확인한 후 성실하게 작성해야 한다.
서류전형	• 자기소개서를 기반으로 지원자의 역량, 조직 적합도 등을 평가한다. • 블라인드 기준 위반, 불성실 작성 등은 불이익이 있을 수 있으니 공고문을 반드시 확인하도록 한다. • 온라인 인·적성평가(Lv.1)도 지정한 날짜에 함께 응시하게 된다.
필기전형	인·적성평가(Lv.2)와 직무능력평가, 직무상식평가 등으로 구성되어 있으며, 채용별로 일부를 생략할 수 있다.
면접전형	인재 선발의 최종 단계로 집단면접, 토의면접, RP면접, PT면접, 심층면접 등으로 구성되어 있으며, 각 채용별 인재선발 기준에 적합하도록 상이하게 운영하고 있다.
채용신체검사	지정 의료기관에서 지정된 일시에 실시한다.
최종 합격	합격자 중 결격사유가 없는 자를 최종 합격자로 선정한다.

03 채용 상세 정보

1 채용 분야 및 근무지

채용 분야	채용 직급	직무	근무지	비고
일반	6급 초급	금융영업 (개인금융·기업금융 등)	전국 농협은행 영업점	지역단위

IT	6급 중견	• IT개발 및 지원
		  (금융·은행 시스템 관련)
		• 정보보안
		  (보안 침해사고 분석 및 대응)
			중앙본부 IT부문
			(경기 의왕시, 안성시 소재)
				전국단위

※ 지역단위: 경기, 강원, 충북, 충남, 전북, 전남, 경북, 경남, 제주, 서울, 부산, 대구, 인천, 광주, 대전, 울산, 세종

2 지원 자격

채용 분야	내용
전 분야(공통)	• 연령, 학력, 전공, 어학 점수에 다른 지원 제한 없음 • 병역필 또는 면제자(복무 중인 경우 2020. 01. 31.까지 병역필 가능한 자) • 신규 직원 교육(20. 03월 초순 예정) 입교 및 이후 계속근무가 가능한 자 • 해외여행에 결격 사유가 없는 자
일반	공통사항 외 제한 없음
IT	(한국산업인력공단에서 시행하는 국가자격) 정보처리기사 또는 정보처리산업기사 자격증 소지자

3 1차 서류전형

온라인 인·적성평가(Level1) 결과는 추후 오프라인 인·적성평가(Level2)를 통해 검증되므로 반드시 솔직하게 응시해야 하며, 평가 마감시간에 응시가 집중될 수 있어 미리 접속하여 평가를 완료하도록 한다.

4 2차 필기전형

본인이 지원한 지역에서 인·적성평가(Level2) + 직무능력평가 + 직무상식평가의 일정으로 시행된다.

5 3차 면접전형(공통)

• 집단면접: 지원자 5~6명 내외가 1조를 이루어 다대다 면접으로 진행된다.
• 토의면접: 주어진 주제 및 상황에 대하여 지원자 간 또는 팀 간 토의 형식으로 진행된다.

6 제출 서류(2차 필기전형 합격자에 한하여 3차 면접전형 시 제출)

• 주민등록초본 1부(현 주소지 전입일 반드시 포함)
• 출신 대학교 졸업(예정)증명서(응시 지역 거주자가 아닌 경우에만 제출)

농협은행의 기업 소개

01 농협이 하는 일

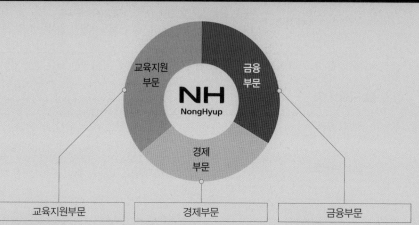

교육지원부문

· **교육지원사업**
농·축협 육성 발전지도·영농 및 회원 육성·지도, 농업인 복지증진, 농촌사랑·또 하나의 마을 만들기 운동, 농정활동 및 교육사업·사회공헌 및 국제협력 활동 등

경제부문

· **농업경제사업**
영농자재(비료, 농약, 농기계, 면세유 등) 공급, 산지유통혁신, 도매사업, 소비자유통 활성화, 안전한 농식품 공급 및 판매

· **축산경제사업**
축산물 생산, 도축, 가공, 유통, 판매 사업, 축산 지도(컨설팅 등) 지원 및 개량 사업, 축산 기자재(사료 등) 공급 및 판매

금융부문

· **상호금융사업**
농촌지역 농업금융 서비스 및 조합원 편익 제공, 서민금융 활성화

· **농협금융지주**
종합금융그룹(은행, 보험, 증권, 선물 등)

02 농협의 미션

농협법 제1조 농업인의 경제적·사회적·문화적 지위를 향상시키고, 농업의 경쟁력 강화를 통하여 농업인의 삶의 질을 높이며, 국민경제의 균형 있는 발전에 이바지함

03 농협의 5대 핵심 가치

1 농업인과 소비자가 함께 웃는 유통 대변화

소비자에게 합리적인 가격으로 더 안전한 먹거리를, 농업인에게 더 많은 소득을 제공하는 유통개혁 실현

2 미래 성장동력을 창출하는 디지털 혁신

4차 산업혁명 시대에 부응하는 디지털 혁신으로 농업·농촌·농협의 미래 성장동력 창출

❸ 경쟁력 있는 농업, 잘사는 농업인

농업인 영농지원 강화 등을 통한 농업경쟁력 제고로 농업인 소득 증대 및 삶의 질 향상

❹ 지역과 함께 만드는 살고 싶은 농촌

지역사회의 구심체로서 지역사회와 협력하여 살고 싶은 농촌 구현 및 지역경제 활성화에 기여

❺ 정체성이 살아 있는 든든한 농협

농협의 정체성 확립과 농업인 실익 지원 역량 확충을 통해 농업인과 국민에게 신뢰받는 농협 구현

04 농협은행의 비전(VISION)

사랑받는 일등 민족은행!

NH농협은행이 추구하고 나아가야 할 미래상

사랑받는 은행	고객, 임직원뿐만 아니라 국민 모두에게 사랑받는 신뢰할 수 있는 은행
일등은행	고객 서비스와 은행 건전성, 사회공헌 모든 측면에서 일등이 되는 한국을 대표할 수 있는 은행
민족은행	100% 민족자본으로 설립된 은행으로 진정한 가치를 국민과 공유하는 존경받을 수 있는 은행

05 농협은행의 인재상

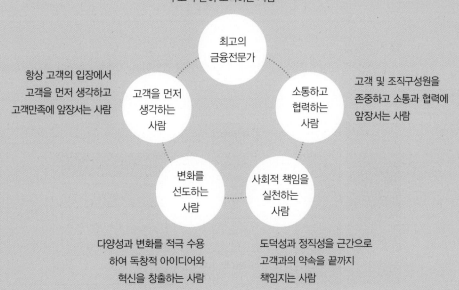

최고의 금융 서비스를 제공하기 위해 필요한 금융전문지식을 갖추고 부단히 노력하는 사람

최고의 금융전문가

고객 및 조직구성원을 존중하고 소통과 협력에 앞장서는 사람

소통하고 협력하는 사람

항상 고객의 입장에서 고객을 먼저 생각하고 고객만족에 앞장서는 사람

고객을 먼저 생각하는 사람

도덕성과 정직성을 근간으로 고객과의 약속을 끝까지 책임지는 사람

사회적 책임을 실천하는 사람

다양성과 변화를 적극 수용하여 독창적 아이디어와 혁신을 창출하는 사람

변화를 선도하는 사람

농협은행 vs 지역농협

01 농협은행과 지역농협의 조직 구조

1 농협은행

- 2012년 3월 농협중앙회가 농협경제지주와 농협금융지주로 분리된 이후, 농협금융지주의 계열사에 속한 은행이다.
- 전국에 1,139개의 지점이 설립되어 있다(2020년 09월 30일 기준).

농협경제지주(17개사)

유통부문	제조부문	식품부문	기타부문
• 농협하나로유통 • 농협유통 • 농협충북유통 • 농협대전유통 • 농협부산경남유통	• 농우바이오 • 남해화학 • 농협사료 • 농협케미컬 • 농협아그로 • 농협흙사랑	• 농협목우촌 • 농협홍삼 • 농협양곡 • 농협식품	• 농협물류 • NH농협무역

농협금융지주(9개사)

은행	보험	증권	기타
• NH농협은행	• NH농협생명 • NH농협손해보험	• NH투자증권 　ㄴ NH선물 　ㄴ NH헤지자산운용	• NH-Amundi 자산운용 • NH농협캐피탈 • NH저축은행 • NH농협리츠운용 • NH벤처투자

2 지역농협

- 조합원으로 구성된 지역농·축협은 모두 다 개별 법인이며, 지역농·축협이 출자하여 농협중앙회가 구성된다.
- 전국에 1,118개의 지점이 설립되어 있다(2020년 10월 31일 기준).

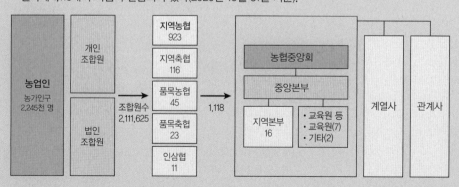

에듀윌과 함께 공기업의 꿈을 이루세요!
에듀윌은 당신의 합격을 응원합니다.

실전 대비 전략

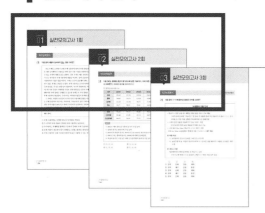

실전모의고사 3회

- 유형별 출제 경향을 파악한 뒤, 모의고사 3회분을 수록하여 시험 전 충분히 연습할 수 있도록 하였습니다.
- 실제 시험과 동일한 구성 및 문항 수를 반영하여 실제 시험을 대비할 수 있도록 하였습니다.

인성검사 · 면접 완벽 대비

인성검사 · 면접

- 두 번의 인성검사와 필기시험 이후의 면접까지 한방에 완벽 대비할 수 있도록 구성하였습니다.
- 실제 농협은행 면접 경험자의 인터뷰를 토대로 집단면접과 RP면접의 중요 포인트를 수록하였습니다.

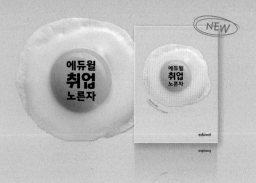

에듀윌 취업 노른자

농협은행 6급 필기시험 구성 변화, 채용 단계별 핵심 정보 등을 한번에 파악할 수 있습니다.

▌ 최신 기출유형 대응 전략

1 최신 기출복원 하프모의고사

- 2020 상반기 필기시험의 실제 기출 문제를 일부 복원하여 직무능력평가 +직무상식평가 구성의 하프모의고사를 제공합니다.

2 최신경향 분석

- 최신 필기시험의 출제 영역과 유형을 분석·정리하여 한눈에 파악할 수 있도록 하였습니다.
- 필기시험의 기출분석 및 키워드 등을 통해 실제 시험에 접근할 수 있도록 하였습니다.

3 대표기출 유형+유형연습 문제

- 반드시 알아야 할 농협은행 필기시험 대표 유형 문제에 대한 풀이 접근법과 상세해설을 수록하였습니다.
- 각 유형별 문제풀이 연습을 통해 문제 형태를 충분히 익힐 수 있도록 하였습니다.

4 직무상식평가

- 新영역인 '직무상식평가'를 따로 구성하여, 이에 대한 정보를 확인하고 대비할 수 있도록 하였습니다.
- 기출상식 용어를 중심으로 핵심 상식 키워드만 선별하여 기본부터 탄탄하게 학습할 수 있도록 하였습니다.

02 농협은행과 지역농협의 채용

구분		농협은행		지역농협
		6급	5급	
필기시험	구성 (문항/ 시간)	• 인·적성평가(Level 2) (325문항/45분) • 직무능력평가 (50문항/60분) • 직무상식평가 (30문항/25분)	• 인·적성평가(Level 2) (325문항/45분) • 직무능력평가 (50문항/70분) • 직무상식평가 (30문항/25분) • 논술평가(2문항/40분)	• 직무능력평가 (60문항/60분 or 60문항/70분 or 70문항/70분) ※ 지역별 상이
	출제 영역	(직무능력평가 기준) • 의사소통능력 • 문제해결능력 • 수리능력 • 정보능력 등 • 농업·농촌 관련 이해도, 농협 추진사업		• 의사소통능력 • 자원관리능력 • 수리능력 • 문제해결능력 • 조직이해능력
채용 분야		• 일반 • IT	• 일반 • 디지털 • 데이터 • IT • 카드 • 자금운용 • 기업금융 • 전문자격(변호사/회계사)	• 일반관리직 • 일반관리직(영농지도) • 일반관리직(농약판매) • 전문직
채용 직급		• 6급 초급(일반) • 6급 중견(IT)	5급	6급 초급
응시 자격		연령, 학력, 전공, 어학 점수에 다른 지원 제한 없음		
채용 과정		서류전형 → 온라인 인·적성(Lv1) → 필기전형 → 면접전형 → 최종 합격		
면접전형		• 집단면접 • 토의면접	• 집단면접(공통) • 토의면접(공통) • 심층면접(일반/카드/자금운용/기업금융/전문자격) • PT면접(디지털/데이터/IT)	• 집단면접 • 주장면접(두 가지 주제 중 하나를 선택해 본인의 생각을 말하는 면접)

03 농협은행 직급 및 연봉

- 일반직 채용 수준: 7급, 6급 초급, 6급 중견(IT), 5급
- 채용 수준별 초임호봉: 7급(5호봉) → 6급 초급(7호봉) → 6급 중견(9호봉) → 5급(11호봉)
- 신입사원 연봉: 5급 기준 4,500만 원 수준

2020년 상반기 필기시험의 실제 기출 문제를 일부 복원하여 만든 하프모의고사입니다.
본 하프모의고사는 직무능력평가 + 직무상식평가 구성의 총 48문제를 제공합니다.

---

01 다음은 전자결재에 관한 규정이다. 이를 바탕으로 [보기]의 지시에 따라 작성한 전자결재 형태로 옳은 것을 고르면?

전자결재 규정

- 모든 전자결재는 기본적으로 최고 결재권자(원장)를 포함한 이하 직책자의 결재를 받아야 한다.
- 정식 결재자와는 별도로 문서의 승인이 필요한 사람을 '협조자'라고 하며, '협조자'의 결재가 있어야 다음 결재권자가 결재를 할 수 있다.
- 결재와는 별도로 해당 문서를 열람할 필요가 있는 사람을 '참조자'라고 하며, '참조자'는 결재가 완료된 문서를 열람할 수 있다.
- 사업의 규모가 협소하거나 그 중요도가 경미한 사항에 대해서는 최고 결재권자(원장)의 결재를 생략하고 하위 결재권자의 책임하에 '전결' 처리한다.
- 전결사항에 대해서도 최종 결재를 위임 받은 자를 포함한 이하 결재자 및 협조자의 결재를 받아야 하며, 전결자의 서명란에는 '(전결)'이라고 표시하고 최고 결재권자(원장)의 서명란은 우상향 대각선으로 표시한다.
- 최고 결재권자의 결재사항 및 최고 결재권자로부터 위임된 전결사항은 아래 기준을 따른다.

구분	기준		부장	실장	원장
사업품의서	사업 기간	6개월 미만	○		
		2년 미만		○	
		2년 이상			○
지출결의서	지출액	100만 원 미만	○		
		500만 원 미만		○	
		500만 원 이상			○

보기

이번에 새로 추진할 1년 6개월짜리 사업에 대한 품의 기안을 P대리가 작성하여 올리도록 하게. 나중에 우리 팀원이 모두 볼 수 있도록 참조자에 전략기획실을 모두 걸고, 법적인 문제가 발생하지 않도록 법무실장을 협조자로 반드시 넣어야 한다네. 최종 결재가 2월 21일까지는 완료되어야 일정에 차질이 없으니 최종 결재까지 완료되는 시간을 넉넉히 일주일 정도로 잡아 기안을 상신하도록 하게.

①

구분	담당자	결재자	협조자	결재자	결재자
소속	전략기획실	전략기획실	법무실	전략기획실	임원실
직급	대리	부장	실장	실장	원장
날짜	2020. 02. 17.				
서명	(인)			(전결)	
참조	전략기획실				

②

구분	담당자	결재자	결재자	결재자	결재자
소속	전략기획실	전략기획실	법무실	전략기획실	임원실
직급	대리	부장	실장	실장	원장
날짜	2020. 02. 12.				
서명	(인)				(전결)
참조	전략기획실				

③

구분	담당자	결재자	협조자	결재자	결재자
소속	전략기획실	전략기획실	법무실	전략기획실	임원실
직급	대리	부장	실장	실장	원장
날짜	2020. 02. 21.				
서명	(인)			(전결)	
참조	법무실				

④

구분	담당자	결재자	협조자	결재자	결재자
소속	전략기획실	전략기획실	법무실	전략기획실	임원실
직급	대리	부장	실장	실장	원장
날짜	2020. 02. 12.				
서명	(인)			(전결)	
참조	전략기획실				

⑤

구분	담당자	결재자	결재자	결재자	결재자
소속	전략기획실	전략기획실	법무실	전략기획실	임원실
직급	대리	부장	실장	실장	원장
날짜	2020. 02. 10.				
서명	(인)				(전결)
참조	법무실				

02 다음은 자동차 사고 과실 비율에 대한 규정과 사고 기록에 관한 자료이다. 이를 바탕으로 A와 B의 과실 비율을 고르면?(단, 문제에서 언급되지 않은 사항은 고려하지 않는다.)

과실 비율 규정

기본 과실은 A: 60, B: 40에서 시작한다. 여기에 사고 당시의 구체적인 상황에 따라 추가적인 과실 비율이 기본 과실에 더해지며, 상대 차량은 그만큼 과실 비율이 기본 과실에서 차감되어 두 차량의 과실 비율 총합은 항상 100을 유지한다. 구체적인 상황에 따른 과실 비율 가감요소는 다음과 같다.

구분	현저한 과실	중과실	교차로 정체 중 진입	대형차
직진 차량	10	20	10	—
좌회전 차량	5	10	—	5

※ 대형차: 전장 4.7m, 전폭 1.7m, 전고 2m를 모두 초과하거나 배기량 2,000cc급 이상
※ 현저한 과실: 음주 운전(혈중알코올농도 0.03% 미만), 운전 중 휴대 전화 사용
※ 중과실: 음주 운전(혈중알코올농도 0.03% 이상), 무면허 운전, 졸음 운전, 제한속도 20km/h 초과, 마약 등 약물 운전
※ 현저한 과실과 중과실이 모두 인정될 경우, 중과실만 적용함

[사고 기록]

A와 B의 자동차 접촉 사고는 사거리 교차로에서 발생하였다. A는 시속 25km의 속도로 직진 주행을 하고 있었는데, 사고 당시 휴대 전화로 영상 통화 중이었다는 사실이 밝혀졌다. B는 A의 측면에서 좌회전을 하는 도중 A와 부딪혔는데, B의 차량은 배기량 2,000cc급이었으며 B는 사고 당시 무면허 상태였던 것으로 밝혀졌다.

	A	B
①	70	30
②	65	35
③	60	40
④	55	45
⑤	50	50

03 다음 글을 읽고 추론한 내용으로 가장 적절하지 <u>않은</u> 것을 고르면?

> CBDC는 실물 명목화폐를 대체하거나 보완하기 위해 중앙은행이 직접 발행하는 디지털화폐를 뜻하며, 발행 대상에 따라 일반적인 소액결제용과 금융기관 간 거액결제용으로 구분할 수 있다. CBDC는 전자적 방식으로 구현되어 현금과 달리 익명성을 제한할 수 있고, 이자 지급이 가능하며, 보유한도 설정 및 이용시간 조절도 가능하다.
>
> CBDC와 관련된 논의는 과거에도 있었으나, 최근 분산원장기술의 발전과 암호자산의 확산 등을 계기로 이에 대한 논의가 급격히 활성화되었다. 특히 인구가 적고 현금 이용 감소에 따른 부작용 발생 우려가 있거나, 금융 포용 수준이 낮은 특수 환경에 처한 일부 국가들이 CBDC 발행을 보다 적극적으로 검토하고 있다. 스웨덴은 현금 이용이 크게 감소하여 일부 민간 전자지급 수단에 대한 의존도가 심화되었고, 그 결과 지급 서비스 시장 독점의 문제가 발생하여 이를 해결하기 위해 CBDC 발행을 검토하고 있다. 우루과이, 튀니지 등은 지급 결제 인프라가 미비하여 국민들이 금융 서비스에 쉽사리 접근하지 못하는 상황을 타개하기 위하여 CBDC 발행을 고려하고 있다.
>
> 2019년 7월 8일 중국은 CBDC를 발행한다고 공식 발표하였으며, 왕씬(王信) 중국 인민은행 연구원 원장은 중앙은행 차원에서 암호화폐를 발행할 예정이라고 밝혔다. 그 외에 터키 중앙은행이 CBDC 발행 계획을 2019~2023 경제 로드맵에 포함시켰으며 노르웨이 중앙은행, 태국 중앙은행, 러시아 중앙은행도 CBDC 발행에 낙관적으로 검토하고 있다고 밝힌 바 있다. 반면 한국은행은 2018년 1월 출범한 '가상통화 및 CBDC 공동연구 태스크포스(TF)'를 해체하고 CBDC를 가까운 장래에 발행하지 않기로 결정했다.
>
> 그러나 2020년 들어서 한국은행의 기조가 서서히 바뀌고 있다. 스웨덴은 입출금과 계좌이체, 지급결제 등이 모두 가능한 디지털화폐 'e－크로나'를 본격적으로 개발하고 있으며, 영국과 EU, 캐나다와 일본 등 주요국 중앙은행들도 전담반을 꾸리는 등 CBDC 연구에 적극 나서고 있다. 한국은행도 이러한 국제 이슈에 대응하고자 CBDC 연구·기술팀을 신설하였으며, 내년부터 CBDC 시범 운영을 시행할 계획이다. 기축 통화인 달러화를 발행하는 미국마저 CBDC 발행 계획이 없다는 기존 입장을 뒤집고 디지털화폐 연구를 강화하겠다고 밝혔다.

① 우리나라는 아직 CBDC를 발행하지 않았다.

② 미국은 CBDC 발행에 대해 회의적인 입장이었다.

③ CBDC가 도입되면 불법자금 및 지하경제 문제가 완화될 수 있다.

④ 스웨덴은 현금 이용 감소에 따른 부작용을 극복하고자 'e－크로나'를 개발하고 있다.

⑤ CBDC는 우루과이나 튀니지처럼 금융 인프라가 충분히 발달하지 않은 국가에서는 그 효과가 미비하다.

[04~05] 다음 글을 읽고 질문에 답하시오.

국내 투자자의 수익률 추구는 금융상품 투자 측면에서 볼 때 신용물 채권, 대체 투자, 해외 투자, 파생결합증권·신용파생상품 등에 대한 투자 증가로 나타나고 있다.

국내 금융기관의 영업 행태 측면에서는 증권회사, 투자펀드의 위험선호가 일부 강화되고 있는 것으로 나타났다. 은행과 보험회사의 경우 아직까지 위험선호 강화가 나타나지는 않고 있다. 그러나 은행의 경우 예대마진이 축소되고 있고, 보험회사도 수익·비용 역마진이 지속되어 수익률 제고 압력이 증대되면서 위험선호를 강화할 유인이 상존하고 있다. 여기에 주요 기관투자자인 연기금도 공적연금을 중심으로 대체 투자와 해외 투자를 지속적으로 확대하는 등 기금 소진 전망에 따른 수익률 추구 현상이 관찰되고 있다.

과도한 수익률 추구는 리스크 평가의 관대화로 이어져 리스크 과소평가를 초래할 개연성이 크다. 특히 공정 가치 평가가 용이하지 않은 복잡하고 유동성이 낮은 금융상품의 경우 리스크 평가의 어려움이 가중된다. 리스크 과소평가가 심화된 상황에서 금리 급등 등의 충격이 발생하면 급격한 리스크 재평가와 신용스프레드 확대를 유발할 가능성이 있다. 신용스프레드의 급격한 확대로 금융기관 등 투자자의 손실이 확대될 경우 보유 자산의 급매각을 초래하여 금융시장 전반으로 충격이 증폭·확대될 수 있다.

이러한 금융 환경에서 정책 당국은 시스템 리스크의 과도한 축적을 억제하면서 금융 산업의 건전한 발전을 도모하는 균형 있는 접근을 강화할 필요가 있다. 최근 사모펀드 등 일부 금융부문의 급격한 성장이 투자자의 수익률 추구에서 기인한 것으로 보이는 만큼, 이러한 변화가 시스템 리스크의 확대로 이어지지 않도록 금융상품 투자 및 금융기관의 영업 행태 등에 대한 모니터링 체계를 더욱 확충해 나가야 한다.

04 윗글을 읽고 추론한 내용으로 가장 적절한 것을 고르면?

① 국내 금융기관 중 보험회사와 증권회사는 위험선호가 강화되지 않았다.
② 수익·비용 역마진이 지속되는 상황은 은행이 더 큰 리스크를 감당하도록 만든다.
③ 연기금이 그동안 공적연금을 투자했던 자산의 수익률은 해외투자 수익률보다 낮은 편이다.
④ 사모펀드는 수익률을 추구하기 위해 공정가치 평가가 용이한 금융상품에 투자하는 경향이 있다.
⑤ 현재 금리 급등 등의 충격이 발생하면 은행과 보험회사의 투자처에서 급격한 리스크 재평가가 발생할 우려가 있다.

05 윗글을 읽은 리스크관리부의 A부장이 B대리에게 메시지를 남겼다. 다음 중 A부장의 메시지를 받은 B대리가 향후 취할 행동으로 옳은 것을 고르면?

- 보내는 사람: 리스크관리부 A부장 〈A_boojang@nhbank.net〉
- 받는 사람: 리스크관리부 B대리 〈B_replacingman@nhbank.net〉
- 날짜: 2020. 02. 24. 오후 06:01:22
- 제목: 내일까지 이것 좀 확인해 주게나

　우리 은행도 혹여나 위험선호가 강화되어 리스크를 과소평가하고 있는 것은 아닌지 확인해 볼 필요가 있을 것 같네. 우선 투자금융부에 연락해서 현재 자산 포트폴리오에 대한 자료부터 요청하게. 투자금융부에 없는 자료는 아마 자금부에 연락하면 될 것이네. 그리고 기업 대출 부분도 체크해야 하니 여신관리부에 연락해서 만기가 1년 이내인 여신 자료부터 우선 요청하게. 해당 여신들에 대한 평가 자료는 이미 여신심사부에서 여신관리부로 모두 넘어간 상태니까 굳이 여신심사부에 추가 자료를 요청할 필요는 없을 걸세. 자료를 다 받은 후에는 자료 중 가장 적절한 평가 모델을 선정하고 그에 맞춰 정리 부탁함세. 그걸 리스크검증단의 C과장에게 맡기도록 하게.

---

① 여신심사부에는 연락하지 않는다.
② 현재 자산 포트폴리오에 대한 조사를 시작한다.
③ 위험선호가 강화되고 있는지 자료를 통해 분석한다.
④ 여신관리부에 연락하여 청산되지 않은 모든 여신 자료를 요청한다.
⑤ 투자금융부와 여신관리부에 자료를 요청하고 미리 적절한 평가 모델을 선정하여 자료를 입수하는 즉시 정리 작업에 착수한다.

(가) 국내 5대 은행(농협, 국민, 신한, 하나, 우리)의 자산건전성은 저금리 기조, 은행의 리스크 관리 강화 등에 힘입어 개선세가 지속되었다. 자산건전성을 나타내는 대표적인 지표인 고정이하 여신비율은 2019년 3/4분기 말 0.49%로, 2000년대 들어 가장 낮은 수준을 기록하였다. 또 다른 안전성 지표인 BIS 자기자본비율은 15.26%로 규제 기준 8%를 상회하고, 원화 및 외화 유동성 커버리지 비율(LCR)도 각각 107.2%와 127.9%로 양호하여 국내 5대 은행은 안전성 측면에서 경쟁력이 있는 것으로 평가된다.

(나) 국내 5대 은행의 수익성은 지속적인 기준금리 인하에 따른 예대금리차 축소 등으로 소폭 하락하였다. 국내 은행의 수입원 중에서 이자이익이 차지하는 비중은 80% 이상으로, 여전히 선진국 은행의 50% 수준보다 매우 높아 기준금리 인하에 더 취약한 상태이다. 전문가들은 뉴노멀로 대변되는 저금리 기조가 장기화됨에 따라 예대마진을 통한 이자이익보다 수수료 수입 등 비이자이익의 비중을 확대해야 국내 은행이 글로벌 경쟁력을 갖출 수 있을 것이라고 지적하였다.

(다) 손 안의 모바일로 할 수 있는 일은 어디까지 확대될까? 지점 하나 없는 인터넷전문은행들의 도전이 거세다. 2019년 7월 카카오뱅크는 가입자 수 천만 명을 돌파하여 기존 상업은행들의 규모를 바짝 뒤쫓고 있다. 간편 송금 서비스로 시작한 토스도 2019년 12월 인터넷전문은행 예비인가를 승인받아 본격적인 은행업 진출을 앞두고 있다. 편의성을 앞세운 비대면 금융 서비스에 대한 수요는 날이 갈수록 증가하고 있으며, 이러한 수요를 전통적인 상업은행이 아닌 기술력을 앞세운 테크 기업들이 앞다퉈 선점하고 있는 상태이다.

보기

- A: BIS 자기자본비율이 8%를 넘으면 규제의 대상이 되겠구나.
- B: 비이자이익은 기준금리의 변동에 굉장히 민감하게 반응하는군.
- C: 국내 5대 은행은 자산건전성 측면에서 확실히 경쟁력이 있구나.
- D: 국내 상업은행이 앞으로도 경쟁력을 확보하려면 핀테크 등 IT 역량을 확보해야만 해.

① A, B   ② B, C   ③ B, D
④ C, D   ⑤ A, C, D

07 다음은 여행자 보험 보상 규정이다. 이를 바탕으로 [보기]의 고객문의를 처리하였을 때 지급되는 보상액을 고르면?

여행자 보험 보상 규정

해당 여행자 보험 상품은 여행 도중 물적 손해에 한해 보상하고 있습니다. 여행 물품이 도난·분실·파손 및 기타 원인으로 물적 손해가 발생하였을 경우, 손해액의 100%에 해당하는 금액을 보상합니다(일부 품목 제외). 단, 도난·분실·파손 및 기타 원인의 귀책사유가 피보험자에게 있을 경우에는 보상액을 지급하지 않으며, 피보험자 본인의 물건에 한해서만 보상이 이루어집니다(업체를 통한 렌트 물품 제외). 해당 여행자 보험 상품의 보장 범위는 다음과 같습니다.

여행지	공항
• 휴대 전화, 선글라스, 카메라 등 휴대품 • 의류 및 가방 • 현금 및 유가증권 • 귀금속 • 렌트 물품 파손 비용	• 공항에서 구입한 물품(단, 영수증 지참 필수) • 의류 및 가방 • 현금 및 유가증권

※ 환율은 1$=1,200₩으로 계산함
※ 휴대품 및 공항에서 구입한 물품 1개(혹은 1쌍, 1조)당 보상액은 최대 30$(=36,000₩)로 제한됨

보기

[고객문의]

이번 여행 도중 피해를 입어 보상 신청하려고 합니다. 여행지로 출발하는 공항에서 비행기용 목 베개, 슬리퍼, 책을 구입하였는데요, 공항 측에서 수하물 관리에 실수가 있어 모두 잃어버렸습니다. 그리고 여행 중에 자동차를 렌트했는데 자는 동안에 누군가가 파손하였습니다. 렌트 회사에 수리비를 알아보니 한화로 199,000원이라고 합니다. 또 친구에게 빌린 카메라도 여행지에서 누가 훔쳐 버렸습니다. 정말 무서운 동네였고, 다시는 여행을 가고 싶지 않네요. 황급히 공항으로 돌아오느라 경황이 없어 선글라스도 택시에서 놓고 내린 것 같습니다.

갖고 있는 영수증을 보니까 공항에서 산 비행기용 목 베개와 슬리퍼의 가격은 각각 40$, 25$이고, 책의 가격은 영수증을 잃어버려 정확한 구입 가격은 알 수 없었습니다. 다만 온라인 최저가를 검색해보니 12$라고 나오더군요. 온라인 최저가로라도 보상해주세요. 카메라와 선글라스의 가격은 각각 35만 원, 17만 원입니다.

① 102,000원 　　　② 152,400원 　　　③ 265,000원
④ 277,000원 　　　⑤ 301,000원

금리는 이자율이라고도 표현하는데, 이자율로 인한 경제적 이득을 정확히 측정하기 위해서는 표면적인 이자율뿐만 아니라 인플레이션율을 함께 고려해야 한다. 화폐로 인한 효용은 재화를 구입할 수 있는 구매력에 기반하기 때문이다. 예를 들어 100만 원을 연이율 2%짜리 예금에 예치하면 1년 후 원리금 102만 원을 돌려받을 수 있는데, 같은 기간 동안 2%의 인플레이션이 발생하였다면 1년 전에 100만 원으로 살 수 있는 재화의 총량과 1년 후에 102만 원으로 살 수 있는 재화의 총량에는 차이가 없다. 즉, 표면적으로는 2%의 이득을 얻었지만 인플레이션이 발생하여 구매력 측면에서는 아무런 이득을 얻을 수 없는 셈이다. 이처럼 인플레이션율까지 고려하여 경제적 효과를 정확히 측정한 금리를 실질이자율(r)이라고 하며, 표면적인 금리를 명목이자율(i)이라고 한다.

한편 실질이자율은 $r=i-\pi$로 측정할 수 있는데, 이를 피셔 방정식이라고 부른다. 여기서 π는 인플레이션율로, 위의 예시처럼 현재를 기점으로 향후 1년 동안의 인플레이션율을 사용해야 소기의 목적에 부합한다. 그러나 현재 시점에서는 향후 1년 동안의 인플레이션율을 알 수 없으므로 예상 인플레이션율(π^e)을 사용하며, 이때 얻어지는 실질이자율 역시 예상치에 불과하다. 이를 사전적 실질이자율의 예측이라 하며, $r^e=i-\pi^e$로 나타낸다. 그리고 1년이 지난 후 1년 동안의 정확한 인플레이션율이 산출되면 1년 전에 예상치로 도출한 실질이자율의 정확한 값을 측정할 수 있게 되는데, 이를 사후적 실질이자율의 산정이라 하고 $r=i-\pi$로 나타낸다.

피셔 방정식은 실질이자율에 대한 일종의 정의이므로, 식 자체에는 이론의 여지가 없다. 그러나 그 해석에는 크게 2가지의 상반된 견해가 존재한다. 첫 번째 견해는 고전적인 시각으로, 실질이자율은 피셔 방정식과 관계없이 대부자금시장에서 결정된다는 견해이다. 즉, 피셔 방정식에서 실질이자율은 독립적으로 주어진 상수이므로, 인플레이션율이 k%p 높아지면 명목이자율도 동일하게 k%p 높아질 것이라고 본다. 이를 피셔 효과라고 부르는데, 중앙은행에서 화폐공급량의 증가율을 높여도 인플레이션율만 그대로 높아질 뿐, 실질이자율의 변동으로 인한 기업 투자 촉진, 자본 축적 등의 경제적 실효를 거두기 어렵다는 함의를 내포하고 있다. 이를 화폐의 초중립성이라고도 한다.

또 다른 견해는 케인즈주의적인 시각으로, 명목이자율이 유동성 선호, 즉 화폐에 대한 수요와 화폐공급의 균형에서 결정된다는 견해이다. 이에 따르면 중앙은행에서 화폐공급량의 증가율을 높이면 고전적인 시각에서와 마찬가지로 인플레이션율이 높아지긴 하지만, 인플레이션율 상승의 효과가 모두 명목이자율의 상승에만 반영되는 것이 아니라 명목이자율의 상승과 실질이자율의 하락 양쪽으로 분산된다. 이를 먼델-토빈 효과라고 부른다. 중앙은행은 화폐공급량의 증가율을 조절하여 실질이자율을 변동시킬 수 있으며, 이를 통해 기업 투자 촉진, 자본 축적 등의 경제적 실효를 거둘 수 있다는 함의를 내포하고 있다. 즉, 화폐의 초중립성은 성립하지 않는다.

두 가지 입장 중 어떤 것이 현실 설명력이 높은지에 대해서는 학자마다 의견이 분분하다. 고전적인 시각이 항상 옳다는 측도 있고, 케인즈주의적인 시각이 항상 옳다는 측도 존재한다. 더불어 단기적으로는 케인즈주의적인 시각이, 장기적으로는 고전적인 시각이 옳다는 절충안도 있다.

08 윗글을 읽고 추론한 내용으로 가장 적절하지 <u>않은</u> 것을 고르면?

① 현재의 실질이자율을 정확히 알아내는 것은 어려운 일이다.

② 은행에 예금을 맡겨 이자를 받더라도 경제적으로는 오히려 손해를 볼 수도 있다.

③ 피셔 방정식에서 실질이자율이 변수가 된다면 화폐의 초중립성은 성립하지 않는다.

④ 화폐공급량의 증가율이 높아지면 인플레이션율도 높아진다는 점에서는 고전적인 시각과 케인즈주의적인 시각 모두 이견이 없다.

⑤ 침체된 경기를 부양하기 위해 중앙은행의 적극적인 행보를 촉구하는 논평을 작성할 때에는 먼델―토빈 효과보다 피셔 효과를 인용하는 것이 효과적이다.

09 다음 [표]와 윗글을 바탕으로 추론한 내용으로 가장 적절하지 <u>않은</u> 것을 고르면?

[표] A~C은행의 금리 현황 (단위: %)

구분		예상 인플레이션율	실제 인플레이션율	명목예금금리	명목대출금리
2017년	A은행	1.2		1.4	3.5
	B은행	1.4	1.3	1.5	3.5
	C은행	1.5		1.6	3.6
2018년	A은행	1.5		1.7	3.6
	B은행	1.3	1.4	1.4	3.2
	C은행	1.2		1.3	3.3

※ A~C은행은 연초에 각자 올해의 인플레이션율을 예상하고, 이를 토대로 명목예금금리 및 명목대출금리를 결정하여 1년 동안 유지한다.

① 2018년 예금자의 예금을 통해 실질적인 이득을 얻었던 은행은 1곳이다.

② 고객의 실질적인 이득과 은행의 실질적인 이득은 서로 상충 관계에 있다.

③ 2017년 대출로 인한 실질적인 이득이 연초 예상보다 적었던 은행은 2곳이다.

④ 모든 은행은 두 해 모두 예금자에게 양의 실질예금금리를 제공하고자 하였다.

⑤ 예대마진으로 인한 은행의 실질적인 수익은 예상 인플레이션율과 실제 인플레이션율의 괴리에 따른 불확실성의 영향을 받지 않는다.

[10~11] 다음은 S병원의 환자들에게 부여되는 질병분류코드에 관한 규정이다. 이를 바탕으로 질문에 답하시오.

S병원에서는 환자들의 정보를 효율적으로 통합 관리하기 위해 다음과 같은 질병분류코드를 제정하였다.

• 질병분류코드는 총 9자리로 구성되어 있으며, 경우에 따라 10자리가 될 수도 있다.
• 첫 번째 자리에는 질병계통에 따라, 두 번째와 세 번째 자리에는 세부 병명에 따라 다음과 같이 코드가 부여된다.

첫 번째 자리(질병계통)		두 번째, 세 번째 자리(세부 병명)
악성신생물	C	세부 병명에 따라 00~97
내분비, 대사질환	E	세부 병명에 따라 00~90
정신 및 행동장애	F	세부 병명에 따라 00~99
눈과 귀	H	세부 병명에 따라 00~95
신경계통	G	세부 병명에 따라 00~99
순환계통	I	
호흡계통	J	
소화계통	K	세부 병명에 따라 00~93
피부 및 피하조직	L	세부 병명에 따라 00~99
비뇨생식계통	N	
손상	S	세부 병명에 따라 00~98
선천기형, 염색체 이상	Q	세부 병명에 따라 00~99

• 네 번째와 다섯 번째 자리에는 행해진 진료에 따라 다음과 같이 코드가 부여된다.

단순 입원	무균실 입원	집중 영양 치료	중환자실 입원	방사선 치료	수혈
AB	AD	AI	AJ	HD	XZ

이학요법	정신요법	장기이식	대장내시경	응급처치	수술
MM	NN	QZ	CZ	MX	OZ

• 여섯 번째 자리에는 반드시 '0'이 부여된다.
• 일곱 번째 자리에는 환자의 성별을 표시한다. 남성일 경우 'M', 여성일 경우 'F'가 부여된다.
• 여덟 번째, 아홉 번째 자리에는 환자의 만 나이를 두 자릿수로 부여한다. 나이가 한 자릿수일 경우 여덟 번째 자리에는 '0'을 부여하고, 나이가 100세 이상일 경우 '99'를 부여한다.
• 만약 합병증이 발생하였다면 열 번째 자리에 'U'를 부여하고, 합병증이 없다면 9자리로 코드를 발행한다.

10 위의 규정에 따라 부여된 질병분류코드 중 옳은 것을 고르면?

① S99MX0M28
② E90AI3F99U
③ Q37AD0F1U
④ F99NN0M45
⑤ C08OZ0K62U

11 다음 [표]는 5명의 환자 A~E의 상황에 관한 자료이다. 이를 바탕으로 부여된 질병분류코드로 옳지 <u>않은</u> 것을 고르면?(단, 제시되지 않은 상황에 대한 코드는 모두 옳다고 가정한다.)

[표] 환자 A~E의 상황

환자	상황	질병분류코드
A	17세 남성. 피부에 문제가 있어 응급처치를 받음	① L16MX0M17
B	33세 여성. 소화계통에 문제가 있어 대장내시경을 받음	② K27QZ0F33
C	45세 남성. 비뇨생식계통에 문제가 있어 이학요법을 받음. 합병증이 있음	③ N72MM0M45U
D	52세 남성. 순환계통에 문제가 있어 수술을 받음. 합병증 있음	④ I52OZ0M52U
E	109세 여성. 악성신생물이 생겨 방사선 치료를 받음	⑤ C97HD0F99

최근 비밀번호를 대체하는 생체인식 기술이 급속도로 발전하고 있다. 생체인식 기술은 신체정보를 이용하는 방식과 행위 특성을 이용하는 방식으로 나눌 수 있는데, 신체정보를 이용하는 방식에는 지문 인식, 홍채 인식, 안면 인식 등이 있고, 행위 특성을 이용하는 방식에는 음성 인식, 걸음걸이 인식, 서명 등이 있다. 각각의 특징은 다음과 같다.

지문 인식	지문은 사람마다 모두 다른 고유의 값을 선천적으로 가지고 있으며, 분실의 위험이 없기 때문에 지문 인식은 매우 효과적이며 편리한 방식이다. 그러나 스카치테이프만으로도 지문 정보를 채취 및 복제할 수 있어 보안성 측면에서는 취약한 편이며, 변경이 불가능하기 때문에 보안 정보가 한번 유출되면 인증 정보를 자유롭게 바꿀 수 있는 고전적 보안 체계보다 더 위험에 빠질 수 있다. 따라서 최고 수준의 보안이 요구되는 곳에서는 오히려 지문 인식이 아닌 고전적 보안 체계를 사용하고 있다. 변경 불가능으로 인한 문제점은 지문 인식뿐만 아니라 생체인식 기술의 전반적인 결점으로 지적된다.
홍채 인식	홍채는 사람마다 모두 선천적으로 다른 고유의 값을 가지고 있으며, 분실의 위험이 없기 때문에 매우 효과적이며 편리하다. 또한 광학 또는 초음파 지문 인식은 잘린 손가락으로 보안이 뚫리는 반면, 홍채 인식은 안구 적출 시 신경이 끊어져 홍채가 다른 모양으로 변하기 때문에 보안성 측면에 지문 인식보다 우수하다. 최근에는 기술이 발전하여 콘택트렌즈나 안경을 착용한 상태에서도 문제없이 인식이 가능하지만, 실눈을 뜨거나 짙은 선글라스를 착용하는 등 눈 전체를 노출하지 않으면 인식이 어렵다.
안면 인식	안면 인식은 지문과 홍채와 달리 인식이 되지 않는 경우가 상당히 빈번하다. 머리를 자르거나, 모자를 쓰거나, 화장을 하거나, 표정을 바꾸거나, 세월에 따른 얼굴 변화로 인해 인식하지 못하는 경우가 생긴다. 따라서 안면 인식의 경우 머신러닝에 의한 얼굴 변화 인식이 필수적인데, 높은 비용이 동반된다. 또한 머신러닝으로 이를 극복한다 하여도 급격히 성장하는 청소년이나 사용 빈도가 극히 낮은 경우에는 안면 인식이 적합하지 않다.
음성 인식	음성 인식은 보안의 기능과 함께 비서 서비스도 연동할 수 있다는 장점이 있다. 또한 다른 생체인식 기술과 달리 원거리에서도 신분 확인을 할 수 있으며, 시스템 가격이 상대적으로 저렴하다. 그러나 감기에 걸리거나 목 상태가 좋지 않은 경우, 주변에 큰 소음이 있을 때는 인식률이 떨어지며, 녹취 등에 의한 정보 유출이 일어날 수 있다.
걸음걸이 인식	걸음걸이 인식의 최대 장점은 무자각으로 인증을 진행할 수 있어 사용자의 거부감이 적고 간단하다는 것이다. 온몸을 스캔하지 않고 하반신만 스캔해도 인증이 가능하지만, 옷차림에 따라 인증이 어려운 경우도 발생할 수 있다. 또한 신경이나 근육, 뼈 등에 이상이 발생하여 걸음걸이가 달라지면 인증이 불가능해지는 단점이 존재한다.
서명	서명은 고전적 보안 체계에서도 사용되었지만, 생체인식 기술과 접목되면서 더 간편하고 정확하게 인증이 가능해졌다. 또한 다른 생체인식 기술과는 다르게 언제든지 사인을 변경할 수 있으므로 보안 정보가 유출되더라도 대처가 가능하다. 그러나 연습에 의한 모방이 어느 정도 가능하여 보안성은 다른 생체인식 기술에 비해 떨어지는 편이다.

12 윗글에 대한 설명으로 가장 적절한 것을 고르면?

① 음성 인식은 원거리에서도 인식이 가능하지만, 인증 장비가 고가라는 문제점이 있다.

② 서명은 고전적 보안 체계를 한 단계 발전시켜 다른 생체인식 기술에 비해 보안성이 탁월한 편이다.

③ 안면 인식은 인증 정보를 자의적으로 변경할 수 없으므로 보안 정보가 한번 유출되면 큰 위험에 빠질 수 있다.

④ 홍채 인식은 보안성 측면에서 지문 인식보다 우수하지만, 인증할 때마다 콘택트렌즈나 안경, 선글라스를 벗어야 하는 번거로움이 있다.

⑤ 걸음걸이 인식은 옷차림에 관계없이 하반신만 스캔해도 인증이 가능하지만, 신체적인 문제가 발생하여 걸음걸이가 달라지면 인식이 불가능해진다.

13 다음 [보기]의 회의록과 윗글을 바탕으로 채택되는 생체인식 기술을 고르면?

> **보기**
>
> • A: 이번 보안 시스템 업데이트 때 새롭게 생체인식 기술을 도입하려고 하는데, 옵션이 여러 가지더군요. 어떤 기술을 도입하는 것이 가장 좋을까요?
> • B: 우리 건물에 왕래하는 사람이 워낙 많으니, 여러 명을 한꺼번에 인식할 수 있는 걸음걸이 인식을 도입하는 것이 어떨까요?
> • C: 임직원 중에 휠체어를 탄 사람들도 더러 있는데 그 사람들은 어떻게 인증하나요? 그리고 행위 특성을 인식하는 방식은 다소 부정확할 수 있으니까 모두 제외하도록 하죠.
> • D: 현장 작업자들은 보안경을 착용하는 경우도 있는데, 색깔이 있는 보안경은 인식이 안 되는 경우도 더러 있다고 합니다. 이런 측면도 고려해야 해요.
> • E: 말씀하신 것들을 모두 고려하되, 비용이 좀 낮은 시스템을 채택하도록 하겠습니다. 예산이 그렇게 여유로운 편이 아니거든요.

① 지문 인식

② 홍채 인식

③ 안면 인식

④ 음성 인식

⑤ 서명

올바른 POINT 카드

■ 주요 서비스

① 포인트 적립: 적립한도 없이 0.7~1.5% NH포인트 적립

• 기본적립

구분	전 가맹점 기본적립	하나로 고객 우대적립		
적립률	0.7%	0.8%	0.9%	1.0%
전월 실적	조건 없음	30만 원 이상 100만 원 미만	100만 원 이상 200만 원 미만	200만 원 이상

• 추가적립(기본적립에 가산)

구분		적립률	전월 실적
쇼핑	하나로마트·클럽, 농협몰	0.5%p	30만 원 이상
편의점·잡화	GS25, CU, 올리브영		
영화	CGV		
커피·제과	스타벅스, 파리바게뜨		
해외관련	해외일시불, 면세점		

※ 편의점·잡화, 커피·제과: 역사, 백화점 및 할인(아울렛)점 입점매장은 추가적립 미제공

② 국제공항 라운지 무료 이용

• 대상 라운지
  − 인천(마티나 일반, 스카이허브, SPC라운지, 롯데라운지L)
  − 김포·김해(스카이허브)

• 공항 라운지 이용 유의 사항
  − 서비스는 본인 회원 대상 통합 월 1회, 연 2회 범위 내에서 제공됩니다.
  − 서비스 조건: 전월 이용 실적 30만 원 이상 시 제공

■ 서비스 이용 조건

① 전월 실적을 충족해야 하는 서비스는 사용 등록하신 달에는 제공되지 않으며, 그 다음 달부터 서비스 조건 충족 시 서비스가 제공됩니다.

② 전월 실적은 해당 카드로 전월(1일~말일) 국내·외 일시불/할부(전액 인정) 이용 금액을 의미합니다.

③ 이용 금액은 승인일 기준 이용 금액을 의미합니다.

■ 포인트 적립 관련 유의사항

① 카드 이용 시 제공되는 포인트 및 할인 혜택 등의 부가 서비스는 카드 신규 출시 이후 3년 이상 축소·폐지 없이 유지됩니다.

② 상기에도 불구하고, 다음과 같은 사유가 발생한 경우 카드사는 부가 서비스를 변경할 수 있습니다.
  • 카드사 또는 부가 서비스 관련 제휴업체의 휴업·도산·경영위기, 천재지변, 금융환경 급변 또는

그 밖에 이에 준하는 사유의 발생
- 카드사의 노력에도 제휴업체가 일방적으로 부가 서비스 변경을 통보(단, 다른 제휴업체를 통해 동종의 유사한 부가 서비스 제공이 가능한 경우 제외)
- 카드 신규 출시 이후 3년 이상 경과했고, 해당 카드의 수익성 유지가 어려운 경우

③ 카드사가 부가 서비스를 변경하는 경우에는 부가 서비스 변경 사유, 변경 내용 등을 사유발생 즉시 홈페이지에 게시하고, 사전 또는 사후 개별 고지해 드립니다.

④ 개별 고지 방법: 이용대금명세서, 우편, 전자우편(e-mail), 문자메시지 중 하나

■ NH포인트 사용 방법

1점 이상 시 현금처럼 사용 가능(1점=1원)

- 사용처: 하나로클럽·마트, 파머스클럽, NH-OIL, 농협운영주유소, 농협몰, 신토불이매장, 농협홍삼, NH여행, 두레미담, 목우촌체인점, 안성팜랜드, 브랜드축산물전문점, 인삼판매장, 11번가, CGV
- 농협 인터넷뱅킹에서 금융거래: 카드대금 및 연회비 선결제, 장기카드대출(카드론) 선결제 및 중도상환, SMS 이용요금, CMS 이체수수료, 대출원리금 상환

14 **위의 자료에 대한 반응으로 가장 적절한 것을 고르면?**

① 훈재: 적립한 NH포인트는 현금처럼 아무 곳에서나 사용할 수 있겠군.

② 미성: 카드를 발급받은 직후에는 포인트 적립률이 0.7%로 제한되겠구나.

③ 은재: 전월 실적이 30만 원 이상이면 매달 한 번씩 국제공항 라운지를 무료로 이용할 수 있겠군.

④ 은정: 전월 실적이 30만 원 이상이면 고향 내려갈 때마다 기차역 스타벅스에서 추가적립을 노릴 수 있겠어.

⑤ 영나: 만약에 카드사에서 남는 게 없다고 나도 모르는 사이에 혜택이 축소되면 어떻게 하지?

15 다음 [표]는 O씨의 1월, 2월 올바른 POINT 카드 사용 내역이다. 위의 자료와 [표]를 바탕으로 2월에 적립된 NH포인트를 고르면?(단, O씨는 하나로 고객이며, 원/엔 환율은 1,100원/100엔으로 계산한다.)

[표1] 1월 카드 사용 내역

승인일	상호명	금액	비고
1월 4일	CGV	26,000원	
1월 7일	더본테이블	384,000원	
1월 9일	CU	8,800원	
1월 14일	하이마트	960,000원	6개월 할부
1월 25일	에어서울	125,200원	
	스시 사이토	36,000엔	해외
	에어서울	134,000원	

[표2] 2월 카드 사용 내역

승인일	상호명	금액	비고
2월 3일	본앤브레드	3,080,000원	
2월 7일	롯데시네마	10,000원	
2월 15일	올리브영	50,000원	명동본점
2월 21일	현대백화점	210,000원	

① 27,050포인트

② 30,150포인트

③ 30,400포인트

④ 33,500포인트

⑤ 33,750포인트

16 다음 글을 읽고 K사원이 정리한 보고서에 대한 C과장의 피드백 내용 중 가장 적절한 것을 고르면?

공인인증서가 폐지되면서 간편인증이 새로운 화두로 떠오르고 있다. 기존에는 카드 결제를 위해서는 카드번호와 비밀번호를 매번 입력해야 했지만, 간편인증이 도입되면서 PIN 등으로 손쉽게 결제를 할 수 있게 되었다. 간편인증은 결제 서비스뿐만 아니라 금융 서비스에서도 활용된다. 예전에는 계좌를 개설하기 위해 신분증 등의 구비서류를 지참하여 은행 점포가 문을 닫기 전에 내방해야 했지만, 지금은 휴대 전화로 신분증을 촬영하여 점포에 방문하지 않아도 쉽게 계좌를 개설할 수 있다.

뿐만 아니라 송금을 할 때에도 번거롭게 보안카드나 OTP를 사용할 필요 없이 지문 인식 등의 간편한 확인절차를 통해 서비스 이용이 가능해졌다. 이러한 간편인증은 기술 수용력이 높고 간편한 것을 추구하는 20대를 중심으로 급속도로 확산되었다. 최근에는 지문 인식을 넘어 얼굴만 보여주면 인증이 완료되는 안면 인식이나 손의 정맥 패턴을 인식하는 정맥 인식 등 다양한 간편인증 기술이 상용화되었다.

[K사원의 보고서]
- 제목: 간편인증의 현주소
- 배경: 공인인증서 폐지 → 간편인증 대두
- 변화 양상: (1) 결제 서비스: 카드번호 및 비밀번호 입력 → PIN 등의 간편결제
  (2) 금융 서비스: (계좌 개설) 은행 내방 → 휴대 전화로 개설
  (송금) OTP → 보안카드
  ※ 20대를 중심으로 급격하게 확산 중
- 향후 예측: 안면 인식, 정맥 인식 기술 상용화

[C과장의 피드백]
① 보고서 항목은 잘 구성한 것 같은데 ② 제목에서 드러나는 내용이 너무 협소한 것 같으니 제목을 '간편인증의 현재와 미래'로 수정하고, ③ 공인인증서 폐지와 간편인증 대두 간의 연관성을 보다 확실히 하기 위해 공인인증서 도입 연도가 언제인지 추가적으로 조사하게. 그리고 ④ 변화 양상의 금융 서비스(송금) 부분에서 OTP와 보안카드의 순서가 서로 바뀌었으니 수정하도록 하고, ⑤ 안면 인식과 정맥 인식 외에 또 대중적으로 이용되는 간편인증 기술이 있는지 추가적으로 조사하도록 하게.

17 다음은 유학생 전용 정기 외환 송금 통장에 관한 자료이다. 이를 바탕으로 신청자 A~D 중 통장 개설이 가능한 사람을 모두 고르면?

유학생 전용 정기 외환 송금 통장

■ 전용 혜택

간편 개설 　 자동 환전 　 환율 우대 　 카드 발급

■ 발급 조건

아래 5가지 조건 중 2가지 이상 충족 시 개설 가능

① 본국에서의 자동 송금 금액을 매월 30만 원 이상으로 설정
② 기존 당행 통장의 최근 3개월 평균 자유입출금통장 잔고가 50만 원 이상
③ 기존 당행 급여통장으로 매월 30만 원 이상씩 최근 3개월 연속 급여 이체 실적
④ 기존 당행 금융상품으로 매월 30만 원 이상씩 최근 3개월 연속 이체 실적
⑤ 당행에서 발급받은 카드의 전월 실적 50만 원 이상

[표] 유학생 전용 정기 외환 송금 통장 신청자 명단(현재 7월 초)　　　　(단위: 만 원)

구분	자동 송금 금액	자유입출금 잔고		급여통장 이체액		금융상품 이체액		카드 사용액	
A	월 30	1월	100	1월	30	1월	60	1월	67
		2월	60	2월	30	2월	60	2월	95
		3월	30	3월	50	3월	60	3월	74
		4월	50	4월	25	4월	60	4월	25
		5월	40	5월	50	5월	60	5월	57
		6월	50	6월	50	6월	0	6월	43
B	월 25	1월	0	1월	25	1월	25	1월	0
		2월	0	2월	25	2월	25	2월	0
		3월	50	3월	25	3월	25	3월	0
		4월	75	4월	25	4월	35	4월	30
		5월	44	5월	25	5월	35	5월	40
		6월	49	6월	25	6월	35	6월	50
C	월 40	1월	20	1월	30	1월	25	1월	95
		2월	17	2월	30	2월	25	2월	88
		3월	60	3월	30	3월	25	3월	71
		4월	59	4월	25	4월	25	4월	64
		5월	43	5월	25	5월	35	5월	57
		6월	47	6월	25	6월	35	6월	45

D	월 22	1월	15	1월	30	1월	20	1월	44
		2월	87	2월	30	2월	20	2월	27
		3월	44	3월	0	3월	20	3월	65
		4월	51	4월	30	4월	20	4월	31
		5월	50	5월	30	5월	20	5월	54
		6월	49	6월	30	6월	20	6월	10

① A, B   ② A, C   ③ A, D
④ B, C   ⑤ B, D

18 다음 문자를 입력할 때는 아스키코드로, 출력할 때는 유니코드로 처리하는 프로그램이 있다. 아스키코드는 글자당 한글은 2Byte, 나머지 문자와 기호는 1Byte의 용량이 사용되고, 유니코드는 글자당 한글은 4Byte, 나머지 문자와 기호는 2Byte의 용량이 사용된다. 이를 바탕으로 [보기]의 ㉠, ㉡에 들어갈 문자와 기호로 바르게 짝지어진 것을 고르면?

> **보기**
>
> (가) • 입력: CONTENTS입니다.   → 15Byte
>   • 출력: CONTEN(㉠   ) → 26Byte
> (나) • 입력: (㉡   )입니다.   → 출력보다 4Byte 작음
>   • 출력: TEXT니다.   → 1(?)Byte

	㉠	㉡
①	T_니다.	INFORM_
②	_니다.	INFORM
③	_입니다.	INFOR_
④	T입니다.	INFORM_
⑤	입니다.	INFORM

정답과 해설 P.2

01 다음 중 협동조합에 대한 설명으로 옳지 <u>않은</u> 것을 고르면?

① 근대적 협동조합 운동은 19세기 스웨덴에서 처음 등장하였다.
② 최초의 농업 협동조합은 덴마크에서 설립되었다.
③ 독일의 협동조합은 신용 협동조합을 시초로 확장되었다.
④ 미국의 협동조합은 구매 협동조합을 중심으로 발전하였다.
⑤ 우리나라의 협동조합 운동은 애국 계몽 운동과 맞물려 전개되었다.

02 다음 중 농협의 역사에 대한 설명으로 옳지 <u>않은</u> 것을 고르면?

① 1966년 농촌 발전을 위한 인재 양성을 위해 학교법인 농협학원을 설립·인수하였다.
② 1985년 신용 사업과 경제 사업을 분리하여 1 중앙회 3 지주사로 정비하였다.
③ 2000년 농·축·인삼협중앙회가 하나로 통합되어 농협중앙회가 출범하였다.
④ 2009년 농협법 개정을 통해 중앙회장의 임기를 4년 단임으로 규정하였다.
⑤ 2012년 농협중앙회의 신용 사업을 기반으로 NH농협은행이 출범하였다.

03 다음 중 국내 금융 시장의 역사에 대한 설명으로 옳지 <u>않은</u> 것을 고르면?

① 1960년대: 관치 금융에 따라 금리 규제, 조직 편성 등 금융기관의 자율성이 저해되었다.
② 1980년대: 3저 호황에 따라 수출이 감소하고 내수 경제가 활성화되어 외채가 감소하였다.
③ 1993년: 대통령의 긴급 명령에 따라 금융실명제가 실시되어 금융 거래의 투명성이 높아졌다.
④ 1997년: 외환 위기 이후 변동환율제가 도입되었으며 외국인의 직접 투자가 가능해졌다.
⑤ 2008년: 세계 금융 위기로 인해 금융 회사의 무분별한 인수합병을 막고 사업 영역을 규제하는 자본시장법이 통과되었다.

04 다음 중 육아 휴직 등으로 경력이 단절된 여성이 다시 취직하는 현상을 일컫는 용어를 고르면?

① A-curve ② F-curve ③ K-curve
④ M-curve ⑤ W-curve

05 다음 [보기]의 ㉠~㉢에 들어갈 내용으로 바르게 짝지어진 것을 고르면?

> 보기
>
> ### 농협의 기업 이미지
>
> • Nature Green → 순수한 (㉠)을 세상에 널리 전하는 농협의 건강한 이미지
> • Human (㉡) → 농협의 앞서가는 젊은 에너지와 전문적인 이미지
> • Heart Yellow → (㉢) 생활의 중심, 근원이 되는 농협의 이미지

	㉠	㉡	㉢
①	자연	Blue	슬기로운
②	자연	Blue	풍요로운
③	자연	Indigo	풍요로운
④	농산물	Blue	슬기로운
⑤	농산물	Indigo	풍요로운

06 다음 중 스마트 시티의 구성 요소에 포함되지 <u>않는</u> 것을 고르면?

① 스마트폰 ② 알고리즘 ③ IoT
④ 도시 혁신 ⑤ ICT 인프라

07 다음 글에서 설명하는 용어로 옳은 것을 고르면?

> 다양한 기능 중 고객이 필요한 서비스만 이용할 수 있도록 한 소프트웨어이다. 공급 업체는 하나의 플랫폼을 이용해 다수의 고객에게 서비스를 제공하고, 고객은 이용한 만큼의 돈을 지불한다. 따라서 불필요한 기능에 대해 요금을 낼 필요 없이 개인이 필요한 기능만을 이용할 수 있다. 이를 통해 개인이나 기업이 새로운 소프트웨어 기능을 이용하기 위해 투입되는 비용을 절감할 수 있도록 하여 관리 부담을 피할 수 있다.

① BaaS   ② IaaS   ③ MaaS
④ PaaS   ⑤ SaaS

08 다음 중 4차 산업혁명의 핵심 기술에 속하지 <u>않는</u> 것을 고르면?

① ICT   ② IoT   ③ 3D 프린터
④ 빅데이터   ⑤ 로봇 공학

09 다음 글의 내용과 관련있는 서비스를 고르면?

> 획기적인 제품을 기획하는 중소기업과 투자자를 연결해 주는 역할로 주목받으며 성장한 서비스 업체를 중심으로 논란이 일고 있다. 그 시작은 20년 전 발매된 유명 PC 게임인 ○○을 새롭게 제작한다는 취지의 모금이었다. 목표 액수의 수십 배가 넘는 투자금이 몰리며 성공리에 마무리했지만, 정작 투자자들이 받아 본 결과는 기획안과 달랐다. 게임의 구성이 크게 바뀌었고, 일부 투자금은 게임 제작이 아니라 제작자의 사비로 사용된 사실도 밝혀졌다. 투자자들의 비판이 거세지자 이 서비스를 제공하는 업체 또한 상품에 하자가 있을 경우 환불을 보장하는 등 대응에 나서고 있다.

① 엔젤 펀드   ② 벤처 캐피털   ③ 팝업 스토어
④ 크라우드 펀딩   ⑤ 플래그십 스토어

10 다음 글의 빈칸에 들어갈 단어로 가장 적절한 것을 고르면?

> (   )이란 대규모의 정보 안에서 통계적 규칙이나 경향을 체계적으로 분석하여 새롭고 가치 있는 결과를 추출하는 도구이다. 금융 산업에 필요한 통계 처리, 생산과 연계된 전산 운용, 마케팅에 필요한 경영 관리 등 고급 통계 분석과 모델링 기법을 적용하여 광범위하게 활용할 수 있다. 인터넷 서점으로 출발한 미국의 아마존이 고객의 구매 이력을 분석하여 대형 온라인 쇼핑몰로 성장한 사례가 대표적이며, 정보의 양이 폭증하는 산업 환경에서 AI, 머신 러닝 분야 등의 발전과 발맞추어 더욱 강조되고 있다.

① 군집 분석
② 인공 신경망
③ 데이터 마이닝
④ 사례 기반 추론
⑤ 연관 규칙 분석

11 다음 중 빅데이터에 대한 설명으로 옳지 않은 것을 고르면?

① 노동 집약적인 특성을 보이는 기술이다.
② 마케팅, 정책 대응 등 다양한 방면으로 활용할 수 있다.
③ 크기(Volume), 속도(Velocity), 다양성(Variety) 등의 특징이 있다.
④ 문자·영상·위치 등 대량의 정형·비정형 자료를 대상으로 한다.
⑤ 생성 주기가 짧고 기하급수적으로 늘어나는 자료를 포함한다.

12 다음 중 IPv6에 대한 설명으로 옳지 않은 것을 고르면?

① IPv4 부족 문제를 해결하기 위해 개발한 차세대 인터넷 주소이다.
② IPv4의 192.168.0.X 등과 같은 12자리 형식을 주소 구문으로 사용한다.
③ IPv4에서 자주 사용하지 않는 헤더 필드를 제거해 포맷을 단순화하였다.
④ 망 확장성을 향상한 주소 체계를 통해 다양한 전자 제품에 적용할 수 있다.
⑤ 폭발적인 네트워크 사용량에 대비하기 위하여 128비트의 주소 체계를 가지고 있다.

13 다음 중 무차별곡선이 원점에 대해 볼록하다는 것의 의미로 옳은 것을 고르면?

① 원점에서 멀어질수록 효용이 증가한다.

② 단절되지 않고 부드러운 곡선 형태를 띄고 있다.

③ 재화와 서비스를 골고루 소비한다.

④ 좌표평면상의 어느 점에서도 무차별곡선을 그릴 수 있다.

⑤ 서로 교차하지 않는다.

14 다음 중 생산량이 Q, 비용함수가 $Q^2-5Q+30$일 때, 이에 대한 설명으로 옳지 <u>않은</u> 것을 고르면?

① 단기비용함수이다.

② Q＝4일 때, 비용은 26이다.

③ Q＝4일 때, 한계비용은 3이다.

④ 규모의 경제가 달성되는 상태이다.

⑤ 평균비용은 원점과 비용함수상의 점을 이은 직선의 기울기이다.

15 다음 [표]는 기업 A와 B의 전략에 따른 보수행렬이다. 이에 대한 설명으로 옳지 <u>않은</u> 것을 고르면?

[표] 기업 A와 B의 전략에 따른 보수행렬

구분		B	
		진입	퇴출
A	진입	(−15, −15)	(40, 0)
	퇴출	(0, 30)	(0, 0)

① 우월전략이 없다.

② 내쉬균형은 2개이다.

③ A가 진입을 하면 B는 퇴출이 유리하다.

④ 순차게임이라면, 먼저 진입한 쪽이 유리하다.

⑤ 모두 퇴출하는 것이 전체 보수를 극대화한다.

16 다음 중 코즈의 정리에 대한 설명으로 옳지 않은 것을 고르면?

① 협상당사자가 많더라도 거래 비용이 없다면 자발적인 협상으로 효율적 자원배분이 가능하다.

② 정보의 비대칭성이 없을 것을 전제로 한다.

③ 정부의 시장개입의 불필요성을 강조하는 이론이다.

④ 재산권을 부여하는 것은 외부성을 내부화하는 것이다.

⑤ 재산권을 어떤 경제 주체에게 부여하는가가 외부효과 해결의 포인트이다.

17 다음 가격제한제도에 대한 설명으로 옳은 것을 [보기]에서 고르면?

> 보기
>
> ㉠ 최저가격이 시장가격보다 위로 정해졌다면 초과공급이 발생한다.
> ㉡ 최고가격이 유효하다면 소득재분배 효과가 있다.
> ㉢ 최저가격이 시장가격보다 아래로 정해졌다면 시장에 영향을 미칠 수 있다.
> ㉣ 최저임금제도의 편익은 모든 노동자가 누린다.

① ㉠, ㉡   ② ㉠, ㉢   ③ ㉡, ㉢
④ ㉡, ㉣   ⑤ ㉢, ㉣

18 다음 헥셔–올린 모형에 대한 설명으로 옳은 것을 [보기]에서 고르면?

> 보기
>
> ㉠ 부존자원의 이동은 불가능하다.
> ㉡ 국가 간 생산함수에 차이가 있다.
> ㉢ 무역이 이루어지면 양국의 산업구조는 유사해진다.
> ㉣ 상대적으로 풍부한 요소가 집약적인 재화를 더 많이 생산한다.

① ㉠, ㉡   ② ㉠, ㉢   ③ ㉠, ㉣
④ ㉡, ㉢   ⑤ ㉡, ㉣

19 다음 중 본원통화에 대한 설명으로 옳지 <u>않은</u> 것을 고르면?

① 본원통화는 화폐발행액과 지급준비 예치금의 합계로 측정된다.
② 중앙은행이 통화안정증권을 상환하면 시중 본원통화는 증가한다.
③ 본원통화 발행액은 중앙은행의 부채로 잡힌다.
④ 중앙은행이 지급준비율을 인하하면 본원통화는 증가한다.
⑤ 은행이 중앙은행으로부터 차입을 하면 시중 본원통화는 증가한다.

20 다음 환율 변동에 따른 경제 변화 중에서 원인이 <u>다른</u> 것을 고르면?

① 교역조건이 개선된다.
② 해외 현지 공장 건설 비용이 증가한다.
③ 외화부채를 가진 기업의 부담이 증가한다.
④ 수출기업의 고용이 증가하고, 경상수지가 개선된다.
⑤ 유학생 자녀를 둔 학부모의 부담이 증가한다.

21 다음 중 디플레이션에 대한 설명으로 옳지 <u>않은</u> 것을 고르면?

① 명목임금이 경직적이라면 실질임금은 증가한다.
② 채무자의 실질 채무부담이 완화된다.
③ 장기화되면 기업이익이 악화된다.
④ 기술혁신으로 유발될 수 있다.
⑤ 민간소비가 줄어들고 현금을 보유하려는 유인이 생긴다.

22 다음 중 장단기금리역전 현상에 대한 설명으로 옳지 <u>않은</u> 것을 고르면?

① 중앙은행은 기준금리를 인상하는 것으로 대응한다.

② 장기채권에 대한 수요가 증가하여 발생한다.

③ 통화주의자에 따르면 경기침체가 발생할 것이다.

④ 경기선행지표의 일종으로, 향후 경기가 침체될 것으로 예상할 수 있다.

⑤ 안전자산으로 유동성이 쏠리는 현상이 발생한다.

23 다음 중 재정정책에 대한 설명으로 옳지 <u>않은</u> 것을 고르면?

① 변동환율제보다 고정환율제에서 경기부양 효과가 더 크다.

② 피구효과가 발생하면 재정정책의 효과가 줄어든다.

③ 재정정책은 내부시차보다 외부시차가 더 길다.

④ 화폐 수요가 이자율에 민감하게 영향을 받을수록 재정정책의 효과가 커진다.

⑤ 투자가 이자율에 민감하게 영향을 받을수록 재정정책의 효과가 작아진다.

24 다음 중 독점적 경쟁시장에 대한 설명으로 옳지 <u>않은</u> 것을 고르면?

① 다수의 기업이 존재한다.

② 장기에는 독점적인 이윤을 얻는다.

③ 비가격 경쟁이 치열해 기업의 광고비 지출이 높다.

④ 산업의 진입 및 퇴출이 자유롭다.

⑤ 장기균형에서 초과설비가 존재한다.

25 다음 중 정보의 비대칭성으로 인한 역선택의 사례로 옳지 <u>않은</u> 것을 고르면?

① 중고차 시장에 허위 매물이 나올 가능성이 높다.

② 사망 확률이 낮은 건강한 사람이 종신연금에 가입한다.

③ 전문경영인이 주주보다 자신의 이익을 더 추구한다.

④ 소비자에게 제공하는 보증 정책은 역선택을 해결하기 위한 방안이다.

⑤ 은행이 대출이자율을 높이면 위험한 사업에 투자하는 기업들이 자금을 차입하려 한다.

26 다음 중 ETF에 대한 설명으로 옳지 <u>않은</u> 것을 고르면?

① 만기가 없다.

② 자산의 연동성 유지 등의 목적으로 배당을 준다.

③ 증권사에서 발행한다.

④ ETF는 상장폐지가 되면 돈을 돌려 받을 수 있다.

⑤ 증권시장에 상장하여 자유롭게 매수와 매도가 가능하다.

27 다음 중 P2P 금융에 대한 설명으로 옳지 <u>않은</u> 것을 고르면?

① 일반 투자자의 경우 투자 한도가 총한도의 경우 업체별 2,000만 원이다.

② 간접 비용이 절감된다.

③ P2P 회사는 중개료, 채권자신용정보조회로 수익을 얻는다.

④ P2P 대출 사업을 하기 위해서는 '대부중개업'으로 등록해야 한다.

⑤ 학자금 대출, 부동산 대출도 가능하다.

28 다음 중 예금자보험에 대한 설명으로 옳지 <u>않은</u> 것을 고르면?

① 원금과 이자를 합해 5,000만 원까지 보호가 가능하다.

② 카카오뱅크 등 인터넷전문은행도 예금자보호를 받을 수 있다.

③ 법인의 경우도 보험계약은 예금자보호를 받을 수 있다.

④ 은행마다 예금보험률이 동일하다.

⑤ 협동조합은 독자적인 예금자보험 제도를 운영한다.

29 다음 중 환포지션에 대한 설명으로 옳지 <u>않은</u> 것을 고르면?

① 환율에 의하여 매매거래를 한 뒤 파악하는 외화채권의 재고량을 말한다.

② 환포지션은 동일한 통화 간 거래에서 발생한다.

③ 매입 초과하면 환율 상승 시 환차익이 발생한다.

④ 오픈 포지션의 경우 외환위험에 노출되어 있으므로 환율 변동에 따라 환차손익이 발생한다.

⑤ 환리스크를 헤지하기 위해서는 스퀘어포지션을 가져야 한다.

30 다음 중 베이시스에 대한 설명으로 옳지 <u>않은</u> 것을 고르면?

① 선물과 현물가격의 차이를 말한다.

② 백워데이션이 예상된다면 합리적인 경제 주체는 선물환 매입 포지션을 청산할 것이다.

③ 만기일에 베이시스는 0으로 수렴한다.

④ 베이시스가 양의 값을 가지는 것을 콘탱고라고 부른다.

⑤ 콘탱고 시장에서는 공급이 수요를 초과한다.

정답과 해설 P.6

ENERGY

능력 때문에 성공한 사람보다
끈기 때문에 성공한 사람이 더 많습니다.

– 조정민, 『인생은 선물이다』, 두란노

▌영역 소개

농협은행 의사소통능력은 농협 실무와 직접적으로 연관된 금융·경제, 농업·농협 관련 소재나 지문을 활용한 문제가 출제된다. 글에서 말하고자 하는 바를 정확하게 파악해야 하는 추론, 일치/불일치 유형과 어휘, 그리고 고객응대 매뉴얼을 바탕으로 상황을 판단하거나 해결해야 하는 고객문의 유형이 주로 출제된다. 그중에서도 추론, 일치/불일치 유형은 최신 농협 관련 시사 등의 내용을 지문으로 활용하는 경향이 높으므로, 평소 농협 관련 소식들을 가까이 하는 것이 필요하다.

▌출제유형 소개

유형 1   독해

2020년 필기시험 기준 독해 유형은 의사소통능력 내 차지하는 출제 비중이 가장 높았다. 독해 유형은 다음과 같이 세 가지 세부 유형으로 구분된다.

세부유형		
	추론	제시된 글에 대한 출제자의 의도와 문맥을 파악하여 추론하는 유형
	일치/불일치	제시된 글의 내용과 선택지의 일치 여부를 판단하는 유형
	고객문의	제시된 서비스 응대 관련 매뉴얼을 바탕으로 고객문의에 답변하는 유형

유형 2   어휘

2020년 필기시험 기준 어휘 유형은 1~2문항씩 출제되었다. 실제 시험에서 출제되는 문항 수는 적지만 매년 꾸준히 출제되어 왔다. 어휘 유형은 한 가지 유형으로만 출제된다.

세부유형		
	어휘 유추	제시된 지문의 문맥을 파악하여 빈칸에 들어갈 어휘를 고르는 유형

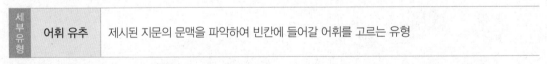

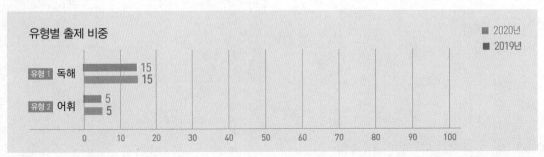

유형별 출제 비중

■ 2020년
■ 2019년

유형 1 독해	15
	15
유형 2 어휘	5
	5

0　　10　　20　　30　　40　　50　　60　　70　　80　　90　　100

▌ 최신 필기시험 기출분석

1. 주로 경제·금융·농협 관련 소재를 활용한 지문이 제시되었다.
2. 제목/주제 찾기 유형 문제의 비중이 점점 줄어드는 추세이다.
3. 추론, 일치/불일치 유형의 출제 비중이 높았고, 문단배열 유형은 출제되지 않았다.
4. 지문 길이가 길고, 옳은/옳지 않은 것을 골라내는 문제들이 많아 풀이시간이 오래 걸렸다.
5. 업무상의 다양한 고객문의 상황을 제시하여 그에 대한 대응 방안을 고르는 문제가 출제되었다.

기출복원 키워드

- ☑ 언어폭력, 민원 접수, 고객 응대, 고객이 화났을 경우의 대처 방안 관련 지문
- ☑ 금융산업, 금융 네트워크, 국제 컨퍼런스, 공고문 관련 지문
- ☑ 컬러인쇄, 표지, 인쇄비 관련 고객문의에 대한 답변 내용
- ☑ 피싱(Phishing), 바이러스, 공격, 스미싱, 큐싱(Qshing) 관련 지문
- ☑ 매매, 매도, 매수, 완납, 계약서 관련 지문

1. 독해 유형이 가장 높은 비중으로 출제되었으며, 그중에서도 추론, 고객문의 유형의 비중이 가장 높았다.
2. 2019년에 이어 지문의 길이가 길었으며, 경제·금융·농협 관련 소재의 지문을 활용한 문제가 출제되었다.
3. 최근 들어 농협 실무 밀착형 문항이 다수 출제되어, 관련 상식이나 전문적인 이론에 대한 배경지식의 필요성이 높아지고 있다.
4. 일반상식뿐만 아니라 최신 금융·경제 시사를 미리 파악하고 있을 경우, 지문을 빠르게 이해할 수 있는 문제가 출제되었다.

기출복원 키워드

- ☑ 농업·농촌, 농협 추진사업 관련 지문
- ☑ 금융시장 전반, 금융상품 투자 측면, 증권회사, 투자펀드, 수익률 관련 지문
- ☑ 메일 형식의 보고 내용, 은행 업무, 기업대출 관련 지문
- ☑ CBDC, 중앙은행, 디지털화폐, 암호화폐, 디지털화폐 'e-크로나' 관련 지문
- ☑ 금리, 이자율, 원리금, 인플레이션, 피셔 방정식, 실질/명목이자율 관련 지문
- ☑ 공인인증서 폐지, 간편인증, 결제 서비스, 금융 서비스 관련 지문

유형 1   **독해**

세부 유형   **추론**

다음 글을 읽고 추론한 내용으로 가장 적절한 것을 고르면?

> NH농협은행은 2020년 10월 29일 은행권 최초로 모바일 플랫폼 '올원뱅크'에 퍼블릭 클라우드를 도입했다고 밝혔다. 퍼블릭 클라우드는 전문 업체가 제공하는 정보기술(IT) 인프라 자원을 별도의 구축 비용 없이 사용한 만큼 이용료를 내고 활용하는 방식이다.
>
> 농협은행은 퍼블릭 클라우드의 도입으로 예·적금 특판 이벤트 등 대량의 트래픽이 예상되는 서비스를 네이버 클라우드 서버로 통하도록 설계하여 서버 부하를 방지하고 보안성을 높였다. 또한 신규 서비스의 다양화와 차별화를 위해 클라우드 기반 IaaS, SaaS 등의 기술을 적용할 계획이다.
>
> 네이버 클라우드가 제공하는 금융 클라우드는 국내 클라우드 기업 최초로 금융보안원의 안정성 평가를 100% 충족한 금융 전용 클라우드이다. 민감한 데이터를 안전하게 보호하는 동시에 유연한 서비스 확장이 가능한 점이 특징이다.
>
> 올원뱅크는 클라우드 도입 후 선보이는 첫 서비스로 'OCR 지로납부 서비스'를 출시할 예정이다. 지로 공과금 납부 시 정보 입력 없이 촬영만으로 납부가 가능해져 고객 편의성이 확대될 것으로 기대하고 있다. 향후에도 농협은행은 클라우드를 기반으로 하는 다양한 서비스를 지속적으로 출시할 계획이다.
>
> 이상래 농협은행 디지털 금융부문 부행장은 "고객에게 더욱 편리한 생활금융 서비스를 제공하고자 퍼블릭 클라우드를 도입했다"며 "네이버 클라우드와의 협력을 통해 디지털 혁신기술을 개발하고 상생 비즈니스 모델을 창출해 나가겠다"고 말했다.

① 모든 클라우드는 금융보안원의 안정성 평가를 통과해야만 실제 현장에서 적용이 가능하다.

② 농협은행은 퍼블릭 클라우드의 사용량에 따라 구간을 정해 정액을 내기로 네이버와 계약하였다.

③ 네이버 금융 클라우드는 개인정보 보호 및 은행 서비스로 인한 대량 트래픽의 원활한 처리가 강점이다.

④ 농협은행의 모든 고객들은 'OCR 지로납부 서비스'가 출시되면 공과금 납부를 위해 은행에 방문할 필요가 없다.

⑤ 이상래 부행장은 네이버 클라우드와의 협력에 이어 다양한 기업과의 협력을 통해 디지털 혁신기술을 개발하겠다는 포부를 밝혔다.

01

시간단축TIP

추론 유형의 경우 문제의 오답 선택지는 제시된 글과 전혀 다른 내용의 선택지보다는 지문에서 언급하지 않은 내용을 포함한 선택지로 주어지는 경우가 대부분이다. 그러므로 각 선택지의 내용이 글에서 명확하게 언급되어 있는지 확인하는 것이 중요하다.

정답해설

세 번째 문단의 '민감한 데이터를 안전하게 보호하는'과 두 번째 문단의 '대량의 트래픽이 예상되는 서비스를 네이버 클라우드 서버로 통하도록 설계하여 서버 부하를 방지하고 보안성을 높였다'에서 각각 개인정보 보호와 은행 서비스로 인한 대량 트래픽의 원활한 처리가 네이버 금융 클라우드의 강점임을 추론할 수 있다.

[오답풀이]
① 세 번째 문단에서 네이버 클라우드가 국내 클라우드 기업 최초로 금융보안원의 안정성 평가를 100% 충족한 금융 전용 클라우드라고 제시되어 있으나, 이를 바탕으로 모든 클라우드가 금융보안원의 안정성 평가를 통과해야만 실제 현장에 적용이 가능한지 여부는 알 수 없다. 더욱이 글에서 다루는 클라우드는 '금융 클라우드'이므로, 이를 모든 클라우드에 확대 적용하는 것은 옳지 않다.
② 첫 번째 문단에 따르면 '사용한 만큼 이용료를 내고 활용하는 방식'이라고 하였으므로, 구간을 정해 정액을 내기로 했다는 추론은 옳지 않다.
④ 'OCR 지로납부 서비스'를 출시할 계획인 곳은 농협은행의 모바일 플랫폼 '올원뱅크'이다. 따라서 농협은행 고객 전부가 해당 서비스를 이용하는지에 대해서는 알 수 없다.
⑤ 마지막 문단의 이상래 농협은행 디지털금융부문 부행장의 말에 따르면 네이버 클라우드를 제외한 다른 기업과의 협력에 대한 내용은 찾을 수 없으므로 옳지 않다.

| 정답 | ③

다음 중 국제 컨퍼런스 참여 안내문에 대한 설명으로 옳은 것을 고르면?

국제 컨퍼런스 참여 안내

안녕하십니까?

금융연구원은 오는 4월 5일 영국 케임브리지 AI센터와 함께 4차 산업혁명 시대 금융 네트워크 변화와 우리나라의 금융 산업 혁신을 주제로 국제 컨퍼런스를 개최합니다.

참가 접수는 금융연구원 홈페이지(https://financialstudy.re.kr) 배너에서 3월 15일까지 받고 있으며, 홈페이지 접속이 어려운 경우 이메일(snowman81@fsvhty.com)을 통해 접수할 수 있습니다. 접수비는 50만 원이며, 각 대학 행정처를 통해 3월 21일까지 납부하셔야 합니다. 기간 내에 접수비를 납부하지 않은 경우 참가 접수가 자동 취소됩니다.

컨퍼런스 당일에는 접수증을 제시해야 하며, 접수증은 3월 22일 이후 금융연구원 홈페이지 배너에서 인쇄할 수 있습니다. 필요한 경우 접수증과 함께 여권을 지참해야 합니다.

이번 국제 컨퍼런스가 우리나라 금융 산업 혁신에 대한 새로운 방향을 제시하는 뜻깊은 자리가 될 수 있도록 많은 참석 부탁드립니다.

감사합니다.

---

① 홈페이지를 통한 접수만 가능하다.
② 접수비는 국가마다 상이하다.
③ 접수증은 우편으로 발송된다.
④ 참가 접수비를 별도로 지원하지는 않는다.
⑤ 컨퍼런스 당일 접수증과 함께 여권을 반드시 제시해야 한다.

일치/불일치 유형의 경우 글을 다 읽고 문제를 풀기보다는, 각 선택지의 주요 키워드를 먼저 확인한 후, 해당 키워드에 대한 내용 위주로 읽으면서 일치 여부 확인 및 판단한다면 빠르고 쉽게 해결할 수 있다.

시간단축TIP

안내문에 따르면 참가 접수비는 50만 원이며, 각 대학 행정처를 통해 3월 21일까지 납부해야 한다. 하지만 참가 접수비를 별도로 지원한다는 내용은 언급되어 있지 않다.

정답해설

[오답풀이]
① 홈페이지 접속이 어려운 경우 이메일을 통해 접수할 수 있다.
② 접수비는 50만 원으로 동일하다.
③ 접수증은 금융연구원 홈페이지 배너에서 인쇄할 수 있다.
⑤ 접수증은 필수적으로 제시해야 하지만, 여권은 필요한 경우에만 지참하면 된다.

| 정답 | ④

다음 규정을 바탕으로 고객문의에 대한 답변으로 적절하지 <u>않은</u> 것을 고르면?

제40조(카드의 분실·도난신고)

① 회원은 카드를 분실하거나 도난당한 경우 즉시 회사에 그 내용을 전화 또는 방문접수 등으로 신고하여야 합니다. 이 경우 회사는 즉시 신고접수자, 접수번호, 신고시점 및 기타 접수사실을 확인할 수 있는 사항을 회원에게 알려드리며, 회원은 이러한 사항을 확인하여야 합니다.

② 제1항의 절차를 이행한 카드는 즉각 효력이 중지되며, 재발급을 원할 경우 ○○공항 3층의 접수처에서 접수신청을 해야 합니다.

③ 다음 각 호에 해당하는 경우(분실·도난 신고시점 이후 발생분은 제외함) 재발급 비용 3만 원을 납입하셔야 접수신청이 완료됩니다.

　1. 회원의 과실로 분실한 경우

　2. 회원이 카드에 서명을 하지 않은 경우(다음 각 목의 경우에 한함)

　　가. 가맹점이 서명을 통해 본인확인을 하려 하였으나 회원 본인의 카드 미서명으로 본인확인을 하지 못한 경우

　　나. 회원이 서명을 하였다고 거짓으로 신고한 경우

　3. 카드를 타인(가족, 동거인 포함)에게 양도 또는 담보의 목적으로 제공하는 경우

　4. 회원이 과실로 카드를 노출·방치하여 도난당한 경우(회원의 카드 노출·방치로 인해 가족, 동거인이 카드를 사용한 경우도 포함)

　5. 회원이 합리적인 이유 없이 고의적으로 회사에 분실·도난 신고를 지연한 경우

④ 제2항의 절차로 발행된 카드는 신고일로부터 14일 이내에 접수처에서 수령해야 하며, 이때 본인을 증명할 신분증을 반드시 지참해야 합니다(대리수령 불가).

⑤ 제1항에 의한 회원의 분실·도난 신고가 회원의 허위신고로 밝혀지고 그로 인해 회사에 손해가 발행한 경우 회사는 회원에게 손해배상을 청구할 수 있습니다.

⑥ 회원과 회사는 분실·도난 조사에 상호 간 성실히 임하도록 합니다.

[고객문의]

• **고객**: 항공사 실수로 내 카드를 분실했어요. 어떻게 해야 하나요?

• **답변**: 카드를 분실하신 경우 ① <u>즉시 회사에 분실 사실을 전화 또는 방문접수로 신고하셔야 합니다.</u> 그래야만 카드의 효력이 중지되어 피해를 방지하실 수 있습니다. 재발급을 원하실 경우 ② <u>○○공항 3층의 접수처에서 접수신청을 하셔야 하며</u>, 고객님의 경우 ③ <u>항공사 실수로 인한 카드 분실이므로 별도의 재발급 비용은 발생하지 않습니다.</u> ④ <u>재발급 신청을 하신 후 이를 분실일로부터 14일 이내에 접수처에서 찾아가셔야 하며</u>, ⑤ <u>본인을 증명할 수 있는 신분증을 반드시 지참해야 합니다.</u> 대리수령은 불가능하니 반드시 본인이 찾아가셔야 합니다.

시간단축TIP

고객문의 유형은 주로 응대 및 서비스 관련 매뉴얼과 함께 고객의 문의사항 또는 실무 상황을 다룬 [보기] 내용이 같이 제시된다. 따라서 매뉴얼 내용을 모두 숙지하고 풀기보다는 출제 의도가 담겨 있는 [보기]의 내용을 먼저 파악한 뒤, 이와 관련된 내용 위주로 찾아가면서 문제해결에 대해 판단 및 확인하는 능력이 필요하다.

정답해설

제40조 제4항에 따르면 제2항의 절차로 발행된 카드는 신고일로부터 14일 이내에 접수처에서 수령해야 하며, 이때 본인을 증명할 신분증을 반드시 지참해야 한다. 다시 말해 카드 분실일로부터가 아닌 신고일로부터 14일 이내에 찾아가야 한다.

| 정답 | ④

다음 글의 ㉠~㉣에 들어갈 알맞은 단어를 고르면?

(㉠)이란 정부, 공공기관, 특수법인, 주식회사 등 법률로 정해진 조직이 일정 기간 동안 거액의 자금을 조달하기 위해서 발행하는 확정이자부 (㉡)이다. 쉽게 설명하면 한 회사가 자금을 조달하기 위해 일정 기간이 지난 후에 원금과 그에 상응하는 이자를 주기로 약속하고 발행하는 차용증서라고 볼 수 있다. 따라서 그 증서위에는 (㉢)을 주기로 약속한 날짜, 이자율, 이자 지급 방법 등이 명시되어 있다.

다만, (㉠)은 (㉣)과 달리 회사경영에 대한 의사결정에 참여할 수 없다. 또한 (㉣)의 발행이 자본금의 증가를 수반한다면, (㉠)의 발행은 부채의 증가를 수반하게 된다. 하지만 회사의 해산 시 (㉠)은 (㉣)에 우선하여 (㉢)을 지급받을 권리가 있다.

	㉠	㉡	㉢	㉣
①	채권	증권	원금	주식
②	채권	증서	원리금	주권
③	채권	증권	원리금	주식
④	주식	증서	원금	채권
⑤	주식	증권	원리금	채권

시간단축TIP

어휘 유형은 단순히 단어의 사전적인 의미를 파악하려는 목적이 아닌 제시된 글의 문장 또는 전후맥락을 파악한 내용과 어울리는 의미를 가진 단어를 고르는 문제가 주로 출제된다. 또한, 여러 개의 단어를 골라야 할 때 꼭 순서 대로 해결하려고 하기보다 확실하게 알고 있는 단어를 토대로 선택지를 소거해 나가면 빠르게 해결할 수 있다.

정답해설

㉠, ㉡ '채권'에 대한 설명으로, 채권은 증권(=유가증권)의 한 종류이다. 흔히 채권, 주식과 같이 재산적 가치를 표시하는 증서를 유가증권이라고 하며, 간단히 '증권'이라고도 한다. 따라서 ㉠에는 채권, ㉡에는 증권이 들어가야 한다.

㉢ 전 문장에서 '원금과 그에 상응하는 이자를 주기로 약속했다'고 했으므로, '원금＋이자'의 뜻을 가진 '원리금'이 들어가야 한다.

㉣ '주식'은 채권과 달리 회사경영에 대한 의사결정에 참여할 수 있고, 자본금의 증가를 위해 발행한다.

| 정답 | ③

01

의사소통능력

01 다음 글에 대한 설명으로 옳지 <u>않은</u> 것을 고르면?

> 피싱(Phishing)은 개인의 중요한 정보를 부정하게 얻으려는 공격 시도를 일컫는다. 피싱의 가장 유명한 형태로는 육성을 사용하는 보이스 피싱(Voice Phishing)과 스미싱(Smishing)이 있다.
>
> 스미싱은 문자메시지(SMS)와 피싱(Phishing)의 합성어로, 문자메시지를 이용한 새로운 휴대 전화 해킹 기법이다. 주로 문자메시지에 웹사이트 링크를 포함해 전송한 뒤 휴대 전화 사용자가 웹사이트에 접속하면 트로이목마를 주입해 휴대 전화을 통제한다. 최근 스마트폰 이용이 늘어남에 따라 신뢰할 수 있는 사람 또는 기업이 보낸 것으로 가장하여 개인 비밀번호, 소액결제, apk 파일 설치 유도를 통해 정보를 탈취하는 수법으로 진화하고 있다.
>
> 또한 금융기관 등의 웹사이트가 공식적으로 운영하고 있는 도메인 자체를 중간에서 탈취하여 사용자를 위장 웹사이트로 유인한 후 개인정보를 절도하는 파밍(Pharming)이라는 형태의 스미싱도 기승을 부리고 있다. 이로 인해 문자메시지상에 기재된 링크가 올바른 금융기관 또는 공공기관 페이지 주소라고 해도 정보가 새어나갈 우려가 있다.
>
> 스마트폰으로 촬영만 하면 각종 정보를 제공받을 수 있는 QR코드가 널리 활용됨에 따라 QR코드를 통해 악성 앱 설치를 유도하는 큐싱(Qshing)도 등장하였다. 이는 개인정보 유출뿐만 아니라 소액결제, 자금이체 등 금전적인 피해를 발생시킬 수 있다.

① 큐싱은 파밍의 일종으로 볼 수 있다.

② 스미싱, 파밍, 큐싱은 피싱의 일종으로 볼 수 있다.

③ 유선상으로 경찰을 사칭하여 계좌이체를 유도하는 행위는 보이스 피싱이다.

④ 금융기관이나 공공기관의 올바른 홈페이지 주소를 정확히 알고 있어도 안심할 수 없다.

⑤ 여행권에 당첨되었다며 불법 프로그램이 링크된 QR코드가 삽입된 메시지를 보내는 것은 큐싱으로 볼 수 있다.

02 다음 신문기사를 읽고 나눈 대화 내용인 [보기]에 대한 결론으로 가장 적절한 것을 고르면?

NH농협은행, 농업 경쟁력 확보 위한 핀테크 아이디어톤 개최

NH농협은행이 농업과 핀테크를 접목하는 데 힘쓰고 있다. 급변하는 글로벌 농업 환경에서 인공지능(AI)과 빅데이터 등 핀테크 기술을 농업과 융합하여 국내 농업 시장의 경쟁력을 확보하기 위한 조치다.

NH농협은행은 농협 미래농업지원센터와 함께 다음 달 18일까지 '제2회 농업 핀테크 아이디어톤' 참가자를 모집한다고 1일 밝혔다. '아이디어톤(Idea-thon)'은 아이디어(Idea)와 마라톤(Marathon)의 합성어로, 장시간 모여 쉼 없이 아이디어를 내고 결과물을 도출하는 경진 대회이다.

NH농협은행은 지난 3월 한국인터넷진흥원(KISA)과 함께 제1회 농업 핀테크 경진 대회를 개최하였다. 또한 핀테크 기업들의 입주 공간 마련 및 투자 유치 등을 도우며 핀테크 기업과의 상생 및 핀테크 산업 육성에 앞장서고 있다.

NH농협은행장은 "올해에만 벌써 두 번째 핀테크 아이디어톤을 개최하게 되어 기쁘다. 본 경연은 농업에 기발하고 우수한 아이디어를 접목해 농업 혁신의 등용문이 될 것"이라며 "농협의 정체성에 맞는 핀테크 서비스를 지속적으로 발굴하고 지원해 나갈 것"이라고 말했다.

보기

- 갑: NH농협은행이 '농업 핀테크 아이디어톤'을 개최한다는데, 농업 핀테크가 뭐지?
- 을: 지급결제, 데이터 분석, 금융 플랫폼 등 핀테크 기술을 응용해 농업의 효율성과 수익성을 높이는 기술과 서비스를 말하지.
- 갑: 그렇군. 농업이라고 해서 기존의 아날로그 방식만 고집해서는 국제적인 경쟁력을 확보할 수가 없지. NH농협은행에서 핀테크 기업을 지원하는 것도 같은 맥락이겠어.

① NH농협은행은 핀테크로 농업 혁신과 경쟁력 확보를 노리고 있군.
② 우리도 좋은 아이디어가 있으면 4월 18일까지 '농업 핀테크 아이디어톤'에 참가해야겠군.
③ NH농협은행은 농가 지원 외에 다양한 기업에 투자하는 등 사업 영역을 확장하고 있군.
④ NH농협은행은 시대의 변화에 따라 달라지는 농업 정체성을 파악하기 위해 애쓰고 있군.
⑤ NH농협은행이 아이디어톤을 개최한 것은 경쟁적 구도를 통해 아이디어를 얻기 위해서겠지.

03 다음 규정을 바탕으로 고객문의에 대한 답변으로 적절하지 <u>않은</u> 것을 고르면?

제4조 백화점은 다음 각 호의 어느 하나에 해당하는 경우 입점업체에 대하여 해당 종업원 등의 교체를 요구할 수 있다.

1. 백화점의 고객 등 제3자로부터 정당한 사유로 컴플레인을 3회 이상 제기당하고 개선의 여지가 없는 경우

제7조 입점업체가 입고하는 상품에 관하여 백화점은 다음 각 호의 어느 하나에 해당하는 경우 그 입고를 거절할 수 있다.

3. 고객 등 제3자로부터 정당한 사유로 컴플레인을 3회 이상 제기당하고 개선의 여지가 없는 경우

제17조 ③ 입점업체는 본 계약 유효기간 중 매장을 사용하지 아니하였을 경우에도 본 조의 규정에 따른 임대료 및 관리비를 부담하여야 한다. 다만, 백화점의 귀책사유로 인한 경우에는 그러하지 아니하다.

제21조 ① 다음 각호에 해당하는 사유가 발생하였을 경우 백화점은 이행의 최고 없이 즉시 본 계약을 해지할 수 있다.

1. 입점업체 또는 입점업체가 지원한 협력사원이 판매대금을 즉시 구매자에게 입금하지 않는 경우

2. 입점업체의 영업준비가 미비하여 지정된 계약기간 개시일에 개점이 지연되는 경우

3. 품질검사 및 성분검사 결과 납품상품이 법적기준을 충족시키지 못하는 불합격(부적합) 판정을 받은 경우

4. 입점업체의 채권자에 의한 회생·파산절차의 신청이 있는 경우

[고객문의]

• 고객: 신발 매장을 세 번이나 이용했는데 S직원이 매번 불친절하네요. 거길 자주 이용하고 싶은데 S직원을 또 보고 싶지는 않네요.

• 답변: 안녕하세요, 고객님. 저희 백화점 신발 매장을 자주 이용하셨는데 매장 직원의 불친절로 불편하셨던 부분에 대해서 우선 사과 말씀드립니다. ① 입점업체의 종업원에 대한 교체는 저희 백화점에서 일방적으로 요구할 수는 없으나 ② 고객의 불만이 여러 차례 제기되는데도 개선의 여지가 보이지 않는다면 종업원의 교체를 요구할 수는 있습니다. ③ 백화점의 고객 등 제3자로부터 정당한 사유로 컴플레인을 3회 이상 제기당하고 개선의 여지가 없는 경우입니다. ④ 고객님께서는 해당 매장을 세 번이나 이용하셨고 S직원이 세 번 모두 불친절하다고 느끼시어 이에 불편 사항을 접수하셨으므로 ⑤ 이는 저희 백화점과 업체와의 약관에 의해 해당 종업원에 대한 교체를 바로 요구할 수 있는 경우라고 할 수 있습니다. 바로 조치를 취해 드리겠습니다.

04

다음 글을 읽고 NH농협은행이 중소기업과 혁신 기업을 지원하는 방안으로 옳지 <u>않은</u> 것을 고르면?

NH농협은행은 우리 경제의 기둥이 되고 있는 중소기업과 신(新)성장 동력인 혁신 기업에 대한 자금 지원에도 적극적으로 나서고 있다. 또한, 일자리 창출 기업에 대한 금융 지원과 함께 중소기업의 경영 효율성 제고를 위한 기업 자금 관리 서비스도 제공하고 있다.

농협은행은 중소기업의 사업 기반 확충을 위해 여신 지원을 확대했다. 우선 우량 산업 단지 입주 기업과 기술력 우수 기업 등 우량 중소기업에 대한 여신을 늘려, 중소기업이 자금 부족으로 사업이 위축되지 않도록 했다.

아울러 정부의 일자리 창출 정책에 맞춰 일자리 창출 기업과 신성장 기업에 대한 자금 지원을 강화하고 있다. 이를 위해 농협은행은 2017년 8월 신용보증기금(이하 신보)과 일자리 창출 및 신성장 기업 지원을 위한 업무 협약을 체결한 바 있다. 농협은행은 신보에 120억 원을 특별 출연하고, 신보는 이를 재원으로 4,000억 원 규모의 협약 보증서를 발급해 자금을 지원한다. 또한, 보증 비율과 보증료를 우대해 자금 사정이 어려운 중소기업 및 창업 기업의 부담을 줄였다.

한편, 농협은행은 중소기업의 비용 절감 차원에서 클라우드를 활용해 기업 자금을 관리할 수 있는 '클라우드 브랜치'를 내놓았다. 클라우드 브랜치는 은행에 방문하지 않고 기업의 금융 업무와 자금 관리 업무를 온라인으로 처리할 수 있는 가상의 은행 점포로, 기업을 위한 자금 관리 시스템(CMS, Cash Management System)이다.

그동안 기업이 CMS를 이용하기 위해서는 별도의 서버를 설치해야 했지만, 농협은행은 이를 클라우드로 대체해 구축 비용과 이용료 부담을 크게 낮추었다. 중소기업은 이 서비스를 활용해 ▲금융 관리 ▲자금 수납 ▲자금 지급 ▲법인 카드 관리 ▲자금 보고서 등을 이용할 수 있다.

농협은 2020년까지 농가 소득 5,000만 원 달성을 목표로 세웠으며, 이를 위해 농업 관련 중소기업에 대한 여신을 확대하고, 청년 농업인 지원 등의 지원 프로그램도 마련했다. 농식품 기업에 대한 사업 컨설팅과 스마트팜 종합 자금도 여기에 해당된다. 아울러 농업 핀테크 기업을 적극 발굴·육성해 농업의 수익성을 높이고, 일자리 창출에도 기여한다는 방침이다.

① 협약 보증서 직접 발급
② 농식품 기업의 사업 컨설팅 제공
③ 사업 기반 확충을 위해 여신 지원 확대
④ 기업 자금 관리 서비스 제공
⑤ 적은 비용으로 기업 자금을 관리할 수 있는 '클라우드 브랜치' 출시

05 다음 신문기사를 읽고 '하우스뷰 플랫폼'에 대한 설명으로 적절하지 <u>않은</u> 것을 고르면?

NH농협금융, 하우스뷰 플랫폼 마련 … WM 경쟁력 강화

NH농협금융은 2017년 9월 서대문 본관에서 계열사 WM(자산 관리) 부문 담당 임원들이 모여 제1차 고객 자산 가치 제고 협의회를 개최하고, 고객 수익률의 장기 안정적 관리와 WM 경쟁력 강화를 위한 체계적 투자 가이드라인인 WM 하우스뷰 플랫폼을 마련했다고 밝혔다.

농협금융은 지난 7월부터 당시 지주 사업 전략 부문장 홍재은 상무 소관의 자산운용전략부를 중심으로 그룹 내 최고의 자본 시장 전문가들이 결집해 고객 자산 가치 제고 TFT(태스크포스팀)를 마련했다. TFT는 2개월여간 고심 끝에 글로벌 경제 전망에 기초한 정교한 자산배분 및 상품 전략을 수립해 고객에게 최적 상품을 제시할 수 있는 기반을 마련했다.

하우스뷰는 1단계로 6개 자산군에 대한 자산 배분 비중을 결정하고, 2단계로 국가·섹터별 21개 자산군에 대한 투자 매력도를 분석해 의견을 제시한다. 이는 은행과 증권에 전달해 고객에게 추천 또는 판매할 투자 상품을 선정하는 데 활용된다.

하우스뷰는 지주, 은행, 증권, 자산 운용 전문 인력이 참여하는 고객 자산 가치 제고 실무회의에서 매월 토론과 협의를 통해 결정된다. 핵심 엔진은 NH투자증권의 리서치 역량과 ISA(개인 종합 자산 관리 계좌) 최고의 수익률로 성과가 검증된 QV 포트폴리오이다.

농협금융은 하우스뷰를 통해 '타 금융 기관 대비 투자 상품의 전문성이 떨어진다. 혹은 가입할 좋은 상품이 별로 없다'라는 인식을 불식시키고, 고객 자산의 가치를 높여 고객으로부터의 신뢰를 회복하겠다는 계획이다.

① 다양한 분야의 전문 인력이 참여하는 회의에서 토론과 협의를 통해 결정된다.
② 고객의 부정적인 기존 인식을 불식시키고 자산 가치를 높여 신뢰를 끌어낼 계획이다.
③ 고객 수익률을 단기적, 집중적으로 관리하고 WM 경쟁력을 강화하는 체계적 투자 가이드라인이다.
④ NH투자증권의 리서치 역량과 ISA 최고의 수익률로 성과가 검증된 QV 포트폴리오를 바탕으로 한다.
⑤ 1단계에서 자산군에 대한 자산 배분 비중을 결정하고, 2단계에서 국가·섹터별 자산군에 대한 투자 매력도를 분석한다.

06 다음 글을 읽고 추론한 내용으로 가장 적절한 것을 고르면?

농업의 세계화로 우리나라의 농업 지속 가능성이 위협받고 있다. 5대 곡물 메이저 기업(카길, ADM, LDC, 벙기, 앙드레)은 종자, 비료, 농약, 농기계 등 주요 영농자재 사업뿐 아니라 저장, 가공, 유통 및 무역까지 국제 농산물 거래의 80%까지 장악하고 있다. 더욱이 이들은 WTO와 FTA를 통해 농산물의 자유무역을 강요하고 있다.

다른 한편으로 지역 특산물도 기후 변화와 소비성향 변화로 달라지는 추세이다. 수입 농산물과의 가격·품목 경쟁, 대농과 중·소농의 규모에 따른 가격 경쟁, 고령화로 인해 지역 1차 산업의 지속성이 위협받고 있으며, 소비시장은 대형마트에 이어서 식자재마트의 장악력까지 높아지고 있다. 이로 인해 가족소농의 가격 경쟁력, 독자성, 자율성과 아울러 소비자의 식품 안전이 위협받고 있다.

농업의 세계화의 대안으로 로컬푸드(local food) 운동을 생각해볼 수 있다. 농림축산식품부에 따르면 장거리 수송 및 다단계 유통과정을 거치지 않은 지역에서 생산된 농식품을 로컬푸드라고 정의하였다. 우리나라의 경우 「지역농산물 이용촉진 등 농산물 직거래 활성화에 관한 법률」에서 지역 농산물이란 특별자치시·특별자치도·시·군·구(자치구)에서 생산·가공된 농산이라고 규정하고 있다.

로컬푸드의 대표적인 사례인 2012년 전북 완주군 용진농협 로컬푸드 직매장의 성공적인 개장은 농촌 발전 전략과 지속 가능성을 보여 주었다. 로컬푸드는 다품목 소량생산과 직거래를 특징으로 하며 농식품 전반의 신선도와 안전성을 통해 신뢰도를 높여가야 하므로, 지자체를 통한 지역경제 활성화 측면에서 살펴보아야 한다. 지자체의 정책이 지역민의 자생능력을 더디게 할 수는 있으나, 일정 규모로 성장할 때까지 생산과 소비를 지원해 주어야 하는 과정이 필요하기 때문이다.

① 외국 메이저 기업이 우리나라의 농산물 거래의 80%를 차지하게 될 것이다.
② 1차 산업에 새로운 젊은 인력들이 등장하여 지역 특산물 생산 구조의 변화가 생기고 있다.
③ 지역 특산물과 수입 농산물의 경쟁적인 시장 개입으로 소비자들은 금전적인 피해를 입을 수 있다.
④ 수송과 유통과정의 변화를 일으킨 로컬푸드는 지자체 지원을 통해 성장할 가능성이 높다.
⑤ 모든 특별자치시와 특별자치도는 지역 농산물을 직접 생산·가공하는 새로운 기업 조직을 형성할 것이다.

07 다음 글과 [보기]를 읽고 밑줄 친 부분에 들어갈 답변 내용으로 가장 적절한 것을 고르면?

컬러인쇄의 경우 보통 4가지 색을 배합하여 색을 표현한다. 4가지 색에는 사이언(Cyan), 마젠타(Magenta), 옐로(Yellow), 블랙(Key)이 포함되며, 이를 CMYK라고 일컫는다. 그러나 현실적인 문제 때문에 RGB보다 표현할 수 있는 색이 적으므로, 4가지 색의 배합으로 표현할 수 없는 색을 추가하기도 한다. 이를 별색이라고 부르며, 금색, 은색 등과 같은 특이한 색들이 해당된다.

한편, CMYK를 모두 사용할 때 4도 인쇄라고 지칭한다. 4가지 색 중 1가지 색만 사용하면 1도, 2가지 색을 사용하면 2도, 3가지 색을 사용하면 3도라고 한다. 또한 1도에 별색을 추가한 색도 2도라고 부르며, 보통 2도 인쇄라고 하면 CMYK 중 2가지 색을 사용하는 것보다는 1도에 별색을 더한 인쇄를 뜻한다. 그 외에 4도 인쇄에도 별색을 추가할 수 있는데 1가지 별색을 추가하면 5도, 2가지 별색을 추가하면 6도 등으로 계속해서 숫자가 늘어나는 식으로 지칭하며, 이에 따라 인쇄비도 증가한다.

> 보기

[고객문의 대화록]
- **고객**: 책 표지색에 금색을 추가하고 싶습니다.
- **답변**: 색도는 몇 도로 하실 건가요?
- **고객**: 흑백 아니면 무조건 다 4도 아닌가요?
- **답변**: _____

① 3도로도 인쇄가 가능합니다.
② 최대 6도 인쇄까지도 가능합니다.
③ 별색을 추가하시면 모두 5도 이상입니다.
④ 금색을 표현하시려면 일반적인 4도 인쇄로는 어렵습니다.
⑤ 금색을 추가하여 인쇄하실 경우 가격이 더 비싸질 수도 있습니다.

유형 2　어휘 유추

01 다음 글의 ㉠~㉢에 들어갈 알맞은 단어를 고르면?

매매계약서

갑을 (㉠)인으로 하고 을을 (㉡)인으로 하여 당사자 간에 다음과 같이 매매 계약을 체결한다.

1. 물품명: Heavymachinegun 200정
2. 매매대금: 363,720$
3. (㉢)기일: 2021. 03. 14.
4. 운송방법: 을의 운송수단에 의함
5. 기타사항: 을은 2021. 03. 13. 18:00까지 갑의 계좌로 매매대금을 (㉣)해야 하며, 그 시점부터 해당 물품의 소유권은 갑에서 을로 이전됨

위 계약의 확증으로서 본 계약서 2통을 작성하여 당사자 기명날인 후 각자 1통씩 보관함

	㉠	㉡	㉢	㉣
①	매도	매수	인도	완납
②	매도	매수	완납	인도
③	매도	매수	상환	인도
④	매수	매도	인도	완납
⑤	매수	매도	납부	상환

파생금융상품(financial derivatives)은 외환, 금리, 채권, 주식 등과 같은 기초자산으로부터 파생된 금융상품을 이르는 것으로, 전통적인 금융상품을 대상으로 한 상품이 아니라 금융상품의 미래 가격변동을 상품화한 것에 해당한다. 대표적인 파생금융상품은 다음과 같다.

- (㉠): 일정 계약에 의하여 시장참여자들이 장래의 약정한 시기를 인도기일로 하여 선물거래소가 미리 정해놓은 대상 자산의 종류, 계약 단위, 결제 조건에 의하여 계약을 체결하고, 미리 정한 만기일에 그 상품을 인도 또는 인수하거나 약정기일 내에 반대매매를 통해 계약을 이행하는 방법이다.

- 옵션: 상품이나 유가증권 등의 기본자산을 미리 정한 가격으로 일정 시점에 가서 사거나 팔아서 이익을 향유할 수 있는 권리를 사고파는 거래이다. 옵션에는 두 가지 종류가 있는데, (㉡)은 옵션의 매입자가 장래의 일정 시점 또는 일정 기간 내에 기초자산을 매입할 수 있는 선택권을 갖는 것으로, 해당 옵션의 매도자는 매수자가 권리를 행사할 경우 장래의 일정 시점 또는 일정 기간 내에 기초자산을 매도할 의무를 지닌다. 반면, (㉢)은 옵션의 매입자가 장래의 일정 시점 또는 일정 기간 내에 기초자산을 매도할 수 있는 선택권을 갖는 것으로, 해당 옵션의 매도자는 매수자가 권리를 행사할 경우 장래의 일정 시점 또는 일정 기간 내에 기초자산을 매입할 의무를 지닌다.

- (㉣): 거래의 두 당사자가 약정한 바에 따라 일련의 현금 흐름을 교환하는 것으로, 금리와 통화로 구분된다. (㉣)거래는 자본비용을 절감하여 금리와 환율의 변동에 기인하는 위험을 제거하는 수단으로 활용되며, 현금 흐름을 서로 교환함으로써 금융 및 외환에 대한 규제를 회피하는 수단으로 이용되기도 한다.

	㉠	㉡	㉢	㉣
①	선물	콜옵션	풋옵션	스왑
②	선물	풋옵션	콜옵션	스왑
③	옵션	콜옵션	풋옵션	스왑
④	스왑	풋옵션	콜옵션	선물
⑤	스왑	콜옵션	풋옵션	선물

03 다음 글의 ㉠~㉣에 들어갈 알맞은 단어를 고르면?

부동산 용어에서 (㉠)란 채무를 갚지 않은 채무자의 재산을 매각하기 위한 강제집행 절차 중 하나이다. 일반적으로 가장 높은 금액을 제시하는 사람에게 판매된다. (㉡)는 (㉠)와 마찬가지로 목적물을 환가처분 받기 위한 강제집행 절차 중 하나로, 둘은 비슷하지만 다른 점이 꽤 있다.

일단 (㉠)의 진행 주체는 법원이지만, (㉡)의 진행 주체는 한국자산관리공사(kamco)이다. (㉢) 시 차감 정도도 (㉠)는 20% 차감하지만, (㉡)는 예정 가격의 50% 한도로 매회 10% 차감한다. 대금납부 기한도 (㉠)는 (㉣) 허가 결정 후 통상 30~40일인 것에 반해 (㉡)는 매각 결정일로부터 1천만 원 미만 7일 이내, 1천만 원 이상 60일 이내로 차이가 있다. 가장 큰 차이점이라고 하면 (㉠)는 개인 채무나 은행 채무가 주원인이 되어 집행되는 것이고, (㉡)는 세금 체납으로 인해 집행되는 것이라고 할 수 있다.

	㉠	㉡	㉢	㉣
①	공매	압류	입찰	낙찰
②	경매	압류	유찰	낙찰
③	압류	공매	유찰	매각
④	경매	공매	유찰	낙찰
⑤	공매	경매	입찰	매각

정답과 해설 P.13

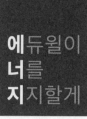

에듀윌이
너를
지지할게
ENERGY

사소한 것에 목숨을 걸기에는
인생이 너무 짧고,
하찮은 것에 기쁨을 빼앗기기에는
오늘이 소중합니다.

– 조정민, 『인생은 선물이다』, 두란노

문제해결능력

최신경향 분석

▌ 영역 소개

농협은행 문제해결능력은 의사소통, 자원관리, 문제해결능력 등이 혼합된 융합형 문제 형태로 출제되며, 일반적인 공기업 NCS 문제해결능력과는 조금 다른 형태로 출제되는 점이 특징이다. 문제 상황을 파악하고 최선의 결과를 찾아 해결해야 하는 농협은행만의 고유한 출제 유형으로, 실제 시험에서 당황하지 않도록 생소한 유형의 문제들을 많이 접하는 연습이 필요하다.

▌ 출제유형 소개

유형 1　문제해결

2020년 필기시험 기준 문제해결능력의 일반적인 유형인 명제, 논리적 사고 관련 문제는 출제되지 않았다. 주로 업무상에서 나타날 수 있는 문제를 해결하는 문제처리 유형과 예산 등을 활용하는 자원관리능력과 비슷한 유형의 문제가 출제되었다. 문제해결 유형은 다음과 같이 두 가지 세부 유형으로 구분된다.

세부유형		
	문제처리	제시된 문제 상황을 분석하여 최적의 해결책에 대해 판단·해결하는 유형
	자원관리	제시된 자료와 상황을 파악하고 해결하기 위해 필요한 시간, 예산 등을 계산하는 유형

유형 2　문제해결 응용

2020년 필기시험 기준 문제해결 응용 유형은 금융·경제 관련 소재를 활용하여 의사소통, 수리, 문제해결능력 등 여러 유형이 혼합된 융합형 문항으로, 난도가 굉장히 높다. 정해진 틀이 없기 때문에 이를 대비하기 위해서는 해당 분야에 대한 지식을 토대로 종합적인 판단을 내릴 수 있는 능력을 키워야 한다.

세부유형		
	융합형	제시된 지문과 자료를 동시에 파악하여 상황에 따른 결과를 추론·판단하는 유형

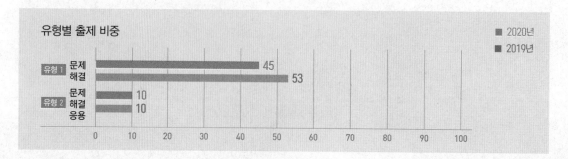

유형별 출제 비중

■ 2020년
■ 2019년

| 유형 1 문제해결 | 45 / 53 |
| 유형 2 문제해결 응용 | 10 / 10 |

최신 필기시험 기출분석

1. 직무능력평가 총 50문항에서 가장 높은 비중으로 출제되었다.
2. 복잡한 계산 과정을 필요로 하는 금융 관련 소재를 활용한 문제가 출제되었다.
3. 2개 이상의 자료들을 함께 해석하는 PSAT형 문제들이 다수 출제되었다.
4. 역대급 난도의 문제들로, 자료 파악하는 것만으로도 시간이 오래 걸리는 문제가 출제되었다.

기출복원 키워드

- ✅ 농산물, e-하나로마트에서 판매하는 상품 정보 관련 자료
- ✅ 제지 펄프의 국제가격 추이, 제지회사 이익률 분석 관련 자료
- ✅ 매출총이익률과 매출액순이익률의 관계, 가격탄력성, 수익성 관련 자료
- ✅ 글로벌 및 국내 VR 시장 규모, 환율 변동, 상승률 관련 자료
- ✅ 신용평가제도, 주식가치, 신용등급, 재무 상태, 현금 흐름 관련 지문
- ✅ 한정된 예산을 적절하게 사용하는 방법 관련 지문

1. 여러 유형이 혼합된 형태로, 구분이 뚜렷하지 않고 시간이 오래 걸리는 문제가 주로 출제되었다.
2. 자료상 한눈에 바로 알 수 있는 내용보다 자료를 바탕으로 한 번 더 생각해서 해결해야 하는 문제가 출제되었다.
3. 단순한 통계 자료가 아닌 전공 지식이 함유되어 있어, 사전 지식을 필요로 하는 문제가 출제되었다.
4. 일반적인 NCS보다는 PSAT형에 더 가까운 문제들로 출제되었다.

기출복원 키워드

- ✅ 교통사고, 자동차 사고 과실 비율, 현저한 과실·중과실 관련 자료
- ✅ 여행자 보험 보상 규정, 물적 손해 배상, 보상액 지급, 보험 상품 보장 범위 관련 자료
- ✅ 인플레이션율, 명목예금금리, 명목대출금리, 실질예금금리 관련 자료
- ✅ 질병분류코드, 기준에 따른 코드 부여 규정 관련 자료

대표기출 유형

유형 1 문제해결

세부 유형 문제처리

[01~02] 다음은 C사 DVD 대여점의 회원 관리를 위한 회원번호 부여 규칙에 관한 자료이다. 이를 바탕으로 질문에 답하시오.

- C사 DVD 대여점은 전국 어느 지점에서나 DVD와 도서를 대여할 수 있도록 전 지점에서 사용할 수 있는 본인의 회원번호를 부여합니다.
- 한 번 부여된 회원번호는 열 번째 자리를 제외하고는 변경되지 않습니다.

1) 출생연도 코드: 출생연도 네 자리 중 뒤의 두 자리가 출생연도 코드로 반영됩니다.
2) 성별 코드: 남성의 경우 0, 1, 2, 3, 4 중에서, 여성의 경우 5, 6, 7, 8, 9 중에서 한 가지 수가 임의로 부여됩니다.
3) 가입 지역 코드

서울	인천	대전	대구	광주	울산	부산	세종	경기
A	B	C	D	E	F	G	H	I

충북	충남	전북	전남	경북	경남	강원	세종	제주
J	K	L	M	N	O	P	Q	R

4) 개인 코드: 휴대 전화 번호 마지막 네 자리의 번호로 반영됩니다.
5) 임시 코드: 향후 회원 분류가 추가되기 전까지는 다섯 번째 자리에 0이 부여됩니다.
6) 할인 코드(조건 충족 시에만)

구분	할인 코드	조건
일반	N	없음
Silver	S	1년 이내 30만 원 이상 금액 사용 시 1년간 할인 코드 부여
Gold	G	1년 이내 60만 원 이상 금액 사용 시 1년간 할인 코드 부여
VIP	V	1년 이내 100만 원 이상 금액 사용 시 1년간 할인 코드 부여
군인 휴가 할인	M	휴가증 확인 후 휴가 기간 동안 할인 코드 부여

7) 부여 순서: 회원번호는 총 열 자리로, 가입 지역 코드(1)−성별 코드(1)−출생연도 코드(2)−임시 코드(1)−개인 코드(4)−할인 코드(1) 순으로 부여됩니다.

01 위의 규칙에 따라 부여된 회원번호로 옳은 것을 고르면?

① B57805870T
② 578506912G
③ H99202537N
④ N36797472V
⑤ S00309080S

시간단축TIP

선택지에 제시된 문자나 숫자 중에서 규칙에 제시되어 있지 않는 것부터 소거한 뒤, 회원번호 부여 순서에 따라 맞게 배열이 되어 있는지 확인하면서 정답을 골라내도록 한다.

정답해설

회원번호는 총 열 자리이며, 가입 지역 코드(1)—성별 코드(1)—출생연도 코드(2)—임시 코드(1)—개인 코드(4)—할인 코드(1) 순으로 부여된다. 따라서 모든 규칙에 맞는 회원번호는 H99202537N이다.

[오답풀이]
① 열 번째 자리에 해당하는 할인 코드 중 T는 없다.
② 첫 번째 자리에 해당하는 가입 지역 코드는 알파벳이어야 한다.
④ 다섯 번째 자리에 해당하는 임시 코드는 0이어야 한다.
⑤ 첫 번째 자리에 해당하는 가입 지역 코드 중 S는 없다.

| 정답 | ③

02 위의 규칙에 따라 부여된 회원번호로 옳지 <u>않은</u> 것을 고르면?

① 75년생, 남성, 서울 가입, 1년 이내 47만 원 사용: A07502594S
② 82년생, 여성, 대구 가입, 군인 휴가 중: D98203670M
③ 93년생, 남성, 부산 가입, 1년 이내 28만 원 사용: G19308892N
④ 99년생, 여성, 전북 가입, 1년 이내 135만 원 사용: L49900215V
⑤ 04년생, 남성, 제주 가입, 1년 이내 77만 원 사용: R30403647G

제시된 규정 내용을 정확히 파악하고 문제를 풀기보다 선택지에 부여된 회원번호의 배열 순서를 바로바로 확인하면서 일치/불일치 여부를 판단하여 정답을 골라내도록 한다.

시간단축TIP

성별 코드는 남성의 경우 0, 1, 2, 3, 4 중에서, 여성의 경우 5, 6, 7, 8, 9 중에서 한 가지 수가 임의로 부여된다. 회원번호 L49900215V는 99년생, 남성, 전북 가입, VIP 할인 대상에게 부여되는 회원번호이다. ④번 회원의 회원번호가 옳게 부여되려면 두 번째 숫자가 5, 6, 7, 8, 9 중 하나이어야 한다.

정답해설

| 정답 | ④

다음 [표]는 농협몰 e-하나로마트에서 판매 중인 상품에 관한 자료이다. 이를 바탕으로 A, B가 [보기]와 같이 상품을 구입하였을 때의 총결제 금액을 고르면?

[표] e-하나로마트에서 판매 중인 상품 정보

상품명	가격	할인 안내
애호박	1,800원 / 1개	5개 이상 주문 시 개당 200원 할인
감자	5,900원 / 2kg	6kg 이상 주문 시 1,000원 할인
전복(냉장)	25,800원 / 500g	1kg 이상 주문 시 1,500원 할인
농협 신선란(특란)	4,000원 / 30개	210개 이상 주문 시 3,000원 할인
완도 김	13,900원 / 100g	300g 이상 주문 시 3,800원 할인
한우 등심 1⁺등급	10,000원 / 100g	1kg 이상 주문 시 5,000원 할인

※ 배송료: 기본 3,000원, 냉장식품 주문 시 1,500원 추가
※ 총결제액 150,000원 이상 주문 시 무료배송
※ K카드로 결제 시 5% 추가 할인

보기

- A: 애호박 7개, 전복(냉장) 1kg, 완도 김 300g을 현금 결제로 주문
- B: 감자 12kg, 농협 신선란(특란) 180개, 한우 등심 1⁺등급 1.1kg을 K카드 결제로 주문

	A	B
①	102,200원	155,230원
②	102,200원	163,400원
③	102,200원	166,400원
④	103,700원	155,230원
⑤	103,700원	163,400원

시간단축TIP　주로 [보기]의 내용에 대한 예산을 계산하는 문항이 출제되므로, 예산 금액이 낮거나 계산이 쉬운 것부터 해결한 뒤 여기서 나온 결제 금액을 포함하지 않는 선택지를 먼저 소거하는 방식을 활용하면 빠르게 해결할 수 있다. 특히 몇 개 이상 사면 할인되거나 몇 개 더 주는 안내사항을 놓치지 말고 확인해야 함을 주의하도록 한다.

정답해설
- A: 애호박, 전복(냉장), 완도 김 모두 할인 가능한 양만큼 주문하였으므로, 결제 금액은 $(1,800-200) \times 7+25,800 \times 2-1,500+13,900 \times 3-3,800=99,200$(원)이고, 전복이 냉장식품이므로 배송료 4,500원이 추가되어 총결제 금액은 $99,200+4,500=103,700$(원)이다.
- B: 농협 신선란(특란)을 제외하고 할인 혜택을 적용한 결제 금액은 $5,900 \times 6-1,000+4,000 \times 6+11 \times 10,000 -5,000=163,400$(원)이고, K카드 5% 추가 할인되어 $163,400 \times 0.95=155,230$(원)이다.

| 정답 | ④

세부 유형   융합형

다음 글을 읽고 K사 주가에 대한 [그래프]와 K사 현황에 대한 자료를 바탕으로 내린 분석 내용 중 가장 타당한 것을 고르면?

신용평가제도는 주식 가치를 결정하는 중요한 두 요소인 기대현금 흐름과 위험에 대한 정보를 모두 포함하고 있는 유용한 정보로 인식되고 있다. 그러나 일반적인 인식과 달리 신용도의 변화와 주가 변동 사이에 큰 연관성이 없는 경우도 빈번하다. 가장 큰 원인으로 신용평가는 건전성과 안전성에 높은 가중치를 부여하는 반면, 주가는 성장성에 더 높은 가중치를 부여한다는 점이 꼽힌다. 신용등급이 높아져도 이는 안정적인 재무 상태를 토대로 회사채의 부도율이 낮아졌다는 것만을 의미할 뿐, 급격한 회사의 성장으로 주가를 견인한다는 것을 보장하지는 않는다. 회사채 신용등급 변경이 주가에 미치는 영향에 관한 실증연구에서도 신용등급 상향은 주가와 별다른 연관이 없는 것으로 나타났다. 그러나 신용등급 하향은 사건일 10일 전부터 주가에 영향을 미치는 것으로 나타났다. 이는 회사채 상환능력마저 저해할 정도의 기대현금 흐름 악화는 회사의 성장성에도 큰 영향을 미치기 때문이라고 해석할 수 있다.

[그래프] K사 주가

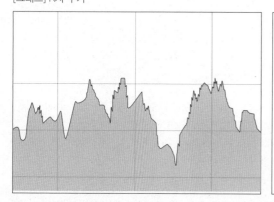

[K사 현황]

N신용평가는 최근 K사의 신용등급을 A^-에서 A^0로 상향 조정하면서 "최근 견고한 현금 흐름과 현금성 자산의 비중이 부쩍 높아지면서 신용등급을 상향하게 되었다"고 밝혔다. 과거 K사는 대규모 수출계약이 불발되어 신용등급이 두 단계 낮아지고, 그와 함께 주가도 급락하였지만 안정적인 회사 운영을 통하여 위기를 극복해 낸 것이다.

① K사의 신용등급이 높아졌으니 곧 주가도 상승하겠군.
② K사의 신용등급이 낮아졌을 때 주가도 함께 급락한 것은 우연의 일치일 뿐이야.
③ K사의 주가 그래프 중간에서 V자 반등이 일어난 것은 K사의 신용등급 상향 덕분이겠군.
④ K사의 주가가 일정한 박스권 안에서 안정적인 것으로 보았을 때 K사의 신용등급도 거의 일정했겠군.
⑤ K사의 최근 주가 상황이 썩 좋지는 않지만 재무 상태가 건전하므로 향후 실적에 따라 주가가 움직이겠군.

K사의 주가는 최근 하락하는 추세이지만 신용등급이 상승하였으므로 재무 상태는 건전한 것으로 보인다. 따라서 향후 실적만 받쳐준다면 얼마든지 주가가 턴어라운드 할 수도 있으며, 실적이 좋지 않다면 계속해서 하방 압력을 받을 수도 있다.

[오답풀이]

① 제시된 글을 보면 신용등급 상향은 주가와 별다른 연관이 없는 것으로 나타났다고 하였으므로, K사의 신용등급이 높아졌으니 곧 주가도 상승하겠다는 분석은 타당하지 않다.

③ 제시된 글을 보면 신용등급 상향과는 반대로 신용등급 하향은 주가에 영향을 미치는 것으로 나타났다고 하였으므로, K사의 신용등급이 낮아졌을 때 주가도 함께 급락한 것은 서로 연관성이 있다고 분석하는 것이 타당하다.

④ 신용등급 상향은 주가와 별다른 연관이 없으므로 타당하지 않다.

⑤ 신용등급과 주가는 하락할 때에는 연관성이 있지만 상승할 때에는 연관성이 없으므로 타당하지 않다.

| 정답 | ⑤

[01~02] 다음은 B사 모바일 게임에서 유저 간 결투 시 적용되는 점수 산출 로직에 관한 자료이다. 이를 바탕으로 질문에 답하시오.

B사 모바일 게임 점수 산출 로직

- 유저 간 결투는 2명의 유저가 참여하여 서로 5번씩 번갈아 가며 공격을 하는 방식이다. 각 유저의 공격 기회를 1턴, 2턴, 3턴, 4턴, 5턴이라고 할 때, N턴 째에는 N점의 기본 점수를 부여받는다.
- 공격 시 치명 보너스의 경우 상대 유저가 회피하면 1점, 공격에 성공하면 2점, 치명타 공격을 하면 3점을 받게 된다.
- 유저 간 결투 시 두 유저의 레벨차가 10 미만일 경우 보정치는 적용되지 않는다. 레벨차가 10 이상 20 미만일 경우에는 레벨이 낮은 유저에게 1.1, 높은 유저에게 0.9의 보정치가 적용된다. 레벨차가 20 이상일 경우에는 레벨이 낮은 유저에게 1.2, 높은 유저에게 0.8의 보정치가 적용된다.
- 유료 아이템 구매 시 펫을 구매하면 펫도 함께 공격하여 2턴, 4턴의 공격에 펫 보너스 1.1이 적용된다. 펫이 없을 경우 펫 보너스는 1.0이 적용된다.
- 각 턴별 공격 점수＝기본 점수×$1.2^{(치명 보너스)}$×레벨 보정×펫 보너스(2턴, 4턴)

[표] T유저와 V유저의 유저 간 결투 결과 내역

유저명	레벨	펫 보유	1턴	2턴	3턴	4턴	5턴
T	288	×	성공	회피	성공	치명타	회피
V	302	○	성공	치명타	성공	치명타	성공

01 위의 자료를 바탕으로 T유저와 V유저의 유저 간 결투 점수 차이를 고르면?(단, 표에 기재된 각 턴별 결과는 해당 유저가 공격했을 때 상대방에게 적용된 공격의 결과이며, 각 유저의 턴별 점수는 소수점 넷째 자리에서 반올림한다.)

① 1.251　　　　　　② 1.252　　　　　　③ 1.261

④ 1.262　　　　　　⑤ 1.271

02 위의 로직에 대해 레벨이 높은 유저의 점수가 불리하다는 건의가 들어와 다음과 같이 점수 산출 로직을 변경하고자 한다. 이때 나타나는 현상으로 옳지 <u>않은</u> 것을 고르면?(단, 각 유저의 턴별 점수는 소수점 넷째 자리에서 반올림한다.)

[점수 산출 로직 수정 내역]

1) 1차 패치: 치명 보너스 산출 로직이 변경되어 상대 유저가 회피하면 1점, 공격에 성공하면 3점, 치명타 공격을 하면 5점을 받게 된다.

2) 2차 패치: 유저 간 결투 시 두 유저의 레벨차가 13 미만일 경우 보정치는 적용되지 않는다. 레벨차가 13 이상 25 미만일 경우에는 레벨이 낮은 유저에게 1.07, 높은 유저에게 0.93의 보정치가 적용된다. 레벨차가 25 이상일 경우에는 레벨이 낮은 유저에게 1.12, 높은 유저에게 0.88의 보정치가 적용된다.

---

① T유저의 최종 점수는 기존 대비 4점 이하로 증가하였다.

② T유저와 V유저의 최종 점수 차이는 2.7점 이하이다.

③ V유저의 5턴 점수는 8.035점이다.

④ T유저의 점수 중 턴별 점수가 두 번째로 높은 턴은 5턴이다.

⑤ T유저와 V유저의 점수 중 턴별 점수 차이가 가장 큰 턴은 2턴이다.

다음 [표]는 농협몰 e-하나로마트에서 판매 중인 조미료에 관한 자료이다. 이를 바탕으로 A, B가 [보기]와 같이 상품을 구입하여 따로 배송하였을 때, 두 사람의 총결제 금액을 고르면?

[표] e-하나로마트에서 판매 중인 조미료 정보

상품명	가격	할인 안내
간장	2,000원 / 100g	500g 이상 구매 시 100g당 200원 할인
고추장	5,000원 / 300g	900g 이상 구매 시 900g당 100g 무료 증정
된장	8,000원 / 500g	—
설탕	10,000원 / 1kg	—
소금	6,000원 / 500g	1kg 이상 구매 시 10% 할인
식용유	2,000원 / 300g	1.5kg 이상 구매 시 3,000원 할인

※ 배송료는 5,000원이며, 100,000원 이상 주문 시 무료배송

보기

- A: 간장 2kg, 고추장 2kg, 된장 1.5kg, 식용유 1.5kg
- B: 간장 3kg, 된장 2kg, 설탕 2kg, 소금 500g

① 210,000원

② 211,000원

③ 212,000원

④ 213,000원

⑤ 214,000원

04 다음 [표]는 농협 하나로마트에서 판매 중인 건어물에 관한 자료이다. 이를 바탕으로 A, B가 [보기] 와 같이 상품을 구입하여 따로 배송하였을 때, 두 사람 중 총결제 금액이 적은 사람과 두 사람의 결제 금액 차이를 고르면?

[표] 하나로마트에서 판매 중인 건어물 정보

상품명	가격	할인 안내
김	5,000원 / 10장	20장 이상 구매 시 5% 할인
멸치	4,000원 / 300g	900g 이상 구매 시 900g당 100g 추가 증정
오징어	10,000원 / 3마리	6마리 이상 구매 시 1마리 추가 증정
미역	15,000원 / 1kg	–
다시마	2,000원 / 100g	500g 이상 구매 시 100g당 500원 할인
쥐포	8,000원 / 500g	1kg 이상 구매 시 10% 할인

※ 배송료는 8,000원이며, 98,000원 이상 주문 시 무료배송

> 보기
>
> • A: 김 40장, 미역 2kg, 다시마 3kg
> • B: 멸치 3kg, 오징어 7마리, 쥐포 3kg

① A, 3,200원
② A, 3,600원
③ A, 4,000원
④ B, 2,800원
⑤ B, 3,000원

다음은 K씨의 해외여행 기록과 여행자 보험 규정에 관한 자료이다. 이를 바탕으로 K씨가 수령할 수 있는 보상금에 대한 설명으로 옳지 <u>않은</u> 것을 고르면?

[K씨의 해외여행 기록]

K씨는 여름휴가를 맞이하여 오사카로 휴가를 떠났다. 월요일 아침 비행기로 오사카로 출발하였다. 그런데 오사카에 도착하여 수하물의 도착을 기다렸지만, 수하물은 오사카에 도착하지 않았다. 공항에서 확인한 결과, K씨의 수하물이 도쿄로 잘못 갔다는 대답을 들었다. 항공사에서는 수요일에 K씨의 숙소로 수하물을 보내준다고 하여 항공사의 확인서를 발급받은 후 숙소로 출발하였다.

공항을 나와 숙소에 도착한 K씨는 저녁 식사를 하러 시내로 나왔다. 식사를 마치고 숙소로 돌아오니 지갑이 없었다. 급하게 저녁 식사를 한 식당으로 다시 갔지만 지갑은 찾을 수 없었다. 지난달에 35만 원 주고 산 지갑이라서 당장 찾고 싶었으나, 더 이상 찾을 방법이 없어 경찰의 도움을 받기로 하고 숙소로 다시 돌아와 잠을 청했다.

다음 날 아침에 일어나보니 감기기운이 돌아 병원에 가서 약을 처방받고 3,000엔의 진료비를 지불하였다. 한국어가 가능한 간호사로부터 도움을 받아 확인서를 발급받고 병원에서 나오는 길에 휴대 전화를 떨어뜨리면서 휴대 전화의 액정이 깨져버렸다. 다행히 휴대 전화의 기능에는 문제가 없어 한국으로 돌아가서 액정만 교체하면 될 것 같았다. 병원을 다녀온 후 지갑을 찾기 위해 관할 경찰서에 방문하였지만 K씨는 일본어를 하지 못했고, 한국어나 영어를 할 줄 아는 경찰관도 없는 바람에 소통이 되지 않아 지갑 분실에 대한 확인서는 결국 발급받지 못했다.

[여행자 보험 규정]

1) 수하물
 • 수하물을 분실했을 경우, 캐리어 1개당 150,000원의 보상금이 지급됩니다.
 • 수하물 도착이 지연될 경우, 지연 일수당 40,000원의 보상금이 지급되며 최대 120,000원까지 지급됩니다.
 • 수하물 분실이나 도착 지연 시에는 항공사의 확인서가 반드시 필요합니다.

2) 소지품 분실
 • 지갑, 휴대 전화 등의 귀중품을 분실할 경우 관할 경찰서의 확인서가 필요합니다.
 • 구매한 지 1년 이내의 경우 70%, 1~3년 경우 40%, 4~6년 경우 10%의 보상이 지급됩니다.

3) 병원 및 약국 이용
 • 병원이나 약국 방문 시 해당 기관의 확인서가 필요합니다.
 • 병원, 약국 이용 비용의 100% 보상이 지급됩니다.

4) 휴대 전화 파손
 • 파손의 경우 별도의 확인서가 필요하지 않습니다.
 • 국내 수리 비용의 100%가 지급됩니다.

> 5) 보상액 기준
>   • 달러의 경우 1달러＝1,200원으로, 엔화의 경우 10엔＝100원으로 계산됩니다.

① 수하물 도착이 2일 지연되었으므로 80,000원의 보상금이 지급된다.

② 병원에서 진료비로 3,000엔을 사용했으므로 30,000원의 보상금이 지급된다.

③ 지갑을 구매한 지 1년이 되지 않았으므로 70%인 245,000원이 지급된다.

④ 휴대 전화 액정의 수리비가 50,000원일 경우 50,000원이 모두 지급된다.

⑤ 지갑 분실에 대한 보상금은 확인서를 발급받지 못했으므로 지급이 불가능하다.

06 다음 [표]는 NH마켓에서 물류를 배송할 업체를 선정하기 위하여 배송업체를 5개 항목별로 평가한 자료이다. 이를 바탕으로 [보기] 내용을 고려하였을 때 가장 적절한 업체를 고르면?

[표] 배송업체 평가 등급

업체	가격	친절도	배송 정확성	신속성	업체 안정성
A	★★	★★★	★★★★	★★★★	★★★
B	★★★★★	★★	★★★	★★★★	★★★★
C	★★★	★★★★★	★★★★	★★★	★★★
D	★★★★	★★★★	★★★	★★	★★★★
E	★★★★	★★	★★	★★★★★	★★★

※ ★★★★★: 매우 좋음, ★★★★: 좋음, ★★★: 보통, ★★: 나쁨, ★: 매우 나쁨

보기

[상사의 의견]
　배송에서 가장 중요한 건 정확성이죠. 정확성은 좋음 이상인 업체로 골랐으면 좋겠군요. 신속성이나 친절도는 보통 이상이면 됩니다. 앞선 세 조건을 만족하는 업체 중 가격이 더 나은 업체를 최종 선정하도록 하고, 최종 후보 업체들의 안정성이 모두 보통 이상이므로 안정성은 크게 고려하지 않아도 됩니다.

① A
② B
③ C
④ D
⑤ E

정답과 해설 P.15

01 다음은 오퍼레이션 트위스트에 관한 자료이다. 이를 바탕으로 오퍼레이션 트위스트를 시행한 후의 국채 수익률곡선과 ⊙, ⊙에 들어갈 값으로 옳은 것을 고르면?

    오퍼레이션 트위스트는 금융 당국이 장기채권 매입과 단기채권 매도를 병행하는 금융정책으로 글로벌 금융위기 당시 미연방준비제도(FED)가 양적완화와 함께 사용한 경기부양책의 일종이다. 채권수익률(=채권금리)은 채권 가격과 반대 방향으로 움직이므로 오퍼레이션 트위스트를 시행하면 만기 20년물과 같은 장기채권 금리는 낮아지고, 만기 3년물과 같은 단기채권 금리는 높아진다. 그러나 채권의 매수와 매도가 병행되므로 시중 통화량에는 큰 변화를 발생시키지 않아 인플레이션 억제와 기업의 투자수요 견인이라는 두 마리 토끼를 잡는 효과가 있다. 이는 국채의 수익률곡선에도 영향을 미치는데, 일반적으로 우상향하는 수익률곡선의 기울기가 줄어들거나 심할 경우 음의 기울기로 변화하는 장단기금리역전 현상이 발생하기도 한다. 또한 장기채권 매입, 단기채권 매도의 결과로 금융 당국 보유 자산 비율이 변화한다.

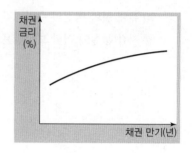

[그래프] 오퍼레이션 트위스트 시행 전 국채의 수익률곡선

[표] 오퍼레이션 트위스트 시행 전·후 금융 당국의 재무상태표   (단위: 십억 달러)

자산	시행 전	시행 후	부채 및 자본	시행 전	시행 후
국채	780	687	현금통화	774	(⊙)
‒ 3년물	351	(⊙)	Reverse RP	35	91
‒ 5년물	154	( )	정부예금	0	160
‒ 10년물	102	155	예금취급기관 예금	34	95
‒ 20년물	22	127	기타	16	( )
‒ 기타	151	( )			
RP	56	86			
TAF	0	150	자본총계	35	( )
PDCF	0	106			
금, SDR	13	13			
기타	45	187			
합계	894	1,229	합계	894	1,229

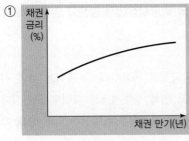

① ㉠: 182, ㉡: 333

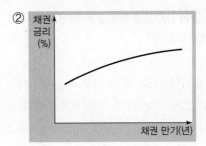

② ㉠: 400, ㉡: 772

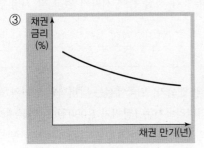

③ ㉠: 353, ㉡: 880

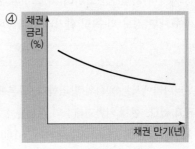

④ ㉠: 139, ㉡: 457

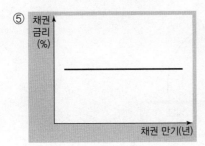

⑤ ㉠: 199, ㉡: 775

02 다음 글과 [보기]를 바탕으로 향후 우리나라, 미국, 일본의 외환시장에서 발생할 일을 바르게 예측한 것을 고르면?

> 환차익거래란 어느 일정 시점에서 각국 환시세의 불균형을 이용하여 그 차익을 얻기 위한 목적으로 행하여지는 외환거래를 말한다. 환차익거래로 인해 상대적으로 과대평가된 화폐는 매도의 대상이 되어 상대 가격이 낮아지고, 과소평가된 화폐는 매수의 대상이 되어 상대 가격이 높아져 균형을 이루게 된다. 이 거래가 이루어지기 위해서는 각 지역 간 환시세의 불균형이 존재해야 하고, 그 차익이 거래 비용보다 커야 하며 각 시장 간에 시차가 없고 각 시장 환시세에 대한 정보 입수 및 환거래가 가능해야 한다.

보기

> 우리나라에서는 원화와 달러화가, 일본에서는 원화와 엔화가, 미국에서는 달러화와 엔화가 사용되고 있다. 현재 외환거래소의 시세를 살펴보면 우리나라에서는 1달러가 1,000원에, 일본에서는 1엔이 12원에, 미국에서는 1달러가 100엔에 거래되고 있다. 또한 통화를 거래하는 데 수반되는 비용은 따로 없고 각 시장 간에 시차도 없으며 모든 정보는 공유되어 있다.

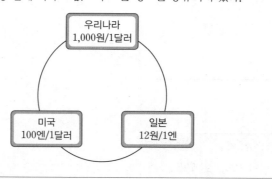

① 우리나라 외환시장에서 원화의 수요가 증가한다.
② 미국 외환시장에서 달러화의 수요가 증가한다.
③ 미국 외환시장에서 엔화의 공급이 증가한다.
④ 일본 외환시장에서 원화의 공급이 증가한다.
⑤ 일본 외환시장에서 엔화의 공급이 증가한다.

03 다음 [그래프]와 [표]는 글로벌 및 국내 VR 시장규모에 관한 자료이다. 이에 대한 설명으로 옳은 것을 고르면?

[그래프] 글로벌 VR 시장규모

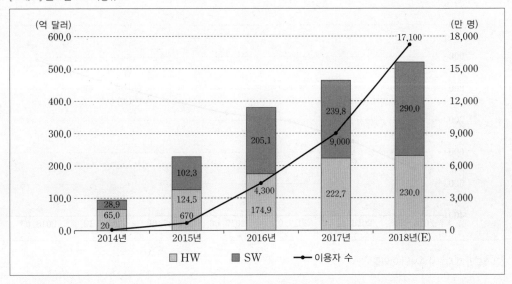

[표] 국내 VR 시장규모 (단위: 억 원)

구분	2014년	2015년	2016년	2017년	2018년(E)
HW	6,504	7,405	11,141	16,657	24,874
SW	2,055	2,231	2,594	2,944	3,125

※ (E)는 예상치를 뜻함

① 예상치를 포함한 조사기간 동안 국내 HW 대비 SW의 규모는 계속해서 감소하였다.

② 예상치를 포함한 조사기간 동안 글로벌 HW 대비 SW의 규모는 계속해서 증가하였다.

③ 현재 수준에서 큰 환율 변동이 없을 때, 2018년 국내 VR 시장규모는 글로벌 VR 시장규모의 절반 이상을 차지할 것으로 전망된다.

④ 예상치를 포함한 조사기간 동안 글로벌 VR 시장규모의 전년 대비 증가율은 상승세를 이어오다 2018년부터 증가율의 상승세가 꺾일 전망이다.

⑤ 2018년 글로벌 HW 시장규모가 전년에 비해 적은 상승률을 보일 것으로 예상됨에도 불구하고, SW 시장규모가 계속해서 늘어날 것으로 전망되는 이유는 이미 대부분의 VR 이용자들이 HW기기를 구매하였기 때문으로 해석할 수 있다.

[04~05] 다음 [그래프]는 제지 펄프의 국제 가격 추이와 제지회사 A사의 이익률에 관한 자료이고, [보기]는 제지회사 A, B사에 대한 분석 리포트이다. 이를 바탕으로 질문에 답하시오.

[그래프1] 제지 펄프의 국제 가격 추이   (단위: 달러/톤)

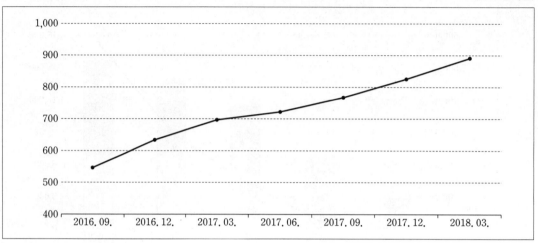

[그래프2] 제지회사 A사의 이익률   (단위: %)

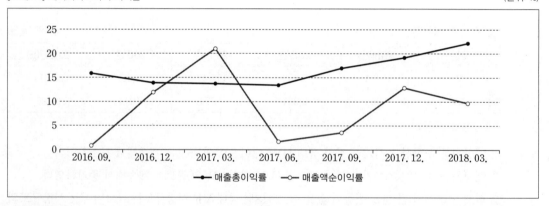

보기

　펄프를 전량 국외에서 수입하여 사용하는 B사의 올해 매출액은 전년 대비 증가했지만 영업이익은 지난해의 절반 수준으로 크게 감소했다. 한편, A사는 국내에 펄프 생산을 겸한 일관화공장을 운영하고 있다. 이곳에서 생산한 펄프 중 일부는 국내·외 업계에 내다 팔고, 나머지는 종이 제조를 위해 자체 소화하고 있다. 펄프가 부족할 경우에는 국외에서 수입하여 사용한다.

04 위의 자료에 대한 설명으로 옳은 것을 고르면?

① B사는 생산한 제지를 모두 국내에만 판매한다.

② A사는 제지 펄프의 국제 가격이 높아질수록 유리하다.

③ B사의 가격탄력성이 1보다 크다면 B사의 매출액은 높아질 것이다.

④ 제지 펄프의 국제 가격 상승에 따른 타격은 B사가 A사보다 클 것이다.

⑤ A사의 매출총이익률과 매출액순이익률은 서로 비례 관계에 있는 것으로 보인다.

05 다음 중 A사의 향후 수익성을 판단하기 위해 추가로 필요한 자료로 볼 수 <u>없는</u> 것을 고르면?

① B사의 향후 매출원가

② A사의 공장 확장 비용

③ 향후 제지 수요 추이

④ 국내 펄프의 향후 공급 추이

⑤ 제지 펄프의 향후 국제 가격 추이

정답과 해설 P.17

그대의 길을 가라,
다른 사람이 뭐라하던 신경 쓰지 말고

– 단테 알리기에리(Dante Alighieri)

03

수리능력

최신경향 분석

▌ 영역 소개

농협은행 수리능력은 자료해석, 응용수리 2가지 유형으로 구분할 수 있다. 실무상에서 접할 수 있는 다양한 자료를 제시한 후 이를 바탕으로 합리적인 의사결정을 내려야 하는 자료해석 형태의 문제가 다수 출제된다. 자료해석 유형에 비해 출제 비중이 낮은 응용수리 유형은 소금물, 거속시 등의 단편적인 문제가 아닌 환율, 이자 등을 계산하는 금융 관련 소재의 형태로 1~2문제씩 출제되고 있다.

▌ 출제유형 소개

유형 1   자료해석

2020년 필기시험 기준 수리능력에서 출제 비중이 가장 높은 자료해석 유형은 표 또는 그래프를 제시하여 이를 파악한 뒤 옳고 그름을 판단하거나 값을 계산하는 자료연계형 문제이다. 이에 따라 계산 과정 없이 자료를 통해 바로 확인·판단이 가능한 문제 형태와 복잡한 계산 과정까지 요하는 문제 형태로 구분할 수 있다. 특히 수치나 단위를 헷갈리게 제시하는 등의 출제자가 의도한 함정에 빠지지 않도록 주의해야 한다.

유형 2   금융수리

2020년 필기시험 기준 금융수리 유형은 자료해석 유형에 비해 출제 비중이 확연히 낮으나, 꾸준히 출제되고 있다. 농협 실무에서 활용하는 환율, 이자 등을 계산하는 유형으로, 단순한 응용수리 유형과는 확연히 다른 금융 소재 관련 문제 위주로 출제되고 있다. 그러므로 금융수리와 관련된 이론은 미리 정리하여 숙지해 둘 필요가 있다.

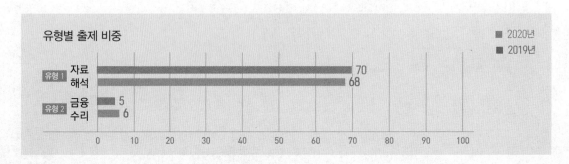

▌최신 필기시험 기출분석

1. 원리금 합계 계산 등 복잡한 계산 과정으로 시간이 오래 걸리는 문제의 출제 비중이 낮은 편이다.
2. 환전했을 때 받게 되는 원화를 구하는 등의 환율 계산 문제가 다수 출제되었다.
3. 은행 실무에서 활용할 수 있는 단리, 복리 계산법을 활용한 문제가 출제되었다.
4. 국가 간의 환율표를 제시한 후 이를 활용하여 계산하는 문제가 출제되었다.
5. 공식을 외워서 풀어야 하는 문제는 출제되지 않았다.

기출복원 키워드

- ✅ 연금, 연이율, 복리, 이자 수령 계산 자료
- ✅ 복리 수익률 계산 테이블, 정기적금, 복리상품, 연이율 관련 자료
- ✅ 노트북을 어디서 사야 가장 저렴하게 살 수 있는지에 관한 자료
- ✅ 음료수 유통기한 지난 것의 개수, 폐기해야 하는 서류 개수에 관한 자료
- ✅ 현재 시점 기준 환율 테이블, 매매기준율, 송금, 환전, 원화, 달러 관련 자료

1. 금융수리 유형은 2019년에 이어 국가 간의 환율표, 환율 테이블을 활용하여 계산하는 문제가 출제되었다.
2. 자료해석 유형은 여러 개의 자료를 함께 파악하여 계산하고 일치 여부를 확인해야 하는 문제가 출제되었다.
3. 자료해석 유형은 [보기]에 선택지를 제시한 후 그중에서 옳은/옳지 않은 것을 고르는 문제가 다수 출제되었다.
4. 복잡한 계산 과정을 요하는 유형보다 자료 파악과 어렵지 않은 계산 과정이 필요한 문제로 출제되었다.

기출복원 키워드

- ✅ 농업 기계화 현상, 농업 기계화율, 농가 인구수 관련 자료
- ✅ 연간 양곡소비량, 비농가/농가 1인당 양곡소비량 차이 관련 자료
- ✅ 환전, 달러, 환율표, 환전 시 원화로 받게 되는 금액 관련 자료
- ✅ 달러, 엔화, 유로 등 환율 테이블, 환전, 송금 관련 자료
- ✅ 지방국세청의 연도별 세금 징수액 관련 자료

03

수리능력

유형 1 자료해석

다음은 지방국세청의 연도별 세금 징수액과 2017년 이후 전망에 관한 자료이다. 이를 바탕으로 옳은 내용을 [보기]에서 모두 고르면?

[표] 지방국세청의 연도별 세금 징수액 (단위: 조 원)

구분	2011년	2012년	2013년	…	2017년
서울청	43.1	42.3	43.7	…	50.0
중부청	40.2	41.8	42.2	…	45.0
대전청	14.4	14.9	15.8	…	17.7
광주청	11.4	11.2	11.5	…	11.8
대구청	11.6	12.1	12.8	…	14.8

[2017년 이후 전망]
• 서울청과 중부청은 세금 징수액이 각각 10%, 5%씩 매년 감소할 전망이다.
• 광주청과 대구청은 세금 징수액이 각각 10%, 5%씩 매년 증가할 전망이다.
• 대전청은 세금 징수액이 8%씩 매년 증가할 전망이다.

보기
ㄱ 대전청의 세금 징수액은 2018년에 20조 원을 돌파할 것이다.
ㄴ 2020년 서울청의 세금 징수액은 같은 해 중부청보다 적을 것이다.
ㄷ 2021년 광주청의 세금 징수액은 같은 해 대구청보다 많을 것이다.

① ㄱ   ② ㄴ   ③ ㄷ

④ ㄴ, ㄷ   ⑤ ㄱ, ㄴ, ㄷ

03

수리능력

시간단축TIP

㉠ 대전청의 세금 징수액인 17.7에 8%보다 높은 10%에 해당하는 1.77을 더해도 20을 넘기지 못함에 따라 8%가 증가하여도 20을 넘기지 못한다는 것을 바로 알 수 있으므로 선택지 ①, ⑤는 소거된다.

정답해설

㉡ 2020년 서울청의 세금 징수액은 $50 \times (0.9)^3 = 36.45$(조 원), 중부청의 세금 징수액은 $45 \times (0.95)^3 = 38.58$(조 원)이므로 서울청의 세금 징수액이 더 적다.

[오답풀이]
㉠ 대전청의 2018년 세금 징수액은 $17.7 \times 1.08 = 19.1$(조 원)으로 20조 원을 돌파하지 못한다.
㉢ 2021년 광주청의 세금 징수액은 $11.8 \times (1.1)^4 = 17.3$(조 원), 대구청의 세금 징수액은 $14.8 \times (1.05)^4 = 18.0$(조 원)이므로 광주청의 세금 징수액이 더 적다.

| 정답 | ②

주영이는 대만 여행을 위하여 10월 1일 120만 원을 대만달러로 환전하였다. 10월 3일 대만에 출국하여 3박 4일 동안 25,420대만달러를 소비하였다. 우리나라로 돌아온 뒤 10월 7일 남은 금액을 환전하려고 하는데 100대만달러 단위로만 환전이 가능하다. 다음 환율표를 바탕으로 주영이가 환전 시 원화로 받게 되는 금액을 고르면?(단, 살 때와 팔 때의 가격은 동일하다.)

[표] 우리나라–대만 환율표   (단위: 원/대만달러)

날짜	환율
10월 1일~10월 2일	40
10월 3일~10월 4일	41
10월 5일~10월 6일	39
10월 7일~10월 8일	38

① 171,000원

② 171,900원

③ 172,800원

④ 173,900원

⑤ 174,800원

시간단축TIP

10월 1일에 대만달러로 환전하였고 10월 7일에 원화로 환전하려고 하므로, 해당되는 날짜의 환율만 자료에서 파악하도록 하며 남은 금액을 100대만달러 단위 기준으로 계산하면 바로 쉽게 구할 수 있다.

정답해설

10월 1일에 1대만달러가 40원이므로 1원은 $\frac{1}{40}$대만달러이다. 즉, 120만 원을 환전한 경우 $1,200,000 \times \frac{1}{40} =$ 30,000(대만달러)를 받는다. 이 중 25,420대만달러를 소비하였으므로 남은 금액은 $30,000 - 25,420 = 4,580$(대만달러)인데, 100대만달러 단위로만 환전 가능하므로 4,500대만달러를 환전할 수 있다. 10월 7일의 1대만달러는 38원이므로 주영이가 원화로 받을 수 있는 금액은 $4,500 \times 38 = 171,000$(원)이다.

| 정답 | ①

03

수리능력

01 정 주임은 향수를 구매하고자 한다. 우리나라 온라인 최저가와 직구 가격 및 각국의 환율이 다음 [표]와 같을 때, 향수를 가장 저렴하게 구매할 수 있는 국가를 고르면?(단, 달러화와 유로화만 직접 환거래가 가능하고 나머지 화폐는 달러를 기준으로 한 간접 환거래만 가능하다. 또한 영국 파운드화와 일본 엔화는 다른 나라와 다르게 자국의 통화를 환율 기준으로 삼는 간접표시환율을 사용 중이며, 부가 비용을 제외한 기타 세금 및 환전 수수료는 존재하지 않는다.)

[표1] 현재 각국 향수 가격

국가	현재가	부가 비용
우리나라	120,000원	배송비 3,000원 추가
미국	100달러	현재가에서 관세 8% 추가
영국	100파운드	현재가에서 10% 할인
일본	10,000엔	현재가에서 5% 할인 후 배송비 200엔 추가
프랑스	100유로	현재가에서 6% 할인

[표2] 현재 각국 환율

환율 단위	원/달러	달러/파운드	엔/달러	원/유로
환율	1,150	1.2	100	1,320

① 우리나라   ② 미국   ③ 영국

④ 일본   ⑤ 프랑스

[02~03] 다음 [표]는 연도별 상장회사의 영업이익, 순이익, 종업원 수와 전년 대비 2017년 종업원 수의 증감폭이 가장 큰 상위 5개 상장회사에 관한 자료이다. 이를 바탕으로 질문에 답하시오.

[표1] 연도별 상장회사의 영업이익, 순이익, 종업원 수 (단위: 조 원, 만 명)

구분	2014년	2015년	2016년	2017년
영업이익	91.0	102.2	123.0	157.7
순이익	61.0	63.6	81.8	114.6
종업원 수	123.8	126.2	126.0	125.2

[표2] 전년 대비 2017년 종업원 수의 증감폭이 가장 큰 상위 5개 상장회사 (단위: 명)

순위	기업명	증감폭	기업명	증감폭
1	○○오일	△6,732	○○전자	4,195
2	○○해운	△5,232	○○닉스	2,645
3	○○중공업	△5,198	○○화학	1,587
4	○○물산	△3,774	○○생명	1,223
5	○○석유	△2,901	○○전력공사	927

02 위의 자료에 대한 설명으로 옳지 않은 것을 고르면?

① 2017년 상장 공기업들의 종업원 수는 전년보다 1,000명 이하로 증가하였다.

② 조사기간 동안 상장회사의 영업이익과 순이익 증감 추이는 서로 동일하다.

③ 조사기간 동안 상장회사의 종업원 수 대비 영업이익은 매년 증가하였다.

④ ○○전자의 종업원 수가 전체 상장회사 종업원에서 차지하는 비중은 2016년보다 2017년에 더 높다.

⑤ 전년 대비 2017년 종업원 수 감소폭이 가장 큰 상위 5개 상장회사의 종업원 감소폭은 증가폭이 가장 큰 상위 5개 상장회사의 종업원 증가폭보다 크다.

03 다음 중 2017년 상장회사 종업원 수의 전년 대비 증감률과 가장 가까운 값을 고르면?

① −0.8%   ② −0.6%   ③ −0.4%

④ −0.2%   ⑤ −0.1%

[04~05] 다음 [표]는 2019~2020년 판매처별 추석 선물세트 구입 비용에 관한 자료이다. 이를 바탕으로 질문에 답하시오.

[표1] 2019년 판매처별 추석 선물세트 구입 비용 (단위: 원)

주재료	단위	대형마트	온라인몰	SSM
사과	5kg	55,174	46,850	62,350
배	7.5kg	56,642	51,820	64,356
곶감	40개	64,240	35,721	51,642
표고버섯	420g	70,235	55,625	91,163
잣	500g	125,329	62,350	98,734
한우갈비(1+)	3kg	258,230	266,639	235,532
굴비	1.2kg	166,850	84,604	134,270

[표2] 2020년 판매처별 추석 선물세트 구입 비용 (단위: 원)

주재료	단위	대형마트	온라인몰	SSM
사과	5kg	61,063	48,240	60,360
배	7.5kg	55,675	47,280	57,577
곶감	40개	62,907	40,720	52,718
표고버섯	420g	68,028	53,095	88,036
잣	500g	123,622	66,695	96,933
한우갈비(1+)	3kg	273,200	294,459	241,824
굴비	1.2kg	169,240	82,984	131,033

04 위의 자료에 대한 설명으로 옳지 <u>않은</u> 것을 [보기]에서 고르면?

> **보기**
>
> ㉠ 2019년 과일 품목은 모두 SSM의 가격이 가장 높다.
> ㉡ 2020년 전년 대비 구입 비용이 모든 판매처에서 상승한 품목은 2가지이다.
> ㉢ 2020년 전년 대비 표고버섯의 구입 비용 감소폭이 가장 큰 판매처는 SSM이다.
> ㉣ 매년 한우갈비(1^+)를 제외한 품목의 구입 비용은 온라인몰에서 가장 낮다.

① ㉠, ㉡ ② ㉠, ㉢ ③ ㉡, ㉢

④ ㉡, ㉣ ⑤ ㉢, ㉣

05 2019년에 100만 원으로 살 수 있는 곶감 세트의 최소 개수와 2020년에 100만 원으로 살 수 있는 곶감 세트의 최대 개수 간의 차이를 고르면?(단, 1곳의 판매처에서만 구입할 수 있다.)

① 320개 ② 360개 ③ 400개

④ 400개 ⑤ 440개

정답과 해설 P.19

[01~02] 다음 [표]는 8월 3~4일의 환율테이블이다. 이를 바탕으로 질문에 답하시오.

[표] 환율테이블 (단위: 원)

날짜	통화명	매매기준율	현찰		송금(전산환)	
			살 때	팔 때	보낼 때	받을 때
8월 3일	미국USD(달러)	1,127.50	1,147.23	1,107.77	1,138.20	1,116.80
	일본JPY(100엔)	1,076.17	1,095.00	1,057.34	1,086.39	1,065.95
	유럽EUR(유로)	1,332.48	1,358.49	1,306.01	1,344.90	1,319.60
8월 4일	미국USD(달러)	1,129.50	1,149.26	1,109.74	1,140.20	1,118.80
	일본JPY(100엔)	1,077.15	1,096.00	1,058.30	1,087.38	1,066.92
	유럽EUR(유로)	1,335.52	1,361.82	1,309.22	1,348.20	1,322.84

01 김 대리는 8월 3일 외화 예금 통장으로 미국에서 1만 달러를 송금받았고, 이를 원화로 환전하여 출금하려고 한다. 이때 김 대리가 모두 원화로 환전하여 출금한 금액을 고르면?(단, 수수료는 고려하지 않는다.)

① 11,077,700원　　　　　② 11,168,000원　　　　　③ 11,275,000원

④ 11,382,000원　　　　　⑤ 11,472,300원

02 이 대리는 8월 3일 원화 통장으로 유로화 2,000유로를 송금받았고, 같은 통장에서 8월 4일 일본으로 엔화 50,000엔을 송금하려고 한다. 이때 통장에 남아 있는 금액을 고르면?(단, 송금받기 전 통장에는 0원이 있었고, 원 미만은 절사한다.)

① 2,064,020원　　　　　② 2,095,510원　　　　　③ 2,096,005원

④ 2,101,990원　　　　　⑤ 2,156,340원

03 정 부장은 정년퇴직 후 2018년 말부터 매년 말에 2,200만 원씩 20년 동안 연금을 받게 된다. 해당 연금을 연이율 4%의 복리로 계산하여 2018년 초에 일시불로 수령하고자 할 때, 수령하게 되는 금액을 고르면?(단, $(1.04)^{19}=2.1$, $(1.04)^{20}=2.2$로 계산하고, 세금은 고려하지 않는다.)

① 2억 7,500만 원 ② 2억 8,810만 원 ③ 3억 원

④ 6억 500만 원 ⑤ 6억 6,000만 원

04 박 씨는 올해 말부터 매년 말에 1,630만 원씩 10년 동안 받는 연금이 있다. 해당 연금을 연이율 5%의 복리로 계산하여 올해 초에 일시불로 수령하고자 할 때, 수령하게 되는 금액을 고르면?(단, $(1.05)^{10}$ =1.63으로 계산하고, 세금은 무시한다.)

① 1억 1,800만 원 ② 1억 2,600만 원 ③ 1억 3,200만 원

④ 1억 4,248만 원 ⑤ 1억 6,300만 원

[05~06] 다음 [표]는 2019년 1월 2일의 환율 테이블이다. 이를 바탕으로 질문에 답하시오.

[표] 환율 테이블 (단위: 원)

날짜	통화명	매매기준율	현찰		송금(전신환)	
			살 때	팔 때	보낼 때	받을 때
2019년 1월 2일	미국 USD	1,139.50	1,159.44	1,119.56	1,150.60	1,128.40
	일본 JPY(100엔)	1,010.42	1,028.10	992.74	1,020.32	1,000.52
	유럽 EUR	1,295.10	1,320.87	1,269.33	1,308.05	1,282.15

05 A사원은 2019년 1월 2일 미국으로 미화 5,000달러를 송금해야 한다. 이때 A사원이 원화를 얼만큼 환전해야 하는지 고르면?

① 5,597,800원   ② 5,642,000원   ③ 5,697,500원

④ 5,753,000원   ⑤ 5,797,200원

06 B사원은 2019년 1월 2일 유럽에서 유로화 1,000유로, 일본에서 엔화 30,000엔을 각각 송금받았다. B사원이 받은 돈을 원화로 환전했을 때의 액수를 고르면?

① 1,567,152원   ② 1,582,306원   ③ 1,598,224원

④ 1,615,128원   ⑤ 1,629,300원

정답과 해설 P.20

모든 시작에는
두려움과 서투름이
따르기 마련이에요.

당신이 나약해서가 아니에요

PART

04

정보능력

최신경향 분석

▌ 영역 소개

농협은행 정보능력은 언택트 시대에 발맞춰 그 중요도가 점점 높아지고 있다. 이에 따라 기존에는 엑셀 등 간단한 유형의 문제 위주로 출제되었지만, 최근 들어 C, JAVA 등 기초적인 프로그래밍 언어 유형의 문제도 출제되는 추세이다. 다만 매우 기초적인 수준으로 출제되고 있으며, 문제 해결을 위한 힌트가 함께 제시되는 경우가 많아 높은 진입장벽을 뛰어넘는다면 쉽게 점수를 챙길 수 있는 영역이다.

▌ 출제유형 소개

유형 1   컴퓨터 활용

2020년 필기시험 기준 컴퓨터 활용 유형은 1~2문제씩 출제되었다. 단축키나 단편적인 지식을 묻는 문제보다는 제시된 과제를 해결하기 위해 필요한 엑셀 함수식이나 업무 상황에서 발생한 문제를 해결하기 위한 조치 등보다 실용적인 문제해결능력을 요구하는 형태로 출제되고 있다.

세부유형		
	엑셀 활용	제시된 과제를 해결하기 위해 필요한 함수식 또는 결괏값을 묻는 유형
	프로그램 활용	업무상에서 발생하는 문제를 해결하는 방법이나 조치에 대해 묻는 유형

유형 2   프로그래밍

2020년 필기시험 기준 프로그래밍 유형은 2문제가 한 세트인 형태로 출제되었다. 주로 기초적인 내용이 출제되고, 프로그래밍 언어를 모르더라도 코드를 해석할 수 있도록 결정적인 힌트가 함께 제시되는 경우가 많다. 그러나 프로그래밍 언어를 숙지하고 있다면 제시된 힌트를 바탕으로 추론하는 시간을 크게 절약할 수 있다.

세부유형		
	C언어	제시된 코드의 특성을 파악하고, 결과를 추론하는 유형
	Java	

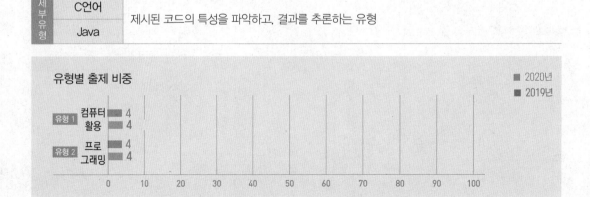

유형별 출제 비중

■ 2020년
■ 2019년

유형 1	컴퓨터 활용	4
		4
유형 2	프로그래밍	4
		4

0   10   20   30   40   50   60   70   80   90   100

최신 필기시험 기출분석

1. 엑셀 함수를 활용하는 문제들이 주로 출제되었고, 컴퓨터 활용 관련 문제는 소수 출제되었다.
2. 난도가 낮은 편이고, 단편적인 이론을 활용한 문제들이 다수 출제되었다.
3. 엑셀 함수식을 미리 알고 있어야 빠르게 풀 수 있었으므로 별도의 학습이 필요하다.
4. 2018년에 이어 Java 프로그래밍 언어 관련 문제가 출제되었다.

기출복원 키워드

- ✔ DATEDIF(D3, TODAY(), "Y") 함수, 같은 결괏값인 셀 개수 고르는 유형
- ✔ 네크워크 및 공유 센터 · 인터넷 프로토콜 버전 4(TCP/IPv4) 속성창 관련 이미지
- ✔ Q=(num1>num2)? K: S;코드, num1>num2 만족, big, diff 관련 내용
- ✔ ans=(num1>num2)? num1+num2: num2−num1 ; 코드
- ✔ m%n;코드(m을 n으로 나누었을 때의 나머지를 구하는 것)

1. 단편적인 이론을 활용한 문제보다 실무와 밀접한 상황이나 문제 등을 활용한 문제가 출제되었다.
2. 컴퓨터 활용 유형보다 C, Java 등 프로그래밍 언어 유형 문제의 출제 비중이 점점 증가하는 추세이다.
3. 프로그래밍 유형 문제의 난도는 낮은 편으로, 기초 이론을 미리 파악하고 문제풀이 연습을 충분히 한다면 손쉽게 점수를 얻을 수 있는 문제로 출제되었다.

기출복원 키워드

- ✔ 아스키코드, 유니코드, 프로그램 처리, 글자 1Byte당 사용 용량

04

정보능력

1 C언어

1 C 프로그램의 기본 구조

```
#include <stdio.h>                    → 선행처리기

main()                               → 메인 함수
{                                    → 메인 함수의 시작
        int SUM;                     → 정수형 변수 선언
        int A;
        int B;
        A=10;                        → 변수의 초기화
        B=5;
        SUM=A+B;                     → 합계를 구함
        printf("%d \n", SUM);        → 결과를 10진 정수의 형식으로 화면에 출력
}                                    → 메인 함수의 끝
```

- C 프로그램은 한 개 이상의 함수로 구성되며, 반드시 main() 함수를 포함해야 한다.
- 함수의 시작과 끝을 알리는 중괄호({ })를 사용해야 한다.
- 중괄호 안에는 변수선언문, 치환문, 연산문, 함수 등의 명령을 기입한다.
- 모든 C 문장은 세미콜론(;)으로 종료된다.
- 한 줄에 여러 개의 세미콜론을 사용하여 여러 문장을 써도 되고, 한 개의 문장이 길면 여러 줄에 걸쳐 써도 된다.

2 C언어의 자료형

자료형이란 사용하는 자료의 형태로, 변수나 함수 등에 사용되는 자료의 종류나 크기 등의 특징을 의미한다.

자료형	내용
정수형	int형, short int형, long int형
실수형	float형, double형, long double형
문자형	char형

3 C언어의 연산자

연산자	내용
산술 연산자	+(덧셈), −(뺄셈), *(곱셈), /(나눗셈), %(나머지), ++(증가), −−(감소)
대입 연산자	=(대입), +=, −=, *=, /=, %=, &=, |=, ^=, <<=, >>= (연산 후 대입)
관계 연산자	>(크다), >=(크거나 같다), <(작다), <=(작거나 같다), ==(같다), !=(같지 않다)
논리 연산자	&&(AND), ||(OR), !(NOT)
비트 연산자	&(AND), |(OR), ~(NOT), ^(XOR)
시프트 연산자	<<(왼쪽 시프트), >>(오른쪽 시프트)
포인터 연산자	&(번지 연산자), *(간접 번지 연산자)

4 입출력 함수

① printf 함수
- 모니터 화면에 자료를 출력하고자 할 때 사용되는 양식 지정 출력 함수
- 형식: printf("출력 형식" 출력 대상);
- 사용 예: printf("Hello, world!\n"); → "Hello, world"를 출력
  printf("A=%d, B=%d\n",a,b); → 변수 a, b를 10진 정수로 출력

② scanf 함수
- 키보드로부터 자료를 입력받을 때 사용되는 양식 지정 입력 함수
- 형식: scanf("입력 형식",입력 대상);
- 사용 예: scanf("%d",&a); → 변수 a에 정수를 입력받음

5 선택 제어문

① 단순 if문
- 형식: if(조건) 문장;
- 의미: 조건이 참일 경우만 문장을 수행한다.

② if~else문
- 형식: if(조건) 문장1;
      else 문장2;
- 의미: 조건이 참인 경우에는 문장1을 수행하고, 거짓인 경우 문장2를 수행한다.

③ 다중 if~else문
- 형식: if(조건1) 문장1;
      else if(조건2) 문장2;
      else 문장3;

- 의미: 조건1이 참인 경우에는 문장1을 수행하고, 조건1이 거짓이고 조건2가 참이면 문장2를 수행하고, 조건1과 조건2가 모두 거짓이면 문장3을 수행한다.

④ switch문
- 형식: switch(수식)

  {

  case 값1 : 문장1;

  case 값2 : 문장2;

  ·········

  case 값n : 문장n;

  default : 문장x;

  }
- 의미: 수식의 계산 결과가 어느 case문의 값과 일치하는지 찾아서 그 지점부터 switch 구문 마지막까지 모든 문장들을 수행한다.

6 반복 제어문

① for문
- 형식: for(초기식; 조건식; 증감식){

  반복 실행할 문장;

  }
- 기능: 초기식을 수행한 후 조건식을 점검하여 참인 경우에만 반복할 문장을 수행하고, 증감식을 수행한 후 다시 조건식을 점검하여 참인 경우에만 반복한다.

② while문
- 형식: while(조건식){

  반복 실행할 문장;

  }
- 기능: 조건식이 참인 경우에만 반복할 문장을 실행한다.

③ do~while문
- 형식: do {

  반복 실행할 문장;

  } while(조건식);
- 기능: 반복할 문장을 무조건 먼저 수행한 후, 조건식이 참인 경우에만 다시 반복한다.

1 Java 프로그램의 기본 구조

```
public class Exam {                              → 클래스의 시작
    public static void main(String[] args) {    → main 메소드의 시작
    int SUM, A, B;                              → 정수형 변수 선언
    A=10;                                       → 변수의 초기화
    B=25;
    SUM=A+B;                                    → 합계를 구함
    System.out.println(SUM);                    → 결과를 화면에 표시
    }                                           → main 메소드의 끝
}                                               → 클래스의 끝
```

- Java 프로그램은 한 개의 public class와 0개 이상의 class로 구성된다.
- 클래스(class)란 자신의 객체(object)들을 생성하게 될 기본 틀이다.
- main( ) 메소드가 포함되는 클래스명을 파일명으로 저장해야 한다. 즉, 이 프로그램은 Exam.java로 저장해야 한다.
- public은 클래스 Exam에 대한 접근 여부를 명시한 한정자의 일종으로서, 다른 모든 클래스에서 클래스 Exam을 접근하는 것이 허용되어 있음을 의미한다.
- 대문자와 소문자가 구별된다.

2 Java의 자료형

- Java 언어에서 제공하는 자료형으로 크게 기본(primitive) 자료형과 참조(referential) 자료형이 있다.
- 기본 자료형으로는 정수형(byte, short, int, long), 실수형(float, double), 문자형(char), 논리형(boolean) 등 총 8가지가 제공된다.
- Java 언어에서의 참조형 자료로는 클래스형, 인터페이스형, 배열형, 열거형 등 총 4가지가 있다.

3 배열

```
type [ ] 배열명=new type[첨자];
```

3행 4열의 크기를 갖는 정수형 배열

int [ ][ ] a=new int[3][4];

int a [ ][ ]=new int[3][4];

int a[ ]=new int[5];　　　　　　　　→ 5의 크기를 갖는 정수형 배열

for(int i=0; i<a.length; i++)　　　→ 배열의 크기가 배열 객체의 length 필드에 저장됨

　　　System.out.println(a[i]);　　　→ 배열의 각 요소를 출력

4 1~100까지의 짝수 합을 구하는 프로그램

```
public class EvenSum {
        public static void main(String[ ] agrs) {
                int sum=0;                                          → ①
                    for(int i=1; i<=100; i++)                       → ②
                        if(i % 2 !=0) continue;                     → ③
                            else sum+=i                             → ④
                    System.out.println("1~100까지 짝수의 합 : "+sum);   → ⑤
        }
    }
```

① 정수형 변수 sum의 초기값을 0으로 지정한다.

② i는 1에서 100까지 1씩 증가한다.

③ i를 2로 나눈 나머지가 0이 아니면 다시 반복으로 돌아간다.

④ 그렇지 않으면 sum에 1을 누적한다.

⑤ 반복이 모두 끝나면 "1~100까지 짝수의 합 : "을 출력하고 sum 변수에 저장된 값을 출력한다.

5 5개의 정수 중 가장 작은 값을 찾아서 출력하는 프로그램

```java
public class Sample {
    public static void main(String[] args) {
        int N[]={60, 50, 90, 100, 80};          → ①
        int MIN=9999, i;                         → ②
        for (i=0; i<N.length; i++) {             → ③
            if (MIN>N[i]) {                      → ④
                MIN=N[i];
            }
        }
        System.out.print("최솟값 : "+MIN);      → ⑤
    }
}
```

① 배열 변수 N을 선언하고 5개의 정수를 초기값으로 지정한다.
② MIN의 초기값을 9999로 지정하고, i를 정수형 변수로 선언한다.
③ i는 0에서 배열 크기인 5보다 작은 값인 4까지 반복하고 1씩 증가한다.
④ MIN과 N의 i번째 값을 비교하여 MIN이 크면 MIN에 i번째 값을 보관한다.
⑤ 반복이 모두 끝나면 "최솟값 : "을 출력하고 MIN 변수에 저장된 값을 출력한다.

3 엑셀의 함수

1 수학/삼각 함수

함수명	내용
ABS(수)	수의 절대값을 구함
INT(수)	수의 가장 가까운 정수로 내린 값을 구함
RAND( )	0과 1 사이의 난수를 구함
MOD(수1, 수2)	수1을 수2로 나눈 나머지를 구함
FACT(수)	1×2×3×⋯×수로 계산한 계승값을 구함
SQRT(수)	수의 양의 제곱근을 구함
PI( )	원주율 값을 구함
POWER(수1, 수2)	수1을 수2만큼 거듭 제곱한 값을 구함
SUM(수1, 수2⋯)	수의 합계를 구함

SUMIF(검색범위, 조건, 합계범위)	검색범위에서 조건을 검사하여 만족하는 경우 합계범위에서 합계를 구함
PRODUCT(수1, 수2…)	인수를 모두 곱한 결과를 표시
SUMPRODUCT(배열1, 배열2)	배열에서 해당 요소들을 모두 곱하고 그 곱의 합계를 반환
ROUND(수, 자릿수)	수를 지정한 자릿수로 반올림함
ROUNDUP(수, 자릿수)	수를 지정한 자릿수로 올림함
ROUNDDOWN(수, 자릿수)	수를 지정한 자릿수로 내림함

2 통계 함수

함수명	내용
AVERAGE(수1, 수2…)	수의 평균을 구함
MAX(수1, 수2…)	인수 중에서 최댓값을 구함
MIN(수1, 수2…)	인수 중에서 최솟값을 구함
LARGE(배열, k)	인수로 지정한 숫자 중 k번째로 큰 값을 구함
SMALL(배열, k)	인수로 지정한 숫자 중 k번째로 작은 값을 구함
COUNT(인수1, 인수2…)	인수 중에서 숫자의 개수를 구함
COUNTA(인수1, 인수2…)	공백이 아닌 인수의 개수를 구함
COUNTIF(검색범위, 조건)	검색범위에서 조건을 만족하는 셀의 개수를 구함
RANK(수, 범위, 방법)	범위에서 수의 순위를 구함(방법을 생략하거나 0으로 지정하면 내림차순, 나머지는 오름차순)

3 날짜/시간 함수

함수명	내용
NOW( )	현재 컴퓨터 시스템의 날짜와 시간을 표시
TODAY( )	현재 컴퓨터 시스템의 날짜를 표시
DATE(연, 월, 일)	해당 날짜 데이터를 표시
YEAR(날짜)	날짜의 연도를 표시
MONTH(날짜)	날짜의 월을 표시
DAY(날짜)	날짜의 일을 표시
TIME(시, 분, 초)	해당 시간 데이터를 표시
HOUR(시간)	시간에서 시를 표시
MINUTE(시간)	시간에서 분을 표시
SECOND(시간)	시간에서 초를 표시
WEEKDAY(날짜, 유형)	요일 번호를 표시(유형이 1이거나 생략하면 일요일=1, 유형이 2이면 월요일=1로 표시)

4 논리 함수

함수명	내용
IF(조건식, 값1, 값2)	조건식이 참이면 값1, 거짓이면 값2를 반환
NOT(조건식)	조건식의 결과를 반대로 반환
AND(조건1, 조건2…)	모든 조건이 참이면 TRUE, 나머지는 FALSE를 반환
OR(조건1, 조건2…)	조건 중 하나 이상이 참이면 TRUE, 나머지는 FALSE를 반환

5 문자열 함수

함수명	내용
LEFT(문자열, 개수)	문자열의 왼쪽에서 개수만큼 문자를 추출
RIGHT(문자열, 개수)	문자열의 오른쪽에서 개수만큼 문자를 추출
MID(문자열, 시작위치, 개수)	문자열의 시작위치에서 개수만큼 문자를 추출
LOWER(문자열)	문자열을 모두 소문자로 반환
UPPER(문자열)	문자열을 모두 대문자로 반환
PROPER(문자열)	단어 첫 글자만 대문자로 나머지는 소문자로 반환
REPLACE (문자열1, 시작위치, 개수, 문자열2)	시작위치의 바꿀 개수만큼 문자열1의 일부를 문자열2로 교체
LEN(문자열)	문자열의 길이를 숫자로 구함

6 참조 함수

함수명	내용
VLOOKUP (값, 범위, 열번호, 방법)	범위의 첫 번째 열에서 값을 찾아 지정한 열에서 대응하는 값을 반환(찾을 방법은 정확히 일치하는 값만 찾을 경우 0, 근사치를 찾을 경우 1)
HLOOKUP (값, 범위, 행번호, 방법)	범위의 첫 번째 행에서 값을 찾아 지정한 행에서 대응하는 값을 반환(찾을 방법은 정확히 일치하는 값만 찾을 경우 0, 근사치를 찾을 경우 1)
CHOOSE (검색값, 값1, 값2…)	검색값이 1이면 값1, 2이면 값2… 순서로 값을 반환
INDEX(범위, 행, 열)	범위에서 지정한 행, 열에 있는 값을 반환

7 데이터베이스 함수

함수명	내용
DSUM(데이터베이스,필드,조건범위)	조건을 만족하는 데이터의 합계를 구함
DAVERAGE(데이터베이스,필드,조건범위)	조건을 만족하는 데이터의 평균을 구함
DCOUNT(데이터베이스,필드,조건범위)	조건을 만족하는 데이터 중 숫자 개수를 구함
DCOUNTA(데이터베이스,필드,조건범위)	조건을 만족하는 데이터의 개수를 구함
DMAX(데이터베이스,필드,조건범위)	조건을 만족하는 데이터 중 최댓값을 구함
DMIN(데이터베이스,필드,조건범위)	조건을 만족하는 데이터 중 최솟값을 구함

대표기출 유형

세부 유형   엑셀 활용

다음 [그림]의 워크시트에서 E3셀에 '=DATEDIF(D3, TODAY(), "Y")'를 입력하고 [E4:E12]셀까지 수식을 복사하였다. 현재 시스템 날짜가 2019년 1월 1일일 때 나타나는 결괏값이 8인 셀의 개수를 고르면?

[그림] 워크시트

	A	B	C	D	E	F
1						
2		이름	직급	입사일		
3		강재원	사원	2013-01-15		
4		경윤수	대리	2010-03-12		
5		김용민	과장	2008-05-04		
6		김진수	사원	2012-05-15		
7		박준혁	대리	2010-03-12		
8		박지원	과장	2008-05-04		
9		송한별	사원	2012-05-15		
10		윤은빈	대리	2010-03-12		
11		이세희	부장	2008-05-04		
12		이진우	대리	2010-05-15		
13						

① 1개
② 2개
③ 3개
④ 4개
⑤ 5개

시간단축TIP

제시된 엑셀 함수식으로 구하는 값이 무엇인지 바로 알 수 있어야 빠른 해결이 가능한 문제이다. 최근에는 단편적인 이론 문제의 출제 비중이 점차 줄어들고 제시된 자료와 배경지식을 활용하여 해결하는 문제의 출제 비중이 높아지고 있으므로, 엑셀 함수식의 괄호 안에 들어가는 값 또는 순서를 정확히 파악하고 있어야 한다. 해당 문제에서도 DATEDIF 함수가 두 날짜의 차이를 구하는 식이라는 것을 이미 알고 있다면 쉽게 풀 수 있다.

정답해설

DATEDIF는 두 날짜 사이의 차이를 계산하는 함수로, =DATEDIF(D3, TODAY(), "Y")는 입사일과 현재 날짜 간의 차이를 연 단위로 구하는 수식이다. 'Y'를 'M'으로 대체하면 월 단위, 'D'로 대체하면 일 단위로 구할 수 있다.

따라서 결괏값이 8이 되는 사람은 2019년 1월 1일 기준 입사 8년차인 경윤수 대리, 박준혁 대리, 윤은빈 대리, 이진우 대리로 총 4명이다.

| 정답 | ④

04

정보능력

A사원은 자신의 컴퓨터에서 네트워크 접속이 되지 않아 '네트워크 및 공유 센터'의 '인터넷 프로토콜 버전 4(TCP/IPv4)' 속성창을 열어 원인을 진단하려고 하였다. A사원의 속성창 상태는 [그림1]과 같았고, 네트워크 접속이 원활한 옆자리 B사원의 속성창 상태는 [그림2]와 같았다. 이때 A사원이 취해야 할 조치로 적절한 것을 고르면?

[그림1] A사원 속성창

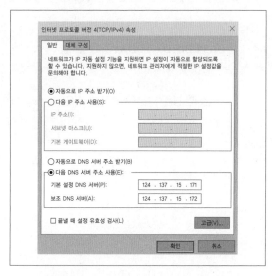

[그림2] B사원 속성창

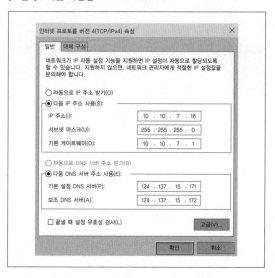

① '자동으로 IP 주소 받기(O)'를 클릭한 후 네트워크 연결을 시도한다.

② '다음 IP 주소 사용(S)'을 클릭한 후 네트워크 연결이 원활한 옆자리 B사원의 IP 주소와 서브넷 마스크, 기본 게이트웨이 숫자를 똑같이 쓴다.

③ 네트워크 연결이 원활한 옆자리 B사원의 IP 주소와 서브넷 마스크, 기본 게이트웨이 숫자를 비교해서 기본 게이트웨이 주소 값만 바꾸어 사용한다.

④ '자동으로 DNS 서버 주소 받기(B)'를 클릭한다.

⑤ '다음 IP 주소 사용(S)'을 클릭한 후 IT본부에 연락하여 새로운 IP 주소를 할당받는다.

시간단축TIP

프로그램 활용 유형의 경우 주로 실무에서 발생할 수 있는 문제 상황 등을 활용한 문제가 출제되고 있다. 문제상으로만 보고 익히기보다는 직접 프로그램을 실행해 보면서 파악해 놓으면 실제 시험 대비 충분한 밑바탕을 다질 수 있을 것이다. 또한 상식선에서 추론할 수 있는 낮은 난도로 출제되므로 차분히 문제에 접근하도록 한다.

정답해설

'자동으로 IP 주소 받기'는 IP 설정이 자동으로 할당되는 유동 IP 방식이며, '다음 IP 주소 사용'은 네트워크 관리자에게 IP 설정값을 부여받아야 하는 고정 IP 방식이다. 네트워크 접속이 원활한 옆자리 B사원은 고정 IP를 사용하고 있으므로, 동일하게 '다음 IP 주소 사용'을 클릭한 후 IP 관리를 하는 IT본부에 연락을 하여 새로운 IP 주소를 할당받아야 한다.

| 정답 | ⑤

04

정보능력

[01~02] 다음은 C언어에서 작성한 코드이고, 제시된 코드의 일부가 [보기]의 결과를 가져온다고 한다. 이를 바탕으로 질문에 답하시오.

```
1    #include <stdio.h>
2    int main(void)
3    {
4        int sudang, Time_start=32400; //9시 업무시작
5        int Time_end=57600; //4시 퇴근
6        int num, hour, minute, second=0;
7        num=34596-(Time_end-Time_start); //34596은 A씨가 근무한 시간
8        if (num>0)
9    {
10       hour=num/3600;
11       minute=num%3600/60;
12
13       sudang=hour*30000; //수당은 시간당 30,000원
14       printf("업무외 추가시간 : %d 시간, %d 분, %d 초. 수당 : %d 원", hour, minute, second,
15       sudang);
16   }
17   else
18   {
19   printf("잘못된 데이터입니다.");
20   }
21       return 0;
22   }
```

보기

K사원은 // 뒤의 문장이 결과에 아무런 영향을 미치지 않는다는 사실을 알았다.

01 위의 자료에 대한 설명으로 옳지 <u>않은</u> 것을 고르면?

① 10행의 num/3600에서 3600이란 1시간을 초로 나타낸 값을 의미한다.

② 만약 A씨가 근무한 시간이 7시간을 넘지 않는다면 "잘못된 데이터입니다."가 출력된다.

③ 30분 추가근무를 해도 수당은 지급되지 않는다.

④ 11행의 수식을 "minute=num−hour*3600;"으로 바꿔도 같은 결과가 처리된다.

⑤ A씨가 받는 수당은 6만 원이다.

시간단축TIP

제시된 코드 내용의 알고리즘에 따라 각 변수에 어떤 값들이 입력되는지 기록하면서 파악하는 것이 우선이다. 이때, 알고리즘과 함께 [보기]의 내용을 활용하여 이해한다면 더욱 빠른 파악이 가능하다.

정답해설

11행의 수식을 "minute=num−hour*3600;"으로 바꿀 경우 추가근무 시간에서 시간(hour) 단위를 제외한 남은 분, 초가 초로 나타나므로, 이를 분으로 나타내기 위해서는 60으로 나눈 값을 구해야 한다.

즉, "minute=(num−hour*3600)/60;"으로 바꿔야 같은 결과를 얻을 수 있다.

[오답풀이]

① 10행은 초 단위의 숫자인 num을 3600으로 나눠 시간(hour) 단위를 구하기 위한 코드이므로, 3600은 1시간을 초로 나타낸 값을 의미한다.

② A씨가 근무한 시간이 7시간을 넘지 않는다면 num 값은 음수가 되어 "잘못된 데이터입니다."가 출력된다.

③ 수당을 계산하는 13행을 보면 수당은 오직 hour에만 의존하므로 추가근무 30분에는 수당이 지급되지 않는다.

⑤ A씨는 34,596−(57,600−32,400)=9,396(초)=2.61시간 동안 추가근무를 하였다. 따라서 A씨가 받는 수당은 2×30,000=60,000(원)이다.

| 정답 | ④

02 제시된 코드의 12행에 "second=(num%3600)%60;"이라는 새로운 코드를 추가했을 때 나타나는 결괏값을 고르면?

① 0초　　　　　　② 2초　　　　　　③ 36초

④ 60초　　　　　　⑤ 120초

정답해설

num값을 3600으로 나눴을 때의 나머지를 구한 후 다시 60으로 나눴을 때의 나머지를 구하면 된다. num%3600을 계산한 값은 2196이며, 2196%60의 결과는 36이다.

| 정답 | ③

[01~02] 다음은 Java에서 작성한 코드이고, 제시된 코드의 일부가 [보기]의 결과를 가져온다고 한다. 이를 바탕으로 질문에 답하시오.

```
1    public class CondOp
2    {
3    public static void main(String[] args)
4    {
5    int num1=50, num2=100;
6    int big, diff;
7
8    big=(num1>num2)? num1: num2;
9    System.out.println(big);
10   diff=(num1>num2)? num1-num2: num2-num1;
11   System.out.println(diff);
12      }
13   }
14
```

보기

   A사원은 Q=(num1>num2)? K: S;라는 코드가 있을 때 num1>num2를 만족하면 K, 만족하지 않으면 S가 Q에 입력된다는 사실을 알았다.

01   위의 자료에 대한 설명 중 옳은 것을 고르면?

   ① 제시된 코드의 8행이 모든 출력 결과 판단에 결정적인 영향을 미친다.

   ② num1과 num2의 순서가 바뀌어도 출력 결과는 같을 것이다.

   ③ big과 diff는 모두 자바 프로그램에서 자체적으로 제공하는 함수이다.

   ④ 10행의 출력 결과로 음수가 나온다.

   ⑤ num1=56, num2=55를 입력하면 출력 결과는 55, −1이다.

시간단축TIP

Java 유형의 경우 [보기]의 내용을 바탕으로 제시된 코드의 알고리즘에 따라 각 변수에 어떤 값들이 입력되는지 기록하면서 풀어나간다. 프로그래밍 언어를 잘 모르더라도 문제를 해결할 수 있도록 힌트를 제시하고 있지만, 전혀 모르는 내용에 대한 힌트를 통해 문제를 해결하는 것과 배경지식을 활용하여 문제를 해결하는 것에는 상당한 속도 차이가 발생하므로 프로그래밍의 기본을 다질 필요가 있다.

정답해설

출력되는 결과는 big과 diff의 결괏값이다. 따라서 num1과 num2의 순서가 바뀌어도 big의 결과로 둘 중 큰 수가 출력되고(num1＝num2일 경우 num2가 출력되지만 num1과 같음), diff의 결과로 둘의 차이 값이 출력된다는 것은 변함이 없다.

[오답풀이]
① 8행뿐 아니라 10행도 출력 결과 판단에 영향을 미친다.
③ big과 diff는 Java 프로그램에서 자체적으로 제공하는 함수가 아니고 8행과 10행에서 정의된다.
④ 10행은 num1과 num2의 차이 값을 출력시키므로, 출력값은 50이다.
⑤ num1＝56, num2＝55를 입력하면 big에 의해 56이 출력되고 diff에 의해 56－55＝1이 출력된다.

| 정답 | ②

02 제시된 코드의 중간에 "ans=(num1＞num2)? num1+num2: num2－num1;"이라는 새로운 코드를 추가했을 때 나타날 수 있는 결괏값을 고르면?

① －100　　　　　　　　② －50　　　　　　　　③ 50
④ 100　　　　　　　　⑤ 150

정답해설

제시된 코드의 5행을 보면 num1이 50, num2가 100이므로 num1이 num2보다 작아 num2－num1로 실행된다. 따라서 나타날 수 있는 결괏값은 100－50＝50이다.

| 정답 | ③

01 다음 [그림]의 워크시트에서 수식을 각각 입력했을 때 결괏값이 <u>다른</u> 것을 고르면?

[그림] 워크시트

	A	B	C
1	200	100	
2			

① $=IF(A1<>B1, A1-B1, B1-A1)$

② $=IF(NOT(AND(A1<0, B1>0)), A1-B1, B1-A1)$

③ $=IF(OR(A1>=0, B1<0), A1-B1, B1-A1)$

④ $=IF(NOT(A1>B1), A1-B1, B1-A1)$

⑤ $=IF(NOT(OR(A1<=0, B1=0)), A1-B1, B1-A1)$

02 다음 [그림]의 워크시트에서 "=INDEX((A2:D6,A8:D14),3,4,2)"를 입력했을 때의 결괏값으로 옳은 것을 고르면?

[그림] 워크시트

	A	B	C	D
1				
2	부서명	사원번호	상반기	하반기
3	인사부	EF−010	18,250	15,326
4	관리부	EF−011	18,995	19,891
5	영업부	EF−012	18,829	17,642
6	총무부	EF−013	18,589	18,026
7				
8	부서명	사원번호	상반기	하반기
9	생산부	EF−014	17,914	17,212
10	관리부	EF−015	15,868	19,203
11	인사부	EF−016	19,557	19,124
12	총무부	EF−017	16,286	17,758
13	영업부	EF−018	19,216	16,294
14	인사부	EF−019	16,314	17,839

① 관리부 ② EF−015 ③ 19,203

④ 19,124 ⑤ 19,891

03 다음 중 한글 프로그램에서 문서 편집 시 사용하는 단축키에 대한 설명으로 옳은 것을 고르면?

① [Ctrl]+[F]를 눌러 '장소'를 찾아 모두 '위치'로 변경할 수 있다.

② [Ctrl]+[F9]를 눌러 '※' 기호를 입력할 수 있다.

③ [Ctrl]+[N], [I]를 눌러 빠르게 표를 만들 수 있다.

④ 문단 모양과 글자 모양을 미리 저장했다가 사용하려면 [F6]을 누른다.

⑤ 커서 위치의 문단 모양과 글자 모양 등을 다른 곳에 복사하려면 [Shift]+[C]를 누른다.

04 다음 [그림]의 워크시트에서 '발산지점'의 2015년 값을 VLOOKUP 함수를 사용하여 가져오려고 할 때 수식으로 적절한 것을 고르면?

[그림] 워크시트

	A	B	C	D	E	F	G
1	사원명	지점명	2014년	2015년	2016년	2017년	
2	강대한	고양지점	138	140	145	140	
3	김국현	분당지점	140	140	142	138	
4	김나영	발산지점	136	139	137	145	
5	김민준	구로지점	135	135	133	146	
6	김재용	가양지점	140	133	144	146	
7							

① =VLOOKUP(발산지점,A2:F6,4,0)

② =VLOOKUP(발산지점,B2:F6,3,1)

③ =VLOOKUP("발산지점",A2:F6,4,0)

④ =VLOOKUP("발산지점",A1:F6,4,1)

⑤ =VLOOKUP("발산지점",B2:F6,3,0)

05 A군은 하드 디스크의 공간이 부족하여 디스크 정리를 하려고 한다. 다음 [보기]에서 디스크 정리로 삭제할 수 있는 파일을 모두 고르면?

┌─ 보기 ───┐
│ ㉠ Windows 업데이트 정리   │
│ ㉡ 사용하지 않은 폰트(*.TTF) 파일   │
│ ㉢ 임시 인터넷 파일   │
│ ㉣ DirectX 셰이더 캐시   │
│ ㉤ 이미지 파일   │
│ ㉥ Microsoft Defender 바이러스 백신   │
│ ㉦ 휴지통   │
└───┘

① ㉠, ㉡, ㉢, ㉤, ㉦
② ㉠, ㉢, ㉣, ㉥, ㉦
③ ㉡, ㉢, ㉤, ㉦
④ ㉢, ㉣, ㉤, ㉥, ㉦
⑤ ㉢, ㉣, ㉥, ㉦

정답과 해설 P.22

[01~02] 다음은 Java에서 작성한 코드이고, 제시된 코드의 일부가 [보기]의 결과를 가져온다고 한다. 이를 바탕으로 질문에 답하시오.

```
1    public class test {
2       public static void main(String [ ] args) {
3          int a=3 ;
4          String [ ] b={"LOVE", "COMPUTER", "AI"} ;
5          b[--a]+="*" ;
6          for(int i=0 ; i< b.length ; i++)
7             System.out.print(b[i]) ;
8       }
9    }
```

보기

A사원은 String [ ] b={"LOVE", "COMPUTER", "AI"} ;를 통해 3개의 문자열을 담을 수 있는 배열이 생성된다는 것을 알았다.

01 위의 자료에 대한 설명으로 옳지 <u>않은</u> 것을 고르면?

① b[0]에는 "LOVE", b[1]에는 "COMPUTER", b[2]에는 "AI"가 저장된다.

② 반복문을 통하여 배열의 모든 요소가 출력된다.

③ 프로그램의 실행 결과는 "LOVECOMPUTER*"이 출력된다.

④ 5행을 삭제하고 실행하면 "LOVECOMPUTERAI"가 출력된다.

⑤ 5행의 --a 대신 2를 넣어도 동일한 결과가 출력된다.

02 제시된 코드의 3행을 int a=2로 수정하고, 5행과 6행 사이에 b[++a]="+" ; 코드를 추가한 후 프로그램을 실행했을 때 나타나는 결괏값으로 옳은 것을 고르면?

① LOVECOMPUTERAI
② LOVECOMPUTERAI*+
③ LOVE+AI*
④ LOVECOMPUTER*+
⑤ LOVE+COMPUTER*

[03~04] 다음은 C언어에서 작성한 코드이고, 제시된 코드가 [보기]의 결과를 가져온다고 한다. 이를 바탕으로 질문에 답하시오.

```c
1    #include <stdio.h>
2    int main(void)
3    {
4    float fahrenheit=44.45, celsius=12.46; int day1=20, day2=-8, day3=4, comp, i;
5        comp=((day1>day2)?day1:day2)>day3?((day1>day2)?day1:day2):day3;
6        if (comp>=25){
7        for(i=0;i<5;i++)
8      {
9        fahrenheit=(9.0/5.0)*celsius+32;
10       celsius+=10;
11       printf("화씨온도 %10.1f\n",fahrenheit);
12      }
13      } else{
14       for(i=0;i<5;i++)
15      {
16       celsius=(5.0/9.0)*(fahrenheit-32);
17       fahrenheit+=10;
18       printf("섭씨온도 %10.1f\n",celsius);
19      }
20      }
21       return 0;
22   }
```

> **보기**
>
> K사원은 먼저 day1과 day2를 비교하여 큰 값을 찾아내고 그 값을 다시 day3와 비교하는 방식을 통해 3일 동안의 날씨 중 가장 더운 날씨를 알아낸다는 것과 그 값에 따라 섭씨온도를 화씨온도로 변경하거나 화씨온도를 섭씨온도로 변경한다는 것을 알았다.

03 위의 자료에 대한 설명으로 옳은 것을 고르면?

① fahrenheit와 celsius는 C언어에서 자체적으로 제공하는 함수이다.

② fahrenheit값의 데이터 형식을 int(정수형)으로 설정해도 결과는 변함이 없다.

③ 9행에서 9.0/5.0라고 입력한 경우에는 결과가 1로 계산되고 9/5로 입력한 경우에는 1.8로 처리된다.

④ 9행의 출력 결과로 음수가 나올 수도 있다.

⑤ day3와 day1, day2의 순서가 바뀌어도 출력 결과는 같다.

04 다음 중 제시된 코드에서 for문의 i값이 0일 때의 결괏값을 고르면?(단, 소수점 첫째 자리까지 표시한다.)

① 화씨온도 54.4   ② 화씨온도 72.4   ③ 섭씨온도 6.9

④ 섭씨온도 12.5   ⑤ 섭씨온도 18.0

정답과 해설 P.23

부가유형 분석

▌농협실무 유형

영역 소개

농협실무 유형은 농협은행 채용공고 내 시험 범위에 공개적으로 제시되어 있지는 않으나, 매년 꾸준히 출제되고 있어 실제 시험 대비 시 꼭 챙겨야 할 중요한 분야이다. 주로 실제 농협 업무에서 취급하는 금융상품에 대한 설명 등을 제시하고 이를 활용하여 문제를 푸는 형태로 출제된다. 수리, 문제해결능력이 복합적으로 적용되어 난도가 높은 유형으로 꼽힌다.

출제유형 소개

2020년 상반기 필기시험에서 농협실무 유형은 2문제씩 1세트로 출제되었다. 출제 비중은 낮지만 난도가 높아 어렵기로 저명하다. 농협은행만의 전유한 유형인 만큼 점수를 올리기 위해서라도 반드시 대비해야 한다. 농협실무 유형은 다음과 같이 두 가지의 세부 유형으로 구분된다.

세부 유형	내용
금융상품 이해	제시된 금융상품 설명에 대한 일치 여부를 판단하는 유형
금융상품 계산	제시된 금융상품 조건에 따라 세부적인 값을 계산하는 유형

최신기출 분석

1. 2019년에 이어 농협 실무에서 취급하는 금융상품을 활용한 문제가 출제되었다.
2. 금융상품에 대한 설명이 제시되고 이를 바탕으로 일치 여부, 반응 등을 추론·판단하는 문제가 출제되었다.
3. 금융상품의 설명을 기반으로 세부적인 금액을 계산하는 문제가 출제되었다.
4. 매년 필기시험마다 금융상품 문제는 묶음 문제 형태로 출제되어 오고 있다.

기출복원 키워드

  ☑ 올바른 POINT 카드상품, 포인트 적립, 무료 이용 혜택, 서비스 이용 조건
  ☑ 포인트 사용 방법, 적립된 포인트 금액

유형이론

1 금융상품 계산법

1 예·적금 원리금 계산

① 단리와 복리의 계산 비교

구분	내용
차이점	• 단리와 복리는 모두 원금에 이자가 붙는 방식의 일종 • 단리: 원금에만 이자가 붙음 • 복리: 원금과 이자에 모두 이자가 붙음
단리 계산법	• 이율 r인 상품에 원금 a를 총 n번 이자가 붙는 기간 동안 예치한 경우 {표: 날짜 / 원리금 합계} 납입 첫날 → a 첫 번째 이자 붙는 날 → $a+a\times r=a(1+r)$ 두 번째 이자 붙는 날 → $a+a\times r+a\times r=a(1+2r)$ 세 번째 이자 붙는 날 → $a+a\times r+a\times r+a\times r=a(1+3r)$ … → … n번째 이자 붙는 날 → $a+a\times r+a\times r+a\times r+\cdots+a\times r=a(1+nr)$ ▶ 이자가 붙는 날짜 단위가 1년이면 r은 연이율, n년 동안 예치 ▶ 이자가 붙는 날짜 단위가 1달이면 r은 월이율, n개월 동안 예치
복리 계산법	• 이율 r인 상품에 원금 a를 총 n번 이자가 붙는 기간 동안 예치한 경우 {표: 날짜 / 원리금 합계} 납입 첫날 → a 첫 번째 이자 붙는 날 → $a+a\times r=a(1+r)$ 두 번째 이자 붙는 날 → $a(1+r)+a(1+r)\times r=a(1+r)(1+r)=a(1+r)^2$ 세 번째 이자 붙는 날 → $a(1+r)^2+a(1+r)^2\times r=a(1+r)^2(1+r)=a(1+r)^3$ … → … n번째 이자 붙는 날 → $a(1+r)^{(n-1)}+a(1+r)^{(n-1)}\times r$ $=a(1+r)^{(n-1)}(1+r)=a(1+r)^n$ ▶ 이자가 붙는 날짜 단위가 1년이면 r은 연이율, n년 동안 예치 ▶ 이자가 붙는 날짜 단위가 1달이면 r은 월이율, n개월 동안 예치

② 수치변환

구분	내용
변환 목적	• 대부분의 금융상품 수익률은 연 단위 이율(연이율) 기준으로 표기함 • 실제 투자기간은 딱 떨어지는 연 단위가 아닌 월 단위일 수 있음 　→ 수치변환을 통해 실제 투자기간 동안의 수익률을 계산
이율 변환	• 월 복리, 월 단리에서 활용함: 1달이 기준이므로, 연이율을 월이율로 변환해야 함 • 연이율 → 월이율 변환: $\dfrac{연이율}{12}=월이율(\%)$ 　㉠ 연이율 12% → 월이율 1% 　㉠ 원금 a, 연이율 $r\%$, 투자기간 n개월, 월 복리 예금의 원리금 합계 　　$\rightarrow a\left(1+\dfrac{r}{12}\right)^{n}$ 　㉠ 원금 a, 연이율 $r\%$, 투자기간 n개월, 월 단리 예금의 원리금 합계 　　$\rightarrow a\left(1+n\dfrac{r}{12}\right)$
기간 변환	• 연 단리, 연 복리에서 활용함: 1년이 기준이므로, 월 단위 기간을 연 단위 기간으로 변환해야 함 • 개월 → 연 변환: n개월$=\dfrac{n}{12}$년 　㉠ 18개월 → 1.5년 　㉠ 원금 a, 연이율 $r\%$, 투자기간 n개월, 연 단리 예금의 원리금 합계 　　$\rightarrow a\left(1+\dfrac{n}{12}r\right)$ 　㉠ 원금 a, 연이율 $r\%$, 투자기간 n개월, 연 복리 예금의 원리금 합계 　　$\rightarrow a(1+r)^{\frac{n}{12}}$
참고사항	• 월 단리와 연 단리는 결과가 동일함 • 원리금 합계 단독 문제에서 자주 보이는 연 복리 상품은 실제 투자기간이 딱 떨어지는 연 단위가 아니면 계산이 복잡하므로 시중에서 거의 찾아볼 수 없음

③ 예금과 적금의 원리금 합계

구분	내용
차이점	• 예금: 일정 금액을 한꺼번에 납입한 후 추가납입 없이 이자를 받는 방식 → 거치식 • 적금: 일정 금액을 정기적으로 추가납입하며 이자를 받는 방식 → 적립식
단리예금	• ①의 단리 계산법, ②의 기간 변환 연 단리 내용과 같음 표 아래 참조
복리예금	• ①의 복리 계산법, ②의 이율 변환 월 복리 내용과 같음 표 아래 참조

단리예금

구분		원리금 합계
연 단리 = 월 단리	n과 r이 (년, 연이율) 단위인 경우	$a(1+nr)$
	n과 r이 (월, 연이율) 단위인 경우	$a\left(1+\dfrac{nr}{12}\right)$

복리예금

구분		원리금 합계
연 복리	n과 r이 (년, 연이율) 단위인 경우	$a(1+r)^{n}$
월 복리	n과 r이 (월, 연이율) 단위인 경우	$a\left(1+\dfrac{r}{12}\right)^{n}$

단리적금	• 연이율 r인 상품에 매달 초 a를 n개월 동안 납입하는 경우(연 단리＝월 단리) 　─ 뒤로 갈수록 예치기간이 짧아지는 원금 a짜리 단리예금 여러 개가 하나로 합쳐진 형태 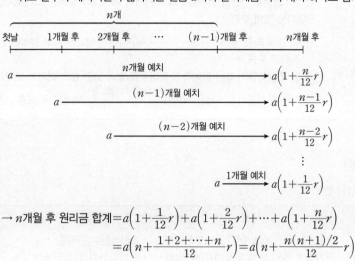 　→ n개월 후 원리금 합계＝$a\left(1+\dfrac{1}{12}r\right)+a\left(1+\dfrac{2}{12}r\right)+\cdots+a\left(1+\dfrac{n}{12}r\right)$ 　　　　　　　　　　＝$a\left(n+\dfrac{1+2+\cdots+n}{12}r\right)=a\left(n+\dfrac{n(n+1)/2}{12}r\right)$ 　　　　　　　　　　＝$an\left(1+\dfrac{n+1}{24}r\right)$
복리적금	• 연이율 r인 상품에 매달 초 a를 n개월 동안 납입하는 경우(월 복리) 　─ 뒤로 갈수록 예치기간이 짧아지는 원금 a짜리 복리예금 여러 개가 하나로 합쳐진 형태 （도표: 첫날, 1개월 후, 2개월 후, $\cdots$, $(n-1)$개월 후, n개월 후） 　a —— n개월 예치 —→ $a\left(1+\dfrac{r}{12}\right)^{n}$ 　　a —— $(n-1)$개월 예치 —→ $a\left(1+\dfrac{r}{12}\right)^{n-1}$ 　　　a —— $(n-2)$개월 예치 —→ $a\left(1+\dfrac{r}{12}\right)^{n-2}$ 　　　　　$\vdots$ 　　　　　　a — 1개월 예치 → $a\left(1+\dfrac{r}{12}\right)$ 　→ n개월 후 원리금 합계＝$a\left(1+\dfrac{r}{12}\right)+a\left(1+\dfrac{r}{12}\right)^{2}+\cdots+a\left(1+\dfrac{r}{12}\right)^{n}$ 　이는 초항이 $a\left(1+\dfrac{r}{12}\right)$, 공비가 $1+\dfrac{r}{12}$, 항의 개수가 n인 등비수열의 합이므로 　$\dfrac{a\left(1+\dfrac{r}{12}\right)\left\{\left(1+\dfrac{r}{12}\right)^{n}-1\right\}}{1+\dfrac{r}{12}-1}=\dfrac{a\left(1+\dfrac{r}{12}\right)\left\{\left(1+\dfrac{r}{12}\right)^{n}-1\right\}}{\dfrac{r}{12}}$ 이다.
참고사항	• 단리적금과 복리적금의 원리금 합계 최종 공식은 첫날부터 매 기간 초에 일정한 금액 a를 납입하고, 각 기간에 도달할 때마다 이전에 납입했던 금액에 대해서는 반드시 이자를 지급한다는 가정하에 도출된 공식임 　─ 위 조건을 만족하지 못할 시(매 기간 동안 다른 금액 납입, 다른 형태의 이자 지급 등)에는 최종 공식이 성립하지 않음 　─ 따라서 복잡한 식을 외우는 것보다 유도 과정을 이해하는 것이 중요

- 만약 연이율 r인 상품에 매년 a를 n년 동안 납입하는 연 복리의 경우의 원리금 합계는 최종 공식에서 월이율 $\frac{r}{12}$을 연이율 r로 치환하여 계산해야 함(n은 그대로지만 n개월이 n년으로 바뀌었다는 것에 주의)

  - 이 경우 최종 공식은 $\dfrac{a(1+r)\{(1+r)^n-1\}}{r}$이라는 흔히 알려진 전형적인 원리금 합계 공식으로 도출

  - 만약 납입일이 매년 말이라면 등비수열 합의 모든 항에 이자가 한 번씩 덜 붙으므로 최종 공식의 분자에서 $(1+r)$을 제외한 $\dfrac{a\{(1+r)^n-1\}}{r}$의 식으로 도출

2 대출금 상환

① 대출금 상환 방법

구분	내용	장점	단점
만기 일시 상환	대출기간 동안 매월 이자만 납부하다가 만기일에 원금과 마지막 이자를 일시 상환. 이자만 납부하므로 만기일까지 원금은 일정함	• 조기상환부담 적음 • 만기일까지 대출금리보다 높은 수익률을 달성할 수 있다면 유리함	• 이자 비용이 높음 • 만기에 원금 일시 상환의 부담이 큼
원금 균등 분할 상환	대출원금을 이자와 함께 대출기간 동안 매월 일정한 금액으로 상환. 이자는 줄어든 원금에서 계산하기 때문에 계속해서 감소함	• 이자 비용이 낮음 • 시간이 흐를수록 상환금액이 감소함	• 초기부터 상환의 부담이 큼 • 매월 갚아야 할 금액이 달라서 번거로움
원리금 균등 분할 상환	대출금 만기일까지의 총 이자와 원금을 합하여 대출기간으로 나누어서 매번 일정 금액 상환	• 상환 금액이 항상 일정함 • 계획적인 자금 운영이 가능	• 상환 방법 중 초기 상환의 부담이 가장 큼

② 상환 방법별 대출 이자 계산   (기준: 원금 1,200만 원, 연 12%, 12개월간 상환)

구분	내용
만기 일시 상환	• 월이율 1%, 매월 말 1,200만×0.01＝12(만 원)씩 이자 상환 　→ 12개월간 총 12×12＝144(만 원) 이자 상환 • 마지막 달에 이자 12만 원과 함께 원금 1,200만 원 일시 상환
원금 균등 분할 상환	• 월이율 1%, 매월 말 1,200만÷12＝100(만 원)씩 원금 상환과 함께 다음과 같이 이자 상환<table><tr><th>날짜</th><th>월 이자 상환액</th></tr><tr><td>첫 번째 달</td><td>1,200만×0.01＝12(만 원)</td></tr><tr><td>두 번째 달</td><td>(1,200만−100)×0.01＝11(만 원)</td></tr><tr><td>세 번째 달</td><td>(1,200만−100×2)×0.01＝10(만 원)</td></tr><tr><td>…</td><td>…</td></tr><tr><td>열두 번째 달</td><td>(1,200만−100×11)×0.01＝1(만 원)</td></tr></table>　→ 12개월간 총 1＋2＋3＋…＋12＝78(만 원) 이자 상환 • 마지막 달에 이자 1만 원과 함께 남은 원금 100만 원까지 상환

	• 월이율 1%, 매월 말 원금과 이자를 합하여 일정 금액 a원 상환

날짜	대출 원리금 잔액
첫 번째 달	$1{,}200$만$\times 1.01-a$(이자가 붙은 후, a원 상환)
두 번째 달	$(1{,}200$만$\times 1.01-a)\times 1.01-a=1{,}200$만$\times(1.01)^2-a\times 1.01-a$
세 번째 달	$1{,}200$만$\times(1.01)^3-a\times(1.01)^2-a\times 1.01-a$
...	...
열두 번째 달	$1{,}200$만$\times(1.01)^{12}-a\times(1.01)^{11}-\cdots-a\times 1.01-a$

원리금 균등 분할 상환

• 열두 번째 달에는 빚을 다 갚아 대출 원리금 합계는 0원이 되어야 하므로

$1{,}200$만$\times(1.01)^{12}-a\times(1.01)^{11}-\cdots-a\times 1.01-a=0$

→ $a+a\times 1.01+\cdots+a\times(1.01)^{11}=1{,}200$만$\times(1.01)^{12}$

→ 좌변은 초항이 a, 공비가 1.01, 항의 개수가 12개인 등비수열의 합이므로

$\dfrac{a\{(1.01)^{12}-1\}}{1.01-1}=1{,}200$만$\times(1.01)^{12}$을 풀면 매달 상환해야 하는 금액 a를 구할 수 있음

3 연금 일시불 수령 계산

① 시간 가치에 대한 이해

• 일반적으로 현재 a원의 가치와 1년 후 a원의 가치는 서로 다름
  – 원인: 갈수록 돈의 가치가 떨어지는 인플레이션 때문(시간 가치)
  – 따라서 미래에 받을 돈을 지금 당장 받는다면 시간 가치를 따져 현재 가치로 환산해야 함
• 경제학에서는 인플레이션율로 현재 가치를 환산하지만 실제 시험 문제에서는 이자율로 현재 가치를 환산하는 것이 암묵적으로 전제되어 있음
  – 돈을 통장에 넣어두고 시간이 흐르면 이자가 붙으므로 현재의 돈과 n년 후 이자까지 합한 돈의 가치가 서로 같다고 보는 것이 포인트
• 시간 가치는 무조건 복리계산법 활용
  예 연이율 r일 때, 현재 a원의 n년 후 가치: $a(1+r)^n$

  연이율 r일 때, n년 후 a원의 현재 가치: $\dfrac{a}{(1+r)^n}$

② 연금 일시불 수령 계산 예시

• 1년 후부터 1년 단위로 a원씩, 총 n년 동안 받는 연금을 현재 일시불로 수령할 때의 금액을 구할 경우

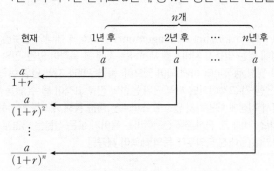

→ 현재 일시불로 수령 받는 금액을 S라 하면 $S=\dfrac{a}{1+r}+\dfrac{a}{(1+r)^2}+\cdots+\dfrac{a}{(1+r)^n}$이다.

양변에 $(1+r)^n$을 곱하면 $S \times (1+r)^n = a(1+r)^{n-1} + a(1+r)^{n-2} + \cdots + a$이다.

우변의 항들의 순서를 반대로 나열하면 초항이 a, 공비가 $1+r$, 항의 개수가 n개인 등비수열의 합이므로 $S(1+r)^n = \dfrac{a\{(1+r)^n - 1\}}{1+r-1}$ 의 식을 통해 S를 구할 수 있음

2 금융상품별 핵심 포인트

1 예·적금 상품

가입 대상	• 가입이 제한되는 조건들을 꼼꼼히 확인해야 함
가입 기간	• 최소·최대 가입 기간, 연·월 단위인지 확인해야 함 • 가입일과 정기 납입일이 서로 다를 수 있음 　→ 원리금 합계 계산 시 주의
납입한도	• 회별·분기별·연별 최대 납부 금액 확인해야 함 • 보통 월 단위 납입 • 초입금: 계좌를 개설하자마자 납입하는 금액. 초입금액과 정기 납입액이 서로 다를 수 있음 　→ 원리금 합계 계산 시 주의
기본금리	• 가입 대상, 가입 기간, 기타 조건에 따라 기본금리가 달라질 수 있음 • 금리는 항상 연이율로 표시되어 있으므로 월 복리 계산 시 주의
우대금리	• 특정 조건을 만족하면 기본금리에 더해지는 추가금리 • 상한선이 존재하는 경우가 있으므로 주의 • 가입 시에 조건을 만족하면 바로 우대금리 혜택을 주는 경우와 가입 기간 중에 조건을 만족하면 만기에 우대금리 혜택을 주는 경우가 있음
이자 지급 방식	연 단리 / 월 복리
중도해지 금리	중도해지 시 우대금리를 적용하지 않고 기본금리에 패널티가 붙는 경우가 대부분임 → 남은 기간만큼의 비율을 공제하고 지급하는 것에 주의 ⑩ 기본금리 연 3% 단리, 우대금리 1%p, 1년 만기 예금을 8개월 만에 해지했을 때 받을 수 있는 이자(중도해지 시 금리 적용률 50%) 　→ 원금 $\times 0.03 \times \dfrac{1}{2} \times \dfrac{8}{12}$ 　→ 원금 $\times 0.01$
기타 정보	• CRM: 고객관계관리(Customer Relationship Management)로, 고객의 대내외 정보를 수집하고 이를 분석하여 고객 특성에 맞는 맞춤형 서비스를 제공하는 것에 그 목적이 있음. 만약 당행 첫 고객이라면 무조건 CRM 원장 등록부터 하게 되어 있으며, 농협은행과 지역 단위 농협은 전산이 분리되어 있으므로 농협은행 기 고객이어도 지역 단위 농협의 신규 고객이 될 수 있음 • 비대면 계좌: 핀테크가 발달하면서 지점에 내방하지 않고도 스마트폰 등을 통해 계좌를 개설하고 금융거래를 할 수 있는 금융 서비스. 비대면, 전자금융 전용이라는 용어가 붙은 상품은 영업점 창구에서 일반적인 업무 처리가 불가능한 대신 금리우대 등의 혜택이 제공됨

2 대출 상품

대출 유형	• 신용 대출: 아무런 담보 없이 채무자를 믿고 대출하는 것. 위험성이 높은 만큼 대출금리도 높음 • 담보 대출: 채무자가 채무불이행을 일으킬 경우 담보를 통해 대출금을 상환할 수 있는 수단을 확보하고 대출하는 것. 위험성이 낮은 만큼 대출금리도 낮음
대출 대상	예·적금에 비해 대출 대상 적용 기준이 까다로움(LTV, DTI, DSR 등의 규제 있음)
대출기간	최소·최대 대출기간 확인해야 함
대출한도	조건마다 한도가 다를 수 있으므로 확인해야 함
대출금리	신용등급, 담보 가치, 대출 금액, 대출기간 등 무수한 요인에 의해 달라질 수 있음
우대금리	예·적금과 반대로 우대금리 적용 시 금리가 낮아짐
상환 방법	만기 일시 상환 / 원금 균등 분할 상환 / 원리금 균등 분할 상환 / 기타
중도 상환	만기를 채우지 않고 중도 상환할 경우 중도 상환 해약금을 내는 것이 일반적
기타 정보	KB시세: KB부동산 리브온에서 제공하는 부동산 시세 정보로, 대부분의 은행들이 부동산 담보 가치를 평가할 때 KB시세를 참고함. KB시세에서 검색되지 않을 경우 자체적으로 감정평가를 해야 하므로 감정 비용이 추가적으로 발생할 수 있음. 아파트, 오피스텔은 대부분 KB시세에서 검색되지만, 연립·다세대 주택은 검색되지 않았다가 2018년 7월부터 연립·다세대 주택도 빅데이터를 활용해 시세 산정 서비스가 제공됨

3 카드 상품

연회비	• 신용카드를 사용하기 위해 일 년에 한 번씩 카드사에 납부해야 하는 금액 • 국내 전용, 국·내외 겸용의 연회비에 차이가 있는 경우가 다수 • 전년 사용 실적에 따라 연회비 면제 조항이 있을 수 있음 • 체크카드는 연회비가 없는 경우가 다수
혜택	• 대부분의 혜택은 전월 사용 실적에 따라 폭이 달라짐 • 혜택의 일 한도·월 한도·건수 한도 등 각종 한도를 확인해야 함

[01~02] 다음 금융상품에 관한 자료를 바탕으로 질문에 답하시오.(일부 정보 변형)

NH 또 하나의 마을 만들기 정기예금					
가입 대상	개인, 법인(금융기관, 교육청, 지방자치단체 제외)				
가입 기간	1년 이상 3년 이내 월 단위(법인은 1년만 가능)				
가입 금액	100만 원 이상(개인은 최대 10억 원, 법인은 최대한도 제한 없음)				
기본금리	개인	12개월 이상 24개월 미만	24개월 이상 36개월 미만	36개월	법인 / 12개월
		연 1.40%	연 1.50%	연 1.60%	연 1.35%

우대금리	세부 조건	우대금리	
		개인	법인
	'또 하나의 마을 만들기' 회원 가입 시	0.1%p	0.05%p
	'또 하나의 마을 만들기' 회원 가입 후 농협중앙회 또는 (사)농촌사랑 범국민 운동본부가 진행하는 '또 하나의 마을 만들기' 운동 참여 시	0.1%p	0.05%p

이자 지급 방식	연 단리(원금 및 이자는 만기 또는 해지 시 일시 지급)
기금 조성 및 활용	• 기금 지원 용도: '또 하나의 마을 만들기' 사업 지원 　－ '또 하나의 마을 만들기' 운동 활성화 및 농촌 봉사활동 지원을 위한 기금 조성 후, (사)농촌사랑 범국민 운동본부를 통해 후원 지정 • 기금 적립 방법: 예금판매액(연평잔)의 0.02% 해당액을 사전 지정된 상한액 10억 원 이내에서 (사)농촌사랑 범국민 운동본부에 지정 지원
기타 안내	이 예금은 예금자보호법에 따라 예금보험공사가 보호하되, 보호 한도는 본 은행에 있는 귀하의 모든 예금보호 대상 금융상품의 원금과 소정의 이자를 합하여 1인당 '최고 5천만 원'이며, 5천만 원을 초과하는 나머지 금액은 보호하지 않습니다.

01 위의 금융상품에 대한 설명으로 옳은 것을 고르면?

① 개인은 가입 제한이 없으나, 법인은 사기업만 가입이 가능하다.

② 가입 기간과 금액은 개인이 법인보다 유연하다.

③ 법인의 금리는 개인의 금리보다 높을 수 없다.

④ 예금판매액의 일부는 농촌 발전을 위한 기금으로 사용되며, 기금 총액은 예금판매액과 정비례한다.

⑤ 본 상품의 원리금 합계가 5,000만 원 이하여도 원리금 전액을 보호받지 못할 수 있다.

정답해설

기타 안내에 따르면 원금과 소정의 이자를 합하여 1인당 최고 5천만 원을 보호한다고 명시되어 있다. 그러나 보호한도가 본 은행에 있는 귀하의 모든 예금보호대상 금융상품이므로, 본 상품 외에 같은 은행에 다른 예금이 있어 본 상품 예금액과의 총합이 5,000만 원 이상일 경우 본 상품의 원리금 합계가 5,000만 원 이하여도 원리금 전액을 보호받지 못할 수 있다.

[오답풀이]
① 가입 대상을 보면 법인은 금융기관, 교육청, 지방자치단체가 제외되는데, 금융기관에도 사기업이 있고, 사기업이 아닌 법인 중 교육청과 지방자치단체가 아닌 법인도 있으므로, 사기업만 가입이 가능하다는 설명은 옳지 않다.
② 가입 기간은 개인이 법인보다 유연하나, 가입 금액은 법인이 개인보다 유연하다.
③ 법인이 모든 우대금리 혜택을 받으면 $1.35+0.05+0.05=1.45(\%)$의 금리가 적용되는데, 이는 개인의 최저금리 1.4%보다 높다.
④ 기금 조성 및 활용을 보면 예금판매액의 0.02%가 농촌 발전을 위한 기금으로 사용되지만, 상한선이 존재하므로 기금 총액이 예금판매액과 정비례한다는 설명은 옳지 않다.

| 정답 | ⑤

02 박 고객은 위의 금융상품에 1억 원을 30개월 동안 예치하는 동시에 '또 하나의 마을 만들기' 회원에 가입하고, 운동에 참여하여 우대금리 혜택을 받았다. 만기 시 박 고객이 받는 이자의 금액을 고르면?(단, 세금은 무시한다.)

① 375만 원   ② 400만 원   ③ 425만 원
④ 434만 원   ⑤ 450만 원

정답해설

30개월 동안 예치하였고 모든 우대금리 혜택을 받았으므로 최종금리는 연 $1.5+0.1+0.1=1.7(\%)$이다.

이자 지급 방식이 연 단리이므로 30개월에 대한 금리는 $1.7 \times \dfrac{30}{12}=4.25(\%)$이다. 따라서 1억 원 예치 시 만기 이자는 $10,000 \times 0.0425 = 425$(만 원)이다.

| 정답 | ③

NH 모바일 전세대출	
특징	신규 입주 시 전세자금 또는 전세기간 중 생활자금을 서울보증보험 보험증권 담보로 최대 5억 원까지 지원받을 수 있는 전세대출상품(모바일 전용 가입상품)
대출 대상	부동산 중개업소를 통해 임대차계약을 체결하고 5% 이상의 계약금을 지급한 임차인으로, 소득 대비 금융비용부담률(DTI)이 40% 이내이며 서울보증보험(주)의 개인금융신용보험증권 발급이 가능한 개인 고객(개인사업자, 기타소득자 취급 불가) ※ 금융비용부담률: 연소득 대비 총부채(본 상품 신청금액 포함)의 연간 이자 상환 금액 비율 ※ 대출 대상 주택: KB시세가 조회되는 아파트
대출기간	1년 이상 2년 이내(생활자금은 임대차계약 잔여기간이 1년 미만일 시 취급 불가)
대출한도	최대 5억 원 이내

대출금리		기준금리(A)	가산금리(B)	우대금리(C)	*최종금리(A+B−C)
	당행 기준금리 고정	연 2.01%	연 1.97%	최대 0.80%	연 3.18~3.98%
	월중신규 COFIX 6개월 변동	연 1.62%	연 2.07%	최대 1.00%	연 2.69~3.69%
	* 주택전세자금의 경우 주택신보출연료 0.22%p 가산				

우대금리	1) 거래실적우대(가입 기간 중 충족 시) • 당행 신용카드 100만 원 이상 사용(3개월): 0.20%p • 당행 급여이체(매월): 0.20%p • 자동이체 처리(매월) 5건 이상: 0.20%p • 당행 펀드상품 20만 원 이상 이체(매월): 0.20%p 2) 기타 우대(가입 시점에 충족 시) • 상위 신용등급 3등급 이상/4등급: 0.10%p/0.05%p • 하나로고객 탑클래스/골드: 0.10%p/0.05%p • 올원뱅크 가입 고객: 0.10%p
상환 방법	만기 일시 상환
중도 상환	중도 상환 해약금＝중도 상환 금액×0.8%×(잔여기간÷대출기간)

[A씨의 문의]

안녕하세요, 전세 신규 입주를 위해 전세자금을 대출받으려고 하는데요, 궁금한 게 있습니다. KB 시세라는 걸 처음 들어보는데 관련 내용 설명 부탁드리고요. 대출금리 규정에서 당행 기준금리 고정과 월중신규 COFIX 6개월 변동이라는 게 도대체 무슨 말인지 모르겠습니다. 그리고 만기 일시 상환이면 대출 기간 동안에는 돈을 안 드리다가 만기 때 모든 원리금을 한꺼번에 드리면 되는 건가요? 마지막으로 대출과 관련된 다른 기타 비용에 대해서도 말해주세요.

[농협 직원의 답변]

안녕하세요, 고객님! 말씀해주신 문의에 답변해드리겠습니다.

KB시세는 KB부동산 리브온에서 제공하는 부동산 시세 정보입니다. KB시세에서 검색이 되지 않을 경우 자체적으로 감정평가를 해야 하므로 미등기 아파트나 아파트 외 주택은 대출 대상에서 제외되고 있는 점 양해 부탁드립니다.

당행 기준금리 고정은 간단하게 말씀드리면 고정금리로, 대출 실행 시 결정된 금리가 약정기간 동안 동일하게 적용됩니다. 그리고 월중신규 COFIX 6개월 변동은 변동금리로, 대출 약정기간 내 기준금리가 변경될 경우 당해 대출금리가 변경되는 금리로서 6개월 단위로 대출금리가 변동될 수 있습니다. 만기 일시 상환은 대출기간 동안 매월 이자만 납부하시다가 만기일에 원금과 마지막 이자를 일시에 상환하는 형식이므로, 매월 이자는 부담하셔야 합니다.

마지막으로 대출 시 따로 인지세를 납부하셔야 하는데요, 인지세란 인지세법에 의해 대출 약정 체결 시 납부하는 세금으로, 대출 금액에 따라 차등 적용되어, 각 50%씩 고객님과 농협은행이 부담하게 됩니다. 대출 금액에 따른 인지세는 다음과 같습니다.

대출 금액	인지세
5천만 원 이하	비과세
5천만 원 초과 1억 원 이하	7만 원
1억 원 초과 10억 원 이하	15만 원
10억 원 초과	35만 원

03 위의 금융상품에 대한 설명으로 옳지 <u>않은</u> 것을 고르면?

① 신용등급이 높으면 우대금리 적용 시에 항상 유리하다.
② 전세 계약 기간이 8개월 남은 상황에서는 이용할 수 없는 상품이다.
③ 연립주택이나 다세대주택으로 이사 갈 때는 이용할 수 없는 상품이다.
④ 개인 간 거래로 임대차계약을 체결했다면 이용할 수 없는 상품이다.
⑤ 향후 기준금리 상승이 예상된다면 당행 기준금리 고정으로 대출을 받는 것이 유리할 수 있다.

정답해설

우대금리는 당행 기준금리 고정의 경우 최대 0.80%p, 월중신규 COFIX 6개월 변동의 경우 최대 1.00%p이다. 상위 신용등급에 대한 우대사항은 있으나 해당 조건을 만족하지 않더라도 다른 조건들을 통해 우대금리를 최대로 받을 수 있으므로 항상 유리하다는 것은 옳지 않다.

[오답풀이]

② 특징을 보면 전세기간 중 대출은 생활자금으로 분류되며, 대출 기간을 보면 생활자금은 임대차계약 잔여기간이 1년 미만일 시 취급 불가임을 알 수 있다. 따라서 전세 계약 기간이 8개월 남은 상황에서는 이용할 수 없다.

③ 대출 대상과 직원의 답변에 따르면 KB시세가 조회되는 아파트만 대출 가능하며, 미등기 아파트나 아파트 외 주택은 대출 대상에서 제외된다. 따라서 연립주택이나 다세대주택으로 이사 갈 때는 이용할 수 없다.

④ 대출 대상을 보면 부동산 중개업소를 통해 임대차계약을 체결한 개인만 가능하다는 것을 확인할 수 있다. 따라서 개인 간 거래로 임대차계약을 체결했다면 해당 상품을 이용할 수 없다.

⑤ 대출금리를 보면 월중신규 COFIX 6개월 변동의 금리가 당행 기준금리 고정의 금리보다 낮지만, 농협 직원의 답변에 따르면 월중신규 COFIX 6개월 변동은 변동금리로, 기준금리가 상승할 경우 대출금리가 당행 기준금리 고정의 금리보다 높아질 가능성이 있다. 따라서 향후 기준금리 상승이 예상된다면 당행 기준금리 고정으로 대출을 받는 것이 오히려 더 낮은 금리일 가능성이 있다.

| 정답 | ①

04 A씨는 위의 금융상품을 이용하려고 한다. 이때 A씨의 현 상황을 바탕으로 최대 대출 가능 금액과 최대 금액 대출 시 A씨가 납부해야 하는 인지세를 고르면?(단, DTI 계산 시 기타 우대금리만 적용한다.)

[A씨의 현 상황]

- 연소득 5,000만 원
- 상품 가입 전 매년 1,500만 원의 이자비용 지출 중
- 당행 기준금리 고정, 대출기간 2년
- 신용등급 3등급
- 하나로고객 탑클래스
- 가입 기간 중 농협 신용카드 3개월간 100만 원 이상 사용 예정
- 가입 기간 중 농협 급여통장에 매월 급여이체 예정
- 가입 기간 중 농협 펀드상품에 매월 150,000원 이체 예정

	최대 대출 가능 금액	인지세
①	1억 2,500만 원	75,000원
②	1억 2,500만 원	150,000원
③	1억 3,228만 원	75,000원
④	1억 3,228만 원	150,000원
⑤	1억 3,889만 원	150,000원

정답해설

대출 대상에 따라 본 상품 신청금액을 포함하여 DTI가 40%를 넘길 수 없으므로 전세대출액을 a, 대출금리를 r 이라 하면 $\dfrac{a \times r + 1,500}{5,000} \leq 0.4$이다.

이때, 만기 전 매월 지급하는 이자는 월이율이 적용되어 $a \times \dfrac{r}{12}$이고, 1년에 12번 지급하므로 12를 곱하면 최종적으로 매년 이자를 지급하는 방식의 이자인 $a \times r$과 같아진다.

A씨는 당행 기준금리 고정으로 대출을 받았으므로 연 2.01+1.97=3.98(%)의 대출금리에 전세자금 목적이므로 주택신보출연료 0.22%p를 가산하여 연 4.2%의 금리가 적용된다. 여기에 기타 우대금리에 해당하는 신용등급 3등급(-0.10%p), 하나로고객 탑클래스(-0.10%p)를 적용받아 최종금리는 연 4%로 책정된다(농협 신용카드와 급여이체에 관한 건은 거래실적우대이므로 적용되지 않으며, 펀드의 경우 매월 20만 원 이상을 넘지 않는다.).

따라서 a의 최댓값은 $(0.4 \times 5,000 - 1,500) \div 0.04 = 500 \div 0.04 = 12,500$이므로, 최대 대출가능금액은 1억 2,500만 원이다. 한편, 인지세는 대출 금액에 따라 변화하는데, 대출 금액이 1억 원 초과 10억 원 미만일 경우 인지세 15만 원이 부과된다. 여기서 농협은행이 50%를 부담하므로 A씨가 납부해야 하는 인지세는 75,000원이다.

| 정답 | ①

조직이해 유형

영역 소개

농협은행 채용공고 내 필기시험 범위로 제시되지 않은 또 하나의 유형으로 조직이해 유형이 있다. 이 유형 또한 꾸준히 출제되고 있으므로, 관련 이론 등을 미리 학습해두는 것이 필요하다. 조직이해 유형은 NCS 조직이해능력과 비슷한 형태 및 난도로 출제되었다. 2020년 상반기 필기시험에서는 SWOT분석, 전자결재 규정 관련 문제 등 실무에서 쉽게 접근할 수 있는 내용 위주로 출제되었다.

출제유형 소개

2020년 상반기 필기시험의 조직이해 유형은 전자결재 유형과 SWOT분석 유형 각각 1문제씩 총 2문제가 출제되었다. 두 가지 유형 모두 기초적인 이론 내용을 알고 있다면 쉽게 해결할 수 있는 난도의 문제로 출제되었다. 조직이해 유형은 다음과 같이 두 가지의 세부 유형으로 구분된다.

세부 유형	내용
SWOT분석 유형	제시된 SWOT분석 결과 및 판단에 따른 전략 수립 내용의 옳고 그름을 판단하는 유형
전자결재 유형	제시된 전자결재 규정에 따른 결재 형태의 옳고 그름을 판단하는 유형

최신기출 분석

1. 2020년에는 SWOT분석 유형과 전자결재 유형 관련 문제가 출제되었다.
2. SWOT분석 유형의 문제는 관련 이론을 숙지하고 있을 경우 더욱 쉽게 풀리는 난도로 출제되었다.
3. 전자결재 규정을 제시하고 이를 바탕으로 옳게 작성된 결재 형태를 고르는 문제가 출제되었다.

기출복원 키워드

- ☑ 전자결재 규정, 상사의 지시 조건, 결재 서명 기준, 전결사항, 최고 결재권자
- ☑ 한 업체의 상황에 따른 SWOT분석 결과의 요인을 바탕으로 세운 전략 중 옳은 것 고르는 문제

1 SWOT분석

1) SWOT분석이란?

① 기업의 환경 분석을 통해 강점(Strength)과 약점(Weakness), 기회(Opportunity)와 위협(Threat) 요인을 규정하고, 이를 토대로 마케팅 전략을 수립하는 기법이다.

② 어떤 기업의 내부 환경을 분석하여 강점과 약점을 발견하고, 외부 환경을 분석하여 기회와 위협을 찾아내어 이를 바탕으로 강점은 살리고 약점은 죽이며, 기회는 활용하고 위협은 억제하는 마케팅 전략을 수립하는 것을 말한다.

2) SWOT분석 요소

SWOT분석에서 사용되는 요소는 강점·약점·기회·위협(SWOT) 4가지가 있다.

① 강점(S)은 경쟁 기업과 비교하여 소비자로부터 강점으로 인식되는 것은 무엇인지를 찾아낸다.

② 약점(W)은 경쟁 기업과 비교하여 소비자로부터 약점으로 인식되는 것은 무엇인지를 찾아낸다.

③ 기회(O)는 외부 환경에서 유리한 기회요인은 무엇인지를 찾아낸다.

④ 위협(T)은 외부 환경에서 불리한 위협요인은 무엇인지를 찾아낸다.

3) SWOT분석에 따른 전략

SWOT분석 요소에 따라 나온 결과인 기업 내부의 강점과 약점을, 기업 외부의 기회와 위협을 대응시켜 기업의 목표를 달성하려는 마케팅 전략의 특성은 다음과 같이 구분할 수 있다.

① SO전략(강점-기회전략): 시장의 기회를 활용하기 위해 강점을 사용하는 전략을 선택한다.

② ST전략(강점-위협전략): 시장의 위협을 회피하기 위해 강점을 사용하는 전략을 선택한다.

③ WO전략(약점-기회전략): 약점을 극복함으로써 시장의 기회를 활용하는 전략을 선택한다.

④ WT전략(약점-위협전략): 시장의 위협을 회피하고 약점을 최소화하는 전략을 선택한다.

내적요소 외적요소	강점(Strength)	약점(Weakness)
기회(Opportunity)	SO전략 (기회의 이점을 얻기 위해 강점을 활용하는 전략)	WO전략 (약점을 극복하면서 기회의 이점을 살리는 전략)
위협(Threat)	ST전략 (위협을 피하기 위해 강점을 활용하는 전략)	WT전략 (약점을 최소화하고 위협을 피하는 전략)

2 조직이해

1) 조직이해

① 조직: 두 사람 이상이 공동의 목표를 달성하기 위해 의식적으로 구성된 상호 작용과 조정을 행하는 행동의 집합체이다.

② 직장: 사람들이 일을 하는 데 필요한 물리적 장소이며 심리적 공간이다.

③ 기업: 노동, 자본, 물자, 기술 등을 투입하여 제품이나 서비스를 산출하는 기관으로, 최소의 비용으로 최대의 효과를 얻음으로써 차액인 이윤을 극대화하기 위해 만들어진 조직이다.

④ 조직이해능력의 필요성: 조직에서 자신에게 주어진 일을 성공적으로 수행하기 위해서는 조직의 목적, 구조, 환경 등을 알아야 조직을 제대로 이해할 수 있고, 업무 성과도 높일 수 있다.

2) 조직의 운영

① 경영: 조직의 목적을 달성하기 위한 전략·관리·운영 활동으로, 각각의 활동은 실제 경영 활동에서는 구별되지 않고 동시에 복합적으로 이루어진다.

② 경영자의 역할

대인적 역할	정보적 역할	의사결정적 역할
• 조직의 대표자 • 조직의 리더 • 상징자, 지도자	• 외부 환경 모니터 • 변화 전달자 • 정보 전달자	• 문제 조정자 • 대외적 협상 주도자 • 분쟁 조정자, 자원 배분자

3) 조직 업무의 수행

① 업무 배정

• 조직의 목적 달성을 위해 인력을 분배하여 원활한 업무 처리 구조를 만드는 일이다.

• 실제 업무 배정 시 일의 동일성이나 유사성(성격이 같거나 비슷할 때에 그것을 동일한 부문으로 배정) 또는 일의 관련성(상호 관련성에 따른 구분)의 기준에 따른다.

• 직위란 조직의 각 구성원들에게 할당한 업무를 수행하는 데 필요한 권한과 책임이 부여된 조직상의 위치로, 직무상의 책임을 수행하고 권한을 행사하는 기반이 된다.

② 업무의 특성 및 권한: 조직에서 업무가 배정되면 직위에 따라 업무가 부여되며, 업무를 선택할 수 있는 재량권이 한정적이기 때문에 조직 내에서 업무의 특성과 역할을 확인할 수 있어야 한다.

③ 업무 수행 계획

• 업무를 효과적으로 수행하기 위해서는 체계적인 업무 수행 계획을 수립할 필요가 있다.

• 조직의 업무지침을 확인하여 개인의 업무지침을 수립하며, 활용 가능한 자원에 따라 업무 수행을 체계적으로 표현하는 업무 수행 시트를 작성하도록 한다.

4) 조직 구조

① 조직 구조: 조직 내의 부문 사이에 형성된 관계로, 조직 목표를 달성하기 위한 조직 구성원들의 유형화된 상호 작용과 이에 영향을 미치는 매개체이다.

② 조직 구조의 구분

• 기계적 조직: 구성원들의 업무가 분명하게 정의되고 많은 규칙과 규제들이 있으며, 상하 간 의사소통이 공식적인 경로를 통해 이루어지고 엄격한 위계질서가 존재한다.

• 유기적 조직: 의사결정 권한이 조직의 하부 구성원들에게 많이 위임되어 있으며, 업무 또한 고정되지 않고 공유 가능하다. 또한 비공식적인 상호 의사소통이 원활히 이루어지며, 규제나 통제의 정도가 낮아 변화에 따라 업무 체계가 쉽게 변할 수 있다.

③ 조직 구조의 형태

일반적으로 조직도를 통해 조직이 어떻게 구성되어 있는지 알 수 있으며, 조직에서 하는 일과 조직구성원들이 어떻게 상호 작용하는지를 파악할 수 있다. 대부분의 조직 구조는 조직의 최상층에 CEO가 있고, 조직구성원들이 단계적으로 배열되는 구조 형태[조직도1]로 구성되어 있다.

그러나 최근 들어 급변하는 환경 변화에 효과적으로 대응하고, 신속하게 적응하기 위하여 분권화된 의사결정이 가능한 사업별 조직 구조 형태[조직도2]로 조직을 구성하는 기업이 증가하고 있다.

[조직도1]

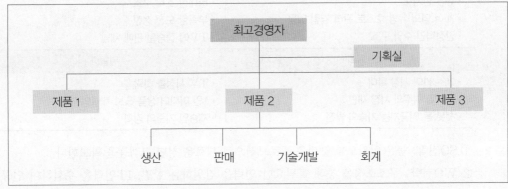

[조직도2]

01 다음 [표]는 한 홈쇼핑 업체의 현재 상황에 관한 SWOT분석 결과이다. 이를 바탕으로 세운 전략으로 옳지 <u>않은</u> 것을 고르면?

[표] 홈쇼핑 업체의 분석 결과

강점(S)	약점(W)
• 높은 인지도 • 30여 명의 유명 호스트 관리 경험 있음 • 안정적인 수익 구조	• 비대한 조직 구조 • 부족한 도전 정신 • TV에 집중된 판매 채널
기회(O)	위협(T)
• 20~30대 시장 확대 • 모바일 위주의 시장 재편 • 챗봇 등 인공지능 기술의 발전	• TV 시청률 하락 • 1인 미디어 상품 홍보 채널의 약진 • 재승인 기준의 강화

① SO전략: 높은 인지도를 앞세운 프로모션으로 새로운 청년 고객층을 확보한다.

② WO전략: 구조조정을 통해 불필요한 인력을 감원하는 한편, IT인력을 수혈하여 인공지능 기술을 바탕으로 한 고객 맞춤 홈쇼핑 시스템을 구축한다.

③ WO전략: TV에 집중된 판매 채널을 다변화하여 모바일 시장으로의 시장 재편에 대비한다.

④ ST전략: 다수의 유명 호스트를 관리하던 시스템을 폐기하고 1인 미디어 인력을 통합 관리하는 새로운 시스템을 구축한다.

⑤ WT전략: 보신주의에 빠진 조직 분위기를 쇄신하여 강화된 재승인 기준을 충족할 수 있는 발판을 마련한다.

정답해설

ST전략은 강점을 살려 위협을 해소하는 전략이므로, 강점 중 하나인 유명 호스트 관리 경험을 포기하여 위협에 대응하고자 하였으므로 적절한 ST전략이라고 볼 수 없다.

[오답풀이]

① SO전략은 강점을 살려 기회를 이용하는 전략으로, 강점 중 하나인 높은 인지도를 활용하여 20~30대 시장의 확대라는 기회를 살리고 있으므로 적절하다.

② WO전략은 약점을 극복하여 기회를 이용하는 전략으로, 비대한 조직 구조에 대한 구조조정으로 약점을 극복하고 인공지능 기술의 발전이라는 기회를 살리고 있으므로 적절하다.

③ 약점 중 하나인 TV에 집중된 판매 채널을 다변화하여 모바일 위주의 시장 재편이라는 기회를 살리고 있으므로 WO전략으로 적절하다.

⑤ WT전략은 약점을 극복하여 위협을 해소하는 전략으로, 약점 중 하나인 부족한 도전 정신을 극복하여 재승인 기준의 강화라는 위협에 대응하고자 하였으므로 적절하다.

| 정답 | ④

02 다음 [표]는 한 커피숍 업체의 현재 상황에 관한 SWOT분석 자료이고, [보기]는 경쟁사 A~F에 대한 뉴스 헤드라인이다. 이를 바탕으로 대응전략을 세우기 위해 고객에게 설문조사를 실시하려고 한다. 이때 설문 항목으로 가장 적절하지 <u>않은</u> 것을 고르면?

[표] 커피숍 업체의 분석 결과

강점(S)	약점(W)
• 뛰어난 원두 품질 • 넓은 매장	• 높은 가격 • 한정된 메뉴
기회(O)	위협(T)
• 원두커피 수요 증가 • 테이크아웃 문화 확산	• 국제 원두가격 상승 • 일회용품 사용 제한 정책

> **보기**
>
> • A: 매장 이용 고객의 커피를 머그컵에 주는 이유는?
> • B: 새해 맞이 아메리카노 20% 세일
> • C: 중장년 입맛을 겨냥한 ○○커피 출시
> • D: 매장 공간을 확 줄여 임대료 절감
> • E: 플라스틱 빨대보다 10배 비싼 종이 빨대 사용으로 환경 운동에 앞장서
> • F: 고급 입맛을 겨냥한 프리미엄 커피 출시

① 일회용품 사용 최소화로 인한 커피값 상승 감내 여부

② 다양한 메뉴 구성에 대한 선호도

③ 고급 커피에 대한 선호도

④ 선호하는 가게 내부 디자인

⑤ 테이크아웃 빈도

정답해설

가게 내부 디자인의 경우 SWOT분석 자료와 [보기]에 전혀 언급되어 있지 않은 요소로 설문조사 항목으로 적절하지 않다.

| 정답 | ④

03 A공사 해외사업개발처에서는 동남아 신시장 개발에 따르는 손해를 최소화하기 위하여 SWOT분석을 통해 다음 [보기]와 같은 환경 요인을 파악하였다. 이를 바탕으로 수립한 ST전략으로 가장 적절한 것을 고르면?

04

정보능력

> **보기**
>
> • 현지에 해외 지사망 기 구축
> • 한류 열풍에 따른 한국 기업에 대한 긍정적인 이미지
> • 현지의 불안한 경제 상황으로 환차손 우려
> • 동남아 시장 진출 경험 없음
> • 정부 차원의 지향점과 일치되는 사업
> • 현지 거주 경험 전문 인력 확보
> • 동남아 시장의 유관산업 조성 열기 고조
> • 주재원 파견기간의 한계
> • 현지 합작 인력의 낮은 기술력
> • 해당 산업 관련 경험과 노하우 축적

① 동남아 진출 경험이 없지만 현지의 지사망을 이용한 환경 적응을 도모할 수 있다.

② 한류 열풍과 함께 정부의 적극 지원을 활용한다.

③ 주재원의 정기적 교체는 본사의 오랜 경험과 노하우로 극복될 수 있다.

④ 현지 거주 경험이 있는 인력을 미리 파견하여 현지의 기술 인력에 대한 충분한 교육을 실시할 수 있다.

⑤ 현지 사정에 밝은 전문 인력들의 조언을 받아 동남아 시장에 진출하기 위한 발판을 마련한다.

정답해설

현지 거주 경험이 있는 전문 인력(S)을 파견하여 현지 인력의 낮은 기술력(T)이라는 위협에 대응하고자 하는 전략이 가장 적절한 ST전략이다.

[오답풀이]
각 환경 요인 항목의 SWOT 요인 구분은 다음과 같다.
• 현지에 해외 지사망 기 구축 → S(강점)
• 한류 열풍에 따른 한국 기업에 대한 긍정적인 이미지 → O(기회)
• 현지의 불안한 경제 상황으로 환차손 우려 → T(위협)
• 동남아 시장 진출 경험 없음 → W(약점)
• 정부 차원의 지향점과 일치되는 사업 → O(기회)
• 현지 거주 경험 전문 인력 확보 → S(강점)
• 동남아 시장의 유관산업 조성 열기 고조 → O(기회)
• 주재원 파견기간의 한계 → W(약점)
• 현지 합작 인력의 낮은 기술력 → T(위협)
• 해당 산업 관련 경험과 노하우 축적 → S(강점)

| 정답 | ④

전자결재 규정

- 결재를 받으려는 업무에 대해서는 최고 결재권자(대표이사)를 포함한 이하 직책자의 결재를 받아야 한다.
- '전결'이라 함은 회사의 경영활동이나 관리활동을 수행함에 있어 의사결정이나 판단을 요하는 일에 대하여 최고 결재권자의 결재를 생략하고, 자신의 책임하에 최종적으로 의사결정이나 판단을 하는 행위를 말한다.
- 전결사항에 대해서도 위임받은 자를 포함한 이하 직책자의 결재를 받아야 한다.
- 표시 내용: 결재를 올리는 자는 최고 결재권자로부터 전결사항을 위임받은 자가 있는 경우 결재란에 '전결'이라고 표시한다. 다만, 결재가 불필요한 직책자의 결재란은 우상향 대각선으로 표시한다.
- 최고 결재권자의 결재사항 및 최고 결재권자로부터 위임된 전결사항은 아래의 표에 따른다.

구분	내용	금액 기준	결재서류	팀장	본부장	지점장
접대비	거래처 식대, 경조사비 등	20만 원 이하	접대비지출품의서 지출결의서	● ■		
		30만 원 이하			● ■	
		30만 원 초과				● ■
교통비	국내 출장비	30만 원 이하	출장계획서 출장비신청서	● ■		
		50만 원 이하		●	■	
		50만 원 초과		●		■
	해외 출장비			●		■
재산 및 물품관리	기계설비	3천만 원 이하	지출결의서 기안서	● ■		
		3천만 원 초과			● ■	
	임대차	3천만 원 이하			● ■	
		3천만 원 초과				● ■
	재산 구입	3천만 원 이하			● ■	
		3천만 원 초과				● ■
	시설공사	5천만 원 이하				● ■
		5천만 원 초과				● ■
법인카드	법인카드 사용	50만 원 이하	법인카드신청서	■		
		100만 원 이하			■	
		100만 원 초과				■

※ ●: 기안서, 출장계획서, 접대비지출품의서

■: 지출결의서, 세금계산서, 발행요청서, 각종 신청서

04 영업팀 민 대리는 본사에 방문한 바이어에게 식사를 대접하려고 한다. 식대 예상 비용은 약 25만 원이며, 법인카드를 사용할 예정이다. 민 대리가 준비해야 할 결재 문서에 대한 설명으로 옳지 <u>않은</u> 것은 고르면?

① 민 대리는 총 3개의 결재 문서를 작성해야 한다.
② 법인카드를 사용하기 위해 본부장의 결재를 받지 않아도 된다.
③ 본부장은 총 2개의 문서에 결재를 해야 한다.
④ 법인카드신청서의 팀장 결재란은 우상향대각선으로 표시해야 한다.
⑤ 본부장은 전결 권한으로 민 대리의 지출을 승인하지 않을 수 있다.

정답해설

약 25만 원 상당의 지출이므로 법인카드신청서는 팀장의 전결사항이다. 따라서 팀장의 결재란은 우상향대각선이 아닌 '전결' 표시로 작성해야 하며, 팀장은 맨 오른쪽 지점장 결재란에 결재를 하게 된다.

[오답풀이]
① 접대비지출품의서, 지출결의서, 법인카드신청서를 준비해야 한다.
② 팀장 전결이므로 본부장의 결재는 받지 않아도 된다.
③ 30만 원 이하의 접대비지출품의서, 지출결의서 작성 시 본부장의 결재를 받아야 한다.
⑤ 본부장이 최고 결재권자이므로 지출 승인을 거절할 수 있다.

| 정답 | ④

05 B은행 홍보팀에서는 다음 달에 있을 전 임직원 대규모 행사를 위해 약 1천만 원 소요 예정인 건물 임차를 하기 위해 필요한 문서를 작성하려고 한다. 담당자가 작성해야 할 문서와 결재 양식으로 옳은 것을 고르면?

①

기안서			
결재	담당	팀장	본부장	지점장
			전결	

②

지출결의서			
결재	담당	팀장	본부장	지점장
				╱

③

지출결의서			
결재	담당	팀장	본부장	지점장
				전결

④

기안서			
결재	담당	팀장	본부장	지점장
			╱	전결

⑤

기안서			
결재	담당	팀장	본부장	지점장
			전결	╱

정답해설 약 1천만 원 임대차를 위해 필요한 기안서를 작성해야 하며, 금액 기준에 따라 본부장 전결사항임을 알 수 있다. 따라서 본부장의 결재란에 '전결' 표시로 작성하고, 본부장은 가장 우측 '지점장' 결재란에 서명하게 된다. 결재가 필요하지 않은 중간 단계의 결재권자는 없으므로 우상향 대각선은 표시하지 않는다.

| 정답 | ①

실패는 다 실패가 아닙니다.
시도 자체가 이미 성공입니다.

– 조정민, 『인생은 선물이다』, 두란노

직무상식평가

최신경향 분석

▌영역 소개

농협은행 직무상식평가는 2019년 상반기 시험부터 새롭게 추가된 영역이다. 기존에는 의사소통능력, 문제해결능력, 수리능력, 정보능력 등의 NCS 기반 직무능력평가(40문항/50분)로만 시행되었으나, 2019년 상반기에 직무능력평가(50문항/60분)+직무상식평가(20문항/20분), 2020년 상반기에 직무능력평가(50문항/60분)+직무상식평가(30문항/25분)의 구성으로 계속 변경되어 출제되었다.

이처럼 직무상식에 대한 비중과 중요도가 점차 증가하고 있는 추세이므로, 농협은행 채용을 준비 중이라면 직무상식 분야 대비는 필수이다. 직무상식평가는 크게 농업·농촌·협동조합 분야, 금융·경제 분야, IT 분야가 출제된다.

▌출제유형 소개

유형 1   농업·농촌·협동조합 분야

농업·농촌·협동조합 등 농업 관련 분야는 농협은행 필기시험에서 가장 기초가 되는 내용으로, 분야 관련 일반상식부터 최신 시사까지 골고루 파악해야 하는 분야이다. 2020년 상반기 시험에서는 협동조합의 역사 등을 다루는 내용이 출제되어 수험생들을 당황시킨 바 있다. 그러므로 농업·농촌이라는 범위에 제한두지 않고 다양한 사회적 관계를 이루는 내용까지도 함께 익히는 것이 좋다.

유형 2   금융·경제 분야

직무상식평가에서 출제되는 분야 중에서 비중이 가장 높다. 2019년에 이어 2020년에도 금융·경제 분야 문항 수가 다른 분야 대비 다수 출제된 점을 통해 지원자의 직무적합성을 판단하고자 하는 것을 알 수 있다. 이에 따라 비전공자도 기본적인 경제 상식부터 연관된 다양한 범위의 금융 용어 및 경제 시사까지 확실하게 대비해야 한다.

유형 3   IT 분야

최근 은행들이 언택트 중심의 업무를 활성화하면서 IT 분야에 대한 관심이 높아지고 있다. 이를 반영하듯 농협은행 필기시험에서도 디지털 상식 관련 내용과 데이터베이스, 전자계산기 구조, 운영체제, 소프트웨어 공학, 데이터 통신 관련 문항들이 출제되었다. IT 분야 또한 제대로 학습하지 않았다면 문제를 자신 있게 풀어나가기 어렵기 때문에 공시된 시험 출제 범위의 이론들을 중심으로 학습하면서 제대로 파악하는 것이 중요하다.

최신 필기시험 기출분석

1. 새로 추가된 출제 영역으로 20문항/20분 형태의 구성으로 시행되었다.
2. 금융상식 문제들은 테셋이나 매경테스트 수준으로 출제되었다.
3. 전공자는 물론, 평소 경제 신문을 읽으면서 공부한 사람들은 쉽게 풀 수 있는 문제들로 출제되었다.
4. IT 분야 문제는 정보처리기사 필기와 비슷한 유형의 문제가 다수 출제되었다.

기출복원 키워드

- ☑ 금융상식 개념 및 용어 관련 문제
- ☑ 환율 계산 관련 문제
- ☑ IT 분야 용어 및 프로그램 관련하여 응용한 문제
- ☑ 신기술동향 부분 관련 문제

1. 30문항/25분으로 문제 수와 시간이 변경되었다.
2. 문제의 난도는 중~중상으로 시험시간이 타이트한 편이었다.
3. 비전공자일 경우, 분야 관련 공부를 해야 풀 수 있는 문제가 다수 출제되었다.
4. 농협 범위로 제한하지 않고 다양한 범위의 상식을 조금씩 응용한 문제가 출제되었다.
5. 평소에 경제 신문 등을 통해 시사를 계속 접해 왔다면 쉽게 풀 수 있는 정도의 상식 문제가 출제되었다.

기출복원 키워드

- ☑ 각 나라별 협동조합 관련 설명, 국내 협동조합의 역사 관련 문제
- ☑ 농협의 역사, 국내 금융시장의 역사 관련 문제
- ☑ 경력 단절된 여성이 다시 취직하는 현상 용어 관련 문제
- ☑ 스마트시티의 구성 요소 관련 문제
- ☑ 4차 산업혁명/게임이론/크라우드 펀딩/빅데이터/IPv6 관련 문제
- ☑ 무차별곡선/단기비용함수 관련 문제
- ☑ 코즈의 정리/가격제한제도/헥셔-올린 모형 관련 문제
- ☑ 본원통화/환율 변동 관련 문제
- ☑ 독점적 경쟁시장/재정정책/장단기금리역전 현상 관련 문제
- ☑ 역선택/도덕적 해이 관련 문제
- ☑ ETF/P2P/예금자보험/환포지션/베이시스 관련 문제

농업·농촌·협동조합 분야

빈출 ✏️ 6차 산업

농촌융복합산업. 농촌 주민이 중심이 되어 농촌에 존재하는 모든 유·무형의 자원(1차 산업)을 바탕으로 식품 또는 특산품 제조 가공(2차 산업) 및 유통·판매·문화·체험·관광·서비스(3차 산업) 등을 복합적으로 연계 제공함으로써 새로운 부가 가치를 창출하는 활동이다.

공공비축제도
· 公共備蓄制度

정부가 일정 분량의 쌀을 시가로 매입해 비축해 두었다가 시가로 시장에 되파는 제도. 정부는 시장을 웃도는 정책 가격에 따라 쌀을 매입하는 추곡수매제도를 폐지하고, 2005년부터 공공비축제도를 도입하였다. 전쟁, 흉년에 대비하는 식량안보 차원에서 적정비축량만 구매하는 것이 제도의 목적이다.

즉, 추곡수매제도보다 정부의 시장개입 정도가 축소된 정책이라 볼 수 있으며, 시장왜곡이 거의 없어 세계무역기구(WTO)에서도 허용하고 있다. 이를 통해 정부가 구입한 쌀을 공공비축미라 한다.

빈출 ✏️ 스마트팜
· smart farm

농사 기술에 정보통신기술(ICT)을 접목하여 만들어진 지능화된 농장. 스마트팜은 사물인터넷(IoT) 기술을 이용하여 농작물 재배 시설의 온도·습도·일조량·이산화탄소·토양 등을 측정·분석하고, 분석 결과에 따라 제어장치를 구동하여 적절한 환경으로 관리할 수 있다. 이는 스마트폰과 같은 모바일 기기를 통해 원격으로도 제어가 가능하다. 스마트팜으로 농업의 생산·유통·소비 과정에 걸쳐 생산성과 효율성 및 품질 향상 등과 같은 고부가 가치를 창출시킬 수 있다.

또한, 낙후된 농가를 스마트팜으로 변화시킴으로써 기후 변화와 농촌 인구 감소, 농가소득 정체 등의 문제를 개선하고 농업의 경쟁력을 제고하며, 청년층의 농업 창업인구 유치에도 긍정적인 영향을 미칠 수 있다.

구제역
· 口蹄疫
· foot-and-mouth disease

소, 돼지, 양, 염소, 사슴 등 발굽이 둘로 갈라진 동물(우제류)에 감염되는 질병. 전염성이 매우 강하며, 입술·혀·잇몸·코·발굽 사이 등에 물집이 생기고 급격한 체온 상승과 식욕 저하를 일으켜 심하게 앓거나 죽게 하는 질병이다. 세계동물보건기구(OIE)에서 전파력이 빠르고 국제교역상 경제 피해가 매우 큰 질병으로 분류하며, 우리나라 제1종 가축전염병으로 지정되어 있다.

구황작물

· 救荒作物

흉년이 들어 곡식이 부족할 때 주곡을 대체해 소비할 수 있는 작물. 생산량이 기후조건에 영향을 적게 받아야 하며, 생육기간이 짧아야 한다. 대표적인 구황작물로 감자, 고구마, 메밀 등이 있다.

농업보조총액

· AMS(Aggregate Measurement of Support)

농업보조금 중에서 가격지지와 생산량에 큰 영향을 미친다고 판단되는 성격의 보조금. 감축대상보조라고도 부르며, 쌀소득보전직불금 중에서 변동직불금이 여기에 속한다. 이보다 약한 성격의 농업보조금으로는 최소허용보조(DM), 블루박스(BB), 그린박스(GB)가 있으며, 그린박스는 자유무역 협상 시 감축의무가 없어서 허용보조라고도 한다. 쌀소득보전직불금 중에서 고정직불금이 그린박스에 속한다.

쇠고기 이력추적제

· beef traceability
· 履歴追跡制

모든 소에 번호를 부여해 생산 등 단계별로 정보를 기록·관리하는 제도. 소의 사육단계부터 도축, 포장처리, 판매 과정까지의 이력 정보를 기록·관리하여, 필요 시 그 이력 정보의 추적을 통해 방역의 효율성을 도모하고, 유통경로의 투명성을 확보함으로써 국내산 축산물에 대한 소비자 신뢰를 제고하기 위한 목적이다.

🖉 함께 나오는 용어

돼지고기 이력제
돼지와 국내산 돼지고기의 사육, 도축, 가공, 거래 단계별 이력 정보를 기록·관리하여 판매 시 소비자에게 이력 정보를 손쉽게 제공하여 소비자를 안심시키는 제도.

우루과이 라운드

· UR(Uruguay Round)

관세 및 무역에 관한 일반 협정(GATT)의 제8차 다자간 무역협상. 기존 7차례의 GATT와 구별되는 이유는 매우 광범위한 의제를 다루었고, 특히 그동안의 GATT 체제 밖에 있었던 농산물에 대한 논의가 시작되었기 때문이다. 1986년 9월 우루과이에서 첫 회합이 열린 이래 여러 차례의 협상을 거쳐 1993년 12월에 타결되었고, 1995년부터 발효되었다. 그 결실로 세계무역기구(WTO)가 출범하였다.

유전자변형 농산물

· GMO(Genetically Modified Organism)

유전자 재조합기술로 생산된 농산물. 생명공학기술을 응용해 창출한 생명공학의 산물로 유전자변형 농산물(GMO) 또는 유전자변형 생물체(LMO)로 명명되고 있다. LMO와 GMO는 동일한 의미로 볼 수 있으나, GMO는 LMO가 생명력을 잃고 냉장, 냉동, 가공된 식품(두부, 두유 등)까지 포함한다.

자유무역협정

· 自由貿易協定
· FTA(Free Trade Agreement)

국가 간 상품의 자유로운 이동을 위해 모든 무역 장벽을 완화하거나 제거하는 협정. GATT나 WTO에서 합의한 관세 규정과 같이 모든 회원국에 적용되는 협정이 아닌, 소수의 특정 국가끼리만 서로의 시장을 여는 특혜무역체제이다. 과거에는 두 나라가 맺는 것이 일반적이었지만, 2010년대 들어서는 여러 나라들이 단체로 참여하는 다자간 자유무역협정이 주류를 이루고 있다.

> **🔗 함께 나오는 용어**
>
> · 환태평양경제동반자협정(TPP)
> 태평양을 둘러싼 미국, 일본, 호주 등 12개국이 참여한 메가 자유무역협정이다. 관세는 물론, 무역장벽도 허무는 초대형 자유무역협정이었지만, 2017년 미국이 탈퇴하면서 총 11개국의 합의하에 명칭을 '포괄적·점진적 환태평양경제동반자(CPTPP)'로 변경한 후 2018년 12월 30일 발효되었다.
> · 역내포괄적경제동반자협정(RCEP)
> 아시아와 태평양 인근 국가들이 출범시킨 세계 최대의 자유무역협정. 동남아시아국가연합(아세안) 10개국을 비롯해 한국, 중국, 일본, 호주, 뉴질랜드, 인도 등 16개국이 참여한다. 2020년 11월 15일 협상의 최종 타결 및 서명이 이루어졌다.

조류 인플루엔자

· AI(Avian Influenza)

닭이나 오리와 같은 가금류 또는 야생조류에서 생기는 바이러스(Virus)성 동물전염병. 일반적으로 인플루엔자 바이러스는 A, B, C형으로 구분되며 이 중 A, B형이 인체감염의 우려가 있으며, A형만이 대유행을 초래할 수 있다고 알려져 있다.

추곡수매제도

· 秋穀收買制度

정부가 쌀의 수요를 조절하여 가격을 안정시키고자 정해진 가격에 따라 일정량의 쌀을 매입하는 제도. 농가의 소득은 향상시키고 기초 생필품 물가는 낮게 유지하여 저임금 구조를 만들기 위해 제3공화국 때부터는 수매가격을 인상하고, 방출가격은 낮게 유지하는 이중곡가제를 시행하였다. 정책 목표는 달성할 수 있었지만 양곡사업의 적자액이 눈덩이처럼 불어났고, 우루과이 라운드(UR)와 도하개발아젠다(DDA)를 기점으로 추곡수매의 기능이 축소되다 2005년에 폐지되었다.

> **🔗 함께 나오는 용어**
>
> 쌀소득보전직불제
> 정부의 쌀시장 개방 대비책 중 하나로, 쌀 가격이 떨어지더라도 쌀농가 소득을 적정수준으로 안정시키기 위해 실시하는 사업. 농지 소유에 관계없이 실제 농사를 짓는 사람에게 농경지 1ha당 일정 금액을 지불하는 고정직불금에 더해 정부가 목표로 정한 쌀 한 가마니(80kg) 값과 전국 평균 쌀값을 비교해 시세차액의 85%를 추가로 보전하는 변동직불금(쌀 직불금)이 있다.

HACCP

· Hazard Analysis and Critical Control Point

가축의 사육·도축·가공·포장·유통 전 과정에서 축산식품의 안전에 해로운 영향을 미칠 수 있는 위해 요소를 분석하고, 이러한 위해 요소를 방지·제거하거나 안전성을 확보할 수 있는 단계에 중요 관리점을 설정하여 과학적, 체계적으로 중점 관리하는 위생관리 시스템. '해썹'이라고 읽는다.

할랄

• Halal

아랍어로 '허용되는 것'이라는 뜻으로, 이슬람교도인 무슬림이 먹고 쓸 수 있는 제품의 총칭. 이슬람식 알라의 이름으로 도살된 고기(주로 염소고기·닭고기·쇠고기 등)와 이를 원료로 한 화장품 등이 해당된다.

> **🔗 함께 나오는 용어**
>
> **하람(Haram)**
> 무슬림에게 금지된 것. 도축하지 않고 자연사한 동물의 고기, 동물의 피와 그 피로 만든 식품, 돼지고기와 돼지의 부위로 만든 음식, 화장품 등이 해당된다.

PLS

• Positive List System
• 농약허용물질목록관리제도

농약 잔류허용기준이 설정되지 않은 농산물에 대해 잔류허용기준을 일률적으로 0.01ppm으로 적용하는 제도. 농약은 허용된 물질만 사용해야 하며 미등록 농약을 사용하거나 잔류농약이 0.01ppm을 초과할 경우 부적합 판정을 내려 출하 연기, 폐기, 과태료 부가 등의 불이익이 발생할 수 있다.

탄소발자국

• carbon footprint

사람의 활동이나 상품을 생산·소비하는 전 과정을 통해 직·간접적으로 배출되는 온실가스 배출량을 환산한 이산화탄소(CO_2)의 총량. 여기에는 이들이 일상생활에서 사용하는 연료, 전기, 용품 등이 모두 포함된다. 대기로 방출된 이산화탄소 등 온실가스가 지구의 기후 변화에 미치는 영향을 알 수 있는 지표이다.

> **🔗 함께 나오는 용어**
>
> **탄소배출권(炭素排出權)**
> 일정기간 동안 6대 온실가스의 일정량을 배출할 수 있는 권리. 교토의정서에서 명시된 기간 안에 이산화탄소 배출량을 감축하지 못한 기업은 돈을 주고 구입해야 한다.

로컬푸드

• local food

장거리 운송 등 유통과정을 거치지 않은 지역농산물. 생산자와 소비자 사이의 이동거리를 단축시켜 식품의 신선도를 극대화시키자는 취지로 로컬푸드 운동이 시작되었다. 즉, 먹을거리에 대한 생산자와 소비자 사이의 이동거리를 최대한 줄임으로써 농민과 소비자에게 이익이 돌아가도록 하는 것이다. 우리나라에서는 전북 완주군이 2008년 국내 최초로 로컬푸드를 도입하여 정착에 성공하였다.

친환경농업

• environmentally—
  friendly agriculture

농업이 가지고 있는 홍수조절, 토양보전 등 공익적 기능을 최대한 살리고 화학비료와 농약 사용을 최소화하여 농산물을 생산하고 환경을 보존하면서 소비자에게는 건전한 식품을 공급하고 생산자인 농업인에게는 소득을 보장해주는 방법으로 농업인과 소비자 모두에게 이익을 줄 수 있는 농업이다.

푸드 마일리지

• food mileage

먹을거리가 생산자 손을 떠나 소비자 식탁에 오르기까지의 이동거리. 이동거리(km)× 식품수송량(t)으로 구할 수 있다. 푸드 마일리지가 클수록 식품의 신선도가 떨어지는 것은 물론, 장거리 운송을 해야 하는 관계로 이산화탄소를 많이 배출시켜 환경에 부담을 준다. 이에 따라 푸드 마일리지를 줄이기 위해 소비지로부터 가까운 곳에서 농작물을 생산하는 도시농업과 가까운 곳에서 생산한 식품을 사먹자는 로컬푸드 구매 운동이 활성화되고 있다.

빈출 ✎
협동조합

• 協同組合
• cooperative

같은 목적을 가지고 모인 조합원들이 물자 등의 구매·생산·판매·소비 등의 일부 또는 전부를 협동으로 영위하는 조직단체. 협동조합은 인적 구성체(人的構成體)이므로, 진정한 민주적 운영을 의도하는 데 있다. 이는 영리를 목적으로 하는 것이 아니므로 조합의 운영은 실비주의를 원칙으로 한다.

[협동조합 7대 원칙]
• 01 자발적이고 개방적인 조합원 제도
• 02 조합원에 의한 민주적 관리
• 03 조합원의 경제적 참여
• 04 자율과 독립
• 05 교육, 훈련 및 정보 제공
• 06 협동조합 간의 협동
• 07 지역사회에 대한 기여

[협동조합의 사업 성격에 따른 분류]
크게 사업협동조합·신용협동조합·협동조합연합회·기업조합의 네 가지로 분류된다.
• 사업협동조합: 농업협동조합·수산업협동조합·축산업협동조합·상업협동조합 등 또는 그에 관련되는 각종 협동조합 사업의 일부 또는 전부를 영위한다.
• 신용협동조합, 협동조합연합회: 조합원을 위한 금융이 사업의 중심이 된다. 이상의 협동조합은 단위협동조합이며, 이 단위조합이 일정한 지역 등을 기반으로 연합체를 결성한 것이 협동조합연합회이다.
• 기업조합: 협동조합의 이념을 보다 고차적으로 구체화한 것이다.

[협동조합의 기능별 분류]
• 생산조합: 동일업종 또는 동일지역의 생산자가 조직하고 있는 협동조합으로, 판매조합·구매조합·이용조합·신용협동조합·생산적 조합으로 구분된다.
• 소비조합: 소비생활협동조합으로, 조합원의 생활에 필요한 물자를 싼값으로 공동구입하는 것을 목적으로 한다.

농업협동조합

- 農業協同組合
- National Agricultural
  Cooperatives
  Federation

농민의 자주적인 협동조직을 통하여 농업생산력의 증진과 농민의 경제적·사회적 지위 향상을 도모함으로써 국민경제의 균형 있는 발전을 기하기 위하여 설립된 특수법인체. 일명 NH농협이라고 하며, 현재 우리나라의 협동조합 가운데 가장 큰 조직기반과 사업 규모를 가지고 있다. 농업협동조합은 전문농협(專門農協)과 종합농협(綜合農協)의 두 형태로 구분된다.

농협은 유휴자금을 동원하여 농촌에 생산자금 공급, 농가에 생활물자와 영농자재 염가 공급, 조합원의 조합에 대한 참여의식을 높이고, 영농과 생활에 대한 방향 제시와 지원을 하는 등의 기능과 역할을 하고 있다.

로치데일 협동조합

- The Rochdale Society
  of Equitable Pioneers

1844년 최초로 설립된 세계 최대 소비자협동조합. 1844년 12월 영국의 공업도시 로치데일 직물공장의 28명 노동자들이 자본가들의 횡포에 맞서 1년에 1파운드씩의 출자금을 모아 식료품을 공동구입하기 위해 설립한 로치데일 공정개척자 조합을 시작점으로 설립된 이후 협동조합의 모델로서 영국 전역에 확산되었다.

한편, 로치데일 공정개척자 조합의 운영원칙으로는 1인 1표제, 정치 및 종교상의 중립, 조합에 의한 교육, 이자의 제한 및 신용거래 금지, 구매액에 따른 배당, 시가판매 등이 있다.

빈출 🖉
농민운동

- 農民運動
- peasants movement

농민이 그 생활조건 또는 사회적 환경의 개선을 도모하려는 운동. 일반적으로 자본주의 체제하의 농민이 경제적·정치적 이익의 획득을 목표로 일으키는 운동을 뜻하며, 나라에 따라 그 형태와 성격이 다르다. 우리나라의 농민운동은 1890년대 동학농민운동(東學農民運動)을 들 수 있다. 일본 통치하의 농민운동은 독립운동으로 승화되었고, 국토 분단과 1949년의 농지개혁으로 근대적인 의미의 농민운동은 없었다.

농지개혁

- 農地改革

농지의 소유제도를 개혁하는 일. 우리나라에서는 1949년 농지개혁법에 의해 농지를 농민에게 적절히 분배함으로써 농가경제의 자립과 농업생산력의 증진을 통해 농민생활의 향상과 국민경제의 균형 발전에 기하기 위해 실시되었다.

신한공사가 관리하는 적산농지와 국유로 소유자가 분명하지 않은 토지는 흡수하고 비농가의 농지, 자경(自耕)하지 않는 자의 농지, 3ha를 초과하는 농지는 국가에서 수매하여 이들 지주에게 해당농지 연수확량(年收穫量)의 150%로 5년간 연부상환 보상하도록 하는 지가증권을 발급하였다.

농업회사법인

· 農業會社法人

기업적 농업경영을 통해 생산성 향상과 농업의 부가가치 향상, 영농의 편의도모를 목적으로 설립된 법인. 농업농촌기본법 제16조에 규정되어 있다. 본래 위탁영농회사로 설립되었으나, 1995년 농업회사법인으로 변경되었다. 법인을 설립할 수 있는 대상은 농업인, 농산물 생산자단체 및 농지개량조합이며, 대통령령이 정하는 비율의 범위 안에서 농업인이 아닌 자도 법인에 출자할 수 있다. 사업 범위는 농작물 생산 및 유통·가공·판매 등이다.

> **⊘ 함께 나오는 용어**
>
> **위탁영농회사(委託營農會社)**
> 일손이 부족한 농가에 대해 농사일을 대신 해주는 농민회사. 위탁영농회사의 법인형태는 합자회사에서부터 합명회사, 유한회사, 주식회사 등 어떤 형태든 상관없다. 위탁영농회사를 설립하면 트랙터, 이앙기, 콤바인 등 5종 농기계 10대를 보조 지원하는 한편, 농기계 구입자금, 농기계보관창고 설치자금, 농업경영자금 등을 융자받을 수 있다.

정밀농업

· 精密農業
· precision agriculture

비료와 농약의 사용량을 줄여 환경을 보호하면서도 농작업의 효율을 향상시킴으로써 수지를 최적화하자는 것으로, 지속농업을 위한 새로운 농업기술. 포장은 작은 구간에서도 토성, 토양비옥도, 지형, 잡초, 병해충, 작물생육상에 따라 양분 요구량 등과 같은 요인이 가변적이다. 정밀농업은 포장의 작은 구간에서 재래식으로 일정량을 투입하는 대신 투입량을 가변적으로 하는 영농방법이다.

식물공장

· 植物工場
· plant Factory

외부환경과 단절된 공간에서 빛, 공기, 온도, 습도, 양분 등 식물의 환경을 인공적으로 조정하여 농산물을 계획적으로 생산하는 시설. 일조시간이 짧은 북유럽에서 발전하였다. 도심 속에서 농산물의 생산이 가능한 점과 도시 소비자들에게 도달하는 거리가 짧아 유통기간과 비용을 절약할 수 있다는 장점이 있다.

식물공장은 실내 농업으로 연중생산이 가능하고, 날씨와 상관없이 농사를 지을 수 있어 생산량 증대와 안정적인 공급의 효과를 볼 수 있다. 더불어 차세대 녹색산업으로 육성함으로써 새로운 영농기술을 확립하고, 관련 하이테크 기업의 기술발전을 유도할 수 있을 것으로 전망된다. 그러나 모든 시설을 인위적으로 만들어야 하기 때문에 설비 비용과 유지 비용이 많이 들어 경쟁력이 떨어질 수 있다는 단점이 있다.

수직농장

· 垂直農場
· vertical farm

도심에 고층 건물을 짓고 각층에 농장을 만들어 수경재배가 가능한 농작물을 재배하는 일종의 아파트형 농장. 수경재배방식으로 다양한 농작물을 기를 수 있고, 태양과 바람 등 재생에너지만을 이용하여 농작물 재배에 필요한 에너지를 얻을 수 있게 설계된다.

갭 투자

• gap 投資

주택 매매 가격과 전세금 시세의 차이가 적은 집을 전세를 끼고 매입하는 투자 방식. 예를 들어 매매 가격이 10억 원인 주택의 전세금 시세가 9억 원이라면 전세를 끼고 1억 원만으로 집을 구매할 수 있다. 이후 전세 계약이 종료되면 전세금을 올리거나, 주택 매매 가격이 상승하면 되파는 방식으로 시세차익을 얻을 수 있다.

상대적으로 적은 자금만으로도 고가의 부동산 시세 차익을 거둘 수 있는 투자 방식이지만, 주택 매매 가격이 하락하면 세입자의 전세금을 돌려주지 못하거나 주택 매매를 위한 대출금을 갚지 못할 위험이 있다.

빈출 ✏️
공매도

• 空賣渡
• short stock selling

주식을 소유하지 않고 매도 주문을 내는 것. 현재 주식을 소유하지 않고 있음에도 향후 주가가 하락할 것을 예상하고 주식을 빌려 판 뒤, 실제 주가가 하락하면 같은 종목의 주식을 싼값에 되사서 차익을 챙기는 매매 기법이다. 그러나 주가 하락을 예상한 것과 달리 주가가 상승하게 되면 공매도한 투자자는 손해를 보게 되며 결제일에 주식을 입고하지 못하면 결제불이행 사태가 발생할 수도 있다. 우리나라의 주식시장에서는 유상증자 등 사실상 주식 소유로 인정되는 경우에만 예외적으로 공매도를 허용한다.

> 🔗 **함께 나오는 용어**
>
> **숏 커버링(short covering)**
> 매도했던 주식을 다시 매수하는 것. 숏 포지션은 선물옵션 시장에서 기초자산 하락에 베팅하는 상황을 말하는데, 이에 대한 리스크를 헤징하기 위해 기초자산을 매입함으로써 위험을 커버한다는 뜻이 있다. 보통은 공매도한 후 주가 상승에 따른 피해를 줄이고자 주식을 다시 매수하는 경우에 사용된다.

당좌예금

• 當座預金
• checking account

기업이 수표 또는 어음을 발행하여 대금 지급을 자유롭게 할 수 있는 요구불예금의 한 종류. 법인이나 사업자로 등록된 개인만 개설할 수 있다. 금전거래가 매우 빈번한 기업이 현금의 출납, 보관 등의 번거로움과 위험성을 피하기 위해 이용한다. 입출금이 매우 자유로워 당좌예금에서 발행된 수표는 예금통화로 현금 취급을 받는다. 금전의 출납이 빈번한 당좌예금 자산으로는 안정적 운용이 어려워 원칙적으로 이자가 지급되지 않는다.

디마케팅

• demarketing

기업이 고객의 수요를 의도적으로 줄이는 마케팅 기법. 1971년 필립 코틀러(Philip Kotler)가 처음 사용한 개념으로, 제품에 대한 이미지와 브랜드 가치를 향상시키고, 특정 고객들의 충성도를 강화할 수 있다. 대표적으로 담배, 의약품 등의 포장이나 광고에 경고 문구를 삽입하거나, 금융기관에서 휴면계좌를 정리하고 채무 규모가 적정 수준을 넘은 고객의 거래 및 대출한도 등을 제한하는 것이 있다.

리디노미네이션
• redenomination

한 나라에서 통용되는 화폐의 액면가를 낮은 숫자로 변경하는 조치. 화폐, 채권, 주식 등의 액면 금액을 의미하는 디노미네이션을 다시 하는 것을 말한다. 이를 실시할 경우 거래 편의 제고, 통화의 대외적 위상 상승, 인플레이션 기대 심리 억제, 지하 퇴장 자금의 양성화 촉진 가능성 등의 장점이 있는 반면 새 화폐 제조와 컴퓨터 시스템, 자동판매기, 메뉴 비용 문제 등에 대한 큰 비용이 발생하고, 물가 상승 우려, 불안 심리를 초래할 가능성이 있다.

리보금리
• LIBOR(London Inter-Bank Offered Rates)

런던의 신뢰도가 높은 일류 은행들끼리의 단기적인 자금 거래에 적용하는 대표적인 단기금리. 런던 금융시장에서 우량 은행 간 단기자금을 거래할 때 적용하는 금리로서, 세계 각국의 국제 간 금융거래에서 기준금리로 활용되고 있다.

한편, 신용도가 낮을 경우 리보금리에 몇 퍼센트의 가산금리가 붙는데, 이것을 스프레드라고 하며 이는 금융기관의 수수료 수입이 된다. 그러나 2012년 리보금리 산정과정에서 대형은행들의 조직적인 담합으로 리보금리가 조작되었음이 드러나 신뢰도가 크게 하락하였다. 이에 따라 영국금융청은 2021년까지 리보금리를 폐기하고 새로운 기준금리를 도입하겠다고 발표했다.

빈출 ✏️
바이럴마케팅
• viral marketing

소비자가 자발적으로 이메일, 블로그, SNS 등 전파 가능한 매체를 통해 기업이나 제품 소식을 널리 퍼트리도록 하는 마케팅 기법. 소비자의 입에서 입으로 전해지는 점에서 광고와 다르며, 정보 제공자가 아닌 정보 수용자를 중심으로 확산되는 점에서 입소문 마케팅과 차별된다.

> 🖉 **함께 나오는 용어**
> • 니치마케팅(niche marketing)
>   시장의 빈틈을 집중 공략하는 전략
> • 데카르트마케팅(techart marketing)
>   유명 예술가의 작품을 제품 디자인에 적용해 소비자의 감성에 호소하고 브랜드 품격을 높이는 전략
> • 넛지마케팅(nudge marketing)
>   특정 행동을 직접 지시하지 않고 소비자의 선택에 있어서 유연하고 부드러운 방식으로 접근하는 전략

바이백
• buy back

무엇인가를 팔았다가 다시 되사들이는 행위. 국채와 관련해서는 조기상환(빨리 빚을 갚음)이란 뜻으로 쓰인다. 국채 발행 주체인 정부가 국채를 다시 되사면 빚을 갚을 필요가 없어지므로 사실상 부채를 상환하는 효과를 가진다. 보통 추가 세수를 확보하여 상환 여력이 생겼을 때 시행되며, 바이백을 통해 향후 발생할 추가 이자 부담을 완화하고 재정건전성을 조기에 강화하는 효과를 얻을 수 있다.

빈출 ✏️
배드뱅크

• bad bank

금융기관의 부실채권이나 부실자산만을 사들여 처리하는 전문기관. 은행에 부실자산 또는 부실채권이 발생한 경우 은행이 단독 또는 정부 기관 등과 공동으로 배드뱅크를 자회사로 설립하여, 부실채권 또는 자산을 넘겨주면 그것들을 정리하는 업무를 수행한다. 즉, 자산을 매각하거나 이것을 담보로 하여 유가증권을 발행하는 등의 방법으로 대출금을 회수하며, 배드뱅크에 부실채권이나 부실자산을 넘긴 금융기관은 굿뱅크가 된다.

분식회계

• 扮飾會計
• window dressing
　settlement

기업이 재정 상태나 경영 실적을 실제보다 좋게 보이게 할 목적으로 부당한 방법을 통해 자산이나 이익을 부풀려 계상하는 것. 한마디로 겉보기에 좋게 회계를 속이는 것을 말한다. 가공의 매출을 기록하거나, 비용을 적게 계상 또는 누락시켜 결산 재무상태표의 수치를 고의로 왜곡시키는 등의 방법이 이용된다. 반대로 세금 부담이나 근로자에 대한 임금 인상을 피하기 위해 실제보다 이익을 적게 계상하는 경우는 '역분식회계(逆粉飾會計)'라고 한다.

빈출 ✏️
비트코인

• bitcoin

미국, 독일 등 세계 정부와 언론에 주목받는 가상화폐. 비트코인 주소를 가진 사람들끼리 P2P 기반의 공개 키 암호방식으로 거래되며, 거리나 시간에 구애받지 않고 직접 송금수수료 없이 거래할 수 있다.
비트코인이 활성화되면서 미국 달러와 같은 실제 화폐로 바꿔주는 중개 사이트도 생겼으며, 여러 온라인 쇼핑몰에서 실제 화폐처럼 사용할 수 있는 단계까지 발전하였다. 새로운 투기대상으로 떠오르는 반면 익명성 때문에 불법 약물 거래나 탈세에 악용되기도 한다.

**스튜어드십
코드**

• stewardship code

연기금과 자산운용사 등 주요 기관투자가들이 위탁자가 맡긴 돈을 자기 돈처럼 여기고 의결권 행사 등 주주 활동을 충실하게 이행해야 한다는 자율 지침. 서양에서 큰 저택이나 집안일을 맡아 보는 집사(스튜어드)처럼 기관들도 고객 재산을 선량하게 관리할 의무가 있다는 뜻에서 생겨난 용어이다. 금융위원회는 기업 경영 투명성을 높이고, 수익성 제고를 위해 2016년 스튜어드십 코드를 도입했다.

빈출 ✏️
은산분리

• 銀産分離

산업자본의 은행 지분 소유에 제한을 두는 제도. 기존 은행법상 산업자본은 의결권이 있는 은행 지분을 4% 이상 소유할 수 없다. 다만 의결권 미행사를 전제로 금융위원회의 승인을 받으면 최대 10%까지 보유할 수 있다. 2019년 1월 17일부터 시행된 인터넷전문은행 특례법에 따라 혁신정보통신기술(ICT) 기업에 한해 한도를 34%로 늘렸다.

시스템 리스크

· system risk

금융 시스템의 전부 또는 일부의 장애로 금융기능이 정상적으로 수행되지 못함에 따라 실물 경제에 심각한 부정적 파급효과를 미칠 수 있는 위험. 현대 금융이 거대해지고 서로 복잡하게 얽힘에 따라 개별 금융기관의 부실이 음의 외부성을 통해 다른 금융기관으로 전이될 수 있으므로, 금융 시스템 전체의 부실을 가져올 수 있다는 의미이다.

> **⊘ 함께 나오는 용어**
>
> SIFI(Systemically Important Financial Institution, 시스템적 중요 금융회사)
> 부실화되거나 파산할 경우 그 규모, 복잡성 및 시스템 내 상호연계성 등으로 인해 금융 시스템 전반 또는 실물 경제에 상당한 부정적 파급 영향을 미칠 수 있는 거대한 금융회사. 이런 SIFI는 파산할 경우 경제에 치명적인 영향을 미치기 때문에 공적자금을 투입하여 강제회생을 시킬 수밖에 없고, 이러한 대마불사적 특성으로 인해 방만한 경영을 하는 도덕적 해이 문제가 꾸준히 거론되어 왔다. 이에 금융감독원은 예금보험공사와 공동으로 금융회사 사전 유언장 제도를 도입하여 SIFI 파산의 시스템 리스크를 최소화하고 도덕적 해이를 방지할 계획이다.

애자일 조직

· agile 組織

부서 간 경계를 허물고 필요에 맞게 소규모 팀을 구성해 유연하게 업무를 수행하는 조직문화. 최근 국내 주요 은행들이 시시각각 변하는 금융환경과 고객 수요에 빠르게 대응하기 위해 도입하고 있다. 일반적으로 비즈니스 모델이 무너지는 정도가 심한 산업일수록 애자일 조직 전환이 빠르다. 금융권에 따르면 NH농협금융지주는 2019년 경영계획 발표 중 데이터 기반의 디지털 금융회사로 전환한다고 밝혔는데, 여기에도 애자일 조직이 적용된다.

오퍼레이션 트위스트

· operation twist

금융 당국이 장기채권 매입과 단기채권 매도를 병행하는 금융 정책. 글로벌 금융위기 당시 미연방준비제도(Fed)가 양적완화와 함께 사용한 경기부양책이다. 시행하게 되면 장기채권 금리는 낮아지고 단기채권 금리는 높아지며, 금융 당국의 보유 자산 비율이 변화하고, 우상향하는 수익률 곡선의 기울기가 줄어들거나 심할 경우 음의 기울기로 변화하는 장단기금리역전 현상이 발생한다.

장기채권의 금리를 낮추는 이유는 기업 투자를 활성화하기 위해서다. 경기를 부양하기 위해서는 기업이 투자를 늘려야 하고, 기업이 투자를 늘리기 위해서는 싼 금리로 돈을 빌릴 수 있어야 한다. 그런데 기업은 장기적인 사업계획을 토대로 장기차입을 원하는 경우가 많기 때문에 기업의 투자를 이끌어내기 위해서는 장기금리를 낮출 필요가 있다. 장기채권 매입과 함께 굳이 단기채권을 매도하는 이유는 시중 유동성을 유지시켜 인플레이션을 방지하기 위해서다. 금융 당국이 장기채권을 매수하면 그 반대급부로 시중 통화량이 증가하고, 이는 곧 인플레이션으로 이어진다. 따라서 단기채권을 매도함으로써 풀린 유동성을 다시 흡수하여 인플레이션을 방지하는 것이다.

워크아웃

· workout

기업의 재무구조 개선 작업. 부실기업의 구조조정을 위해 기업과 금융기관이 서로 협의해 진행하는 경영 혁신 활동으로, 기업가치 회생, 재무구조 개선 작업 등으로 불린다. 기업의 파산보다 사적인 계약 협의를 통한 회생이 일자리 보존과 생산설비 가동에 있어 보다 적은 비용이 소요될 것으로 판단하는 경우에 활용된다.

일반적으로 은행 대출금의 출자 전환, 상환 유예, 이자 감면, 일부 부채 탕감 등의 부채 구조조정을 도와주며, 기업은 자산 매각, 주력 사업 정비, 계열사 정리 등의 구조조정 노력을 이행해야 한다.

빈출 ✏️
인덱스펀드

· index fund

목표지수인 인덱스를 선정하여 이 지수와 동일한 수익률을 올릴 수 있도록 하는 펀드. 주가지수에 영향력이 큰 종목들 위주로 포트폴리오를 구성하여 지수의 움직임에 맞춰 수익률을 제공하도록 운용하는 상품으로, 1970년대 초 금융시장이 발달하면서 위험 회피 전략이나 차익 실현을 위한 수단으로 부각되어 왔다.

이는 상대적으로 운용 비용이 적게 들어 액티브펀드에 비해 수수료율이 낮으며, 분산 투자로 인해 위험은 낮고 보수가 적어 장기 투자에 적합하다. 그러나 시장이 침체될 때는 펀드의 수익률도 동반 하락할 수 있다. 우리나라에는 KOSPI, KOSPI200 등의 인덱스를 추종하는 펀드가 있다.

🔗 함께 나오는 용어

ETF(Exchange Traded Funds, 상장지수펀드)
인덱스펀드와 마찬가지로 특정 인덱스를 추종하지만, 여기에 뮤추얼펀드의 특성을 더해 거래소에서 자유롭게 사고팔 수 있다. 운용사는 펀드 계좌를 거래소에 상장시켜 투자자의 환매 요구 부담을 덜고, 투자자는 자유로운 거래가 가능한 이점이 있다.

전환사채

· 轉換社債
· CB(Convertible Bond)

일정 기간이 지난 이후에 주식으로 전환할 수 있는 권리가 생기는 채권. 말 그대로 권리이므로, 행사하지 않고 채권 상태를 유지할 수 있다. 만약 주가가 상승해 주식으로 전환하여 주식전환권을 행사하면 채권자의 권리는 소멸한다. 즉, 투자자 입장에서는 채권과 주식 중 유리한 것을 선택할 수 있으며, 기업의 입장에서는 투자자에게 유리한 조건을 붙여줌으로써 좀 더 저렴한 금리로 자금을 조달할 수 있다는 이점이 있다.

🔗 함께 나오는 용어

신주인수권부사채(新株引受權附社債, bond with warrant)
해당 기업 신규 주식을 발행하는 경우 미리 약정된 가격에 신규 주식을 부여받을 권리를 지닌 채권. 전환사채는 채권을 주식으로 전환하기 때문에 권리를 행사하면 채권으로서의 가치는 소멸하지만, 신주인수권부사채는 전환이 아니라 새로 부여하는 것이기 때문에 권리를 행사해도 채권으로서의 가치는 유지된다. 미리 약정된 가격에 신규 주식을 취득할 수 있으므로, 현재 주가가 높아진 상태에서 권리를 행사하면 시세차익을 얻을 수 있다. 전환사채보다 유리한 권리가 있는 만큼 채권의 금리는 낮다.

조세피난처

- 租稅避難處
- tax shelter

법인소득의 전부 혹은 상당 부분에 대해 조세를 부과하지 않는 국가나 지역. 법인세, 개인소득세에 대해 원천징수를 전혀 하지 않거나, 과세를 하더라도 아주 낮은 세금을 적용함으로써 세제상의 특혜를 부여한다. 규제가 거의 없고, 금융거래의 익명성이 철저히 보장되기 때문에 전 세계적으로 탈세나 돈세탁용 자금 거래의 온상이 되고 있다. 대표적인 조세피난처는 바하마, 버뮤다 제도 등 카리브해 연안과 중남미 등에 밀집해 있다.

> **🔗 함께 나오는 용어**
>
> - **페이퍼컴퍼니(paper company)**
>   글자 그대로 물리적 실체가 없이 서류 형태로만 존재하는 회사. '유령회사'라고도 하지만, 실질적인 영업 활동은 자회사를 통해 하고 법적으로는 엄연히 회사 자격을 갖추고 있기 때문에 엄밀한 의미에서 유령회사로 보기 어렵다. 주로 기업 활동에 드는 제반 경비를 절감하기 위해 조세회피지역에 설립된다.
> - **역외탈세(域外脫稅, offshore tax evasion)**
>   국내 법인이나 개인이 조세피난처에 페이퍼컴퍼니를 만든 뒤, 해당 회사가 수출입거래를 하거나 수익이 있는 것처럼 회계를 조작해 세금을 면탈하거나 축소하는 행위. 국내 거주자의 경우 외국에서 발생한 소득(역외소득)도 국내에서 세금을 내야 하지만, 외국에서의 소득은 숨기기 쉽다는 점을 악용한 것이다. 국내에 감춰진 소득은 소비나 상속·증여 등을 통해 드러나지만, 외국 소득을 해외로 반출하면 거의 회수할 수 없으므로 더 큰 사회적 지탄을 받는다. 세무 당국이 적발한 역대 최대 규모의 역외탈세는 권혁 시도상선 회장의 경우로 2,000억 원대의 세금을 탈루한 혐의를 받고 있다.

빈출 ✏️ 체리피커

- cherry picker

'신포도 대신 체리만 골라 먹는 사람'이라는 뜻으로, 기업의 상품이나 서비스를 구매하지 않으면서 부가서비스 혜택을 통해 실속을 차리기에만 관심을 두는 '얌체 소비자'를 말한다. 소비자 입장에서 체리피커는 똑똑한 소비를 하는 것이지만, 기업 입장에서는 최소 비용으로 최대 혜택을 챙겨가는 '얌체 고객'이다. 심할 경우 블랙리스트를 작성하여 업계 공동으로 대응하는 디마케팅(demarketing)을 시행하기도 한다.

쿼드러플 위칭데이

- quadruple witching day

주가지수선물과 주가지수옵션, 개별주식옵션과 개별주식선물의 만기가 겹치는 날. 미국의 주가지수선물, 주가지수옵션, 개별주식옵션의 만기가 겹치는 '트리플 위칭데이'에서 비롯되었다. 이날 주식시장에 어떤 변화가 일어날지 아무도 예측할 수 없다는 의미에서 '트리플 위칭데이(Triple Witching Day)'라고 칭했다.

하지만 최근 미국에서는 트리플 위칭데이에서 2002년 말부터 거래되기 시작한 개별주식선물이 합세하면서 '쿼드러플 위칭데이'로 변경하였다. '쿼드러플'이란 숫자 4를 의미하는 것으로, 지수선물과 지수옵션, 그리고 개별주식옵션과 개별주식선물이 동시에 만기를 맞음에 따라 붙여진 용어이다. 미국은 선물옵션 만기일이 세 번째 금요일로 정해져 있어 3, 6, 9, 12월 세 번째 금요일이 '쿼드러플 위칭데이'이며, 우리나라는 3, 6, 9, 12월 두 번째 목요일이 '쿼드러플 위칭데이'이다.

출구전략

- 出口戰略
- exit strategy

경제 위기 상황을 타개하기 위해 실시했던 이례적인 조치들이 효과를 본 후, 그 부작용을 최소화시키면서 정책을 원상복귀시키는 것. 글로벌 금융위기에 대한 특단의 대책으로 실시했던 양적완화 정책으로 미국 경제가 살아날 기미를 보이자, 양적완화의 부작용인 인플레이션을 막기 위해 출구전략이 논의되었다. 실행 시기가 중요한 관건으로, 너무 빠르면 양적완화의 효과가 반감되고, 너무 느리면 부작용이 미치는 악영향이 커진다.

> 🔗 **함께 나오는 용어**
>
> - **테이퍼링(tapering)**
>   양적완화(QE) 조치의 점진적인 축소를 의미하는 신조어. 벤 버냉키 미연방준비제도(Fed) 의장이 2013년 5월 23일 의회 증언에서 언급하며 글로벌 금융시장의 키워드로 등장했다. 테이퍼링은 같은 긴축이지만 금리 인상을 의미하는 '타이트닝(tightening)'과 달리 양적완화 정책 속에 자산 매입 규모를 줄여나가는 방식으로, 출구전략의 초기 단계에 해당한다.
> - **더블딥(double deep)**
>   경기침체 후 잠시 불황에서 벗어나 짧은 기간 성장을 기록하다가 다시 불황에 빠지는 이중침체 현상. W자형 불황이라고도 한다. 출구전략의 타이밍을 너무 빨리 잡을 경우 경기가 살아날 조짐을 보이다가 때 이른 출구전략의 여파로 경기가 다시 고꾸라지며 더블딥에 빠지게 된다.

빈출 ✏️
카페라테 효과

- caffe latte effect

하루 커피 한 잔의 비용을 꾸준히 절약하여 큰 목돈을 형성한다는 재테크 개념. 하루 커피 한 잔 비용 4,000원을 절약하여 연 성장률 10%인 주식에 30년간 투자하면 2억 6천만 원이 된다. 적은 돈을 장기간 저축하는 습관의 중요성을 말할 때 함께 언급된다.

> 🔗 **함께 나오는 용어**
>
> **시가렛 효과(cigarette effect)**
> 하루 담뱃값을 꾸준히 절약하면 큰 목돈을 모을 수 있다는 개념

컨소시엄

- consortium

공통의 목적을 위한 협회나 조합. 증권업계와 관련하여 사용할 때는 공사채나 주식과 같은 유가증권의 발행액이 지나치게 커 증권 인수업자가 단독으로 인수하기 어려울 경우, 이를 매수하기 위해 다수의 업자들이 공동으로 창설하는 인수조합을 일컫는다. 신디케이트와 혼용되는 컨소시엄은 일반적으로 공동구매 카르텔 또는 공동구매 기관을 의미하며, 인수업자들의 발행증권 분담에 목적을 둔다. 정부나 공공기관이 추진하는 대규모 사업에 여러 개의 업체가 한 회사의 형태로 참여하는 경우도 컨소시엄이라고 일컫는다.

프로젝트 파이낸싱

- project financing

금융기관 등이 프로젝트의 사업성을 담보로 대출을 해주는 금융 기법. 일체의 담보 없이 특정 프로젝트의 미래 수익성을 보고 자금을 대출해주는 것으로, 자본주로부터 대규모 자금을 모집하고 사업 종료 후 일정 기간 발생한 수익을 지분율에 따라 투자자들에게 나누어주는 방식으로 운영된다. 금융기관은 프로젝트 자체에서 나오는 수익으로 대출금을 상환받게 된다.

포워드 가이던스
- forward guidance

통화 당국의 금융 정책 가이드라인을 제시함으로써 정책 변화에 의한 시장의 충격을 완화하겠다는 조치. 통화 당국의 정책 결정은 금융시장에 가장 큰 영향을 미치는 변수로, 주기적으로 다가오는 통화 당국의 정책 변경 시점이 되면 금융시장의 불확실성이 크게 증가하곤 하였다. 이에 따라 정책 발표 이전에 정책 방향을 가늠할 수 있는 일종의 가이드를 제시함으로써 정책 발표가 시장에 주는 서프라이즈를 최소화시키려는 노력의 일환으로 시행하였다.

풋백옵션
- put back option

기업의 인수합병(M&A) 과정에서 인수자가 재무적 투자자들의 보유 지분을 일정 기간 이후 약정된 가격에 되사줄 것을 약속하는 거래. 인수합병 과정 중 인수자의 자금이 충분하지 못한 경우 투자자들의 자금을 더욱 쉽게 유치하기 위해 붙여주는 옵션이다. 투자자의 입장에서는 훗날 주가가 하락하더라도 약정된 가격에 인수자에게 되팔 권리가 있으므로 매력적인 선택이 될 수 있다. 한편, 인수자는 자금을 단기간에 모아 빠르게 인수합병을 진행할 수 있는 이점이 있다.

후순위채권
- 後順位債券
- subordinated bonds

채권 발행 기업이 파산했을 경우 돈을 받을 수 있는 순서가 가장 나중인 채권. 채권을 발행한 기업이 파산했을 경우 사채의 변제 순위에 있어 주식보다는 우선하지만 다른 채권보다는 변제 순위가 늦은 것으로, 신용이 극히 좋은 경우에만 발행 가능하다. 중간에 변제 요청이 불가능하고 상환 기간이 5년 이상이기 때문에 자기자본으로 계산해 준다. 즉, 후순위채 발행은 곧 자기자본비율의 상승을 의미한다. 발행 기업의 자산과 수익에 대한 청구권이 약하며, 투자자에게 높은 표면금리를 제시하는 특징을 갖는다.

ELS
- Equity Linked Securities
- 주가연계증권

특정한 주식의 가격 또는 지수와 관련하여 수익률이 결정되는 금융상품. 투자 자금의 일부는 국공채에 투자하여 원금을 일부 보장하고, 나머지는 주식에 투자하여 주가 또는 지수의 변동에 따라 만기 지급액이 결정되는 증권이다. 원금의 손실 정도에 따라 원금 보장형, 원금 부분 보장형, 원금 조건부 보장형으로 구분된다. 장외파생금융상품에 대한 영업 허가를 받은 증권사에서만 ELS를 만드는 것이 가능하므로, 투자자는 반드시 증권거래 계좌가 있어야 가입할 수 있다.

헤지펀드

• hedge fund

개인모집 투자신탁. 소수의 투자가로부터 자금을 모아 '파트너십(partnership)'이라고 불리는 공동체를 결성한 뒤, 조세피난처에 위장 회사를 설립하여 운영한다. 파는 금액과 사는 금액을 동일시하여 시장 변동에 따른 거래 손실의 책임을 피할 수 있다. 한편, 헤지펀드는 파생금융상품을 교묘하게 조합하여 도박성이 큰 신종 상품을 개발함으로써 국제금융시장을 교란시킨다는 지적을 받고 있다.

> **🔗 함께 나오는 용어**
>
> **사모펀드(private equity fund)**
> 비공개로 소수의 투자자를 모집하여 제한이 없는 자유로운 자금 운용을 통해 고수익을 추구하는 펀드. 불특정 다수에게 투자 기회가 열리고 각종 규제를 받는 공모펀드와 반대되는 개념으로, 헤지펀드와 유사점이 많다.

BIS 자기자본 비율

• BIS capital ratio

일정한 기준에 의해 가중 평균된 자산 중에서 자기자본이 차지하는 비율. BIS 자기자본비율이 높을수록 파산 위험성이 적다. BIS(국제결제은행)의 바젤은행감독위원회에서 갈수록 늘어나는 은행의 리스크 증대에 대처하기 위해 만들어진 개념으로, 은행의 건전성을 유지하기 위해 BIS 자기자본비율을 8% 이상으로 유지할 것을 권고하고 있다.

OTP

• One Time Password
• 일회용 비밀번호 생성기

전자금융거래 때마다 새로운 비밀번호를 사용함으로써 비밀번호 유출로 인한 사고를 방지하기 위해 사용하는 보안수단. OTP는 보안카드형과 비밀번호 발생기형의 두 가지 형태로 구분된다. 보안카드형은 고정된 35개의 비밀번호를 사용함에 따라 비밀번호 발생기형보다 안전성이 낮아 소액거래 이체 시 주로 사용된다. 비밀번호 발생기형은 비밀번호를 재사용하지 않고 사용할 때마다 다른 비밀번호가 만들어지므로, 보안카드형에 비해 훨씬 안전하다.

금융권은 다수의 금융회사를 이용하는 고객 편의성 및 금융회사의 중복 투자, 상호호환성 등에 대한 해결을 위해 OTP 통합인증센터를 구축하고, 하나의 OTP로 다수의 금융기관에서 사용할 수 있는 통합된 OTP 인증서비스를 제공하고 있다.

P2P 투자

• Peer to Peer Investment

온라인을 통해 대출-투자를 연결하는 핀테크 서비스. 기존 은행이 수행하던 채권자와 채무자를 간접 중개하던 일을 온라인으로 모든 대출 과정을 자동화하여 지점 운영비용, 인건비, 대출영업비용 등의 불필요한 경비 지출을 최소화하고 채권자와 채무자를 직접 중개함으로써 채무자에게는 보다 낮은 금리를, 채권자에게는 보다 높은 수익을 제공하는 서비스이다. 2020년 10월 기준 우리나라의 P2P 투자 규모는 약 7조 8천억 원을 돌파하였다.

LTV

- Loan To Value ratio
- 담보인정비율

주택과 같은 부동산에 대하여 담보로 인정하는 비율. 시가 2억 원짜리 주택을 담보로 잡을 때 LTV가 50%라면 1억 원만 담보로 인정된다. LTV 비율이 높을수록 담보로 인정해 주는 비율이 더욱 커지며 그만큼 대출이 용이해진다.

🖉 함께 나오는 용어

DTI(Debt To Income ratio, 총부채상환비율)
(신규 연간 주택담보대출 원리금 상환액+기타 원리금 상환액)÷연 소득액. LTV는 자산가치 대비 부채비율에 초점을 맞췄다면 DTI는 소득 대비 부채비율에 초점을 맞춘 규제이다. LTV와 마찬가지로 부동산 8·2대책 이후 일부 투자과열지구에 한해 DTI가 30%까지 낮아졌으며, 2018년에는 이를 더 강화한 신 DTI를, 2018년 하반기에는 DSR이 도입되었다.
DSR(Debt Service Ratio, 총부채원리금상환비율)
모든 연간 대출 원리금 상환액÷연 소득액. DTI를 한층 더 강화한 것으로 기존 DTI에 신용대출, 학자금대출, 자동차 할부, 카드론 등 모든 대출 원리금을 포함하여 연 소득액과 비교하기 때문에 더 엄격한 대출심사가 이루어진다.

OEM

- Original Equipment Manufacturing
- 주문자상표부착생산

주문자가 요구하는 상표명으로 납품업체가 부품이나 완제품을 생산하는 것. 물건을 주문한 회사가 생산자 회사에 주문자의 상표를 부착한 상품을 제작할 것을 의뢰하여 상품을 생산하는 방식으로 전기·기계 부품이나 자동차 부품에서 많이 시행되고 있다. 상품의 상표권과 영업권은 주문업체가 갖고 납품업체는 생산만 한다. 주문자는 생산 원가를 줄일 수 있고, 생산자는 주문자의 강력한 브랜드 파워를 바탕으로 안정적인 판로를 확보할 수 있다는 장점이 있다.

🖉 함께 나오는 용어

ODM(Original Development Manufacturing, 제조업자 개발생산)
주문자가 만들어 준 설계도에 따라 단순 제조·생산만을 전담하는 OEM에서 한발 더 나아가 납품업체가 제품의 개발까지 맡는 형태. OEM에 비해 납품업체의 마진율이 더 높다. 납품업체는 기술력에 집중하고, 주문자는 유통과 마케팅에 더욱 집중하는 형태이다.

ROE

- Return On Equity
- 자기자본이익률

주주지분에 대한 운용효율을 나타내는 지표. 주식시장에서는 투자지표로 사용된다. 부채를 제외한 자산으로 얼마나 효율적인 순익을 창출했는지를 측정하는 지표로, 높을수록 효율적인 장사를 하고 있음을 의미한다. 당기순이익÷자기자본×100으로 구할 수 있다. 주주의 입장에서는 ROE가 시중금리보다 높아야 기업투자의 의미가 있다고 볼 수 있다.

🖉 함께 나오는 용어

ROA(Return On Asset, 총자산순이익률)
ROE와는 다르게 자기자본에 부채를 더한 자산 대비 이익 비율을 보는 지표. 금융기관의 이익은 산업 특성상 부채로부터 나오기 때문에 금융기관이 총자산을 얼마나 효율적으로 잘 운용했는지를 측정하는 지표로 사용된다.

4차 산업혁명

인공지능(AI), 로봇 기술, 생명 과학 등 정보통신기술(ICT)이 경제·사회 전반에 융합되어 이루어지는 차세대 산업 혁명. 디지털을 이용한 가상 세계와 현실 세계의 연결이 핵심인 4차 산업혁명은 기술 융합으로 생산성을 높이고 생산과 유통 비용을 낮춰 소득 증가와 삶의 질을 높일 것으로 보인다.

● 함께 나오는 용어

정보통신기술(ICT, Information and Communication Technology)
정보기기의 하드웨어 및 이들 기기의 운영 및 정보 관리에 필요한 소프트웨어 기술과 이들 기술을 이용하여 정보를 수집, 생산, 가공, 보존, 전달, 활용하는 모든 방법을 의미한다.

스마트 시티

• smart city

텔레커뮤니케이션(tele-communication)을 위한 기반시설이 인간의 신경망처럼 도시 구석구석까지 연결되어 있는 도시. 첨단 정보통신기술(ICT)로 인해 발전한 다양한 유형의 전자적 데이터 수집 센서를 사용해서 정보를 취득하고, 이를 자산과 리소스를 효율적으로 관리하는 데 사용하게 된다. 스마트 시티는 각국의 경제 및 발전 수준, 도시 상황과 여건에 따라 매우 다양하게 정의·활용되고 있다.

● 함께 나오는 용어

유시티(U-City)
첨단 IT 인프라와 유비쿼터스 정보 서비스를 도시 공간에 융합하여 생활의 편의 증대와 삶의 질 향상, 체계적 도시 관리에 의한 안전보장과 시민복지 향상, 신산업 창출 등 도시의 제반 기능을 혁신시키는 차세대 정보화 도시를 말한다.

데이터베이스

• database

특정 조직의 사람들이 공유할 목적으로 통합하여 관리하는 데이터의 집합. 여러 사람들이 공동으로 사용하기 위해 여러 자료 파일을 통합하여 자료 항목의 중복을 없애고 자료를 구조화하여 저장한 '자료의 집합체'를 말한다. 데이터베이스는 자료의 검색과 갱신의 효율성을 높여 준다.

[데이터베이스의 특성]

• 같은 자료를 중복하여 저장하지 않는다.
• 컴퓨터가 액세스하여 처리할 수 있는 저장장치에 수록된 자료이다.
• 임시로 모아 놓은 데이터나 단순한 입·출력 자료는 포함되지 않는다.
• 같은 데이터라 할지라도 공동 사용자의 목적에 따라 다르게 사용할 수 있다.

디지털 트랜스포메이션

• digital transformation

디지털 기술을 사회 전반에 적용하여 전통적인 사회 구조를 혁신시키는 것. 일반적으로 기업에서 사물 인터넷(IoT), 클라우드 컴퓨팅, 인공지능(AI), 빅데이터 솔루션 등 정보통신기술(ICT)을 플랫폼으로 구축·활용하여 전통적인 운영 방식과 서비스 등을 혁신하는 것을 의미한다. 디지털 트랜스포메이션을 추진한 사례로 제너럴 일렉트릭(GE)의 산업인터넷용 소프트웨어 플랫폼 '프레딕스', 모바일앱으로 매장 주문과 결제를 할 수 있는 스타벅스의 '사이렌오더 서비스' 등이 있다. 성공적인 디지털 전환을 통해 4차 산업혁명이 실현된다.

클라우드 서비스

• cloud service

PC와 같은 저장 매체가 아닌 온라인에 소프트웨어와 데이터를 저장해두고 필요할 때마다 접속해 사용하는 서비스. 값비싼 컴퓨터 장비도 필요 없이 클라우드 서비스 제공 업체의 서버를 활용해 소프트웨어나 저장 공간을 빌려 쓰고 사용한 만큼 요금을 내기 때문에 시스템 유지나 장비 구입 비용을 절감할 수 있다.

빅데이터

• big data

데이터의 생성 양·주기·형식 등이 방대한 데이터 또는 데이터를 수집·분류·분석하는 도구와 분석기법. 빅데이터를 규정하는 3대 요소는 방대한 데이터의 양(Volume)·다양한 형태(Variety)·초단위의 빠른 생성 속도(Velocity) 등 '3V'로 나타내며, 네 번째 특징인 가치(Value)를 더해 '4V'라고도 한다.

빅데이터는 즉각적으로 분석 가능한 신속성이 있고, 과거부터 현재까지의 상황 분석이 용이해 변화를 쉽게 추적할 수 있으며, 제한된 표본이 아닌 전체 모집단을 대상으로 할 수 있다는 대표성으로 의사 결정의 정확도를 높일 수 있다는 장점이 있다.

램

• RAM(Random Access Memory)

컴퓨터의 주기억 장치, 컴퓨터의 메모리. 데이터나 프로그램을 자유롭게 읽고 쓸 수 있는 기억 장치로, 현재 사용 중인 프로그램이나 데이터가 저장되어 있다. 찾는 자료가 있는 위치까지 차례로 찾아가지 않고 특정 위치에 직접 자료를 쓰고 읽을 수 있기 때문에 액세스 속도가 빠르지만, 기억 장소의 사용 효율이 떨어진다.

램에는 전원을 주는 한 기억을 보존하는 SRAM(Static Random Access Memory)과 전원이 켜진 상태에서도 시간이 흐름에 따라 기억이 흐려지는 DRAM(Dynamic Random Access Memory)이 있다.

 함께 나오는 용어

롬(ROM, Read Only Memory)
기록된 데이터를 읽을 수는 있지만 다시 기록할 수는 없는 메모리. 기록된 데이터를 필요할 때마다 읽을 수는 있지만 바꾸어 쓸 수는 없는 컴퓨터의 판독 전용 기억 장치로, 전원이 끊어져도 정보가 없어지지 않는 비휘발성(nonvolatile) 기억 장치이다.

USB

• Universal Serial Bus

정보기기에 주변 장치를 연결하기 위한 직렬 버스 규격의 하나인 작은 이동식 기억장치. 개인용 컴퓨터 주변기기에서 가장 많이 보급된 범용 인터페이스 규격이다. USB 표준은 하나의 버스에 최대 127대의 주변 장치가 연결 가능하다. 포트가 부족한 경우에는 나뭇가지 형태로 확장 가능한 USB 허브의 사용도 가능하다.

> **🔗 함께 나오는 용어**
>
> SD카드(Secure Digital Card)
> 우표 크기의 플래시 메모리 카드. 매우 안정적이고 높은 저장 능력을 갖고 있으며, 개인 휴대 정보 단말기(PDA), 디지털 카메라, 디지털 뮤직 플레이어, 휴대 전화, 노트북 컴퓨터, 디지털 캠코더 등의 디지털 제품에 사용된다.

3D 프린터

• 3D printer

2D 프린터가 활자나 그림을 인쇄하듯이 입력한 도면을 바탕으로 3차원의 입체 물품을 만들어내는 기계. 입체 형태를 만드는 방식에 따라 크게 한 층씩 쌓아 올리는 적층형(첨가형 또는 쾌속조형 방식)과 큰 덩어리를 깎아가는 절삭형(컴퓨터 수치제어 조각 방식)으로 구분한다. 제작 단계는 모델링(modeling), 프린팅(printing), 피니싱(finishing)으로 이루어진다.

사물인터넷

• IoT(Internet of Things)

사람과 사물, 사물과 사물끼리 인터넷으로 연결돼 정보를 생성·수집·공유·활용하는 기술·서비스. 사물인터넷은 연결되는 대상에 있어서 책상이나 자동차처럼 단순히 유형의 사물에만 국한되지 않으며, 교실, 커피숍, 버스정류장 등 공간은 물론 상점의 결제 프로세스 등 무형의 사물까지도 그 대상에 포함한다. 즉, 두 가지 이상의 사물들이 서로 연결됨으로써 개별적인 사물들이 제공하지 못했던 새로운 기능을 제공하는 것이다.

소프트웨어

• software

기계장치부에 해당하는 하드웨어에 대응하는 개념으로, 하드웨어를 사용하기 위한 각종 명령의 집합체. 일반적으로 '프로그램'이라고도 불리며 크게 시스템 소프트웨어와 응용 소프트웨어로 구분된다.

• 시스템 소프트웨어: 하드웨어를 제어하고 운영하는 프로그램. 운영 체제(UNIX·DOS 등), 컴파일러(C·FORTRAN 컴파일러 등), 입·출력 제어 프로그램 등이 있다.
• 응용 소프트웨어: 어떤 특정 업무를 보다 편리하게 처리하기 위해 만들어진 프로그램. 사무 자동화, 수치연산, 게임 등이 있다.

사스

· SaaS(Software as a Service)

클라우드 환경에서 운영되는 애플리케이션 서비스. 모든 서비스가 클라우드에서 이루어지며, 소프트웨어를 구입해서 PC에 설치하지 않아도 웹에서 소프트웨어를 빌려 쓸 수 있다. 사스는 필요할 때 원하는 비용만 내면 어디서든 곧바로 쓸 수 있다는 장점이 있다. PC나 기업 서버에 소프트웨어를 설치할 필요가 없으며, 소프트웨어 설치를 위해 비용과 시간을 들이지 않아도 된다.

> **⊘ 함께 나오는 용어**
>
> · BaaS(Blockchain as a Service)
> 블록체인 기반 소프트웨어의 개발 환경을 제공하는 클라우드 컴퓨팅 플랫폼. 장소와 상관없이 서버 자원을 할당하는 프로비저닝(provisioning)이 가능하다.
> · PaaS(Platform as a Service)
> 소프트웨어 서비스를 개발할 때 필요한 플랫폼을 제공하는 서비스. 사용자는 PaaS에서 필요한 서비스를 선택해 애플리케이션을 개발할 수 있다.
> · IaaS(Infrastructure as a Service)
> 클라우드로 IT 인프라 자원을 제공하는 서비스. 이용자는 직접 데이터센터를 구축할 필요 없이 클라우드 환경에서 필요한 인프라를 꺼내 쓰면 된다. 대표적인 사례로 넷플릭스가 있다.

디지로그

digilog

디지털(digital)과 아날로그(analog)의 합성어로, 디지털 기반과 아날로그 정서가 융합된 첨단기술 또는 아날로그 시대에서 디지털 시대로 넘어가는 변혁기에 위치한 세대를 의미하는 말. 아날로그 문화가 디지털 사회를 더 풍부하게 해준다는 인식을 토대로 첨단 외양에 인간적 정감과 추억이 깃든 상품의 수요가 증가하는 현상을 나타내기도 한다.

크라우드 펀딩

· crowd funding

온라인을 통해 대중으로부터 십시일반으로 자금을 조달하는 모금 형식. 모금 주체가 모금 용도에 대한 기획을 제시하고 일정 기간 기부를 받아 목표액을 달성하면 기부된 금액으로 프로젝트를 진행하는 것을 말한다. 문화예술 분야의 활성화에 기여하고 있다.

언택트 마케팅

· untact marketing

접촉(contact)을 뜻하는 콘택트에 언(un)이 붙어 '접촉하지 않는다'는 의미로, 사람과의 접촉을 최소화하는 등 비대면 형태로 정보를 제공하는 마케팅. 즉, 키오스크·VR(가상현실) 쇼핑·챗봇 등 첨단기술을 활용해 판매 직원이 소비자와 직접적으로 대면하지 않고 상품이나 서비스를 제공하는 것이다.

> **⊘ 함께 나오는 용어**
>
> **챗봇(chatterbot)**
> 기업용 메신저에 채팅하듯 질문을 입력하면 인공지능(AI)이 빅데이터 분석을 바탕으로 사람과 일상 언어로 대화를 하며 해답을 주는 대화형 메신저. 기업 입장에서 인건비를 아끼고 업무시간에 상관없이 서비스를 제공할 수 있다는 장점이 있는 반면, 개인정보 유출 등 부작용의 발생 가능성도 존재한다.

게이트웨이

• gateway

근거리통신망(LAN)에서 데이터를 받아들이거나 내보낼 때 중개 역할을 하는 장치. 각각의 네트워크는 다른 네트워크와 구별되는 프로토콜로 데이터를 전송하므로 다른 프로토콜을 사용하는 네트워크와 직접 연결하면 데이터를 공유할 수 없다. 때문에 각각의 네트워크를 중개해주는 게이트웨이가 필요하다. 예를 들어 전자 우편은 인터넷과 PC통신 서비스 회사의 통신망을 중개하는 게이트웨이를 통해 PC통신 서비스에서 받아볼 수 있는 것이다.

증강현실

• AR(Augmented Reality)

현실 세계에 3차원의 가상 물체를 겹쳐 보여주는 기술. 사용자가 육안으로 보고 있는 현실 장면에 3차원 가상 물체를 중첩해 보여주는 기술이다. 즉, 사용자가 보는 실사 영상에 3차원적인 가상 영상을 겹침(overlap)으로써 가상 화면과 현실 환경의 구분이 모호해지도록 한다는 의미다.

인공지능

• AI(Artificial Intelligence)

인간의 학습능력과 추론능력, 지각능력, 자연언어의 이해능력 등을 컴퓨터 프로그램으로 실현한 기술. 인간의 지능으로 할 수 있는 사고, 학습, 자기 개발 등을 컴퓨터가 할 수 있도록 하는 방법을 연구하는 컴퓨터 공학 및 정보기술의 한 분야이다. 최근 정보기술의 여러 분야에서 인공지능적 요소를 도입하여 그 분야의 문제 풀이에 활용하려는 시도가 매우 활발하게 이루어지고 있다.

> 🔗 **함께 나오는 용어**
>
> **딥러닝(deep learning)**
> 컴퓨터가 스스로 새로운 지식을 끊임없이 습득할 수 있도록 한 인공신경망 기술이다.

첨단 로봇 기술

• advanced robot technology

고도의 기능을 가진 로봇에 관련된 기술. 고도의 기능을 가진 로봇이란 어느 정도 자율적으로 동작을 할 수 있고, 비교적 복잡한 작업도 가능하며, 이를 위한 시각 등의 센서도 고기능인 로봇을 말한다. 원자력 로봇, 우주용 로봇, 해양 로봇 등 고기능 로봇을 개발하기 위한 하이테크놀로지가 대표적이다.

노에스큐엘

• NoSQL

빅데이터 처리를 위한 비관계형 데이터베이스 관리 시스템(DBMS). 대규모의 데이터를 유연하게 처리할 수 있는 것이 강점이다. 노에스큐엘은 테이블-컬럼과 같은 스키마 없이, 분산 환경에서 단순 검색 및 추가 작업을 위한 키 값을 최적화하고, 지연(latency)과 처리율(throughput)이 우수하다. 그리고 대규모 확대가 가능한 수평적인 확장성의 특징을 가지고 있다.

고객관계관리

- CRM(Customer Relationship Management)

기업이 고객과 관련된 내·외부 자료를 분석·통합해 고객 중심 자원을 극대화하고 이를 토대로 고객특성에 맞게 마케팅 활동을 계획·지원·평가하는 과정. 고객데이터의 세분화를 실시하여 신규고객 획득, 우수고객 유지, 고객가치 증진, 잠재고객 활성화, 평생고객화와 같은 사이클을 통하여 고객을 적극적으로 관리하고 유도한다.

최근에는 데이터베이스 마케팅(DB marketing)의 일대일 마케팅(One-to-One marketing), 관계마케팅(Relationship marketing)에서 진화한 요소들을 기반으로 등장하고 있다.

무선주파수 인식기술

- RFID(Radio-Frequency IDentification)

무선 주파수를 이용하여 반도체 칩의 데이터를 읽어내는 먼 거리에서 정보를 인식하는 시스템. 생산에서 판매까지의 전 과정을 IC칩에 내장해 무선 주파수로 추적할 수 있어 바코드를 대체할 차세대 인식 기술로 꼽히고 있다. 전자태그, 스마트태그, 전자라벨 등으로도 불린다.

우리나라에서는 현재 대중교통 요금징수 시스템뿐만 아니라 음식물쓰레기 종량제 시스템, 동물 추적장치, 자동차 안전장치 등 여러 분야의 범위로까지 활동 영역을 넓혀가고 있다.

O2O

- Online to Offline

온라인과 오프라인을 연결한 마케팅. 최근에는 주로 전자상거래 혹은 마케팅 분야에서 온라인과 오프라인이 연결되는 현상을 말하는 데 사용된다. O2O 트렌드는 소셜커머스로 인해 활성화되기 시작하였다. 소비자들에게는 저렴하게 상품이나 서비스를 구매할 기회를 주면서, 동시에 해당 제품이나 매장을 홍보하는 수단이 활용되고 있다.

머신 러닝

- machine learning

인공지능의 연구 분야 중 하나로, 인간의 학습 능력과 같은 기능을 컴퓨터에서 실현하고자 하는 기술 및 기법. 경험적 데이터를 기반으로 학습을 하고 예측을 수행하고 스스로의 성능을 향상시키는 시스템과 이를 위한 알고리즘을 연구하고 구축하는 기술이다. 머신 러닝의 알고리즘들은 입력 데이터를 기반으로 예측이나 결정을 이끌어내기 위해 특정한 모델을 구축하는 방식을 취한다.

핀테크

- fintech

금융(financial)과 기술(technique)의 합성어로, 모바일 결제나 송금, 개인 자산 관리, 크라우드 펀딩 등 금융 서비스와 결합된 IT 기술. 최근 모바일 결제 서비스가 대표적 핀테크 기술로 주목받고 있다. 삼성페이, 카카오페이, 애플페이, 구글 월렛 등이 이에 해당한다.

5세대 이동통신

• 5G(5th Generation)

4G LTE 대비 데이터 용량은 약 100배 많고 속도는 20배 빠른 차세대 이동통신. 국제전기통신연합(ITU)에 따르면 최대 속도가 20Gbps에 달하는 이동통신 기술이다. 강점인 초저지연성과 초연결성을 통해 4차 산업혁명의 핵심 기술인 가상현실, 자율주행, 사물인터넷 기술 등을 구현할 수 있다.

> **♂ 함께 나오는 용어**
>
> LTE(Long Term Evolution)
> 3세대(3G) 이동통신 시스템의 기술적 한계를 극복한 4세대 이동통신 기술. LTE는 정지 시에 1Gbps, 이동 시에는 100Mbps의 속도로 데이터 전송이 가능하며, 3G를 연동할 수 있다는 장점이 있다.

베이퍼웨어

vaporware

하드웨어나 소프트웨어 분야에서 아직 개발이 되지 않은 가상의 제품. 박람회 홍보책자에만 존재하는 상품이라는 의미에서 '브로슈어웨어(brochure ware)'라고 부르기도 한다. IT산업이 한창 확대되고 있을 때, 대개는 개발조차 되지 않은 하드웨어나 소프트웨어를 마치 완성을 앞둔 것처럼 부풀리는 식의 마케팅 전략을 빗대어 언급한 용어로, 당장 구할 수 있는 경쟁업체의 제품을 사지 못하도록 한다.

인슈어테크

• insurtech

인공지능(AI) 등의 정보기술(IT)을 활용해 기존 보험 산업을 혁신하는 서비스. 인슈어테크가 도입되면 기존의 운영방식이나 상품 개발 및 고객 관리 등이 전면적으로 재설계되어 보다 고차원적인 관리 및 서비스가 이루어진다. 예를 들면 전체 가입자에게 동일하게 적용하던 보험료율을 빅데이터 분석을 통해 다르게 적용하거나 사고 후 보상 개념인 기존 보험과 달리 사고 전 위험관리 차원으로 접근하는 서비스가 가능하다.

전기 자동차

• electric vehicle

전기로 구동되는 전동기를 사용하여 움직이는 자동차. 구동 에너지를 기존의 자동차와 같이 화석 연료의 연소로부터가 아닌 전기에너지로부터 얻기 때문에 배기가스가 전혀 없으며, 소음이 아주 작은 장점이 있다.
축전기로 구동되는 전동기와 내연기관을 둘 다 갖추고 필요할 때 내연기관을 작동하여 부분적으로 축전기를 충전하는 하이브리드 자동차(hybrid car)와 감속할 때 축전지를 충전하는 기능을 갖춘 전기 자동차가 있다.

발광 다이오드

- LED(Light Emitting Diode)

화합물 반도체로 만든 다이오드에 전류를 흘려보내 빛을 발산하는 반도체 소자. 아래위에 전극을 붙인 전도 물질에 전류가 흐르면 캐리어(전자와 정공)의 과잉 에너지에 의해 효율적으로 발광하는 구조로 되어 있다. 전기 에너지를 직접 빛에너지로 변환시키므로 전력 소비가 백열전구의 20%에 불과하고, 수명 또한 형광등의 100배인 10만 시간에 달해 한번 설치하면 교체나 보수가 거의 필요 없다.

군집 분석

- 群集分析
- Cluster Analysis

서로 유사한 정도에 따라 다수의 객체를 군집으로 나누는 작업 또는 이에 기반한 분석. 동일한 군집에 속하는 객체 간의 유사도가 그렇지 않은 객체 간의 유사도보다 평균적으로 높도록 군집을 구성한다. 대표적인 비지도 기계 학습 방법으로, 데이터의 분할 및 요약에 널리 이용되며 데이터에서 유용한 지식을 추출하는 데 활용된다.

군집 분석은 마케팅 분야에서 고객 데이터를 활용하여 고객 군집을 구성한 뒤 각 군집별로 맞춤형 마케팅 전략을 고안하는 데 적용되고 있고, 생의학 분야에서는 유전자 군집을 분석하여 유전자의 기능을 예측하는 등을 발견하는 데 활용되고 있다.

인공 신경망

- ANN(Artificial Neural Network)

사람 또는 동물 두뇌의 신경망에 착안하여 구현된 컴퓨팅 시스템의 총칭. 기계 학습의 세부 방법론 중 하나로, 신경 세포인 뉴런이 여러 개 연결된 망의 형태이다. 구조 및 기능에 따라 여러 종류로 구분되며, 가장 일반적인 인공 신경망은 한 개의 입력층과 출력층 사이에 다수의 은닉층이 있는 다층 퍼셉트론(multilayer perceptron)이다. 인공 신경망은 하드웨어로 구현될 수도 있으나, 주로 컴퓨터 소프트웨어로 구현된다.

솔루션

- solution

소프트웨어 패키지나 응용프로그램과 연계된 문제들을 처리해 주는 하드웨어나 소프트웨어. 컴퓨터 사용자가 하드웨어와 소프트웨어·서비스·응용프로그램·파일형식·회사·상표명·운영체제 등을 일일이 구분해야 하는 어려움을 겪지 않고도 원하는 해결책을 구할 때 사용된다. 보통 수량이 많고 여러 작업 및 다양한 제작자의 제품들이 함께 관여되어 있는 경우에 필요하다.

플랫폼

- platform

컴퓨터 시스템의 기본이 되는 특정 프로세서 모델과 하나의 컴퓨터 시스템을 바탕으로 하는 운영체제. 대표적으로 MS-DOS상에서 동작하는 DOS, MS-Windows상에서 동작하는 MS-Windows가 플랫폼 등 있다. 한편, 어떤 소프트웨어가 제공하는 환경을 플랫폼이라고 하는 경우도 있다.

임베디드 시스템

• embedded system

기계 또는 전자 장치의 두뇌 역할을 하는 마이크로 프로세서를 장착해 설계함으로써 효과적인 제어를 할 수 있도록 하는 시스템. 즉, 기기를 동작하는 소프트웨어(운영체제)를 컴퓨터처럼 디스크에서 읽어들이는 것이 아닌 칩에 담아 기기에 내장시킨 형태의 장치이다. 디지털 홈 시대를 맞아 가전제품에 쓰일 임베디드 기술이 주목받고 있는데 현재 세탁기, 냉장고 등에 쓰이고 있다.

하지만 모든 기능을 회로만으로 구성해서 구현한다는 것은 사실상 불가능하므로, 적당한 제어용 CPU가 있고, 또 그 기기의 기능에 맞는 프로그램이 탑재되어 있어 그 프로그램을 통해야만 기능을 구현할 수 있다.

호스팅

• hosting

제공자 등의 사업자가 주로 개인 홈페이지의 서버 기능을 대행하는 것. 기업의 대용량 메모리 공간 일부를 이용하여 사용자의 홈페이지나 웹 서버 기능을 대행하는 서비스로, 사용자는 웹 서버의 운영 관리와 고속 전용선을 상시 사용하므로 회선 사용료의 부담을 줄일 수 있다. 사용자가 가진 도메인에서 홈페이지 개설부터 서버 관리까지 대행해주므로 독자 도메인 서비스라고도 한다.

| 유형 1 | 농업 · 농촌 · 협동조합 분야 |

01 다음 [보기]에서 협동조합에 속하지 <u>않는</u> 단체로 나열한 것을 고르면?

> 보기
>
> - 뉴스1
> - 세계은행
> - 썬키스트
> - 제스프리
>
> - AP 통신
> - 그라민은행
> - 새마을금고
> - FC 바르셀로나

① 뉴스1, 세계은행
② 세계은행, 제스프리
③ 제스프리, 그라민은행
④ AP 통신, FC 바르셀로나
⑤ 그라민은행, FC 바르셀로나

02 다음 중 협동조합에 소속된 조합원이 아닌 투자자에게도 배당을 부여하여 출자금을 형성하는 출자 방법을 고르면?

① 목적 출자
② 순환 출자
③ 외부 출자
④ 우선 출자
⑤ 조합원의 직접 출자

03 다음 [보기]의 ㉠과 ㉡에 들어갈 용어로 바르게 짝지어진 것을 고르면?

> 보기
>
> NH농협은행이 세종특별자치시에 개점한 (㉠)는 디지털 금융 구현을 위해 최초 적용한 특화 점포로 디지털 존, 스테이 존, 컨설팅 존으로 구성되어 있다. 디지털 존은 (㉡)을 도입하여 고객이 대기 시간 없이 통장 및 OTP 카드 발급 등 고객이 다양한 업무를 직접 처리할 수 있도록 배치했다. 스테이 존은 일반 영업점과 달리 상담 공간과 대기 공간을 분리해 편안한 휴식을 위한 곳으로 변신을 시도했다. 컨설팅 존은 고객의 프라이버시 보장이 가능한 공간에서 예약을 통해 대기 없이 상담이 가능하도록 하여 편의성을 높였다.

	㉠	㉡
①	디지털금융브랜치	NH−ATM
②	스타트금융라운지	NH−ATM
③	디지털금융브랜치	NH−FTM
④	스타트금융라운지	NH−STM
⑤	디지털금융브랜치	NH−STM

정답과 해설 P.24

05

직무상식평가

01 다음 글의 ㉠과 ㉡은 서로 다른 인플레이션이다. 이에 대한 설명으로 옳지 <u>않은</u> 것을 고르면?

> 　세계 철강 업체들이 고철 가격의 상승으로 힘들어 하고 있다. 고철 가격의 상승은 알루미늄, 원유가격 상승과 더불어 전 세계를 ㉠<u>인플레이션</u>의 공포에 몰아넣고 있다. 또한, 최근 내수 침체가 발생하자 정부가 강력한 경기 부양책을 실시한 결과 통화량이 지나치게 증가하여 또 다른 ㉡<u>인플레이션</u>이 예상되고 있다.

① ㉠은 비용인상 인플레이션이다.

② ㉠은 스태그플레이션을 야기할 수 있다.

③ ㉠과 달리 ㉡이 발생하면 실업률은 감소한다.

④ 수출 증가는 ㉡보다 ㉠의 원인으로 볼 수 있다.

⑤ ㉠은 경기침체를 유발하지만, ㉡은 경기확대를 가져온다.

02 다음 [표]는 두 재화만을 생산하고 있는 '갑'국의 경제 활동에 관한 자료이다. 이에 대한 설명으로 옳지 <u>않은</u> 것을 고르면?

[표] '갑'국의 경제 활동 내역　　　　　　　　　　　　　　　　　　　　　(단위: 원, 개)

구분	소주		맥주		GDP 디플레이터
	가격	수량	가격	수량	
t년	20	10	40	20	100
t+2년	30	20	㉠	40	130

※ GDP디플레이터=(명목 GDP÷실질 GDP)×100

① ㉠에 들어갈 값은 50이다.

② t+2년의 경제성장률은 100%이다.

③ t년에 비해 t+2년의 화폐 가치는 하락하였다.

④ t년에 비해 t+2년의 실질 GDP에서 소주 생산이 차지하는 비율은 증가하였다.

⑤ t+2년의 파셰지수는 130이다.

03 다음 글에 대해 옳은 설명으로만 짝지어진 것을 [보기]에서 고르면?

> 어느 도시에는 세탁소와 매연을 배출하는 공장이 서로 붙어 있다. 세탁소의 생산성은 공장의 매연 배출량이 늘수록 줄어들고 공장의 생산성은 매연 배출량에 따라 늘어난다. 정부는 매연 배출권을 세탁소와 공장 중 어느 곳에 주는 것이 사회적으로 바람직한가를 고려하고 있다. 단, 두 기업은 매연 배출량에 따른 생산성 비용에 대해 아무런 추가비용 없이 매연 배출량에 대한 거래를 할 수 있다.

보기

㉠ 매연 배출로부터의 공장의 한계생산성 증가가 그로부터 발생하는 세탁소의 한계생산성 감소보다 크다면 공장이 매연 배출권을 갖는 것이 사회적으로 더 바람직하다.
㉡ 매연 배출로부터의 공장의 한계생산성 증가가 그로부터 발생하는 세탁소의 한계생산성 감소보다 크다면 세탁소가 매연 배출권을 갖는 것이 사회적으로 더 바람직하다.
㉢ 정부가 매연 배출권을 누구에게 주는가는 궁극적으로 매연 발생에 영향을 주지 않는다.
㉣ 두 기업의 매연 배출량에 대한 흥정에 많은 추가적 비용이 든다면 정부가 매연 배출권을 누구에게 주는가에 따라 사회적 후생이 달라진다.
㉤ 두 기업이 매연 배출량에 대한 흥정을 추가적 비용 없이 할 수 있다면 정부가 매연 배출권을 만들지 않아도 두 기업이 알아서 잘할 수 있다.

① ㉠, ㉣ 　　　　② ㉡, ㉣ 　　　　③ ㉢, ㉣
④ ㉢, ㉤ 　　　　⑤ ㉣, ㉤

04 다음 [보기]의 A, B재 시장에서 나타나는 변화에 대한 설명으로 옳지 <u>않은</u> 것을 고르면?

보기

• 최근 A재에 대한 소비자의 선호가 낮아졌다. 단, A재 수요의 가격탄력성은 1보다 작다.
• 최근 B재를 생산하는 기업의 수가 늘어났다. 단, B재 수요의 가격탄력성은 1보다 크다.
• A, B재의 수요곡선은 모두 우하향하고 공급곡선은 우상향한다.

① A재의 균형가격은 하락한다.
② A재의 판매수입은 감소한다.
③ B재의 균형가격은 하락한다.
④ B재의 판매수입은 감소한다.
⑤ B재의 경우 가격하락률에 비해 수요량의 증가율이 더 크다고 할 수 있다.

정답과 해설 P.25

01 다음 글에서 설명하는 용어를 고르면?

> PC 또는 모바일을 매개로 하여 예금·대출 등의 업무를 진행하는 무점포 비대면 방식의 은행으로, 우리나라의 경우 2014년 이후 설립 논의가 본격화되었다. 영업점을 통하여 거래하는 기존의 형태에 비해 운영비 및 인건비를 절감할 수 있기 때문에 대출금리나 수수료를 낮출 수 있는 장점이 있다. 또한 다양한 금융상품을 편성하여 소외 계층에게 서비스를 확대할 수 있는 경쟁력을 갖추고 있다. 그러나 적정한 수의 고객을 유치하지 못할 경우 수익률을 높이기 어려우며, 상대적으로 간소한 본인 인증 절차로 인해 리스크를 감수해야 할 우려가 있다.

① 자산운용사
② 여신전문금융회사
③ 인터넷전문은행
④ 금융지주회사
⑤ 상호저축은행

02 다음 중 스마트 그리드에 대한 설명으로 적절하지 않은 것을 고르면?

① 전기의 생산 및 소비 과정에 정보 통신 기술을 접목하여 효율을 높인 전력망이다.
② 가정용 전자 제품에서 산업용 기기까지 전력 사용을 최적화하여 관리할 수 있다.
③ 전력 수요에 따라 생산과 공급을 조절하여 안전성과 신뢰성을 확보할 수 있다.
④ 공급이 일정하지 않은 신재생 에너지의 활용이 배제되어 한계점으로 지적된다.
⑤ 건설, 전기 자동차, 가전, 정보 통신 등 산업 간 파급력이 높아 시장성이 무한하다.

03 다음 글의 빈칸에 공통적으로 들어갈 알맞은 단어를 고르면?

> 비트코인 (   )는 암호 화폐를 채굴한 사람에게 블록 생성 하나당 주어지는 보상 수량이 절반으로 줄어드는 것을 뜻한다. 이는 한정된 비트코인의 총량이 모두 채굴되면 비트코인 네트워크에 전원을 제공하는 채굴자에 대한 보상이 사라지기 때문에 그 시기를 최대한 늦추기 위하여 고안한 보완 장치이다. 현재 총 2,100만 개의 비트코인 중 약 1,900만 개의 비트코인이 시중에 풀린 상태로, 앞으로 100년간 30번가량의 (   )를 더 남겨놓고 있다.

① 역치
② 용매
③ 주기
④ 반감기
⑤ 보인자

정답과 해설 P.26

아는 세계에서 모르는 세계로 넘어가지 않으면
우리는 아무것도 배울 수 없다.

– 클로드 베르나르 (Claude Bernard)

실전모의고사

01 다음 글의 내용과 일치하지 <u>않는</u> 것을 고르면?

> 과도 부채를 논의하기 전에 부채 수용력이 얼마인지에 대해 먼저 논의해야 한다. 부채 수용력은 채무 불이행이나 신용등급 하락 같은 신용 사건을 유발하지 않고 가계, 기업, 정부가 사용할 수 있는 부채의 최대 수준을 말한다. 정부 부채를 예로 생각해 보자. 얼핏 생각해도 최소 20개가 넘는 변수들이 부채 수용력에 영향을 미친다. 경제 성장률이 대표적 요인이다. 부채를 많이 사용하려면 기업은 영업 이익이, 가계는 소득이 충분해야 한다. 국가 입장에서도 경제가 성장하면 더 많은 부채를 감당할 수 있다. 부채 수용력을 증가시키려면 소득의 규모 확대뿐 아니라 소득의 안정성, 즉 낮은 변동성이 필요하다. 국가적 차원에서는 다양한 산업과 상품 수출 외에 서비스와 자본 수출 등 다변화된 수출로 인해 변동성을 낮추어 부채 수용력을 늘린다. 또한 달러나 엔화처럼 국제 통화를 발행할 수 있으면 언제든지 자국 통화로 자금을 조달할 수 있기 때문에 부채 수용력이 향상된다. 우리나라는 이러한 부분들이 부족한 실황이다.
>
> 그 외에도 다양한 요인들이 국가의 부채 수용력에 영향을 미친다. 국가마다 감내해 낼 수 있는 부채 수용력이 다르다는 의미이다. 우리나라의 정부 부채 비율이 GDP 대비 40%, 미국의 정부 부채 비율이 90%라고 하여 우리나라가 안전하다고 판단하는 것은 잘못된 주장이다. 우리나라의 부채 수용력이 30%라면 부채 비율 40%는 과다하고, 미국의 부채 수용력이 120%라면 부채 비율 90%는 과다하지 않기 때문이다. 과도함을 판단하기 위해서라도 부채 수용력부터 구해야 한다.

① 부채 수용력에는 다양한 변수들이 영향을 미친다.

② 두 국가의 부채 비율이 같다면 부채 수용력도 동일하다.

③ 우리나라는 국제화된 통화를 보유하지 못하여 부채 수용력이 크지 않다.

④ 부채 비율이 과도한지 알기 위해서는 부채 수용력을 먼저 알아야 한다.

⑤ 부채 수용력은 신용 사건을 유발하지 않고 사용할 수 있는 부채의 최대 수준이다.

02 다음 [표]와 [그래프]는 농업 기계 현황 및 기계화율에 관한 자료이다. 이에 대한 설명으로 옳지 <u>않은</u> 것을 [보기]에서 모두 고르면?

[표] 농업 기계 보유 현황   (단위: 천 대)

구분	2001년	2004년	2007년	2010년	2013년	2016년	2019년
트랙터	201	220	244	265	278	286	299
콤바인	88	87	85	81	79	77	74
이앙기	343	334	314	276	236	202	184
경운기	923	833	771	698	640	582	544

※ 네 가지 기계 외의 다른 농업 기계는 고려하지 않는다.

[그래프] 농업 기계화율   (단위: %)

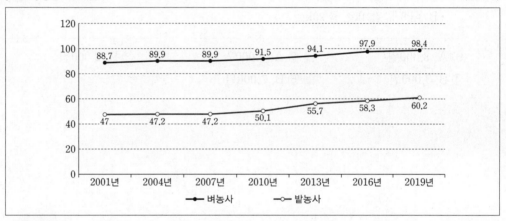

보기

㉠ 총농업 기계 보유 대수는 2001년 이후 매 3년마다 감소하고 있다.
㉡ 3년 전 대비 경운기 감소량이 가장 큰 해에 이앙기 감소량도 가장 크다.
㉢ 3년 전 대비 밭농사의 기계화율의 증가폭이 가장 큰 해에 벼농사 기계화율의 증가폭도 가장 크다.
㉣ 농업 기계 중 트랙터가 차지하는 비율은 매년마다 증가하고 있다.

① ㉠, ㉡   ② ㉡, ㉣   ③ ㉢, ㉣
④ ㉠, ㉡, ㉢   ⑤ ㉡, ㉢, ㉣

03 다음 [표]는 농협몰 e–하나로마트에서 판매 중인 과일류에 관한 자료이다. 이를 바탕으로 A, B가 [보기]와 같이 상품을 구입하여 배송하였을 때, 두 사람 중 최종 결제액이 적은 사람과 두 사람의 결제액 차이를 고르면?

[표] e–하나로마트에서 판매 중인 과일류 정보

구분	가격	할인 안내
사과	20,000원 / 3kg	6kg 이상 구매 시, 1kg 추가 증정
배	30,000원 / 8개	16개 이상 구매 시, 10% 할인
감	8,000원 / 1kg	3kg 이상 구매 시, 1kg당 1,000원 할인
포도	25,000원 / 2kg	—
수박	15,000원 / 1개	3개 이상 구매 시, 5,000원 할인
귤	22,000원 / 10kg	20kg 이상 구매 시, 10kg당 2,000원 할인

※ 배송료는 4,000원이며, 100,000원 이상 주문 시 무료배송

보기

- A: 사과 7kg, 포도 2kg, 수박 3개
- B: 배 8개, 감 4kg, 귤 20kg

① A, 3,000원　　　　② A, 5,000원　　　　③ B, 2,000원
④ B, 3,000원　　　　⑤ B, 7,000원

04 성우는 1월 1일에 새 학기를 맞이하여 노트북을 구입하기 위해 180만 원을 12개월 만기로 대출받았다. 대출상품의 대출금리가 월 1.5%이고, 1월 말부터 만기일인 12월 31일까지 매달 말에 일정한 금액으로 상환한다고 할 때, 매달 상환해야 하는 금액을 고르면?(단, $(1.015)^{12}$=1.20이며, 월 복리로 계산한다.)

① 150,000원　　　　② 154,000원　　　　③ 158,000원
④ 162,000원　　　　⑤ 166,000원

05 다음 글을 읽고 추론한 내용으로 가장 적절한 것을 고르면?

농촌 관광 활성화 지원

▣ 지원 대상: 농업인 및 농업 법인
▣ 사업 목적: 여가·문화 소비 증가 등에 따라 성장 가능성이 큰 농촌 관광을 활성화하여 농촌을 국민의 여가·휴식 공간으로 조성
－ 도시민에게 농촌 관광 관련 공신력 있는 정보를 제공하고, 농촌관광사업자의 자발적인 서비스 품질 수준 제고 유도
▣ 사업 내용
－ (농촌 관광 기반 조성) 농촌 관광 등급제 운영 및 콘텐츠 개발, 역량 강화 교육, 보험 가입 지원, 체험마을 사무장 지원 등을 통해 농촌 관광 활성화 기반 마련
－ (등급제 운영) 농촌체험휴양마을·관광농원·농어촌민박을 대상으로 4개 부문(교육·서비스, 체험, 숙박, 음식)을 평가하여 부문별로 1~3등급·등급 외 부여 및 공개하고 우수등급 홍보
－ (관광 콘텐츠 개발) 농촌 지역주민 또는 지자체가 지역의 음식·숙박·체험을 연계한 특색 있는 콘텐츠를 개발·운영하도록 지원
－ (역량 강화 교육) 체험마을 운영자 및 농어촌민박 사업자 등을 대상으로 정책 방향, 서비스, 안전·위생, 상품 운영 등 관련 교육 실시
－ (보험 가입 지원) 체험마을의 체험안전보험 및 화재보험 보험료를 지원하여 체험마을을 찾는 소비자의 안전성 제고
－ (사무장 활동비 지원) 체험 프로그램 운영, 마을관리, 홍보 등의 역할을 하는 사무장을 지원하여 체험마을 운영 활성화
－ (내·외국인 유치·홍보) 농촌 관광 정보 제공, 농촌여행 상품 운영, 초·중학생 체험학습 지원, 외국인 및 도시민 유치 확대 지원
－ (정보제공·홍보) 농촌 관광 관련 정보를 제공하는 정보포털(웰촌닷컴)을 운영하고, 온·오프라인 매체를 활용하여 홍보
－ (농촌여행상품 개발·운영) 농촌여행 접근성 제고를 위해 국내·외 여행사의 내·외국인 대상 농촌여행 상품 개발·운영 지원
－ (농촌 체험학습 지원) 초등학생 대상 교과과정 연계 농촌 체험학습 및 중학생 대상 자유학년제 연계 농업·농촌 직업체험 지원

① 농촌 관광 활성화 지원은 농촌마을의 안정성을 높이기 위해 화재 및 대물배상 보험을 지원한다.
② 농촌 관광 활성화 지원은 농업인과 도시민에게 농촌 관광 정보를 제공하는 것을 목적으로 한다.
③ 타 지역 관광명소를 벤치마킹하여 농촌 관광 체험장 개발 시 농촌 관광 활성화 지원을 받을 수 있다.
④ 마을 주민 중 체험마을 사무장을 선별하며, 임명된 사무장은 운영 및 관리, 홍보 등의 업무를 성실하게 수행해야 한다.
⑤ 여행사가 외국인을 대상으로 농사 및 순두부 만들기 체험을 상품으로 개발하여 운영할 경우, 농촌 관광 활성화 지원을 받을 수 있다.

06 카드사 고객서비스센터 팀장은 홈페이지 관리와 고객문의 응대 업무를 담당하는 A에게 고객들이 보다 손쉽게 정보를 찾을 수 있도록 질문을 키워드 중심으로 정리해 보기를 권하였다. A가 [표]와 같이 질문 키워드를 분류하였을 때, ㉠~㉤에 들어갈 수 있는 항목으로 적절한 것을 고르면?

BEST FAQ

Q1. 과거 연체기록이 있는 경우, 카드 발급을 받을 수 없는지?

Q2. 신용카드 교체발급 후 연회비가 청구되었다면?

Q3. 신용카드 발급에 필요한 소득수준 및 구비서류는?

Q4. 채권 추심자가 소속을 밝히지 않는다면?

Q5. 연체채무의 분할상환 및 채무 감면이 가능한지?

Q6. 할인 등 부가서비스가 제공되지 않는다면?

Q7. 초년도 연회비 환불은 안 되나요? 미사용 카드(휴면카드)의 연회비가 청구되었다면?

Q8. 이전에는 발급되었음에도 갱신 시 카드발급을 거절하는 사유는?

Q9. 미사용 포인트가 소멸되는 사유와 소멸되기 전 사용방법은?

Q10. 이용정지 카드에 대해 연회비가 청구되었다면?

Q11. 해지된 카드의 잔존 포인트 사용 방법은?

Q12. 카드가 없어도 자동화기기로 거래가 가능한지?

[표] 질문 키워드

채권 추심	카드 발급	연회비	자동화기기	부가 서비스
㉠	㉡	㉢	㉣	㉤

① ㉠: Q1, Q12

② ㉡: Q3, Q9

③ ㉢: Q4, Q10

④ ㉣: Q2, Q5

⑤ ㉤: Q6, Q11

07 C씨는 2018년 2월에 주택을 구입하여 2020년 2월에 이를 매각하였다. C씨가 가진 모든 돈을 은행에 저축할 경우 연이율은 2.8%(복리)이고, 이자에 대한 세금은 없다. 이때, 2020년 2월 C씨가 저축 대비 손해를 보지 않기 위한 최소 주택 매각 금액을 고르면?(단, 2018년 2월에 대출금을 제외한 주택 거래에 들어간 모든 돈이 C씨의 전 재산이고, 모든 금액은 10의 자리에서 반올림한다.)

1) 2018년 2월
- 주택 매입 금액: 565,000,000원
- 취득세 및 인지대: 6,900,000원
- 부동산 수수료: 2,000,000원
- 리모델링 비용: 27,800,000원
- 대출이자는 연 3.2%로, 324,000,000원을 대출하여 매도 시기까지 원금은 상환하지 않고 이자만 납부(2020년 2월까지 총 24회의 이자 납입)

2) 2020년 2월
- 주택 매각 금액: (   )원
- 부동산 수수료: 2,500,000원
- 주택 매각 후 대출 원금을 상환하며 중도 상환 수수료 없음

① 640,404,900원

② 640,504,900원

③ 640,604,900원

④ 640,704,900원

⑤ 640,804,900원

다음 [표]는 K은행이 L지역의 지점을 신설하기 위해 주변 지역을 중심으로 실시한 SWOT분석 결과이다. 이를 바탕으로 수립한 전략으로 가장 적절한 것을 고르면?

[표] L지역 주변의 SWOT분석 결과

강점(Strength)	• 직원 대부분이 인근 지역 거주 • 본점의 영업망 확대 정책에 따른 충분한 지원 확보
약점(Weakness)	• 신규 진출 지역으로 지역특화 상품 개발 경험 부족 • 직원들의 보수적 마인드에 따른 젊은 연령층 상대 영업력 부족
기회(Opportunity)	• 독거노인 등 1인 가구 증가에 따른 자산 관리 필요성 대두 • 상대적으로 경쟁사 수가 적어 초기 고객 확보에 유리
위협(Threat)	• 지역 개발이 완성되지 않아 완숙한 시장 미형성 • 전자금융 이용률의 상대적 저하

내부환경 외부환경	강점(S)	약점(W)
기회(O)	① 자산 관리를 원하는 노인 고객 유치를 통한 지역특화 상품 개발	② 본점 및 인근 지역 지점망을 통한 지역 개발 활성화 우회 지원
위협(T)	③ 본점의 대대적인 홍보 전략으로 인터넷 및 모바일 뱅킹 고객 유치 지원 ④ 고령층 직원의 노인 대상 위주 영업으로 공감대 형성 가능	⑤ 지역적 특성에 익숙한 직원들을 통해 지역 맞춤형 신규 대출 및 적금상품 개발 가능

09 다음 글의 내용과 일치하지 <u>않는</u> 것을 고르면?

소비자 물가 지수는 물가 변동을 파악하기 위한 대표적인 지표다. 통계청의 2017년 8월 물가 지수는 1년 전에 비해 2.6% 상승한 것으로 나타났다. 하지만 채소 가격 급등을 장바구니로 체감한 소비자들은 이 지수가 현장 물가를 전혀 반영하지 못한다고 불만을 토로하였다.

소비자 물가 지수는 사람들이 많이 소비하는 460개의 대표 품목을 토대로 측정한 평균값이다. 따라서 채소처럼 수급 상황에 따라 변동폭이 크고 단가가 낮은 특정 품목의 가격 상승과 하락이 전체 지수에 미치는 영향은 작을 수 있다.

물가 지수가 서민의 생활과 직결된 지표인 만큼 통계청은 지표와 체감 물가의 괴리를 좁히기 위해 많은 노력을 기울이고 있다. 민감도가 높은 품목을 중심으로 한 생활 물가 지수, 신선 채소와 과일 중심의 신선 식품 지수를 별도로 작성하고, 빅데이터를 활용한 온라인 물가 작성 시스템도 운영 중이다. 앞으로는 전년 기준으로 가중치를 개편해 물가 지표의 현실 반영도를 더욱 높일 계획이다.

여전히 물가 지수에 대해 궁금하다면 국가통계포털(KOSIS)에 있는 '나의 물가 체험하기' 서비스를 이용해 볼 수 있다. 자신이 주로 구입하는 품목 위주로 나만의 물가를 산출하고 공식 물가 지수와도 비교해 볼 수 있을 것이다.

① 물가 지수는 서민의 생활과 직결된 지표이다.
② 물가 지수는 물가 변동을 파악하기 위한 대표적인 지표이다.
③ 물가 지수는 사람들이 많이 소비하는 대표 품목을 토대로 측정한 평균값이다.
④ 지표와 체감 물가의 괴리를 좁히기 위해 생활 물가 지수, 신선 식품 지수를 별도로 작성한다.
⑤ 수급 상황에 따라 변동폭이 크고 단가가 낮은 품목의 가격 변동은 전체 지수에 큰 영향을 미친다.

[10~11] 다음은 진통제 성분 중 하나인 아세트아미노펜 원료의약품의 수입 가격 추이와 국내 제약회사 A, B에 관한 분석 자료이다. 이를 바탕으로 질문에 답하시오.

[그래프1] 아세트아미노펜 원료의약품의 수입 가격 추이 (단위: 달러/톤)

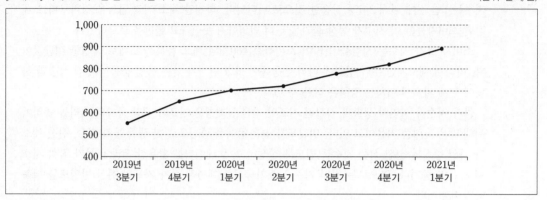

[그래프2] A 제약회사 이익률 (단위: %)

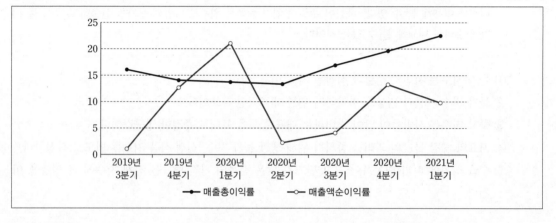

[분석 자료]

　A 제약회사는 아세트아미노펜 원료의약품을 생산하고, 이 원료로 완제의약품 P를 생산한다. 이 제약회사에서는 생산한 아세트아미노펜 원료의약품을 다른 제약회사에 일부 판매하며, 원료의약품 생산 비용보다 수입 가격이 저렴한 경우 일부 수입해서 완제의약품 P를 생산한다. B 제약회사는 아세트아미노펜 원료의약품을 전량 수입하여 완제의약품 Q를 생산한다. B 제약회사는 2021년 1분기에 전년 동분기 대비 완제의약품 Q의 총판매량이 동일하지만 순이익은 증가하였다.

10 위의 자료에 대한 설명으로 옳은 것을 고르면?

① B 제약회사는 2021년 1분기에 A 제약회사로부터 아세트아미노펜 원료의약품을 구입하였다.

② 2020년 2분기에 A 제약회사는 아세트아미노펜 원료의약품을 수입하였다.

③ A 제약회사의 완제의약품 P의 판매량은 2020년 2분기 이후 매분기 증가하였다.

④ B 제약회사의 완제의약품 Q의 가격은 2020년 1분기에 비해 2021년 1분기에 상승하였다.

⑤ A 제약회사의 아세트아미노펜 원료의약품 가격은 매분기 상승한다.

11 다음 중 A 제약회사의 향후 수익성을 판단하기 위해 추가로 필요하지 <u>않은</u> 자료를 고르면?

① 완제의약품 Q의 향후 제조원가 추이

② 아세트아미노펜 원료의약품 수입 가격 추이

③ 아세트아미노펜 원료의약품 생산 비용 추이

④ 완제의약품 Q의 향후 판매량 추이

⑤ 향후 아세트아미노펜 계열 진통제 수요 추이

12 다음 글을 읽고 추론한 내용으로 적절하지 <u>않은</u> 것을 고르면?

신종 코로나바이러스 감염증(이하 코로나19)으로 인한 여러 불안 요소들이 완전히 해소되지 않았지만 포스트 코로나 시대에 대한 논의가 활발하게 이루어지고 있다. 게리 하멜이라는 미국의 저명한 경영 컨설턴트는 코로나19 충격이 1929년 대공황 때보다 더 심각하다고 주장하였다. 한국은행에서도 2020년 경제성장률이 11년 만에 마이너스를 기록할 것이라고 전망하였다. 이런 상황 속에서 코로나19로 인해 생길 수 있는 변화를 농업의 기회로 만들어 볼 방법은 없는지 생각해 볼 필요가 있다.

우선 코로나19로 인해 대대적인 귀촌·귀향 운동을 전개할 수 있다. 밀집형 도시 생활은 '비대면'이라는 뉴노멀에 의해 점점 경쟁력을 잃어갈 것이다. 비정규직뿐 아니라 대기업에서도 실업자가 쏟아져 나오고, 자영업자들은 한계 상황에 몰리고 있으며 청년 일자리의 문은 더욱 좁아지고 있다. 대대적인 귀촌·귀향 캠페인을 통해 농촌에서도 도시 못지않은 생활 환경과 일자리를 누릴 수 있다는 인식을 심어 줄 기회로 만들어야 할 때이다. 아울러 원격 의료·교육의 활성화로 귀촌·귀향 의사를 가진 사람들이 늘어날 경우를 대비하여 이들을 흡수할 수 있는 전략을 마련해야 한다.

또 다른 기회는 농산물 브랜드의 확산이다. 한국농촌경제연구원에 따르면 코로나19 발생 이후 외식 횟수가 대폭 줄어들었지만 가족들과 집에서 식사하는 횟수는 47.7% 증가하였다. 자연스럽게 식재료를 동네 슈퍼마켓이나 온라인에서 구매하는 경우도 크게 늘었다. 이는 그동안 고질적으로 지적받아온 농산물 유통구조 개선의 호기라고 할 수 있다. 이런 기회에 전국 거점에 대대적으로 도매 물류센터를 건설해 소규모 슈퍼마켓, 편의점, 온라인 쇼핑몰에서 신선하고 친환경적인 식재료를 쉽게 구매할 수 있도록 개선해야 한다. 이 같은 노력을 통해 농산물을 제값에 팔면서도 농산물 브랜드를 확산할 수 있을 것이다.

이처럼 코로나19를 농업의 디지털 역량을 키우는 계기로도 활용해야 한다. 코로나19가 가져온 가장 큰 변화는 디지털 전환(Digital Transformation)이 가속화되고 있다는 점이다. 사티아 나델라 마이크로소프트 최고경영자(CEO)는 "2년 걸릴 디지털 전환이 2개월 만에 이뤄졌다"며 코로나19로 인해 전면적인 디지털 전환 시기가 도래하였음을 역설하였다. 바로 지금이 우리나라 농업이 디지털 전환에 박차를 가해야 할 중요한 시기이다.

우리나라는 정보통신기술(ICT) 산업에 매우 강한 나라이므로, 5세대 이동통신(5G)기술을 이용한 농기구·장비의 무인화, 첨단화 등 농업 분야의 디지털 전환 가능성은 무궁무진하다. 이와 관련하여 사물인터넷(IoT) 기반 모듈형 스마트팜 기업인 '엔씽(n.thing)'이 올해 세계 최대 전자쇼 'CES 2020'에서 컨테이너 스마트팜으로 최고 혁신상을 받았다. 앞으로 스마트팜뿐 아니라 사육 분야에서도 IoT를 활용해 최적의 성장 조건을 확보할 수 있게 되었다.

① 코로나19로 인한 충격은 1929년 대공황보다도 심각한 것으로 추정된다.

② 포스트 코로나 시대를 맞이하여 원격 의료·교육의 활성화로 귀촌·귀향하는 사람들이 늘어날 것이다.

③ 농산물 유통구조 개선을 통해 농산물 브랜드를 확산할 수 있는 길이 열릴 것이다.

④ 포스트 코로나 시대는 디지털 전환이 가속화되는 시기이므로 농업 분야의 디지털 역량도 키워야 할 것이다.

⑤ 우리나라도 포스트 코로나 시대를 대비하여 농업 인공지능을 활용한 상품들을 제작할 것이다.

13 다음 [표]는 디지털 카메라의 보급으로 인해 새로운 전략의 수립이 필요한 촬영 스튜디오에 대한 SWOT분석 결과에 관한 자료이다. 이를 바탕으로 세운 전략으로 옳지 <u>않은</u> 것을 고르면?

[표] 촬영 스튜디오의 SWOT분석 결과

강점(S)	약점(W)
• 경영자의 고객지향적 마인드 • 다양한 채널로 홍보 진행 가능 • 넓고 편안한 시설	• 높은 직원 이직률 • 회원 관리능력 부족 • 광고효과성 측정 어려움
기회(O)	위협(T)
• 아이에 대한 투자 증가 트렌드 • 사진인화 시장 확대 • 정부의 출산장려정책	• DSLR 카메라 일반화 • 저가 위주 경쟁자 증가 • 고객의 높은 가격탄력성

① SO전략: 인터넷 홍보 강화를 통해 아동사진 영업 확장

② WO전략: 직원에 대한 보안, 감시의 철저

③ ST전략: 사진촬영교실 혹은 공간임대 서비스 개시를 통한 차별화

④ WT전략: 회원 맞춤 서비스로 고객 충성도 제고

⑤ ST전략: 수요가 적은 주중 방문 시 타 업체 대비 가격이 저렴한 점을 내세워 고객 유인

14 다음은 공매도에 대해 설명한 글과 향후 경기 예측 및 예상 주가 등락률에 관한 [표]이다. 김 대리는 올해 경기가 호황이었기 때문에 앞으로 주가가 떨어질 것이라 예측하여 해당 주식을 공매도하였다. 김 대리가 2년 후 이익을 볼 확률을 고르면?(단, 김 대리는 2년이 되기 전에는 어떠한 행동도 취하지 않으며, 기타 수수료 및 세금은 무시한다.)

> 공매도란 주식을 소유하지 않고도 주식을 매도하는 행위를 뜻한다. 현재 주식을 소유하지 않고 있음에도 향후 주가가 하락할 것을 예상하고 다른 사람 또는 기관에게 주식을 빌려와 매도한 뒤 실제로 주가가 하락하면 같은 종목을 싼 값에 되사 빌려온 주식을 다시 돌려주며 차익을 챙기는 매매 기법이다.

[표1] 향후 경기 예측   (단위: %)

구분	1년 후 호황일 확률	1년 후 불황일 확률
올해 호황일 때	75	25
올해 불황일 때	50	50

[표2] 예상 주가 등락률

구분	예상 주가 등락률
올해 호황일 때	전년 대비 20% 주가 상승
올해 불황일 때	전년 대비 20% 주가 하락

① $\dfrac{3}{16}$ ② $\dfrac{5}{16}$ ③ $\dfrac{7}{16}$

④ $\dfrac{9}{16}$ ⑤ $\dfrac{11}{16}$

15 다음 [표]는 작물 및 축종별 직접 노동 투하량에 관한 자료이다. 이에 대한 설명으로 옳은 것을 [보기]에서 고르면?

[표] 작물 및 축종별 직접 노동 투하량   (단위: 시간)

항목	전문	일반	부업	자급
미곡	136.62	54.75	36.97	5.74
맥류	3.46	1.11	1.82	1.33
잡곡	14.83	10.97	10.41	7.56
두류	37.40	40.38	25.78	20.31
서류	51.28	28.77	22.28	19.15
채소	709.77	241.55	229.22	106.84
과수	406.69	82.81	73.39	25.06
화훼	41.43	1.02	8.50	0.17
소	73.13	53.04	22.35	20.84
돼지	37.74	0.03	0.29	0.00
닭	22.77	4.76	3.90	1.01

※ 전문: 주업 농가 중 경지 규모가 3ha 이상 또는 농업 총수입 중 현금 수입과 외상 판매 수입이 2,000만 원 이상인 농가
※ 일반: 주업 농가 중 경지 규모가 3ha 미만이면서 농업 총수입 중 현금 수입과 외상 판매 수입이 2,000만 원 미만인 농가

보기

㉠ 모든 작물에서 전문 농가의 직접 노동 투하량이 가장 많다.
㉡ 채소를 재배하는 부업 농가는 자급 농가에 비해 직접 노동 투하량이 122.38시간 더 많다.
㉢ 경지 규모가 2.8ha이고, 농업 총수입이 2,500만 원인 주업 농가의 과수 노동 투하량은 406.69시간이다.
㉣ 모든 항목에서 부업 농가의 직접 노동 투하량이 자급 농가보다 많다.
㉤ 모든 종류의 농가에서 세 가지 축종 중 소의 직접 노동 투하량이 가장 많다.

① ㉠, ㉡, ㉢   ② ㉠, ㉡, ㉣   ③ ㉠, ㉢, ㉤
④ ㉡, ㉣, ㉤   ⑤ ㉢, ㉣, ㉤

[16~17] 김 대리는 2021년 1월 초에 5,400만 원인 자동차를 구입하려고 한다. 이를 바탕으로 질문에 답하시오.

16 김 대리는 자동차 가격 전부를 36개월 할부로 구입하려 한다. 2021년 1월 말부터 매월 말 일정한 금액을 납부할 때 매월 갚아야 할 할부금액을 고르면?(단, 월이율은 0.2% 복리이고 1.002^{36}=1.07로 계산하되, 원 미만은 절사한다.)

① 1,542,857원

② 1,573,857원

③ 1,623,857원

④ 1,650,857원

⑤ 1,682,857원

17 김 대리는 자동차 구입 시 3,000만 원을 일시불로 지급하고, 나머지 금액을 24개월 할부로 갚으려고 한다. 2021년 1월 말부터 매월 일정한 금액을 납부할 때 매월 갚아야 할 할부금액을 고르면?(단, 월이율은 0.2% 복리이고 1.002^{24}=1.05로 계산하되, 원 미만은 절사한다.)

① 1,004,000원

② 1,005,000원

③ 1,006,000원

④ 1,007,000원

⑤ 1,008,000원

18 다음 기사를 읽고 'NH농협 부자 되세요 아파트 카드'에 대해 바르게 이해하지 <u>못한</u> 반응을 고르면?

> ### NH농협카드 '부자 되세요 아파트 카드' 출시
>
> NH농협은행 경남영업본부는 아파트 관리비 할인과 다양한 생활 할인 혜택을 받을 수 있는 'NH농협 부자 되세요 아파트 카드'를 5일 출시했다고 밝혔다.
>
> 'NH농협 부자 되세요 아파트 카드'를 발급하여 건당 10만 원 이상 아파트 관리비 자동 납부 시 전월 실적에 따라 월 최대 1만 원 청구 할인 혜택을 받을 수 있으며, 관리비 자동 납부에 따른 카드 수수료는 면제된다.
>
> 이 밖에 주요 혜택으로는 쇼핑 업종(하나로마트·클럽, 이마트, 홈플러스, 롯데마트, 다이소) 5% 청구 할인, 학원 업종 5% 청구 할인, 커피&베이커리 업종(스타벅스, 이디야, 공차, 뚜레쥬르, 던킨도너츠) 5% 청구 할인 등이 있다.
>
> 한편, NH농협카드는 카드 출시를 기념하여 카드 발급 및 관리비 자동 납부 신규 고객을 대상으로 한 5,000원 캐시백 제공·경품 추첨 이벤트를 10월 말까지 진행할 예정이다.
>
> 카드 발급 및 아파트 관리비 자동 이체는 전국 NH농협 영업점·NH농협카드 홈페이지·카드 고객 상담 센터 등에서 신청 가능하며, 카드 혜택 및 이벤트에 대한 자세한 내용은 NH농협 카드 홈페이지에서 확인할 수 있다.

① 전월 실적에 따라 할인 혜택을 제공하는 것은 카드 사용을 독려하기 위한 전략이야.

② 카드 이름에 '부자 되세요'라는 문구를 넣어 경제적 이익을 원하는 사람들의 심리를 자극하고자 했어.

③ 카드 신청의 절차를 젊은 세대 위주로 설정하여 노인 세대들은 카드 발급이 어렵게 느껴질 수도 있겠어.

④ 최근 우리나라의 주거 형태를 분석하여 아파트에 거주하는 사람들이 많다는 것을 카드 개발의 출발점으로 삼았군.

⑤ 캐시백 제공과 경품 추첨 등의 이벤트를 한시적으로 진행하는 것은 카드 발급을 망설이는 사람들에게 서두르면 추가 이익이 있다는 것을 전달하여 소비자들의 마음을 움직이는 효과를 노린 거야.

[19~20] 다음 자료를 바탕으로 질문에 답하시오.

> A사는 100가구가 거주하는 B마을에서 콘덴싱 보일러를 독점적으로 판매하는 회사이다. 보일러의 판매 원가는 10만 원이며, 한번 설치된 보일러는 재사용이 불가능하다. 이 마을의 가구 중 소득 상위 4~5분위 가구는 보일러에 20만 원까지 지불할 용의가 있는 반면, 1분위 가구는 8만 원, 2분위 가구는 12만 원, 3분위 가구는 15만 원까지만 지불할 용의가 있다. 한 가구에서 보일러는 한 대만 필요하며, 설치비는 무료이다.

[표1] B마을의 소득 5분위별 가구 현황 (단위: 명, 세)

구분	전체	1분위	2분위	3분위	4분위	5분위
가구원 수	3.2	2.4	3.2	2.8	3.4	3.3
가구주 평균 연령	54.5	62.9	58.6	52.2	48.8	50.1

[표2] B마을의 균등화 처분가능소득 5분위별 월평균 소득 (단위: 천 원)

구분		전체	1분위	2분위	3분위	4분위	5분위
균등화 처분가능소득		2,412	829	1,599	2,151	2,877	4,596
	근로소득	1,894	395	1,126	1,649	2,320	3,975
	사업소득	545	217	371	484	615	1,037
	재산소득	11	7	6	9	13	19
	공적이전소득	176	214	168	163	156	178
	사적이전소득	115	97	105	107	140	124
	공적이전지출	329	101	177	261	367	737

※ 균등화 처분가능소득 $= \dfrac{\text{가구의 처분가능소득}}{\text{가구원 수}}$

※ 처분가능소득＝근로소득＋사업소득＋재산소득＋이전소득－공적이전지출

※ 공적이전소득: 공적연금, 기초연금, 사회수혜금, 세금환급금

※ 공적이전지출: 경상조세, 연금, 사회보험

19 위의 자료를 바탕으로 A사가 이익을 극대화하기 위해 책정해야 하는 보일러 한 대의 가격을 고르면?

① 8만 원   ② 10만 원   ③ 12만 원

④ 15만 원   ⑤ 20만 원

06

실전모의고사

20 위의 자료에 대한 설명으로 옳은 것을 고르면?

① 3분위 가구의 균등화하지 않은 처분가능소득은 전체 평균보다 높다.

② 1분위 가구에 월 30만 원씩 기초연금을 지급하면 균등화 처분가능소득은 100만 원 이상으로 올라간다.

③ 공적이전소득이 가장 적은 분위의 가구주 평균 연령이 가장 낮다.

④ 가구주 평균 연령이 60대인 분위의 재산소득은 40대인 분위의 절반 이하이다.

⑤ 보일러 원가가 8만 원이라면 이윤 극대화를 위해 판매 가격을 내려야 한다.

> (   )이 금융권의 대세다.
>
> NH농협금융지주는 내년 핵심 전략으로 디지털 금융을 꼽으면서 컨트롤 타워 기능을 강화하기 위해 디지털 금융 부문을 신설한다고 22일 밝혔다. 디지털 금융 최고 책임자(CDO, Chief Digital Officer)가 농협금융 계열사 전체의 디지털 전략과 사업을 책임진다. CDO 자리는 NH농협은행 부행장 가운데 한 명이 겸직할 것으로 보인다. 세부적인 조직 개편은 다음 달에 있을 인사와 함께 진행될 예정이다.
>
> CDO는 각 계열사 실무진 등으로 구성된 CDO 협의회를 총괄한다. 인공지능(AI)·블록체인·빅데이터 등 신기술을 업무 전반에 접목할 수 있도록 계열사 공동 대응 체계도 마련한다.
>
> 농협금융은 금융지주 통합 플랫폼인 '올원뱅크 2.0'을 선보이기도 했다. 내년에는 NH스마트뱅킹을 중심으로 NH금융상품마켓, NH스마트인증 등으로 분산된 '위성 애플리케이션'을 통합할 예정이다. 또한 오픈 플랫폼 관련 금융 상품 API(Application Programming Interface)를 개발해 외부 플랫폼 기업을 통해 농협금융의 상품을 판매할 계획이다.
>
> 앞서 신한금융은 지난 6월 지주사와 각 계열사에 CDO 자리를 신설했다. CDO 협의회를 통해 그룹 차원의 디지털 부문 사업을 추진 중이다. 그룹 차원에서 5개 핵심 분야(AI·블록체인·오픈 API·클라우드·디지털 경험) 연구소를 운영하고 있다.

① 협력과 교류를 통한 타사와의 상생
② 조직 개편을 통한 디지털 강화 움직임
③ 수익 극대화를 위한 신상품 개발 집중
④ 외부 인력 영입을 위한 내부 개혁 모색
⑤ 앱 개발을 통한 젊은 층의 신규 소비자 유입

22 다음 글을 읽고 추론한 내용으로 적절하지 <u>않은</u> 것을 고르면?

농협의 금융 업무는 농협은행(농협중앙회)과 단위농협(지역농협)으로 구분할 수 있다. 이 둘을 구분하는 방법 중 가장 쉬운 것은 간판을 확인하는 것이다. 흔히 지역명이 들어가는 ◇◇농협 혹은 농협이라는 간판이 있는 경우가 단위농협이고, NH Bank/NH 농협금융, 그리고 한글로 농협중앙회/농협은행이라는 간판이 있는 경우가 농협은행이다. 단위농협일 경우 법적으로 '은행' 글자를 사용할 수 없는 기관이기에 '은행'이라는 간판이 없다. 이를 통해 메인 간판뿐만 아니라 ATM 간판으로도 구분이 가능하다.

단위농협의 경우 다른 2금융권과 마찬가지로 농협별로 법인이 다르다. 따라서 각 지역마다 급여나 복리후생도 다르다. 또한 단위농협은 농협중앙회 즉, 농협은행의 감독 및 감사를 받지만 엄연히 다른 회사이다. 하지만 웬만한 금융 업무는 호환이 가능하고 송금 시 수수료 역시 면제된다. 그러나 신규 계좌 개설, 신용카드, 대출은 상호 호환이 불가능하다.

단위농협은 농협은행과 달리 농협조합원들의 출자로 만들어진 조합이기 때문에 금융 업무뿐만 아니라 경제 사업 업무를 병행하기도 한다. 참고로 농협은행은 로또 당첨금 지급처로 활용되는데, 특히 1등은 농협은행 본점에서 수령 가능하다.

농협은행과 단위농협은 은행코드도 다르다. 농협은행은 11이고, 농협조합은 12이다. 그리고 통장 계좌번호를 통해서도 구분이 가능하다. 농협은행의 계좌번호는 01, 02, 12가 들어가고, 단위농협의 계좌번호는 51, 52, 56이 들어간다. 더불어 농협 계좌의 예전 버전에는 위의 숫자가 가운데 자리에 들어갔었는데, 현재는 앞으로 오게 되었다.

① 단위농협은 농협은행과 달리 하나로마트와 같은 마트 업무를 하기도 한다.
② 농협은행과 단위농협에서 신입사원을 채용할 때, 그 채용시기와 근무조건들이 상이할 수 있다.
③ 농협은행과 단위농협의 수표는 발행기관이 다르더라도 즉시 현금화가 가능하다.
④ 농협의 은행계좌가 301로 시작된다면, 이는 농협은행의 신계좌번호임을 알 수 있다.
⑤ 농협중앙회 이사회 회의록이 조작혐의를 받게 되었다면 단위농협 조합원들이 감사원이 될 수 있다.

NH20 해봄체크카드

■ 주요 서비스: On-Line 서비스

- 온라인 쇼핑몰, 온라인 서점, 어학시험 5% 할인
  - ▶ 건당 이용 금액 2만 원 이상일 시, 건당 최대 2,500원 할인(월 최대 8,000원 할인)
- CGV 온라인 예매(홈페이지, 모바일앱) 2,000원 할인
  - ▶ 1만 원 이상 결제 시(월 1회)
- 배달앱 5% 할인
  - ▶ 건당 이용 금액 1만 원 이상일 시
- 어플리케이션 5% 할인
  - ▶ 건당 이용 금액 1만 원 이상일 시, 건당 최대 1,000원 할인(월 최대 6,000원 할인)

■ 주요 서비스: Off-Line 서비스

- 이동통신 자동납부 2,000원 할인
  - ▶ 5만 원 이상 결제 시(월 1건)
- 커피 20%, GS25 5% 할인
  - ▶ 건당 이용 금액 1만 원 이상일 시(월 최대 4,000원 할인)
- 대중교통(버스/지하철) 10% 할인
  - ▶ 각 교통사업자별 월 이용 금액이 2만 원 이상일 시(월 최대 4,000원 할인)
- ※ 후불교통 이용 건에 한하며, 시외·고속버스는 제외됨

■ 주요 서비스 월 할인 한도

전월 실적	20만 원 이상 40만 원 미만	40만 원 이상 60만 원 미만	60만 원 이상 100만 원 미만	100만 원 이상
On-Line	4천 원	8천 원	1만 5천 원	2만 5천 원
Off-Line	3천 원	5천 원	7천 원	1만 원

■ 해봄 선택 서비스×여행해봄/놀이해봄 Type 중 택1

※ 카드발급 신청 시 택1 및 발급 후 변경 불가

※ 주요 서비스 월 할인 한도와 별도 운영

※ 본 서비스는 카드 사용등록하신 달에는 제공되지 않으며, 그다음 달부터 조건 충족 시 제공됩니다.

여행해봄	• 인천공항 라운지 무료이용 서비스 ▶ 전월 실적 50만 원 이상일 시 제공, 월 1회, 연 2회 제공
놀이해봄	• 전국 놀이공원 할인 ▶ 전월 실적 30만 원 이상일 시 제공, 월 1회, 연 6회 제공

23 김 계장은 위의 금융상품 추진을 위해 안내장 피칭워드를 만들고 있다. 다음 중 피칭워드의 내용으로 가장 적절한 것을 고르면?

① 가까운 서점에서 지식도 쌓고 할인도 받아보세요!

② 아직도 커피를 제 값 다 내면서 드시고 계신가요?

③ 올 명절 귀향길도 해봄체크카드와 함께!

④ 여행과 놀이, 시즌에 따라 자유롭게 변경하여 혜택을 누려보세요!

⑤ 카드신청 즉시 인천공항 라운지 무료이용 또는 놀이공원 할인 혜택을 드립니다!

24 오 주임의 8월 NH20 해봄체크카드 이용 실적은 120만 원이며 9월에 On, Off-Line 주요 서비스를 최대한도로 이용하려고 한다. 이를 위한 배달앱 최소 이용 금액을 고르면?

① 120,000원　　　　② 140,000원　　　　③ 160,000원

④ 180,000원　　　　⑤ 200,000원

25 다음은 어느 회사의 건강검진비 및 질병 관련 재해보조비에 관한 규정이다. 이를 바탕으로 건강검진비 및 재해보조비를 바르게 지급받은 사람을 고르면?

■ 건강검진비
- 지원 대상: 전 직원
- 지원 금액: 250천 원/년
  (특수건강검진, 생애주기검진, 재검진 추가 지원)

■ 사내근로복지기금 질병 관련 재해보조비
  - 지원 대상: 입원 직원
  - 지원 금액: 2만 원/일(단, 암, 심장질환, 뇌혈관질환, 백혈병으로 입원 시 8만 원/일)
  - 단, 다음의 각호에 해당하는 경우 재해보조비 지원 자격을 제한한다.
  ① 일반질병으로 입원하여 그 기간이 3일 미만인 경우
  ② 일반질병으로 입원하여 그 기간이 최초 입원일로부터 1년간 100일을 초과하는 경우
  ③ 암, 심장질환, 뇌혈관질환, 백혈병으로 입원한 합산기간이 100일을 초과하는 경우
  ※ 일반질병이란 암, 심장질환, 뇌혈관질환, 백혈병을 제외한 질병을 뜻함

---

① 김 과장은 상반기에 건강검진비로 50만 원을 지급받았고, 하반기에는 48만 원을 지급받았다.
② 이 대리는 독감으로 이틀간 입원 치료를 받았고, 4만 원을 지급받았다.
③ 강 대리는 유행성 눈병으로 5일간 통원 치료를 받았고, 10만 원을 지급받았다.
④ 최 과장은 갑상선암으로 20일간 입원을 하였고, 160만 원을 지급받았다.
⑤ 박 부장은 위암으로 120일간 입원을 하였고, 960만 원을 지급받았다.

[26~27] 다음 [표]는 농어촌 경제 활성화를 위해 가장 먼저 투자해야 할 영역에 관한 설문조사 결과이다. 이를 바탕으로 질문에 답하시오.

[표] 농어촌 경제 활성화를 위해 가장 먼저 투자해야 할 영역   (단위: 명, %)

구분		응답자 수	지역특화 작목 개발	농어촌 자원 활용 6차 산업 육성	지역특화 농공단지 조성	기업 유치	지역 문화관광 개발	기타
읍/면	읍	1,803	26.7	12.7	20.5	18.7	19.5	1.9
	면	2,074	32.9	14.0	17.0	16.2	17.2	2.7
영농 여부	농어가	1,107	41.7	17.0	17.3	9.6	11.8	2.6
	비농어가	2,770	25.3	11.9	19.2	20.5	20.9	2.2
응답자 연령	30대 이하	862	24.7	10.5	15.9	22.3	25.1	1.5
	40대	763	23.4	16.4	21.7	16.8	19.9	1.8
	50대	751	32.3	13.7	15.9	19.1	17.0	2.0
	60대	601	32.2	13.3	21.6	15.2	15.4	2.3
	70대 이상	900	38.1	14.1	17.8	12.9	13.0	4.1

26 위의 자료에 대한 설명으로 옳지 <u>않은</u> 것을 [보기]에서 고르면?

보기

㉠ 모든 연령에서 지역특화 작목 개발에 대한 응답률이 가장 높다.
㉡ 농어촌 자원 활용 6차 산업 육성이라고 응답한 사람은 면 지역의 농어가가 가장 많다.
㉢ 비농어가의 기업유치 응답자 수는 550명 이상이다.
㉣ 전체 응답자 중 지역특화농공단지 조성에 응답한 비율은 18% 이상이다.
㉤ 60대 중 지역특화농공단지 조성에 응답한 사람은 40대 중 기업유치에 응답한 사람보다 많다.

① ㉠, ㉡　　　　　② ㉠, ㉢　　　　　③ ㉡, ㉢
④ ㉡, ㉣　　　　　⑤ ㉢, ㉤

27 위의 자료를 바탕으로 70대 미만 응답자 중 지역 문화관광 개발이라고 응답한 사람의 비율과 가장 가까운 수치를 고르면?

① 15.8%　　　　　② 16.8%　　　　　③ 17.8%
④ 18.8%　　　　　⑤ 19.8%

[28~29] 다음은 C에서 작성한 코드이고, 제시된 코드의 일부가 [보기]의 결과를 가져온다고 한다. 이를 바탕으로 질문에 답하시오.

```
1    #include <stdio.h>
2    double h(double num, double x){
3        int i = 0;
4        double result = 0.0;
5        while (i <= 4) {
6          result = result * x+num[i];
7          i++;
8        }
9        return result;
10   }
11
12   int main() {
13       double num[ ] = {1, 2, 3, 4, 5};
14       printf("%3.1f\n", h(num, 2));
15       return 0;
16   }
```

> 보기

  A사원은 while(조건식)에 의해 제시된 조건이 만족되는 동안 명령문이 반복 실행되며, printf의 "%3.1f\n"에 의해 소수 한자리의 실수형으로 결과가 출력된다는 사실을 알았다.

28 위의 자료에 대한 설명으로 옳지 <u>않은</u> 것을 고르면?

① while문에 의해 i가 0, 1, 2, 3, 4인 동안 반복된다.
② x는 고정값인 2를 갖는다.
③ num 배열에는 실수형의 자료가 저장된다.
④ 프로그램의 실행 결과 57이 출력된다.
⑤ while문에서 조건식을 i < 4로 바꾸면 결괏값은 26.0이 출력된다.

29 다음 중 제시된 코드의 6행을 result=x+num[i];로 수정하고, 6행 이후에 x++;이라는 새로운 코드를 추가한 후 프로그램을 실행했을 때 나오는 결괏값으로 옳은 것을 고르면?

① 6   ② 8   ③ 11
④ 13   ⑤ 15

30 다음 신문기사를 읽고, NH농협금융의 홍보 전략에 대한 설명으로 옳지 <u>않은</u> 것을 고르면?

NH농협금융, 하반기 이미지 홍보 전략 대변신

NH농협금융지주는 '디지털 금융', '글로벌 사업 고도화', '고객 자산 가치 제고'라는 3대 핵심 사업 역량 강화에 발맞춰 그룹 홍보 전략에도 변화를 꾀하고 있다. 2017년 10월 NH농협금융에 따르면 NH농협금융은 농업, 농촌, 농민, 지역 사회를 위한 금융기관이라는 공익적 성격 자체에서 오는 다소 딱딱하고 경직된 보수적 이미지와 아날로그적 향수를 자극하던 기존 홍보 전략에서 벗어나 디지털 금융 시대에 맞춰 젊고 역동적이며 참신한 브랜드 이미지를 적극 강조하고 있다.

최근 NH투자증권이 새롭게 선보인 TV 광고는 이런 농협금융 홍보 전략의 변화를 가장 잘 보여 준다. 이번 영상 광고는 뮤지션 제이슬로우의 랩을 바탕으로 젊은 층 사이에 큰 화제가 된 랩 경연 대회에 대한 관심을 활용한 새로운 시도로, 금융 투자 업계 최초·최고라는 혁신성과 전문성을 강조했다. 특히 업계 최초 소비자 중심 경영(CCM) 인증, 최초 헤지펀드 도입, 좋은 증권사 평가 1등, IPO 기업 상장 1등 등 최초부터 최고까지 NH투자증권이 앞장선다는 내용의 랩 가사를 통해 젊고 역동적인 브랜드 이미지를 적극 부각했다. NH농협카드는 이미 탤런트 유승호를 새롭게 기용하여 모델의 젊고 바른 이미지와 '올바른 생활 카드의 대명사'라는 브랜드 이미지를 잘 조화시켜 큰 호응을 얻고 있다. NH농협생명은 실제 농업인의 이야기를 통한 차별화된 공익적 상품 광고를 최근 런칭해 정책 보험에 대한 관심 및 가입률 증대를 기대하고 있다.

아울러 NH농협금융은 범농협 계열사 간에 공통적으로 적용되는 인쇄 광고 정책을 도입해, 브랜드 통일성 제고 및 농협의 공익적 사업 홍보에 심혈을 기울이고 있다. '농가 소득 증대', '여름 휴가철 농촌에서 휴가 보내기', '추석 명절 우리 농산물 애용하기' 등 시기별, 테마별 공통 광고 시안을 제작해 전 계열사가 공동 사용함으로써 공익성, 공공성으로 대표되는 농협금융 브랜드 아이덴티티를 더욱 강화해 나가고 있다. 이 같은 NH농협금융의 적극적 사업 홍보와 브랜드 이미지 개선을 위한 새로운 광고 전략은 디지털 금융 시대를 맞아 괄목할 만한 성과를 내고 있다. 지난해까지만 해도 은행권 하위에 머물던 페이스북 팔로워 수가 전년 대비 435% 급성장해 9월 24일 54만 명을 넘어서 은행권에서 가장 많은 팔로워를 보유하는 성과를 거뒀다. 이와 함께 젊은 고객이 선호하는 짧은 바이럴 영상과 각종 이벤트성 캠페인 등을 활용한 브랜디드 콘텐츠를 통해 고객과 직접 소통하며 농협금융 브랜드 경험과 풍부한 정보를 제공한 결과, NH농협금융의 핵심 사업 홍보는 물론 브랜드 인지도 제고에도 크게 기여했다.

NH농협금융 회장은 "농가 소득 증대 및 지역 균형 발전에 이바지하는 농협금융의 공익적 성격을 최대한 살리면서도 디지털 시대에 맞게 역동적이고 혁신적인 농협금융의 모습이 고객에게 잘 전달될 수 있도록 적극적인 사업 홍보 활동을 펼쳐 나가겠다"고 말했다.

---

① 광고를 통해 농업, 농촌, 농민, 지역 사회를 위한 공익적 금융기관임을 강조한다.

② 전 계열사가 공통적으로 인쇄 광고 정책 적용 및 테마별 광고 제작 등으로 브랜드의 정체성을 강화한다.

③ 페이스북 팔로워 수가 은행권 하위에 머무는 등 디지털 금융 시대에 뒤떨어진 이미지를 개선하고자 새로운 광고 전략을 기획하고 있다.

④ TV 광고에서 뮤지션 제이슬로우, 탤런트 유승호를 모델로 기용하여 브랜드의 젊은 이미지를 환기한다.

⑤ 기존의 광고에서는 딱딱하고 경직된 보수적 이미지를 드러내고 아날로그적 향수를 자극하였으나, 최근에는 역동적이고 참신한 이미지를 강조한다.

31 다음 제시된 상황에서 수공업자 A가 기상청을 신뢰하고 수입을 극대화하기 위하여 노동투입시간을 조정하였을 때, 변경되는 수입에 대한 설명으로 옳은 것을 고르면?

> 수공업자 A는 매일 8시간씩 노동을 투입하여 부채 또는 우산을 만들고 있다. 현재 부채와 우산의 가격은 모두 1만 원이며, 제품은 항상 전부 팔리고 있다. 그런데 기상청이 내일부터 본격적인 장마철로 접어들 것이라고 한다. 장마철이 되면 우산의 가격은 1.5배가 된다. 다음은 투입되는 시간에 따른 부채와 우산의 생산량이다.

부채		우산	
투입시간	생산량	투입시간	생산량
0	0	0	0
1	6	1	4
2	10	2	10
3	16	3	16
4	24	4	20
5	32	5	24
6	40	6	26
7	44	7	28
8	46	8	30

① 하루 수입이 그대로이다.
② 하루 수입이 2만 원 증가한다.
③ 하루 수입이 4만 원 증가한다.
④ 하루 수입이 6만 원 증가한다.
⑤ 하루 수입이 8만 원 증가한다.

32 다음 [표]는 연도별 외국인 증권 투자 현황에 관한 자료이다. 이에 대한 설명으로 옳은 것을 [보기]에 서 고르면?

[표] 외국인 증권 투자 현황   (단위: 조 원, %)

구분		2009년	2010년	2011년	2012년	2013년	2014년	2015년	2016년
외국인 보유 금액	시장 전체	296.8	386.2	350.9	410.3	( )	422.4	420.5	480.8
	유가증권시장	290.0	376.3	342.5	401.3	418.8	406.3	401.0	461.0
	코스닥시장	6.8	9.9	8.4	9.0	11.8	16.1	19.5	19.8
외국인 비중	시장 전체	30.5	31.2	30.6	32.5	(A)	31.6	29.1	31.8
	유가증권시장	32.7	33.0	32.3	34.8	35.3	34.1	32.2	35.2
	코스닥시장	7.9	10.2	7.9	8.2	9.9	11.2	9.9	10.1

> **보기**
>
> ㉠ A에 들어갈 값은 약 33.0이다.
> ㉡ 2010년 시장 전체의 시가총액은 1,250조 원 미만이다.
> ㉢ 코스닥시장의 외국인 보유 금액은 매년 증가하고 있다.
> ㉣ 유가증권시장의 외국인 보유 금액이 가장 많을 때 유가증권시장의 외국인 비중도 가장 높다.
> ㉤ 코스닥시장의 외국인 보유 금액이 전년 대비 가장 크게 증가한 해는 2014년이다.

① ㉠, ㉡, ㉢   ② ㉠, ㉡, ㉤   ③ ㉠, ㉢, ㉣
④ ㉡, ㉢, ㉣   ⑤ ㉡, ㉣, ㉤

33 다음 규정을 바탕으로 고객문의에 대한 답변 내용으로 적절하지 <u>않은</u> 것을 고르면?

제29조 서비스 이용 제한

① 회사는 회원의 서비스 이용 내용에 있어서 본 약관 다음 각 호에 해당하는 경우 해당 회원의 서비스 이용을 제한할 수 있습니다.

    1. 게임 대전 시 승부를 조작하거나 의도적으로 중간 게임 종료를 하는 경우

    2. 다른 회원의 회원 아이디(ID) 및 비밀번호를 도용한 경우

    3. 타 회원의 명예를 손상시키거나 이용을 방해한 경우

    4. 서비스에 의도적으로 위해를 가하거나 정상적인 서비스 운영을 방해하는 등 건전한 이용을 저해한 경우

    5. 가입 신청 시에 허위 내용을 등록한 경우 및 회사가 정한 실명 확인을 거치지 않은 비실명 가입인 경우

② 상기 이용 제한 규정에 따라 서비스를 이용하는 회원에게 서비스 이용에 대하여 별도 공지 없이 서비스 이용의 일시 정지, 초기화, 이용 계약 해지 등을 [불량이용자 처리규정]에 따라 취할 수 있습니다.

[고객문의]

    여태 열심히 모아 둔 아이템을 하루아침에 상실한 기분을 아시나요? 며칠 밤낮을 컴퓨터를 켜둔 채 중간 중간 아이템 정리를 하면서 공들이는 일이 쉬운 것도 아닌데 계정 아이템 초기화라니요? 최소한 경고 후 며칠이라도 준비할 시간을 주셨어야 하지 않나요? 어떻게 동의도 구하지 않고 바로 계정을 초기화하는지 도저히 납득이 안돼서 문의 드립니다.

① 고객님은 약관 제29조 서비스 이용 제한 대상에 해당하셔서 회사에서 조치를 취한 것으로 알고 있습니다.

② 고객님께서는 금지 프로그램(자동 아이템 사냥 프로그램)을 사용하신 것으로 회사에서는 추정하고 있으며, 이는 건전한 게임 이용을 저해하신 것으로 약관에 따른 조치입니다.

③ 계정 초기화 이후 유사한 게임 저해 행위가 지속된다고 판단되면 서비스 이용을 해지할 수도 있습니다.

④ 회원님께서 게임 저해 행위를 하셨더라도 고객님의 동의를 구하지 않고 취한 운영진의 조치는 운영진의 실수에 해당하는 것으로, 게임 아이템을 복구시켜 드린 후 별도의 연락을 드리겠습니다.

⑤ 회사는 별도의 공지 없이 서비스를 이용하는 회원에게 서비스 이용에 대하여 서비스를 제한할 수 있습니다.

34 다음 [그림]의 워크시트에서 주문량 0을 제외한 평균을 구하는 식으로 옳은 것을 고르면?

[그림] 워크시트

	A	B	C
1	제품명	재고량	주문량
2	냉장고	150	50
3	세탁기	420	0
4	전자레인지	380	320
5	TV	190	0
6	컴퓨터	200	150
7	0을 제외한 평균		173.3333

① =AVERAGE(C2:C6)

② =SUM(C2:C6)/COUNTIF(C2:C6,"<>0")

③ =SUM(C2:C6)/COUNT(C2:C6)

④ =SUMIF(C2:C6,"<>0")/COUNT(C2:C6)

⑤ =AVERAGEIF(C2:C6,"0",C2:C6)

어느 아이돌의 팬클럽은 회장과 회원 A~F 총 7명으로 구성되어 있다. 회장은 기념 티셔츠 3장을 제작하여 회원들에게 판매한 후 수익금은 아이돌의 이름으로 어려운 청소년에게 기부하려고 한다. 각 회원은 티셔츠를 평가하는 가치와 구입할 수 있는 예산이 모두 다르다. 각 회원들은 티셔츠의 가격이 자신의 평가 가치 이하이고, 예산 범위 이내에 있을 때 구입의사를 표시할 것이다. 예를 들어 아래의 [그래프]를 보면 회원 A는 사용할 수 있는 예산이 18,000원이지만 티셔츠 가격이 17,000원 이하일 때에만 구매하려 할 것이다. 회장은 티셔츠를 판매하는 방식으로 다음과 같은 두 가지 방안을 고려하고 있다. 단, 티셔츠의 제작 원가는 1장당 10,000원이고, 3장의 티셔츠를 모두 동일한 가격에 판매해야 한다.

• 1안: 1장당 가격을 20,000원부터 시작하여 1,000원씩 내린다. 티셔츠를 사겠다는 회원이 3명이 되면 그 가격에 티셔츠를 판매한다.
• 2안: 가입한지 오래된 A~C 3명의 회원만을 대상으로 판매 가격을 타진한 후 그 가격에 판매한다.

[그래프] 회원들의 평가 가치와 예산 범위   (단위: 원)

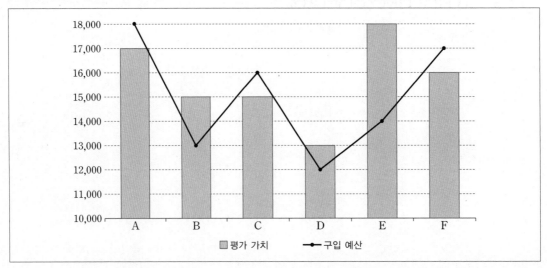

35 위의 자료를 바탕으로 팬클럽 회장이 티셔츠 판매 수익을 극대화하려고 할 때, 채택해야 할 판매 방안과 이때의 총수익을 고르면?(단, 판매 수익은 총매출액에서 원가를 제외하여 구한다.)

	판매 방안	총수익
①	1안	9,000원
②	1안	15,000원
③	1안	18,000원
④	2안	9,000원
⑤	2안	15,000원

36 2안에 의해 티셔츠를 구매한 A~C는 티셔츠를 자신이 소장할 수도 있고, 본인의 평가 가치보다 높은 가격을 지불한다면 다른 회원에게 팔 수도 있다. 만약 다른 회원에게 본인의 티셔츠 평가 가치에서 1,000원 이상 가격을 올려 판매할 때, 옳지 않은 것을 고르면?

① 최종 소장자는 A, B, F 회원일 수 있다.

② A~C 중 재판매자는 1명이다.

③ 재판매 가격은 17,000원일 것이다.

④ 재판매 이후에도 A회원은 티셔츠를 반드시 소장하고 있다.

⑤ 재판매 이후 A~C 중 여전히 티셔츠를 소장하고 있는 회원은 2명이다.

37 다음 글의 ㉠~㉢에 들어갈 알맞은 단어를 고르면?

보험 가입자 유의사항

1. 계약 관련 유의사항
   - 계약 전 알릴 의무 위반
     - 과거 질병 치료사실 등을 회사에 알리지 않을 경우 보험금을 지급받지 못할 수 있습니다.
     - 과거 질병 치료사실 등을 보험설계사 등에게 말로써 알린 경우는 회사에 알리지 않은 것으로 간주되므로, 반드시 청약서에 (㉠)(으)로 알리시기 바랍니다. (중략)
   - 주계약 및 특약별 유의사항
     (㉡)가 최초계약의 경우 계약일부터 '1년이 지난 계약 해당일 전일' 이전에 보험금 지급사유가 발생하였을 경우에는 해당 보험금의 50%를 지급합니다. (중략)
   - (㉢) [주계약 1종 및 특약에 한함]
     - (㉢)할 때마다 보험나이 증가, 적용보험요율(적용이율, 적용위험률, 계약체결비용 및 계약관리비용) 등의 변동에 따라 보험료가 변동(특히, 인상)될 수 있습니다. (중략)
2. 해지환급금 관련 유의사항
   보험계약을 중도 해지할 때 해지환급금은 이미 납입한 보험료보다 적거나 없을 수 있습니다. 그 이유는 납입한 보험료 중 위험보장을 위한 보험료(위험보험료), 계약체결비용 및 계약관리비용을 차감한 후 (㉣)·적립되고, 해지할 때에는 계약자적립금에서 이미 지출한 계약체결비용 해당액을 차감하는 경우가 있기 때문입니다.

	㉠	㉡	㉢	㉣
①	서면	계약자	경신	운영
②	구두	계약자	갱신	운용
③	서면	피보험자	갱신	운용
④	구두	피보험자	경신	운영
⑤	서면	계약자	갱신	운용

38 다음 기사의 내용과 일치하지 <u>않는</u> 것을 고르면?

> ## NH농협은행, 'NH 농심—농부의 마음 정기 예금' 출시
> ### 개인 고객 최고 0.4%p, 법인 고객 최고 0.3%p 우대 금리
>
> NH농협은행은 농업·농촌 지원을 위한 농심(農心) 마케팅 실천을 위해 농협 경제 사업장 이용 실적과 금융 상품 금리 우대 조건을 연계한 'NH 농심—농부의 마음 정기 예금'을 오는 7일 출시한다고 6일 밝혔다.
>
> 이 상품은 앞서 4월 출시된 'NH 농심—농부의 마음 통장·적금'의 인기에 힘입어 가입 대상을 법인 고객으로 확대했으며, 비대면 채널을 통한 가입도 가능하다. 개인·법인 고객 모두 최저 가입 금액은 100만 원이며, 개인의 경우 최고 5억 원, 법인의 경우 금액 제한 없이 가입할 수 있다. 가입 기간은 개인 고객 1년 이상 3년 이내, 법인 고객은 1년이다.
>
> 개인 가입 고객에게는 NH농협은행 신용·체크 카드로 결제한 농심 실적(농협 경제 사업장 이용 실적)이 월평균 15만 원 이상 시 0.3%p의 우대 금리가 제공되며, 'NH 농심—농부의 마음 적금' 보유 고객이라면 추가 0.1%p의 금리 우대 혜택을 받을 수 있다.
>
> 법인 고객은 NH농협은행 신용·체크 카드로 결제한 농심 실적(농협 경제 사업장 이용 실적) 구간별로 300만 원 이상, 500만 원 이하의 경우 우대금리 0.2%p, 500만 원 이상일 경우 0.3%p 우대금리를 제공받는다.
>
> 농심 실적으로 인정되는 구체적인 항목은 농협미래농업지원센터 지정 육성 강소농(強小農)·미래 농업 경영체 구매 실적, 농협a마켓 구매 실적, 농협 하나로마트 구매 실적, 농협목우촌 구매 실적, 농협홍삼한삼인 구매 실적, 농협주유소 이용 실적 등 우수 농산물의 판매를 증진하고 우리 농업에 대한 관심을 고취하기 위한 내용으로 구성되어 있다.
>
> 아울러 NH농협은행은 강소농·미래 농업 경영체 육성 사업을 위해 상품 판매액의 0.02%를 중앙회의 미래농업지원센터에서 지원하는 (사)농촌사랑범국민운동본부에 공익 기금으로 적립할 예정이다.

① 농심 마케팅의 목적은 농업과 농촌을 지원하는 것이다.
② 농심 실적은 우수 농산물의 생산을 증대하려는 방안이다.
③ NH농협은행은 상품 판매액 일부를 공익 기금으로 적립할 예정이다.
④ NH농협은행은 강소농·미래 농업 경영체 육성 사업을 지원하려 한다.
⑤ NH농협은행은 농심 마케팅 실천 방안으로 농심 실적과 금융 상품 금리 우대 조건을 연계한 상품을 개발하였다.

39 대구에서 근무하는 명 계장은 긴급 출장으로 부산에 가게 되었다. 다음 [표]와 [보기]를 바탕으로 교통비 한도 내 가장 빠르게 부산역에 도착하는 방법을 고르면?

[표1] 회사 – 대구역 교통수단

출발지	교통수단	소요시간	금액	도착지
	도보	50분	–	
회사	버스	25분	1,500원	대구역
	택시	10분	5,000원	

[표2] 대구역 – 부산역 교통수단

기차 종류	소요시간	금액
무궁화호	2시간 15분	15,000원
새마을호	1시간 35분	18,000원
KTX	55분	26,000원

> **보기**
>
> • 명 계장은 회사에서 2시에 출발하여 대구역을 거쳐 5시까지 부산역에 도착해야 한다.
> • 대구역에서 기차 탑승 장소까지는 15분의 이동시간이 필요하다.
> • 교통비 한도는 30,000원이다.
> • 무궁화호는 매시간 15분과 45분, 새마을호는 매시간 30분, KTX는 매시간 정각에 출발한다.

① 도보 – KTX
② 버스 – 새마을호
③ 버스 – KTX
④ 택시 – 무궁화호
⑤ 택시 – 새마을호

40 인사팀에서 각 식당의 대표 메뉴로 회식을 진행하려 한다. 다음 [보기]와 [표]를 바탕으로 선정된 식당을 고르면?

> **보기**
>
> [선정기준]
> • 인원이 10명이고, 단독룸을 예약해야 한다.
> • 식당 정보 중 회사와의 거리가 가까운 순으로, 음식 가격이 낮은 순으로 5점부터 1점까지 점수를 부여한다.
> • 그 후 맛집사이트 평점을 그대로 더해서 총점을 산정하여 총점이 가장 높은 식당을 예약한다.
> • 주차 여부와 주류 판매 여부는 상관없다.
> • 음식은 기본 주문량+추가 주문량으로 총원에 맞춰 주문하며 기본 주문은 1번만 가능하다.

[표1] 각 식당 정보

A식당	B식당	C식당	D식당	E식당
회사~식당: 11km 평점 4.0 단독룸 보유: ○ 단독룸 정원: 16명 해물탕 유/무: ○ 주류: 소주 주차 여부: ○	회사~식당: 8km 평점 4.5 단독룸 보유: ○ 단독룸 정원: 16명 해물탕 유/무: × 주류: 소주, 맥주 주차 여부: ○	회사~식당: 10km 평점 4.0 단독룸 보유: × 해물탕 유/무: ○ 주류: 막걸리 주차 여부: ○	회사~식당: 3km 평점 4.0 단독룸 보유: ○ 단독룸 정원: 10명 해물탕 유/무: ○ 주류: × 주차 여부: ○	회사~식당: 18km 평점 4.5 단독룸 보유: ○ 단독룸 정원: 20명 해물탕 유/무: ○ 주류: 소주, 맥주 주차 여부: ×

[표2] 각 식당 대표 메뉴 정보

구분	대표 메뉴	가격
A식당	한정식	기본: 80,000원/4인, 2인 추가 30,000원
B식당	보쌈정식	기본: 50,000원/2인, 2인 추가 35,000원
C식당	불고기정식	10,000원/1인
D식당	제육볶음정식	기본: 60,000원/2인, 1인 추가 14,000원
E식당	중국요리 코스	기본: 100,000원/4인, 1인 추가 13,000원

① A식당
② B식당
③ C식당
④ D식당
⑤ E식당

농업인행복대출	
특징	귀농·귀촌인, 조합원, 농업인을 대상으로 하며, 농업인의 출자금, 사업준비금지분, 경제사업이용실적 등을 반영하여 신용대출 시 개인CSS등급 대출한도의 50%를 추가로 부여하는 상품
대출 대상	CSS 6등급 이상 및 CB(NICE, KCB) 5등급 이상인 개인 (단, 귀농·귀촌인, 조합원, 농업인만 가능)
대출한도	• 담보여신: 농·축협에서 정한 기준에 의한 여신가능금액 범위 내 • 신용여신: 채무자별 무보증 신용대출한도＋신용대출 추가한도－기신용여신
대출기간 및 상환방법	• 만기 일시 상환: 3년 이내(최장 30년까지 기한 연장 가능) • 원(리)금 균등 분할 상환: 5년 이내(신용여신의 경우 3년 이내) • 혼합 분할 상환: 대출금의 50%까지 만기 일시 상환, 나머지 대출금은 분할 상환
대출금리	대출희망 농·축협 영업점으로 문의

고객부담 비용	인지세: 대출금액에 따라 세액이 차등 적용되며, 각 50%씩 고객과 농·축협이 부담합니다.	
	대출금액	인지세
	5천만 원 이하	비과세
	5천만 원 초과 1억 원 이하	7만 원
	1억 원 초과 10억 원 이하	15만 원
	10억 원 초과	35만 원

기타 안내	• 대출 금액에 따라 인지세, 보증료 등 부대비용이 발생할 수 있으며, 대출 기간 만료일 전에 중도 상환 시 잔존기간에 따라 중도 상환 해약금이 발생할 수 있습니다. • 대출 가능 금액 및 대출금리는 각 농·축협의 심사 기준, 고객 신용도, 대출 조건 및 타 금융기관의 기존 대출 규모에 따라 달라질 수 있습니다. • 신용 관리대상정보 등록 및 해당 농·축협 대출심사 기준에 따라 대출이 불가할 수 있습니다.

41 위의 금융상품에 대한 설명으로 옳은 것을 고르면?

① 귀농·귀촌인, 조합원, 농업인 모두에게 대출한도 혜택이 부여되는 상품이다.

② CSS 5등급인 귀농인이 이용 가능한 상품이다.

③ 담보대출과 신용대출 모두 가능하며, 담보 가치가 충분하다면 신용등급과 상관없이 대출이 가능하다.

④ 3가지 방법으로 대출금 상환이 가능하다.

⑤ A농협에서는 대출이 가능하지만 다른 지역단위의 B농협에서는 대출이 불가능할 수 있다.

42 다음 [표]는 대출금 상환 방법 중 원금 균등 분할 상환과 만기 일시 상환에 관한 자료이고, [보기]는 황 고객의 농업인행복대출 대출 조건이다. 황 고객이 만기까지 대출 원리금을 모두 상환했을 때, 두 상환 방식의 대출이자 총상환액 차이를 고르면?

[표] 대출금 상환방법 비교

구분	원금 균등 분할 상환	만기 일시 상환
내용	대출원금을 대출기간 동안 매월 일정한 금액으로 상환, 이자는 줄어든 원금에서 계산하기 때문에 계속해서 감소함	대출기간 동안 매월 이자만 납부하다가 만기일에 원금과 마지막 이자 일시 상환

> **보기**
>
> - 대출 금액: 1,800만 원
> - 대출기간: 3년
> - 대출금리: 연 6%(월 단리식)

① 1,255,000원 ② 1,575,000원 ③ 1,825,000원
④ 2,225,000원 ⑤ 2,500,000원

43 A사원은 Windows의 파일탐색기 창에서 [그림1]과 같이 이미지 파일의 미리 보기가 활성화되지 않는 것을 알았다. 제시된 [그림2]와 같이 미리 보기가 표시되기 위해 A사원이 취해야 할 조치로 옳은 것을 고르면?

[그림1]

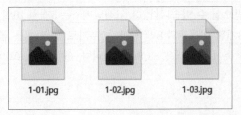

[그림2]

① 파일탐색기의 [보기] 탭에서 [미리 보기 창]을 선택한다.
② 파일탐색기의 [보기] 탭에서 [옵션]을 선택하고 [폴더 옵션] 창의 [보기] 탭에서 설정한다.
③ 이미지 뷰어 프로그램에 이상이 생겼으므로 이미지를 볼 수 있는 프로그램을 새로 설치한다.
④ 파일탐색기에 문제가 생겼으므로 파일탐색기를 다시 설치한다.
⑤ 해당 이미지 파일에서 마우스 오른쪽 버튼을 누른 후 [연결 프로그램]-[그림판]을 선택한다.

제19조(스트리밍 방식의 계속적 온라인콘텐츠이용계약의 해지 시 환급)

① 이용자가 임의적으로 온라인콘텐츠이용계약을 해지하거나 이용자의 책임 있는 사유로 인하여 사업자가 온라인콘텐츠이용계약을 해지한 경우 사업자가 이용자에게 환급하여야 할 금액은 전체 이용 대금에서 기 이용 일수 또는 이용 회차에 해당하는 금액과 잔여 대금의 10% 이내의 손해배상금을 공제한 금액으로 한다. 다만, 이용자가 임의적으로 해지할 수 있는 경우는 사업자가 이를 인정하거나 온라인콘텐츠이용계약이 계속거래에 해당하는 경우로 한정된다.

② 사업자의 책임 있는 사유로 인하여 이용자가 온라인콘텐츠이용계약을 해지한 경우 사업자가 이용자에게 환급하여야 할 금액은 전체 대금에서 기 이용 일수 또는 이용 회차에 해당하는 금액을 공제하고, 잔여 대금의 10%의 손해배상금을 더한 금액으로 한다.

③ 제1항 및 제2항에 따라 환급 금액을 산정함에 있어 콘텐츠 이용 약정기간에 따라 대금 할인율이 상이한 경우 이용자가 장기 콘텐츠이용계약을 체결하고 단기 할인율이 적용되는 이용 기간이 경과한 후 해지한 때에는 단기 할인율을 적용한다.

[고객문의]

귀사의 게임콘텐츠를 이용해 왔으나 최근 콘텐츠 운영 직원의 실수로 제 계정의 게임 아이템이 뒤죽박죽이 되면서 게임의 흥미를 잃게 되어서 해지를 했으면 합니다. 지금 해지를 하는 경우 제가 받을 수 있는 환급금이 어떻게 되는지 알려 주세요.

[답변]

안녕하세요, 고객님. 고객님께서 체결해서 이용하신 콘텐츠는 이용 대금이 3개월 이용은 8만 원, 6개월 이용은 15만 원인 상품이며, 고객님께서는 6개월 이용계약을 체결하셨고 3개월 10일이 지난 오늘 현재 저희 회사의 운영 미숙으로 게임의 흥미를 잃고 해지 신청을 하신 상태입니다. 우선 저희 운영진의 미숙으로 게임의 흥미를 잃게 되신 부분에 대해서는 진심으로 사과의 말씀을 드립니다. 오늘 게임을 해지하실 경우 고객님께서 받으실 환급금은 다음과 같습니다.

고객님의 경우는 ① <u>사업자의 책임 있는 사유로 인하여 이용자가 온라인콘텐츠이용계약을 해지한 경우에 해당</u>하시며, ② <u>6개월 이용계약에 대해 지급하신 총 150,000에서 이용 금액과 잔여 대금의 10%의 손해배상금을 차감</u>하고 받으실 수 있습니다. ③ <u>고객님께서는 3개월 10일 동안 콘텐츠를 이용하셨으므로 이용 금액은 3개월 이용권의 8만 원</u>과 ④ <u>추가로 10일 이용 금액(8만 원의 1/3×1/3=8,889원)을 합산하여 총이용 금액은 88,889원</u>입니다. ⑤ <u>따라서 고객님께서는 67,222원을 환급받게 되십니다.</u>

45 다음 글의 ㉠~㉣에 들어갈 알맞은 단어를 고르면?

> 한 나라의 경제 규모를 측정하는 중요한 척도로 활용되는 지수는 대단히 많다. '전 세계의 우리나라 국민이 생산한 가치'를 뜻하는 (㉠), '우리나라 안에 있는 모든 사람이 생산한 가치'를 뜻하는 (㉡)가 있다. (㉢)는 '전 세계의 우리나라 노동자들이 받는 소득의 합'이고, (㉣)는 '우리나라 안 노동자들이 받은 소득의 합'을 이른다.
>
> 1980년대까지는 한 나라의 국민소득을 나타내는 지표로 (㉠)를 자주 사용하였다. 하지만 글로벌 기업이 늘어나면서 (㉠)는 더 이상 그 나라의 경제 상황을 제대로 나타내 준다고 보기 어려워졌다. 그래서 (㉡)를 주요한 국민소득 지표로 사용하게 되었다. 이와 함께 중요성이 대두되는 것이 (㉢)인데, 기존의 (㉡)에 대외 교역조건의 변화를 반영한 국민소득 지표이다.

	㉠	㉡	㉢	㉣
①	GDP	GNP	GDI	GNI
②	GNI	GDI	GDP	GNP
③	GNP	GDP	GDI	GNI
④	GNP	GDP	GNI	GDI
⑤	GDP	GNP	GNI	GDI

46 다음 [표]는 T공단의 SWOT분석 결과에 관한 자료이다. 이를 바탕으로 세운 전략으로 옳지 **않은** 것을 고르면?

[표] T공단의 SWOT분석 결과

강점(S)	약점(W)
• 고속철도, 일반철도 등 사업 관리 경험 보유 • 건설 사업 추진 성공/실패를 통한 기술 Know-how 축적 • 철도시험선로의 추진	• 자체 설계 능력 등 미흡 • 신호, 통신 분야의 국외 기술 종속 탈피 미흡 • 철도기술 기준 표준화 등 미흡 • 차량에 비해 연계성, 여행 시간 단축 등 미흡
기회(O)	**위협(T)**
• 지구온난화 대비 친환경, 고효율 교통수단 확대 • 철도에 대한 국민적 관심 집중 • 해외 시장의 지속적 성장	• 세계 철도 사업의 기술 경쟁 심화 • 복지 정책에 따른 국내 철도 투자 감소 예상

① SO전략: 해외 시장 진출을 위한 역량 개발 및 기술 Know-how의 DB화

② ST전략: 철도 사업 관리 경험을 통한 철도 핵심 기술 개발 추진

③ ST전략: 철도 투자 감소 대비 합리적 건설 사업 추진 및 유지보수 합리화

④ WO전략: 친환경 기술 개발을 통한 타 교통수단과의 연계성 강화

⑤ WT전략: 철도기술 기준의 국제 기준 표준화를 통한 해외 시장 진출

행복이음정기적금			
가입 대상	실명의 개인		
예치 방식	월 단위 정기적립식		
납입한도	월 납입 금액 최대 500만 원 이내(초입금 포함)		
가입 기간	1년 이상 3년 이내 연 단위(계약기간 연장 불가)		
기본금리	가입 기간	1년 이상 2년 미만	2년 이상 3년 미만	3년 이상
	금리	연 2.3%	연 2.6%	연 2.9%

| 우대금리 | 1) 거래실적우대(가입 기간 중 충족 시 소급 적용)
• 가족 동반가입: 0.1%p
• 가입월부터 만기전전월까지 농·축협 채움/BC카드 승인 실적 300만 원 이상(현금서비스 제외): 0.1%p
• 가입월부터 만기전전월까지 경제사업이용실적 100만 원 이상: 0.1%p
2) 기타 우대(가입 시점에 충족 시)
• 농·축협의 조합원(준조합원 포함): 0.1%p | | |

| 부가 서비스 | 외화 환전 및 해외 송금 환율우대 서비스(가입 기간 한정)
▶ 가입 고객이 농·축협 창구에서 외화 환전 또는 해외 송금 거래 시 다음의 우대율 적용 | | |

구분	우대율
외화 환전(매입/매도)	USD/JPY/EUR/CNY에 한하여 50%
해외송금	USD/JPY/EUR에 한하여 50%

| 이자 지급 방식 | 월 복리(원금 및 이자는 만기 또는 해지 시 일시 지급)
※ 단, 월이율$=\dfrac{연이율}{12}$로 계산한다. | | |
| 기타 안내 | 이 상품은 농업협동조합구조개선에 관한 법률에 따라 1인당 최고 원리금 5,000만 원까지 보호됩니다.
(1인당 보호한도는 각 농·축협별로 적용하며, 동일한 농·축협의 본점 및 지점의 금액은 합산합니다.) | | |

47 위의 금융상품에 대한 설명으로 옳은 것을 고르면?

① 이 상품에는 최대 1억 8,000만 원을 납입할 수 있다.

② 1년 만기 가입 시 농·축협 채움/BC카드를 월 28만 원씩 꾸준히 사용하면 0.1%p의 우대금리 혜택을 받을 수 있다.

③ 가입 시점에 농·축협의 조합원 또는 준조합원이 아닌 개인의 만기금리는 최고 연 3.3%까지 가능하다.

④ 본 상품에 가입한 상태에서 온라인 외화 환전 시 중국 위안화는 50%의 우대율이 적용된다.

⑤ 남서울농협과 동서울농협에 각각 5,000만 원씩 납입하였다면 원리금 손실의 위험이 없다.

48 다음 [표]는 복리 수익률 계산테이블이고, [보기]는 박 고객의 행복이음정기적금 가입 조건이다. 위의 상품과 자료를 바탕으로 박 고객이 만기에 수령하는 원리금 합계를 고르면?(단, 세금은 무시하고, 만 원 미만은 절사한다.)

[표] 복리 수익률 계산테이블

$1.001^{10}=1.0100$	$1.001^{11}=1.0111$	$1.001^{12}=1.0121$	$1.001^{13}=1.0131$
$1.002^{10}=1.0202$	$1.002^{11}=1.0222$	$1.002^{12}=1.0243$	$1.002^{13}=1.0263$
$1.003^{10}=1.0304$	$1.003^{11}=1.0335$	$1.003^{12}=1.0366$	$1.003^{13}=1.0397$
$1.004^{10}=1.0407$	$1.004^{11}=1.0449$	$1.004^{12}=1.0491$	$1.004^{13}=1.0533$

보기

- 가입일: 2018. 09. 05.
- 만기일: 2019. 09. 05.
- 입금일: 매월 25일
- 초입금액 100만 원, 매월 입금일에 200만 원 납입
- 조합원 또는 준조합원 아님
- 2018년 12월에 박 고객의 가족이 같은 농·축협의 행복이음정기적금에 가입
- 매월 5일, 계좌에 예치된 기간이 1달 이상인 금액에 한하여 이자 지급

① 2,430만 원　　　　② 2,434만 원　　　　③ 2,532만 원

④ 2,537만 원　　　　⑤ 2,560만 원

[49~50] 다음은 김치공장에서 김치를 생산한 후 각 품목에 코드를 부여한 방식에 관한 자료이다. 이를 바탕으로 질문에 답하시오.

1) 생산 공장 코드

구미	목포	포천	원주	성남	서울
A	B	C	D	E	F

2) 생산 품목 코드

배추김치	깍두기	총각김치	겉절이	갓김치	열무김치	나박김치
G	H	I	J	K	L	M

3) 생산 일시
- 총 여섯 자리로 일, 월, 연도 순으로 각각 두 자리가 적용된다.
- 일과 월은 1~9일, 1~9월까지는 앞에 0을 붙이며, 연도는 뒤에 두 자리만 표기한다.

4) 생산조/포장조
- 각 김치의 생산, 포장조가 순서대로 표기된다.
- 각 공장은 A~D조 4교대로 구성되어 있으며, 각 조에 대한 코드는 다음과 같다.

생산조	A	B	C	D
코드	N	O	P	Q

포장조	A	B	C	D
코드	R	S	T	U

5) 특수 코드
- 특수한 김치에는 다음과 같은 코드가 표기된다.

품목	코드	설명
일반 김치	V	일반적으로 판매하는 김치
덜 매운 김치	W	아이가 있는 집에서 구매하는 덜 매운 김치
저염식 김치	X	병원 납품, 노인 시설 납품(일반 구매 불가)
정기 배송	Y	일정한 주기로 김치 배송을 계약한 업체에 할인 적용
비매품	Z	기부, 샘플용으로 활용되는 김치

6) 코드 부여
- 생산 공장 코드-생산 품목 코드-생산조-포장조-생산 일시-특수 코드 순으로, 총 11자리로 구성된다.

49 위의 자료를 바탕으로 코드 번호가 DHOU171120X인 김치에 대한 설명으로 옳지 <u>않은</u> 것을 고르면?

① 생산 품목은 깍두기이다.

② 생산 공장이 원주이다.

③ 생산조는 B조이고, 포장조는 D조이다.

④ 유통 기한은 2020년 11월 17일까지이다.

⑤ 병원 납품이나 노인 시설 납품 등을 목적으로 하는 저염식 김치이다.

50 다음 중 코드 번호가 옳게 부여된 김치를 고르면?

① 목포 공장 생산, 나박김치, 20년 5월 7일 생산, D조 생산, B조 포장, 저염식 김치:
BMQS070520Y

② 성남 공장 생산, 열무김치, 20년 4월 22일 생산, B조 생산, C조 포장, 덜 매운 김치:
EKOT220420W

③ 서울 공장 생산, 겉절이, 20년 8월 10일 생산, C조 생산, C조 포장, 비매품: FJ100820PTZ

④ 포천 공장 생산, 총각김치, 20년 10월 11일 생산, A조 생산, A조 포장, 일반 김치:
CINR201011V

⑤ 구미 공장 생산, 배추김치, 20년 7월 29일 생산, A조 생산, D조 포장, 정기 배송:
AGNU290720Y

01 다음 중 협동조합의 현실적인 운영에 영향을 미치는 요소로만 나열한 것을 고르면?

① 시장, 조합원

② 시장, 정부, 조합원

③ 시장, 이익 단체, 정부

④ 시장, 이익 단체, 조합원

⑤ 이익 단체, 정부, 조합원

02 다음 중 국제협동조합연맹(ICA)에 대한 설명으로 적절하지 <u>않은</u> 것을 고르면?

① 1895년 설립된 세계 최대의 비정부조직(NGO)이다.

② 영국의 조합 운동을 바탕으로 협동조합 원칙을 채택하고 있다.

③ 협동조합 간의 협력을 강화하고 권익을 보호하는 역할을 수행한다.

④ 2년마다 세계 총회와 지역 총회를 동시에 개최하여 조합을 연계한다.

⑤ 협동조합 운동에 크게 기여한 개인이나 단체를 선정하여 상을 수여한다.

03 다음 [보기]의 ㉠~㉢에 들어갈 숫자를 모두 더한 값을 고르면?

> 보기
>
> • 자발적인 소규모 활동을 위하여 조합원이 최소 (㉠)명 이상 모이면 협동조합을 설립할 수 있다.
> • 협동조합 활성화를 촉진하기 위하여 자격을 갖춘 협동조합이 (㉡)곳 이상 모이면 협동조합연합회를 설립할 수 있다.
> • 협동조합에 대한 이해 증진과 활동 장려를 위하여 국가는 매년 (㉢)월 첫째 주 토요일을 '협동조합의 날'로 지정한다.

① 12   ② 15   ③ 18

④ 20   ⑤ 21

04 다음 중 농협은행이 출시한 농업·농촌 특화 상품으로 적절하지 <u>않은</u> 것을 고르면?

① 도농 상생 예금
② 농기계 구입 자금
③ 스마트팜 종합 자금
④ 환경·안전 투자 지원금
⑤ 더하고 나눔 정기 예금

05 다음 글에서 설명하는 것과 관련된 농협은행의 업무로 가장 적절한 것을 고르면?

> 농림축산식품부가 지난 8~9월 발생한 집중 호우와 태풍으로 피해를 본 농가에 농업 경영 회생 자금을 지원한다고 밝혔다. 건실하게 농업을 영위하다가 재해 등으로 일시적인 경영 위기에 처한 농업인은 기존 대출금을 최대 20억 원까지 10년간 장기 저리로 대환할 수 있다. NH농협은행 시·군 지부 등에서 신청 가능하며, 농협에 설치된 경영평가위원회 심의를 거쳐 평가 유형에 따라 지원 여부가 결정된다.

① 국가나 공공 단체의 업무 대리
② 조합 및 중앙회의 사업 자금 대출
③ 「은행법」에 따른 은행 및 겸영 업무
④ 농어촌 자금 등 농업인 및 조합에 필요한 자금 대출
⑤ 국가, 공공 단체, 중앙회 및 조합 등이 위탁하거나 보조하는 사업

06 다음 중 국제협동조합연맹(ICA)에 따라 협동조합의 잉여금을 사용하는 기준으로 적절한 것을 [보기]에서 모두 고르면?

보기

> ㉠ 조합원의 사업 이용 실적에 비례하여 편익을 제공한다.
> ㉡ 모든 조합원의 공평한 이익 분배를 위하여 매년 출자금을 보전한다.
> ㉢ 여타 조합원의 동의를 얻은 협동조합 활동의 지원을 위해 사용한다.
> ㉣ 협동조합의 발전을 위해 잉여금 일부는 배당하지 않고 준비금으로 적립한다.

① ㉠, ㉡
② ㉠, ㉢, ㉣
③ ㉡, ㉢
④ ㉡, ㉢, ㉣
⑤ ㉠, ㉡, ㉢, ㉣

07 다음 중 농협은행이 제공하는 금융 애플리케이션으로 적절한 것을 고르면?

① NH디지털뱅킹, 올댓뱅크
② NH스마트뱅킹, 올댓뱅크
③ NH스마트뱅킹, 올원뱅크
④ NH핀테크뱅킹, 올댓뱅크
⑤ NH핀테크뱅킹, 올원뱅크

08 다음 중 사용자와 시스템 간의 상호 작용을 매개하는 환경 등을 의미하는 용어를 고르면?

① API   ② GUI   ③ HCI
④ UI   ⑤ UX

09 다음 중 밑줄 친 부분과 관련이 있는 기업으로 적절하지 않은 것을 고르면?

> 미국의 GAFA와 중국의 BATH는 세계적인 IT기업을 대표한다. 해당 기업의 경영 전략이 전 세계 주가의 등락에 영향을 미치는 동시에 국가 경제의 방향성을 결정하며, 매 분기 발표하는 최신 기술이 세계의 첨단 산업을 견인한다. 4차 산업혁명과 관련하여 제조업의 혁신이 이루어지고 있으나, 플랫폼을 제공하는 IT기업들이 중심이 되어 산업 기술을 선도하고 있기에 앞으로 영향력이 더욱 확대될 것으로 예상된다.

① 애플, 화웨이
② 아마존, 바이두
③ 애플, 바이트댄스
④ 아마존, 알리바바
⑤ 페이스북, 텐센트

10 다음 [그래프]는 외부효과를 설명하기 위한 자료이다. 이에 대한 사례로 가장 적절한 것을 고르면?

[그래프] 외부효과

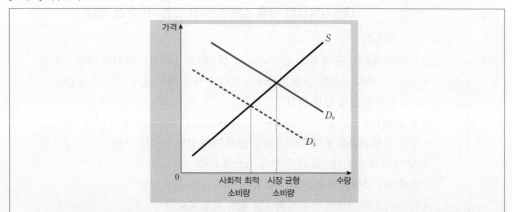

그래프에서 D_0는 사적 편익만 고려한 수요곡선이고, D_1은 사회적 편익을 고려한 수요곡선이다.

① 수입 소고기 가격의 상승으로 국내 한우에 대한 수요가 증가하였다.
② 일부 사람들의 독감 예방 접종은 주변 사람들이 독감에 걸릴 확률을 낮춰준다.
③ 강 상류의 공장에서 폐수가 흘러나와 강 하류에 있는 마을의 식수를 오염시켰다.
④ 자가운전자들의 휘발유 소비가 대기오염을 심화시켜 도시주민들에게 피해를 주고 있다.
⑤ 소비자에게 보조금을 지급하면 문제를 해결할 수 있다.

11 다음 중 공공재와 관련 있는 시장실패에 대한 설명으로 옳지 <u>않은</u> 것을 고르면?

① 순수공공재는 소비의 비배제성과 비경합성을 동시에 가지고 있다.
② 소비의 비배제성으로 인한 무임승차의 문제가 발생한다.
③ 긍정적 외부성이 존재하는 공공재의 생산을 민간에 맡길 때, 사회적 최적수준에 비해 과소생산된다.
④ 공공재의 경우에는 개인의 한계편익곡선을 수평으로 합하여 사회적 한계편익곡선을 도출한다.
⑤ 공공재의 최적생산을 위해서는 경제주체들의 공공재 편익을 사실대로 파악해야 한다.

12 다음 글의 ㉠, ㉡에 해당하는 용어로 바르게 짝지어진 것을 고르면?

금융감독원의 '금융 감독 디지털 전환 TF' 추진 과제

1. (㉠) 가속화
   : 금융 회사의 내부 통제 등의 법규 준수에 신기술을 접목하도록 하여 업무 효율화
   - 국내·외 우수 사례를 금융 회사와 공유하여 자금 세탁 방지 업무 등에 활용 유도
2. (㉡)를 통한 감독 업무 혁신
   : 금융감독원의 업무에 디지털 기술을 접목하여 업무 효율성과 검사 역량 강화
   - 음성 인식 기술을 통해 빅데이터 기반의 민원 상담 시스템 구축
   - AI와 빅데이터 기반의 금융 감독 시스템 확충
   - 빅데이터 플랫폼 구축을 위한 감독 정보 데이터 품질 진단
   - 업무 자동화 기술의 단계적 확대를 통한 행정 효율화
3. 핀테크(Fintech) 혁신 지속
   : 금융 디지털 혁신의 확산을 위한 정보 공유 체계 마련, 스팸 문자 차단 시스템 확대

	㉠	㉡
①	레그테크	섭테크
②	레그테크	킵테크
③	숄더테크	잡테크
④	숄더테크	섭테크
⑤	숄더테크	킵테크

13 자동안정화장치란 정부가 재량적인 정책을 실시하지 않더라도 자동으로 경기진폭을 줄여주는 기능을 말한다. 자동안정화장치에 대한 설명으로 옳지 <u>않은</u> 것을 고르면?

① 누진세와 실업보험제도 등이 대표적인 예다.

② 경기회복기에는 오히려 회복을 더디게 할 수 있다.

③ 한계소비성향이 클수록 자동안정화 효과가 크게 나타난다.

④ 누진세제도는 경기가 불황일 때, 실업보험은 경기가 호황일 때 더 효과적이다.

⑤ 정책당국이 경기진단과 경제안정화를 위한 정책을 집행하는 데 시차를 줄일 수 있다.

14 다음 글은 A국의 2018년도 경제 활동을 기술한 내용이다. 2018년 GDP디플레이터는 2017년에 비해 20% 상승하였다. 이를 바탕으로 산출한 2018년의 실질 GDP를 구하면?(단, 기준연도는 2017년이다.)

> 농부는 밀을 생산하여 일부를 200만 원에 소비시장에 판매하였다. 나머지 밀은 밀가루 제조 회사에 150만 원에 판매하였다. 밀가루 제조회사는 구입한 밀로 밀가루를 제조하여 소비시장에 250만 원에 판매하였다.

① 360만 원 ② 375만 원 ③ 450만 원
④ 480만 원 ⑤ 600만 원

15 다음 [표]의 ㉠~㉤ 중 옳지 않은 것을 고르면?

[표] OLED와 LCD의 차이

구분	OLED	LCD
㉠	스스로 빛을 내는 유기 물질을 이용한다.	광원을 사용하여 빛을 낸다.
	전력을 낮게 소모한다.	전력을 높게 소모한다.
㉡	시야각에 제한이 없다.	시야각에 제한이 있다.
㉢	자유롭게 구부리기 쉽다.	구조적으로 두꺼워 구부리기 어렵다.
㉣	$-30 \sim 80\,^{\circ}\mathrm{C}$에서 작동한다.	$0 \sim 65\,^{\circ}\mathrm{C}$에서 작동한다.
㉤	응답 속도가 LCD보다 느리다.	응답 속도가 OLED보다 빠르다.

① ㉠ ② ㉡ ③ ㉢
④ ㉣ ⑤ ㉤

16 다음 글의 빈칸에 들어갈 내용으로 적절한 것을 고르면?

직접 구입한 자급제 핸드폰이나 기존에 사용하던 휴대 전화에 (   )를 장착하여 알뜰폰 요금제를 저렴하게 이용하는 소비자가 늘어나고 있다. 스마트폰 기능이 상향 평준화되는 동시에 가격이 부담스러워지자, 최신 휴대 전화를 구매하기보다는 기존에 사용하던 휴대 전화를 실속 있게 사용하는 방법을 찾게 된 결과이다. (   )는 이동통신 회사 가입자의 정보 외에도 주소록, 교통카드, 신용카드 등의 부가 기능을 결합하여 단말기를 교체하더라도 손쉽게 사용할 수 있도록 하여 통신 수단을 이용하는 소비자의 선택권을 넓히고 있다.

① IC카드　　　　　　　② SD카드　　　　　　　③ USIM카드
④ NFC　　　　　　　　⑤ RFID

17 다음 [보기]의 반도체 공정 과정을 순서대로 바르게 나열한 것을 고르면?

보기
　ⓒ 검사　　　　　　　ⓛ 패키징　　　　　　　ⓒ 회로 설계
　ⓔ 웨이퍼 가공　　　　ⓜ 웨이퍼 제조

① ⓒ-ⓔ-ⓛ-ⓜ-ⓒ
② ⓒ-ⓜ-ⓔ-ⓒ-ⓛ
③ ⓔ-ⓒ-ⓜ-ⓛ-ⓒ
④ ⓜ-ⓒ-ⓔ-ⓒ-ⓛ
⑤ ⓜ-ⓒ-ⓔ-ⓒ-ⓛ

18 다음 글을 읽고 정보비대칭 문제와 이를 해결하기 위한 해결 방안으로 바르게 짝지어진 것을 고르면?

> A씨는 새로 신형 휴대 전화를 구입하면서 보험에 가입했다. 최대 40만 원까지 수리비용을 지원해주는 보험이었다. A씨는 이를 믿고 휴대 전화를 험하게 다루다가 액정을 파손하고 말았다. 수리점에 간 A씨는 20만 원에 달하는 액정 수리비 중 20%는 본인이 부담해야 한다는 사실을 알게 되었다. 수리비 전액을 보험금으로 받을 수 없었던 것이다.

	정보비대칭 문제	해결 방안
①	도덕적 해이	감시제도
②	도덕적 해이	인센티브 설계
③	도덕적 해이	선별제도
④	역선택	인센티브 설계
⑤	역선택	선별제도

19 다음 [그래프]는 경쟁 형태에 따른 시장유형에 관한 자료이다. A~C가 각각 독점시장, 과점시장, 독점적 경쟁시장 중 하나에 해당할 때, 이에 대한 설명으로 가장 적절하지 <u>않은</u> 것을 고르면?

[그래프] 경쟁 형태에 따른 시장유형

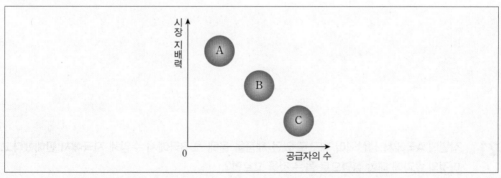

① A에서 공급자는 가격결정권을 갖는다.
② B에서 공급자 간 가격담합이 나타나기도 한다.
③ B는 이동통신 시장, C는 음식점을 사례로 들 수 있다.
④ C에서는 비가격 경쟁이 나타난다.
⑤ C에서는 한 기업의 판매액이 전체 시장의 판매액과 동일하다.

20 다음 중 모바일 운영 체제와 담당 개발사를 연결한 내용으로 적절하지 <u>않은</u> 것을 고르면?

① 심비안－노키아
② webOS－LG전자
③ 안드로이드－구글
④ 타이젠－삼성전자
⑤ 우분투 터치－블랙베리

21 작년에 A국에서 생산되어 재고로 있던 제품을 올해 초 B국에서 수입해 자국에서 판매했다고 할 때, 이것의 효과에 대한 설명으로 옳은 것을 고르면?

① A국의 올해 GDP와 GNP가 모두 증가한다.
② A국의 올해 수출은 증가하고 GDP는 불변이다.
③ B국의 올해 GNP는 증가하고 GDP는 불변이다.
④ B국의 작년 GDP와 올해의 투자가 증가한다.
⑤ B국의 작년 수입은 증가하고 올해의 수입은 불변이다.

[22~23] 다음 [표]는 동일 산업 내에 있는 A와 B기업의 재무제표에 관한 자료이다. 이를 바탕으로 질문에 답하시오.

[표] A, B기업의 재무제표

(단위: 억 원)

구분	A기업		B기업	
	2016년	2017년	2016년	2017년
재무상태표				
유동자산	1,600	1,900	2,000	1,600
유동부채	260	400	400	600
자산총계	4,600	5,200	5,500	6,200
부채총계	2,600	3,700	2,500	3,000
자본총계	2,000	㉠	3,000	㉡
손익계산서				
영업이익	480	630	320	380
이자비용	320	530	140	120
당기순이익	130	100	200	140
주당순이익(원)	2,500	200	6,000	4,000
평균 종가(원)	20,000	10,000	10,000	16,000

22 위의 자료를 바탕으로 2017년 A기업과 B기업의 주가수익비율(PER)로 바르게 짝지어진 것을 고르면?

	A기업	B기업
①	8	1
②	10	2
③	15	2
④	25	4
⑤	50	4

23 위의 자료에 대한 설명으로 가장 적절한 것을 고르면?

① ㉠보다 ㉡이 더 작다.

② A기업의 유동자산은 전년 대비 감소하였다.

③ A기업의 이자보상배율은 전년 대비 하락하였다.

④ B기업의 순자산부채비율은 전년 대비 하락하였다.

⑤ B기업의 자기자본영업이익률(ROE)이 전년 대비 하락해 수익성이 개선되고 있지 않다.

24 중앙은행은 지급준비율, 공개 시장 운영, 재할인율 정책을 이용해 시중 통화량을 조절한다. 각 정책별 통화량을 감소시키는 전략으로 바르게 짝지어진 것을 고르면?

	지급준비율	공개 시장 운영	재할인율
①	인상	매각	인상
②	인상	매각	인하
③	인상	매입	인하
④	인하	매입	인상
⑤	인하	매각	인하

25 다음 [그래프]는 외환시장 균형점(E)의 변화에 관한 자료이다. 이 외환시장에서 수요와 공급의 법칙이 적용된다고 가정할 때 이에 대한 설명으로 옳은 것을 고르면?

[그래프] 외환시장 균형점의 변화

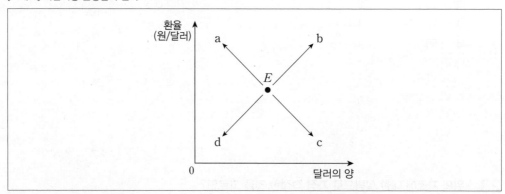

① 국내 저금리로 인해 해외 자본의 유출이 발생하면 b로 이동하는 요인이 된다.

② 지속적인 경상수지 흑자의 확대는 a로 이동하는 요인이 된다.

③ 외국인 직접 투자의 유입은 b로 이동하는 요인이 된다.

④ 외국인이 국내 주식을 매도하고 그 자금을 본국으로 인출하면 d로 이동하게 된다.

⑤ 국제 유가가 크게 하락하여 원유 수입 대금이 줄어들면 b로 이동하는 요인이 된다.

26 다음 기사에 대한 설명으로 가장 옳지 <u>않은</u> 것을 고르면?

NEWS

미국 연방준비제도 또 금리 인상 한국은행 선택은?

6월 15일 미국연방준비제도(Fed)는 또다시 기준금리 인상을 단행했다. 이제 미국의 기준금리 는 1~1.25%로, 상단 수치는 우리나라 기준금리인 1.25%와 동일한 수준이 됐다. 이에 따라 하반 기에는 한·미 금리가 역전되는 것이 아니냐는 우려가 나타나고 있다.

한국은행의 이주열 총재는 경기 상황이 호전되는 기미가 뚜렷하다면 금리를 올릴 수 있다며 미 국의 금리 인상에 맞춰 기준금리를 인상하려는 신호를 보내고 있다. 금리에 따른 자본이동을 우려 한 대처이다.

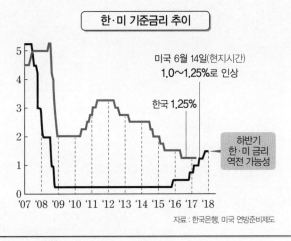

한·미 기준금리 추이

미국 6월 14일(현지시간) 1.0~1.25%로 인상

한국 1.25%

하반기 한·미 금리 역전 가능성

자료 : 한국은행, 미국 연방준비제도

---

① 금리가 역전되면 국내 증시는 하락할 것이다.

② 자본유출을 막기 위해 금리를 인상하면 원화가치가 하락한다.

③ 미국의 금리가 더 높아지면 국내 경기는 침체될 것이다.

④ 국내 금리가 미국보다 대체로 높게 유지되는 이유는 국가신용도 차이 때문이다.

⑤ 경기회복과 자본유출은 동시에 해결하기 어렵기 때문에 금리정책을 신중하게 고민해야 한다.

27 다음 중 유동성 함정에 대한 설명으로 옳지 <u>않은</u> 것을 고르면?

① 극심한 경기불황하에서 나타날 수 있다.

② 화폐 수요의 이자율탄력성이 매우 낮은 상태이다.

③ 대부분의 사람들이 이자율이 상승할 것으로 예상하는 상태이다.

④ 화폐 공급이 증가하더라도 투자가 증가할 것으로 기대하기 어렵다.

⑤ 조세 감면을 통한 재정정책이 효과적일 수 있다.

28 다음 [표]는 다국적 기업인 M기업이 독점 판매하는 스마트폰에 대해 A, B국이 가격 차별을 실시한 이후의 변화에 관한 자료이다. 각국의 스마트폰의 가격탄력성으로 바르게 짝지어진 것을 고르면?(단, A, B국 간 이 스마트폰을 거래하는 것은 불가능하고, 소비자의 선호 등 다른 조건은 일정하다.)

[표] 가격 차별 이후 스마트폰 판매 수입 변화 (단위 : %)

구분	A국	B국
가격 변화율	−10	10
판매 수입 변화율	10	0

	A국	B국
①	탄력적	비탄력적
②	탄력적	단위탄력적
③	비탄력적	탄력적
④	단위탄력적	단위탄력적
⑤	단위탄력적	탄력적

[29~30] 다음은 올해 개봉한 영화 손익에 관한 자료이다. 이를 바탕으로 질문에 답하시오.

[손익 보고서]
• 관객 수: 500만 명
• 영화티켓 가격: 1만 원
• 총비용 내역: 인건비 200억 원, 영화판권 100억 원, 변동비 100억 원

29 위의 자료를 바탕으로 영화의 공헌이익(contribution margin)을 구하면?

① 100억 원   ② 200억 원   ③ 400억 원
④ 500억 원   ⑤ 700억 원

30 위의 자료를 바탕으로 영화의 손익분기점 관객 수를 구하면?

① 300만 명   ② 350만 명   ③ 375만 명
④ 450만 명   ⑤ 455만 명

01 다음 [표]는 품목별 생산자 물가지수에 관한 자료이다. 이에 대한 설명으로 옳지 <u>않은</u> 것을 [보기]에서 고르면?(단, 2010년의 물가를 100으로 둔다.)

[표] 품목별 생산자 물가지수

구분	2011년	2012년	2013년	2014년	2015년	2016년
곡류	115.85	127.70	133.58	128.96	120.49	106.55
콩류	140.05	114.78	124.91	83.09	81.41	90.78
감자류	121.24	137.36	88.75	84.92	115.11	110.14
채소	91.77	99.21	95.64	86.82	101.70	130.84
과실	118.08	177.14	116.55	119.08	102.46	109.81
육류	112.23	91.72	86.28	98.23	102.88	101.83
신선어류	101.00	87.29	87.13	80.57	84.73	94.79
신선갑각류	104.27	94.85	75.71	121.40	111.47	101.57

보기

ㄱ 2013년 여러 품목 중 곡류의 물가가 가장 높다.
ㄴ 콩류의 물가는 2011년에 가장 높다.
ㄷ 2013년의 육류의 물가를 100이라 두면 2014년 육류의 물가지수는 115 미만이다.
ㄹ 2011년 모든 품목의 물가는 2010년에 비해 상승하였다.
ㅁ 과실의 물가가 가장 높은 해에 신선갑각류의 물가가 가장 낮다.

① ㄱ, ㄷ, ㄹ　　　　　② ㄱ, ㄹ, ㅁ　　　　　③ ㄴ, ㄷ, ㄹ
④ ㄴ, ㄹ, ㅁ　　　　　⑤ ㄷ, ㄹ, ㅁ

02 다음은 어느 회사에서 지하철역부터 지사까지 셔틀 버스를 운행하기 위해 필요한 대수에 관해 조사한 자료이다. 이를 바탕으로 필요한 셔틀 버스의 총대수를 고르면?

- 회사에서는 필요한 최소 셔틀 버스 대수에 맞게 셔틀 버스를 준비할 예정이다.
- 회사는 각 부서별로 출근 시각이 다르다.
- 모든 직원들이 자신의 출근 시각 30분 전에 지하철역에 도착한다.(단, 직원들의 출근 시각도 모두 다르다.)
- 각 시간대별로 지하철에 도착한 직원들의 수를 조사한 결과는 다음과 같다.

[표] 시간대별 지하철역 도착 직원 수

시각	전체 직원 대비 비율(%)
7시 30분	20
8시	30
8시 30분	40
9시	10

- 전체 직원 수는 1,200명이다.
- 버스는 한 대당 최대 40명의 직원을 수송할 수 있다.
- 모든 버스는 7시 30분에 지하철역에서 운송을 시작한다.(지하철역에서 대기하는 버스는 없다.)
- 지하철역에서 회사까지는 편도 10분이 걸리며, 왕복하는 시간은 총 20분이다.
- 승, 하차 시간은 고려하지 않는다.

① 3대
② 4대
③ 6대
④ 9대
⑤ 12대

06

실전모의고사

최근 정치권을 중심으로 개헌 바람이 불면서 농업계에서도 농업·농촌의 공익적 가치를 헌법에 담아야 한다는 논의가 일고 있다. 농업계에서 내세우는 농업의 공익적 가치는 식량 안보와 경관 보전, 환경 보전, 수자원 확보 및 홍수 방지, 도시민들에게 휴식처 제공, 전통문화 계승 등이다.

농업·농촌은 먹거리 생산에서 환경 보전, 관광·휴식처 제공, 전통문화 계승까지 국가와 사회를 지탱하는 중요한 역할을 해왔다. 하지만 지난 40여 년간 산업화·도시화 과정에서 그 노력에 대해 정당한 평가를 받지 못한 채 소외됐다. 농가 소득은 2015년 기준 3,722만 원으로 도시의 64%에 불과하며, 의료·복지 등 생활환경이 열악하다. 그리고 사람도 부족하다. 1970년 45%에 달하던 농가 인구 비중은 5%로 감소했다. 국가예산 중 농업예산 비중이 1995년만 해도 15.7%를 차지했지만 2017년에는 3.6% 수준에 불과하다. 국민 먹거리의 근간이 되는 농업이 홀대받는다는 느낌을 지울 수 없다.

정부는 농가 소득을 5,000만 원으로 끌어올리기 위해 2016년 비료와 농약 가격을 각각 17%, 7.6% 인하함에 이어 2017년에도 비료(6%), 농약(3.3%) 등 농자재 가격을 인하하고 농작업 대행과 농식품 수출 확대를 추진하고 있다. 더불어 농촌 복지 개선을 위해 태양광사업, 팜스테이 등을 통한 다각적인 노력을 기울이고 있지만 갈 길이 멀다.

우리나라를 포함해 선진국들은 식량주권과 농업의 공익적 가치를 인정해 농업직불금을 지급하고 있다. 스위스는 농가 소득 중 농업직불금 비중이 70%에 이르며 일본, 유럽연합(EU)도 10%를 넘는다. 반면 우리나라는 농가 소득 중 가장 중요한 부분이 직불금인데도 그 비중이 3.9% 정도에 불과하다.

한국농촌경제연구원(KREI) 조사에 따르면 도시민의 80%가 '농업·농촌은 우리 사회를 지탱해온 근간'이라는 데 동의했다. 반면 '농업·농촌의 다원적 기능 유지를 위해 세금을 더 내겠다'는 비율은 55%에 그쳤다. 농업 예산을 늘리려면 납세자인 국민들의 합의가 필수적인데 농업·농촌의 공익적 가치에 대한 공감대 형성이 부족한 상황이다.

① 우리나라 농가는 국가의 지속적인 지원을 통해 경제와 환경 등 여러 상황에서 조금씩 나아지고 있다.

② 개헌할 경우 농업·농촌의 공익적 가치를 헌법에 담아야 한다는 주장은 정치권에서 일어나고 있다.

③ 우리나라는 농업·농촌의 공익적 가치를 인정하여 선진국 대비 높은 농업직불금을 지급하고 있다.

④ 선진국에서는 식량주권과 농업의 공익적 가치를 인정하지만 경제 균형을 위해 농업직불금을 지급하고 있지는 않다.

⑤ 우리나라 농가의 경제적 상황이 어려운 이유는 도시민의 대다수가 농업·농촌은 우리 사회를 지탱해온 근간이라는 데 동의를 하고 있지 않기 때문이다.

협업아이디어 대국민 공모전 개요

□ 공모 개요
  ○ 공모 기간: 2020. 5. 1.(화)~5. 31.(목)
  ○ 공모 자격: 전 국민
  ○ 공모 과제: 정부, 공공기관, 기업, 대학, 단체 등이 협업(상호 간 기능연계, 시설공유, 행정 정보 공동 활용 등)함으로써, ① 사회적 문제를 해결하거나, ② 국민이나 기업의 부담을 줄이거나, 편의성을 높이거나, ③ 대국민 서비스를 확대하고 향상할 수 있는 방안
  ○ 공모 방법: '국민생각함'(idea.epeople.go.kr) 사이트를 통해 제출

□ 심사 및 시상
  ○ 심사 절차 및 일정
    - 1차 심사 → 2차 심사(심사단 심사＋국민생각함 투표 종합) → 선정·발표

공모 접수		1차 심사 (후보작 선정)		2차 심사(심사단 심사 ＋국민생각함 투표)		최종 선정 및 발표
5. 1.~5. 31.	→	6월	→	6월 말	→	7월 초

  ○ 심사 기준: 창의성, 실현가능성, 효과·확산성, 완성도 등
  ○ 시상 내역: 행정안전부장관 표창 및 시상금

구분	인원	시상 내역
최우수상	1명	행정안전부 장관상＋시상금 100만 원
우수상	3명	행정안전부 장관상＋시상금 50만 원
장려상	6명	시상금 20만 원

※ 수상작 선정 결과는 개별 통보 및 국민생각함에 게시

---

① '소방차 등 긴급차량의 아파트 차량 차단기 자동통과를 위한 민관협업'과 같은 소재도 공모 과제에 해당될 수 있을 것이다.

② 협업 아이디어를 제안하려는 국민은 컴퓨터(PC)나 스마트폰으로 '국민생각함' 사이트에 접속하여 협업 방안을 제출하면 된다.

③ 수상작으로 선정되면 최소 20만 원 이상의 시상금을 수령할 수 있다.

④ 담당 부처에서 일방적으로 수상자를 선정하는 것이 아니라 국민이 함께 참여해서 수상자를 선정하게 된다.

⑤ 1차 심사는 2차 심사 과정에 비해 집단지성을 적극 활용한 경우라 할 수 있다.

1930년 세계 최대 '대공황(The Great Depression)' 시기에는 정부가 대규모 공공사업을 벌여 고용과 투자를 늘리고 소비를 촉진해 위기에서 벗어났다. 이때 시행된 정책이 케인스의 '총수요 관리 정책'이다.

1970년대 1·2차 석유 파동 이후 발생한 경제 위기는 1980년대 초 미·영의 신자유주의를 통해 극복했다. 금융 및 자본 자유화와 시장 개방을 통한 국제 자본 이동과 민간 신용 증가가 소비와 투자를 촉진시켜 위기를 극복한 것이다. 이로 인한 외채 누적으로 1990년대 브라질, 아르헨티나, 멕시코 등 중남미 금융 위기와 1997년 말 우리나라 등 아시아 외환 위기가 발생하기도 했다.

2008년 금융 위기 이후에는 전 세계가 전대미문의 통화·재정 완화 정책을 시행하고 있음에도 과거와 같은 효과가 나타나지 않고 있다. 정부가 돈을 풀면 이 돈이 투자, 소비, 고용을 통해 고루 흘러넘쳐 경제를 살리는 소위 '마중물 효과'와 '낙수 효과'가 실종된 것이다. 마치 '고장난 연료 분사기'와 흡사하다. 탱크에 연료를 가득 채우고 가속 페달을 아무리 밟아도 자동차 속도가 올라가지 않고 있다.

왜 이 이론들이 작동하지 않고 있을까? 이는 지난 30~40년간 신자유주의 아래서 벌어진 자본가와 근로자 간의 소득 양극화와 인구 고령화, 집값 상승, 가계 대출 증가 등으로 주 소비 계층인 중산층의 소비 여력이 고갈돼 있기 때문이다. 여기에 더하여 전 세계적 수요 감소에도 불구하고 중국 등의 과잉 설비와 부실기업 정리 지연으로 생산 조정이 제대로 이뤄지지 않고 있는 것도 원인이다.

① 1930년 세계 최대 대공황은 정부의 대규모 공공사업을 통해 극복했다.

② 2008년 금융 위기는 전 세계가 통화·재정 완화 정책을 시행함으로써 극복했다.

③ 1990년대 중남미 금융 위기와 1997년 말 아시아 외환 위기는 외채 누적으로 인해 발생했다.

④ 1970년대 1·2차 석유 파동 이후 발생한 경제 위기는 미국과 영국의 신자유주의를 통해 극복했다.

⑤ 지난 30~40년간 자본가와 근로자 간 소득 양극화와 인구 고령화, 집값 상승, 가계 대출 증가 등으로 중산층의 소비 여력이 고갈된 상황이다.

06 다음 글을 바탕으로 고객문의에 대한 답변으로 적절하지 <u>않은</u> 것을 고르면?

상실수익액이란 교통사고로 인해 노동능력이 상실됨에 따른 손실 정도를 고려하여 보상하는 것을 의미한다. 상실수익을 산정할 때는 달마다 지출해야 하는 치료비와 피해자가 향후 취득했을 것으로 예상되는 수익을 고려하여야 하며, 회사와 보상금 합의 시 이는 일시에 지급하는 것을 원칙으로 한다. 피해자가 취득했을 것으로 예상되는 수익은 피해자의 나이에 따른 취업가능월수에 따라 결정되며, 이는 다음과 같다.

피해자의 나이	취업가능월수
56세 이상 59세 미만	48개월
59세 이상 67세 미만	36개월
67세 이상 76세 미만	24개월
76세 이상	12개월

[고객문의]

저는 일용직 육체근로자로 일하고 있었는데, 이번에 교통사고를 당하게 되었습니다. 지금 나이가 67세로 취업가능연한 60세를 훌쩍 지난 상태라 치료비만 받게 될 줄 알았는데 교통사고 합의금에서 상실수익이란 것이 있다는 것을 들었습니다. 저의 경우도 사고 보상금에서 상실수익액이 적용되는 건가요?

① 현재 67세이시면 취업가능월수를 36개월로 산정하여 보상금이 지급됩니다.
② 취업가능연한을 넘은 상태라 하더라도 상실수익을 보상받을 수 있습니다.
③ 상실수익 산정 시 나이에 따라 취업가능월수를 차등 적용받게 됩니다.
④ 노동능력 상실로 인한 손실 정도를 고려하여 산정된 보상금을 일시에 지급하도록 하겠습니다.
⑤ 상실수익액을 산정할 때는 아무리 고령이라도 최소 12개월의 취업가능월수를 인정해 주고 있습니다.

07 다음은 K회사의 부양가족동반직원용 임차사택 규정에 관한 자료이다. 이를 바탕으로 임차사택을 지원받을 수 있는 사람을 [보기]에서 고르면?

제4절 부양가족동반직원용 임차사택

제20조(지원 자격) ① 임차사택의 지원 자격은 근무지역(출퇴근 가능거리 내)에 부양 가족(무주택)이 있는 무주택직원(신청일로부터 3월 이내에 결혼 예정인 직원 포함)으로서, 1년 이상 근속한 직원으로 한다.

② 직원이 인사발령으로 인하여 근무지가 변경된 경우에 그 직원의 부양 가족이 자녀교육 등 부득이한 사유로 종전 근무지역에서 계속 거주하여야 할 경우에는 종전 근무지역에서 임차사택을 지원할 수 있다.

③ 결혼 예정인 직원이 부양가족동반직원용 임차사택을 신청하는 경우 결혼 예정 증빙서(초대장 등)를 첨부하여야 하며, 혼인일로부터 1개월 이내에 배우자로 전입 신고된 주민등록등본(가족관계증명서 포함)을 제출해야 한다.

제21조(지원 자격 제외) 다음 각 호에 해당하는 직원은 임차사택 지원 대상에서 제외한다.
① 기지원 임차보증금을 반환하지 아니한 경우
② 주택마련자금을 수혜 중인 경우
③ 임대주택 임차자금을 수혜 중인 경우
④ 주택마련자금을 지원받은 후 3년이 경과하지 않은 경우

제22조(임차물건 제외) 다음 각 호에 해당되는 물건은 임차할 수 없다.
① 전세금보장 보증보험증권 발급이 제한되는 주택
② 선순위 담보채권이 설정되어 있는 주택인 경우 추정시가에서 선순위 담보채권 합계액을 차감한 잔액이 사택임차금의 130% 금액 이하인 경우(단, 전세금보장보증보험증권이 발급되는 경우에는 예외)
③ 국민주택규모(85m²) 초과 주택(단, 3대가 함께 동거 시 또는 3자녀 이상을 부양하는 경우에는 전용면적 기준 126m²까지 지원 가능)
④ 배우자 소유주택 또는 직원 및 배우자의 직계 존·비속, 형제·자매 소유주택
⑤ 기타 중대한 하자가 있다고 판단되는 주택

보기

㉠ 이 씨는 입사와 동시에 기존 거주지역과 멀리 떨어진 A시에 오게 되었다. 부인과 함께 살기 위해 임차사택을 지원하였다.
㉡ B시에서 임대주택 임차자금을 받아 작년에 모두 상환한 김 씨는 C시로 전근을 가게 되어 임차사택을 지원하였다.
㉢ 자녀가 2명이고, 부모님과 함께 거주하는 박 씨는 규모 120m²인 물건을 임차하였다.
㉣ D시로 발령받은 최 씨는 D시에 거주하는 누나의 집을 임차하였다.

① ㉠, ㉡   ② ㉠, ㉢   ③ ㉡, ㉢
④ ㉡, ㉣   ⑤ ㉢, ㉣

08 다음 [표]는 막걸리를 주력으로 판매하는 주류 업체에 대한 SWOT분석 결과에 관한 자료이다. 이를 바탕으로 세운 전략으로 옳지 <u>않은</u> 것을 고르면?

강점(S)	약점(W)
• 중장년층의 높은 고객 충성도 • 막걸리를 비롯한 다양한 전통주 판매 • 오랜 시간 구축해 온 유통망	• 중장년층 위주의 고객층 • 막걸리 특유의 짧은 유통기한
기회(O)	위협(T)
• 다양한 맛을 첨가한 막걸리 열풍 • 캔형 막걸리 출시 • 한류 열풍과 더불어 한국 전통주에 대한 외국인들의 관심 증대	• 대기업의 막걸리 시장 진출 • 건강에 대한 관심 증대로 주류 소비 감소 • 해외 주류 수입 확대 및 소비자들의 관심 증대

① SO전략: 한류 스타를 섭외하여 다양한 전통주 홍보 유튜브 광고 제작
② ST전략: 중장년층을 대상으로 한 이벤트를 실시하여 고객 이탈 방지
③ WO전략: 최근 젊은 연령층의 취향을 고려한 디자인의 캔 막걸리 개발
④ WT전략: 중장년층이 선호하는 주류를 주력으로 해외 진출
⑤ WO전략: 젊은 연령층이 선호할 만한 과일 맛 등의 다양한 막걸리 출시

06

실전모의고사

09 지원이는 2019년 1월 초에 2,000만 원을 예금하였고, 1월 말부터 100만 원씩 인출하였다. 2020년 1월 초 지원이의 예금 통장에 남아 있는 금액은 얼마인지 고르면?(단, 월이율은 1% 복리이고, $1.01^{12}=1.13$으로 계산한다.)

① 800만 원   ② 840만 원   ③ 880만 원
④ 920만 원   ⑤ 960만 원

[10~11] 다음은 S회사의 5가지 프로젝트별 투자에 관한 자료이다. 이를 바탕으로 질문에 답하시오.

S회사에서는 A~E 5가지 프로젝트 중 1가지 프로젝트에 투자를 하려고 한다. 각 프로젝트별로 투자액과 연도별로 얻을 수 있는 이익이 다르다. 최종 선정 방법에 대해서는 회수기간법 또는 현금 흐름 할인법에 속하는 순현재가치법 중 하나를 택할 예정이다.

회수기간법은 투자 후 투자액을 회수하기까지의 기간으로 투자안을 평가하는 방법이다. 회수기간법은 계산이 간단하고 현금 흐름을 감안하였으며 리스크가 고려되었다는 장점이 있다. 하지만 화폐의 시간 가치나 투자액을 회수한 이후의 이익에 대해서는 고려하지 않는다는 단점이 있다.

현금 흐름 할인법은 화폐의 시간 가치를 고려한 방법으로 이 중에서 순현재가치법은 미래 시점의 현금 흐름을 현재 가치로 환산하는 방법이다. 할인율이 r이고, n년째의 현금 흐름이 A라고 하였을 때 현재가치는 $\dfrac{A}{(1+r)^n}$이 된다. 이 값의 합에서 현재 투자액을 뺀 값이 순현재가치(NPV)가 되고, NPV가 0 이상인 경우 투자안을 채택한다. 이 방법은 화폐의 시간 가치와 리스크가 고려된다는 장점이 있다.

[표] 각 프로젝트별 투자액과 연도별 현금 흐름 (단위: 억 원)

구분	0년(투자)	1년	2년	3년	4년	5년	6년	7년	8년	9년	10년
A	−150	0	0	5	5	10	15	20	25	30	35
B	−100	20	20	20	20	20	20	20	20	20	20
C	−100	0	0	0	0	0	50	50	50	50	50
D	−200	100	0	0	0	100	0	0	0	0	100
E	−200	150	0	0	0	0	0	0	0	0	200

10 회수기간법을 이용하여 A~E 중 투자액을 가장 빨리 회수할 수 있는 프로젝트에 투자하려고 한다. 이때 채택된 프로젝트는 무엇인지 고르면?(단, 회수시간이 동일한 프로젝트가 발생할 경우 10년 동안 얻을 수 있는 시간 가치를 고려하지 않은 순이익이 가장 큰 프로젝트에 투자하고, 순이익도 동일한 경우 투자액이 더 적은 프로젝트에 투자한다.)

① A ② B ③ C ④ D ⑤ E

11 화폐의 시간 가치를 고려하는 순현재가치법을 이용하여 10년 이내에 투자액을 회수한 프로젝트 중 순현재가치(NPV)가 가장 큰 프로젝트에 투자하려고 한다. 할인율은 10%이고, $1.1^5=1.6$으로 계산한다. 이때 채택된 프로젝트는 무엇인지 고르면?(단, NPV가 동일한 프로젝트가 발생할 경우 투자액을 가장 빨리 회수할 수 있는 프로젝트에 투자하고, 회수기간도 동일한 경우 투자액이 더 적은 프로젝트에 투자한다.)

① A ② B ③ C ④ D ⑤ E

12 다음 위임전결 규정에 대한 내용으로 부합하지 <u>않는</u> 것을 고르면?

제10조(전결권의 제한) ① 위임자는 업무수행상 필요한 경우 위임한 권한의 일부를 제한할 수 있다.

② 제1항에 따라 위임한 권한을 제한할 경우 제한사유를 반드시 명시해야 하며, 이에 대한 모든 책임은 위임자가 진다.

제11조(업무협의 등) ① 다른 부서와 관련 있는 전결사항은 충분한 업무협의를 한 후에 처리해야 한다.

② 본부의 각 부서장은 다음 각 호의 어느 하나에 해당하는 업무를 처리할 경우 기획관리이사의 협조를 구해야 한다.

　　1. 예산이 수반되는 사업계획의 수립과 변경집행

　　2. 내규의 제정 및 개정과 「장애인고용촉진 및 직업재활법」의 개정 건의

　　3. 소속기관에 대한 지시사항 중 이사장의 결재가 필요한 사항

제12조(결재권자 부재 시의 결재) ① 결재권자("전결권자"를 포함한다)가 출장, 휴가, 그 밖의 사유로 부재중일 때에는 「직제규정」과 같은 규정 시행규칙이 정하는 바에 따라 직하위직위자가 권한을 대행한다. 다만, 직하위직위자가 없을 때에는 상위자가 그 권한을 행사해야 한다.

② 소속기관 내 결재권자가 한 명인 경우, 결재권자가 출장, 휴가, 그 밖의 사유로 부재중일 때에는 그 직근 하위자가 자기의 책임으로 결재권자의 권한을 대행할 수 있으며, 대결 후 정규 결재권자에게 후결토록 하여야 한다. 다만, 직원에 대한 복무관리 범위에 한하여 권한을 행사할 수 있다.

---

① 본부장이 전결인 사항에 대하여 경우에 따라 사장이 전결권을 제한할 수 있다.

② 장애인 고용과 관련한 내규를 개정할 경우 기획관리이사가 의견을 개진할 수 있다.

③ 예산 관련 기 수립된 사업을 계획대로 이행하고자 할 경우 기획이사의 협조를 거치지 않아도 된다.

④ 부서장이 부재중일 경우 직원의 휴가 결재는 부서장을 제외한 팀 내 최고 직급자가 대행하며 부서장 복귀 시 반드시 후결 처리해야 한다.

⑤ 결재권자가 한 명인 조직에서의 중대한 사업 관련 업무 결재사항은 결재권자 부재 시 처리할 수 없다.

13 다음 농협 장학생 제도 안내에 관한 자료를 바탕으로 추론한 내용으로 적절하지 <u>않은</u> 것을 고르면?

농협 장학생, 농협재단의 장학생 제도를 소개합니다.

◉ 미래 농촌정주 농고 장학생

1. 목적
   - 농업계열 고등학생의 장학금 지원으로 농업 후계인력 육성
   - 전문 농업인 양성을 위한 발판 마련 기여

2. 지원 내용
   - 선발 대상: 졸업 후 영농에 종사할 농업계열 고등학교 2~3학년(선도농업고등학교 3개교는 1학년도 지원 가능)
   - 지원 금액: 1인당 연간 100만 원(반기 50만 원) 학업장려금
   - 지원 기간: 고등학교 졸업 시까지
   ※ 신규 선발 인원 및 지원 금액은 신규 선발 당시 선발공고에 따름
   - 농고 장학생은 농대 장학생 선발 우대

3. 지원 실적

연도	내용	수혜 인원(명)	지원 금액(백만 원)
2017년	농고 장학생	197	197
2018년	농고 장학생	303	302
2019년	농고 장학생	299	300
합계		799	799

◉ 미래 농촌정주 농대 장학생

1. 목적
   - 미래 농촌에 정주(定住)할 청년 농업인 육성
   - 농업의 지속 가능성 증대 및 농업·농촌에 기여하는 인재 육성

2. 지원 내용
   - 선발 대상: 대학(교) 농업계열 전공자 1~4학년
   - 지원 금액: 1인당 연간 최대 400만 원 학업장려금
   - 지원 기간: 대학(교) 졸업 시까지
   ※ 신규 선발 인원 및 지원 금액은 신규 선발 당시 선발공고에 따름

3. 지원 실적

연도	내용	수혜 인원(명)	지원 금액(백만 원)
2017년	농대 장학생	31	133
2018년	농대 장학생	94	391
2019년	농대 장학생	184	609
합계		309	1,133

① 은비: 농협 장학금은 근본적으로 농촌에서의 정착을 전제로 하는 것 같아.

② 실비: 고등학생보다 대학생에 대한 지원이 더 큰 건, 재학기간이 길기 때문일거야.

③ 천옥: 농고에서 장학생으로 선발되었다면 농대에서도 지원받을 가능성이 높겠네.

④ 만옥: 장학금의 선발 인원이나 지원 금액이 매년 달라지는 것 같으니깐, 공고를 꼼꼼히 확인해야겠어.

⑤ 지미: 2018년에 선발된 농대 장학생들은 평균 400만 원 이상의 학업장려금을 받았었네.

14 윈도우 운영체제하에서 특정 프로그램을 실행하는 중 오류가 발생하여 '응답 없음'이라는 메시지가 뜨고 종료가 되지 않는 경우가 발생하였다. 이런 상태에서 취해야 할 대처 방법으로 가장 적절한 것을 고르면?

① 전원 스위치를 눌러 강제로 끈 후 재부팅을 한다.

② 제어판의 [프로그램 및 기능]을 실행하고 문제가 생긴 프로그램을 삭제한다.

③ 익스플로러를 실행하고 [도구]―[옵션]의 [고급] 탭에서 [원래대로]를 누른다.

④ [Ctrl]+[Shift]+[Esc]를 누른 후 작업관리자 대화상자의 [성능] 탭에서 리소스를 확인한다.

⑤ [Ctrl]+[Shift]+[Esc]를 누른 후 작업관리자 대화상자에서 응답이 없는 프로그램을 찾아 [작업 끝내기]를 한다.

15 다음 [그래프]는 연간 1인당 양곡 및 쌀 소비량에 관한 자료이다. 이에 대한 설명으로 옳은 것을 고르면?

[그래프1] 1인당 연간 양곡 소비량   (단위: kg)

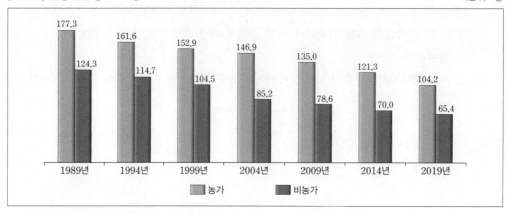

[그래프2] 1인당 연간 쌀 소비량   (단위: kg)

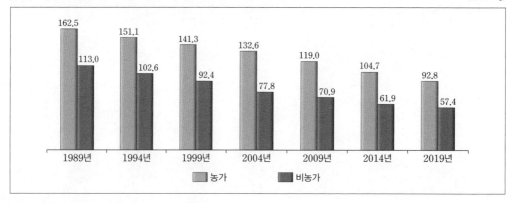

① 연간 쌀 소비량은 농가가 비농가보다 많다.

② 2019년 비농가의 1인당 쌀 소비량은 30년 전 대비 절반 이하로 감소하였다.

③ 2019년 10년 전 대비 농가의 1인당 양곡 소비량의 감소량은 1인당 쌀 소비량의 감소량보다 작다.

④ 2000년대 이후 농가의 1인당 연간 양곡 소비량은 비농가의 1.5배 이상이다.

⑤ 2019년 1인당 양곡 소비량 중 쌀이 차지하는 비율은 비농가가 농가보다 높다.

16 다음은 M대리의 출장 기록과 P회사의 출장비 규정에 관한 자료이다. 이를 바탕으로 M대리가 지급받을 수 있는 출장비를 고르면?

[M대리의 출장 기록]

　M대리는 2박 3일간 부산으로 출장을 다녀왔다. 서울역 근처에 거주하는 M대리는 도보로 서울역까지 이동한 후 64,800원의 KTX 티켓을 구매하여 부산으로 출발하였다. 부산역에서는 지하철을 타고 부산 지사로 이동하였다.

　도착 직후 사내 식당에서 5,000원에 식권을 구매하여 점심식사를 하였고, 오후에 회의를 진행할 때 본인을 포함한 6명에게 각각 2,000원짜리 음료를 구입하여 나누어 주었다. 일정이 끝나고 부산 지사 내 동기들과 함께 한 저녁식사는 더치페이로 계산하여 25,000원의 식사 비용을 사용하였다. 그리고 회사 근처 호텔에서 2박 기준 160,000원의 숙박비를 지불하고 숙박하였다.

　다음 날 호텔에서 숙박비에 포함된 조식으로 아침식사를 한 후 택시로 부산 지사까지 이동하였다. 업무가 바빠 식사는 간단하게 부장님이 사다 주신 샌드위치와 김밥으로 해결하고 숙소로 돌아갔다.

　마지막 날 아침은 생략하였으며, 출근 후 간단하게 1시간 회의를 진행하고 지하철로 부산역으로 이동하였다. 63,200원의 KTX 티켓을 구매하여 서울로 돌아왔다.

[P회사 출장비 규정]

1) 일비
　• 사원~대리급: 30,000원
　• 과장~차장급: 40,000원
　• 부장 이상급: 50,000원
2) 식비(1일 기준)
　• 조식비는 포함되지 않고, 식사 여부·영수증 지참 여부에 관계없이 중식, 석식 각각 10,000원씩 지급
3) 숙박비
　• 숙박 시설 이용액 실비 지급
4) 교통비
　• 지하철, 시내버스, 택시 등의 이동 비용은 일비에 포함되어 따로 지급되지 않음
　• 시외버스, 기차, KTX, 항공 등의 비용은 실비 지급

① 436,000원　　　　　　② 438,000원　　　　　　③ 440,000원
④ 442,000원　　　　　　⑤ 444,000원

17 정원이는 2024년 1월 초인 아버지 환갑 때 선물을 해드리기 위하여 2021년 1월부터 매월 초 월급의 일정 금액을 저금하여 2023년 12월 말까지 1,000만 원을 마련할 계획이다. 매월 0.5% 복리로 계산할 경우 얼마씩 저금해야 하는지 고르면?(단, 1.005³⁶=1.2로 계산하고, 백 원 단위에서 반올림한다.)

① 249,000원   ② 251,000원   ③ 254,000원

④ 262,000원   ⑤ 277,000원

18 다음 글을 읽고 이후에 이어질 내용으로 가장 적절한 것을 고르면?

> '금융 위기는 예외적인 현상이 아닌 일반적인 현상이며, 경제와 금융상의 취약점이 쌓이면 발생하는 습관의 산물이다'
>
> 2008년 글로벌 금융 위기를 정확히 예측했던 누리엘 루비니 뉴욕대 교수는 금융 위기는 항상 우리 곁에 있어 왔고, 앞으로도 계속 그럴 것이라는 점을 분명히 하고 있다. 자본주의의 성장과 궤를 같이하며 금융 시스템에는 항상 크고 작은 금융 위기가 있어 왔다. 굳이 다른 나라를 예로 들지 않더라도 우리나라만 봐도 1997년 IMF 외환 위기, 2003년 카드 사태, 2008년 글로벌 금융 위기, 2011년 저축은행 부실 사태 등 지속적으로 위기를 겪었다.
>
> 금융 시스템에 위기가 발생하는 경우 가장 경계해야 하는 것은 일련의 예금 인출 사태, 즉 뱅크런(Bank Run)이다. 금융 시장이나 거래 은행에 불안감을 느낀 사람들은 본인의 예금을 인출하려는 생각을 갖게 되는데, 만약 이에 효과적으로 대응하지 못하면 이후 많은 사람들이 앞다퉈 은행 창구로 몰려드는 뱅크런이 발생하게 된다. 그리고 한번 발생한 뱅크런은 전염 효과를 통해 자칫 금융 시스템 전체를 마비시킬 수 있다.
>
> 뱅크런은 후진국이나 저개발국만의 이야기가 아니다. 2007년 영국 노던록, 2008년 미국 리먼브라더스, 2012년 스페인 방키아, 2016년 이탈리아 BMPS 등에서 발생한 뱅크런은 금융 시장이 공포와 루머에 얼마나 취약한지를 보여주는 단적인 예다.

① 은행 이용자는 신용도가 높은 은행과 거래해야 한다.

② 다시는 금융 위기가 오지 않도록 온 국민이 합심해야 한다.

③ 외환 위기가 오기 전에 국가가 부실 은행을 미리 정리해야 한다.

④ 금융권에서는 언제라도 닥칠 수 있는 금융 위기 상황에 대비해야 한다.

⑤ 글로벌 금융 위기가 오면 전 세계 금융권이 합심해서 해결해야 한다.

19 다음 글의 내용을 바탕으로 고객문의에 대한 답변으로 적절하지 <u>않은</u> 것을 고르면?

- **대출계약 철회란?**

  대출받은 고객님께서 대출의 필요성, 금리 등을 재고할 수 있도록 숙려기간을 부여하는 제도로서 대출 실행 후 14일 이내 철회의 의사표시를 하고, 원리금 등을 상환함으로써 계약으로부터 탈퇴하는 제도입니다.

- **대출계약 철회 주요 대상**
  - 대출금액 4천만 원 이하의 신용대출
  - 대출금액 2억 원 이하의 담보대출(단, 보험계약대출, 외부기관 위탁대출 및 기타 협약대출 제외)

- **철회권 행사 절차**

  대출실행일로부터 14일 이내에 서면, 홈페이지(사이버창구), 전화(콜센터)로 철회 의사를 표시하고 원금, 이자 및 부대비용을 반환

- **철회 효과**

  중도 상환 수수료 면제, 해당 대출과 관련한 대출 정보 삭제(5영업일 이내)

- **철회횟수 제한**
  - 해당 회사를 대상으로 최근 1년 이내 2회 초과 대출계약 철회 불가
  - 전체 금융회사를 대상으로 최근 1개월 이내 1회 초과 대출계약 철회 불가

- **대출계약 철회 유의사항**
  - 대출계약 철회가 완료된 이후에는 철회 취소가 불가능합니다.
  - 대출계약 철회 신청 후 대출실행일로부터 14일 이내에 원금, 이자 및 부대 비용을 상환해야 대출계약 철회가 완료됩니다.

[고객문의]
- **고객**: 귀사에서 개인 신용대출 2,500만 원을 수령한지 열흘이 지났습니다. 그런데 사흘 전 대출금을 사용할 필요가 없어져서 전화(콜센터)로 철회 의사를 표시하고 아직 원금을 상환하지 않은 상황입니다. 이 대출금을 그냥 다른 목적으로 사용하고 싶은데 대출계약 철회 신청한 것을 취소할 수 있는지 궁금해서 문의 드립니다.
- **답변**: 안녕하세요, 고객님. ① 고객님의 경우 대출계약 철회 의사를 표시하셨으므로 대출계약 철회 취소는 불가능한 상황이십니다. ② 고객님은 개인 신용대출로 2,500만 원을 받은 상황이나 아직 대출 실행 후 14일이 경과하지 않은 상황에서 철회 의사를 표시하셔서 대출계약 철회 요건에 해당한 상황으로 이미 회사에서는 철회 절차를 밟고 있는 상황입니다. ③ 대출 철회권을 행사하는 절차로는 대출실행일로부터 14일 이내에 서면, 홈페이지(사이버 창구), 전화(콜센터)로 철회 의사를 표시하고 원금, 이자 및 부대 비용을 반환하시는 방법이 있습니다. ④ 고객님은 요건에 해당하는 절차를 밟고 계시므로 대출 철회가 완료되면 중도 상환 수수료를 면제하며 해당 대출과 관련한 대출 정보는 5영업일 이내에 삭제됩니다. ⑤ 대출계약 철회가 완료된 이후에는 철회 취소가 불가능합니다.

[20~21] 다음은 사과주스 생산 비용에 대해 설명한 글과 생산량에 따른 필요인력 및 필요재료비에 관한 [그래프]이다. 이를 바탕으로 질문에 답하시오.

○○농협이 사과주스를 생산할 때 임대료, 재료비, 인건비가 필요하다. 임대료는 생산량에 관계없이 월 5천만 원이다. 인건비는 1인당 월 200만 원씩 고정이고, 재료비는 구매량에 따라 가격이 변동된다. 생산량은 생산공정 효율을 위해 1톤 단위로 결정하며 최대 월 5톤까지 생산할 수 있다. 사과주스의 가격은 1톤당 1억 원이며, 생산량에 따른 인력과 재료비는 다음과 같다.

[그래프1] 생산량에 따른 필요인력 (단위: 명)

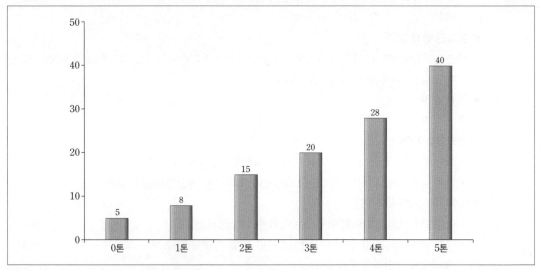

[그래프2] 생산량에 따른 필요재료비 (단위: 만 원)

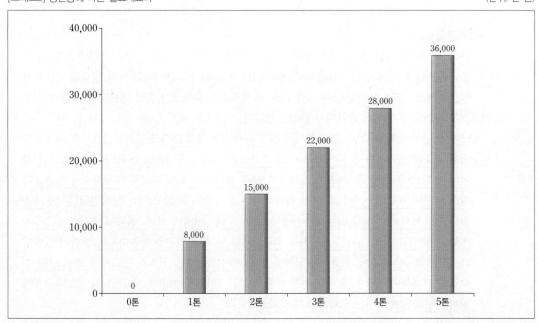

20 위의 자료를 바탕으로 ○○농협이 사과주스로 이익을 극대화할 수 있는 생산량을 고르면?

① 1톤   ② 2톤   ③ 3톤
④ 4톤   ⑤ 5톤

21 위의 자료를 통해 알 수 있는 내용으로 옳은 것을 고르면?

① 3톤 이상을 생산했을 때 이익이 발생한다.

② 1인당 생산량이 가장 많을 때는 4톤을 생산할 때이다.

③ 정부에서 직원 1인당 100만 원씩 보조금을 지급하면 4톤을 생산해야 이익이 극대화된다.

④ 생산량이 0일 때 비용은 1,000만 원이다.

⑤ 사과주스의 가격이 1톤당 8,000만 원으로 하락하면 생산을 중지해야 한다.

이자에 이자가 붙어 더 큰 결과물을 만드는 NH 직장인 월 복리 적금			
가입 대상	만 18세 이상 개인(단, 개인사업자 제외)		
가입 기간	1년 이상 3년 이내 월 단위		
납입한도	1만 원 이상 원 단위, 1인당 분기별 3백만 원 이내(월납) ※ 계약기간 3/4 경과 후 적립할 수 있는 금액은 이전 적립 누계액의 1/2 이내		

기본금리	가입 기간	1년 이상 2년 미만	2년 이상 3년 미만	3년 이상
	금리	연 1.8%	연 2.0%	연 2.2%

우대금리	• 가입 월부터 만기일 전월 말까지 조건 충족 시(통장표기하지 아니함)		
	공통조건	**세부조건**	**우대금리**
	본 적금에 가입한 고객 중 가입 기간 동안 1회 이상 농협은행으로 건별 50만 원 이상 급여를 이체한 고객	가입 기간 중 3개월 이상 농협은행에 급여 이체 시	0.3%p
		농협은행 주택청약종합저축(청약저축 포함) 또는 적립식 펀드 중 1개 이상 가입 시	0.2%p
		NH채움 신용·체크카드(농협은행 발급분에 한함)의 결제 실적이 100만 원 이상일 경우	0.2%p
	• 가입 시점에 조건 충족 시(통장표기함) – 인터넷 또는 스마트뱅킹으로 본 적금에 가입 시: 0.1%p		

| 이자 지급 방식 | 월 복리(원금 및 이자는 만기 또는 해지 시 일시 지급)
※ 단, 월이율 $=\dfrac{연이율}{12}$ 로 계산한다. | | |

22 다음은 농협은행의 정 계장과 당행 주거래 홍 고객의 해당 상품에 대한 대화 내용이다. 위의 금융상품을 바탕으로 대화 내용 중 <u>잘못된</u> 것을 고르면?

① 정 계장: 고객님은 정기적으로 당행에 매달 50만 원 이상 급여를 이체하고 계시니, 이를 계속해서 유지하신다면 우대금리 혜택을 받으실 수 있습니다.

② 홍 고객: 그렇군요. 이 상품에 가입한 후에 바로 농협은행 적립식 펀드도 하나 가입할 예정인데 이러면 우대금리 혜택을 더 누릴 수 있겠군요.

③ 정 계장: 그리고 여기서 가입하시는 것보다는 인터넷이나 스마트뱅킹으로 가입하시면 더 높은 금리를 받으실 수 있습니다.

④ 홍 고객: 만약 만기 1년으로 가입하면 최대 1,350만 원까지 납입이 가능하겠군요.

⑤ 정 계장: 만기 1년으로 가입하신다면 NH채움 카드도 신청해보세요. 매달 9만 천 원씩만 이용하셔도 0.2%p의 금리가 가산되거든요.

23 상담을 끝낸 홍 고객은 다음 [보기]와 같은 조건으로 위의 상품에 가입하였다. 만기 때 홍 고객이 받는 원리금 합계를 고르면?(단, 세금은 무시하며, $(1.002)^{23}=1.047$, $(1.002)^{24}=1.049$, $(1.002)^{25}=1.051$이다.)

> 보기
>
> - 가입일: 2018년 8월 17일
> - 만기일: 2020년 8월 17일
> - 입금일: 매월 1일
> - 최초입금액 50만 원, 매월 입금일에 50만 원 납입
> - 가입 기간 동안 매달 당행 급여통장에 250만 원씩 급여이체 예정
> - 인터넷뱅킹을 통해 상품에 가입함
> - 매월 17일, 계좌에 예치된 기간이 1달 이상인 금액에 한하여 이자 지급

① 1,175만 원   ② 1,225만 원   ③ 1,227만 원

④ 1,275만 원   ⑤ 1,277만 원

24 23번 문제의 [보기]와 같이 계좌를 개설한 홍 대리에게 발급되었을 적금 통장표기로 가장 적절한 것을 고르면?

행	자동이체를 약정하시면 정해진 기일에 납입금이 자동으로 이체되므로 편리합니다.				
	예금주	예금종류	계좌번호		이율
	홍××	자유로 우대적금	347−0000−0000−××		① 연 2.4%
	신규일: 2018년 8월 17일 ② 계약기간: 24개월 만기일: 2020년 8월 17일 NH 직장인 월 복리 적금				
행	년 월 일	찾으신 금액	맡기신 금액	남은 금액	거래 내용	거래 점포

행	년 월 일	찾으신 금액	맡기신 금액	남은 금액	거래 내용	거래 점포
1						
2	든든한 민족은행 슈퍼뱅크−농협! 담당 직원: 정×× 계장					
3	이 예금은 예금자보호법에 따라 예금보험공사가 보호하되,					
4	보호 한도는 본 은행에 있는 귀하의 모든 예금보호대상 금융상품의 원금과 소정의 이자를 합하여 1인당 '최고 5천만 원'이며, 5천만 원을					
5	초과하는 나머지 금액은 보호하지 않습니다.					
6	만기일이 토요일 또는 휴일인 경우 만기일에 이은 첫 영업일에 지급 청구하면 약정이자가 지급됩니다.					
7						
8	③ <u>180901</u>		500,000	500,000	입금	
9	④ <u>181001</u>		500,000	⑤ <u>500,000</u>	입금	

25 다음 [그림]과 [표]는 '가'도시의 A~H서점 위치와 거리에 관한 자료이다. 김 씨는 한정판 도서를 구매하고자 H서점을 출발하여 모든 서점을 방문하고자 한다. 김 씨는 시간당 5km를 이동한다고 할 경우 이동 거리가 가장 길 때와 짧을 때의 이동 시간 차이를 고르면?(단, 이미 지난 서점은 다시 지날 수 없다.)

[그림] '가'도시의 서점 연결 지도

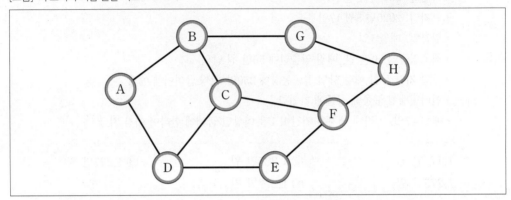

[표] 각 서점 간 거리   (단위: km)

구분	B	C	D	E	F	G	H
A	27		41				
B		19				25	
C			30		34		
D				38			
E					23		
F							15
G							24

① 1.6시간 ② 1.8시간 ③ 2.0시간
④ 2.2시간 ⑤ 2.4시간

26 다음 [표]는 연도별 농가부채 및 자산에 관한 자료이다. 이에 대한 설명으로 옳지 <u>않은</u> 것을 고르면?

[표] 농가부채 및 자산

(단위: 천 원)

구분		2014년	2015년	2016년	2017년	2018년	2019년
농가부채		27,878	27,215	26,730	26,375	33,269	35,718
용도	농업용	11,777	11,917	( )	( )	13,687	14,506
	비농업용	16,101	15,298	14,806	15,758	19,582	21,212
차입처	금융기관	( )	22,905	22,587	22,962	30,201	( )
	개인	5,523	4,310	4,143	3,413	3,068	3,603
농가자산		431,823	453,580	474,309	505,881	495,687	529,455
당좌자산		76,459	89,109	101,306	113,931	65,765	73,084

① 농가부채 중 농업용 부채는 매년 증가하고 있다.

② 2019년 농가부채 중 비농업용이 차지하는 비율은 5년 전 대비 증가하였다.

③ 2019년 농가자산 대비 농가부채율은 전년 대비 증가하였다.

④ 당좌자산이 가장 많은 해에 당좌자산 대비 농가부채율이 가장 낮다.

⑤ 차입처가 금융기관인 농가부채는 2019년에 5년 전 대비 976만 원 증가하였다.

27 다음 글에 대한 내용으로 옳지 <u>않은</u> 것을 고르면?

A가구회사는 침대를 단일 모델로 생산하여 B백화점에만 납품한다. 하루 최대 생산량은 6개이며, 생산량과 납품 가격은 A가구회사가 결정한다. A가구회사가 침대를 생산하는 데 소요되는 원가는 개당 15만 원이며, 납품 가격은 개당 20~30만 원 사이에서 2만 원 단위로 결정한다고 한다. B백화점은 침대를 판매하는 데 납품 대금과 침대 한 개당 2만 원의 고정 비용이 소요된다고 하며, 판매 가격은 납품 가격에 따라 변동된다. A가구회사의 침대는 인기가 매우 좋아서 매일 매진된다. 침대의 생산량에 따른 납품 가격과 판매 가격은 다음과 같다.

생산량	6개	5개	4개	3개	2개	1개
개당 납품 가격	20만 원	22만 원	24만 원	26만 원	28만 원	30만 원
개당 판매 가격	30만 원	33만 원	36만 원	40만 원	44만 원	48만 원

① A가구회사는 4개만 납품하려고 할 것이다.
② B백화점은 최대한 많이 납품해 달라고 요청할 것이다.
③ A가구회사는 6개를 생산할 때보다 3개만 생산하는 것이 이익이다.
④ B백화점이 A가구회사와 합병하면 침대 생산량을 늘릴 것이다.
⑤ 두 회사가 합병하면 하루 생산량을 6개로 할 것이다.

28 김 상무는 가족여행 숙소를 예약하려고 한다. 다음 [표]와 [보기]를 바탕으로 김 상무가 예약할 숙소를 고르면?

[표] 숙소별 정보

구분	시내와의 거리	예약사이트 평점	취사	가격
A숙소	3.0km	3.0점	불가능	4인실: 50,000원
B숙소	5.5km	4.5점	가능	4인실: 60,000원 6인실: 80,000원
C숙소	7.0km	4.0점	불가능	4인실: 55,000원 8인실: 90,000원
D숙소	2.5km	3.5점	가능	4인실: 60,000원 10인실: 105,000원
E숙소	8.0km	4.5점	가능	4인실: 55,000원

> **보기**
>
> - 김 상무와 그의 가족, 친척까지 총 8명이 함께 간다.
> - 한 방에 모두 숙박하거나, 모두 숙박할 크기의 방이 없을 경우 2개로 나누어 4명씩 숙박한다.
> - 숙소 평가항목 중 시내와의 거리가 가까운 순으로, 가격이 낮은 순으로 5점부터 1점까지 점수를 부여한다.
> - 그후 예약사이트 평점을 그대로 더해서 총점을 산정한다.
> - 취사가 가능한 숙소 중 총점이 가장 높은 숙소를 선정한다.

① A숙소   ② B숙소   ③ C숙소

④ D숙소   ⑤ E숙소

29 다음 [표]는 2017년 1월의 시도별 · 이용 상황별 전월 대비 지가변동률에 관한 자료이다. 이에 대한 설명으로 옳지 <u>않은</u> 것을 [보기]에서 고르면?

[표] 2017년 1월 시도별 · 이용 상황별 전월 대비 지가변동률 (단위: %)

구분	주거용	상업용	공장용지	전	답	임야
서울	0.224	0.143	0.144	0.193	1.199	0.043
부산	0.328	0.358	0.120	0.488	0.235	0.169
대구	0.304	0.304	0.248	0.175	0.324	0.049
인천	0.115	0.143	0.137	0.100	0.138	0.068
광주	0.197	0.096	0.157	0.003	0.258	0.053
대전	0.096	0.106	0.069	0.143	−0.070	0.316
울산	0.169	0.199	−0.002	0.190	0.158	0.249
세종	0.348	0.580	−0.054	0.548	0.240	0.135
경기	0.161	0.128	0.096	0.152	0.160	0.118
강원	0.237	0.267	0.062	0.216	0.157	0.121
충북	−0.037	0.109	0.166	0.120	0.159	0.174
충남	0.143	0.150	0.056	0.131	0.124	0.093
전북	0.150	0.152	0.027	0.134	0.178	0.139
전남	0.257	0.150	−0.021	0.213	0.263	0.116
경북	0.217	0.179	0.113	0.207	0.216	0.110
경남	0.228	0.172	0.087	0.184	0.177	0.105
제주	0.403	0.441	0.464	0.445	2.166	0.434

보기

㉠ 임야의 지가가 전월 대비 가장 큰 폭으로 상승한 도시는 제주이다.
㉡ 상업용 지가의 전월 대비 변동률이 가장 높은 지역은 세종이다.
㉢ 울산과 세종시 공장용지의 지가는 2016년 12월보다 낮아졌다.
㉣ 2016년 1월 대비 경기의 전 지가는 0.152% 상승하였다.
㉤ 만약 전월 강원의 답 지가가 100만 원이라면 2017년 1월의 지가는 115.7만 원이다.

① ㉠, ㉢, ㉣
② ㉠, ㉢, ㉤
③ ㉠, ㉣, ㉤
④ ㉡, ㉣, ㉤
⑤ ㉢, ㉣, ㉤

30 다음 글의 내용과 일치하지 <u>않는</u> 것을 고르면?

기업의 사회적 책임(CSR, Corporate Social Responsibility) 이행은 이제 기업의 존속을 좌우할 정도로 중요한 경영 화두가 되었다. 환경, 빈곤, 보건, 복지, 식수, 일자리, 고령화 등 사회적으로 산적한 문제를 해결하기 위해 기업이 좀 더 적극적으로 참여하고 사회적 기여를 하도록 요구하는 정부와 국민의 기대치도 그만큼 높아졌다. 조금 더 가격이 비싸더라도 사회적, 윤리적 상품을 구매하려는 윤리적 소비가 증가하고, 주요 기관 투자가 등이 경제적 의사 결정을 하는 데 있어 기업의 사회적, 환경적 성과에 가치를 두는 사회 책임 투자(Socially Responsible Investment)가 활성화하고 있는 것도 기업이 사회적 책임 이행을 외면할 수 없는 강력한 요인이 되었다.

근래에는 이러한 추세에 더해 다양한 사회 문제를 기업의 핵심 비즈니스와 연계하여 해결하려는 공유 가치 창출(CSV, Creating Shared Value)로까지 기업의 사회적 책임 영역이 확대되고 있다. 일방적 기부나 단순 일회성 봉사 활동을 넘어서 기업이 추구하는 사익과 사회가 추구하는 공익을 연계하려는 기업들이 증가하고 있다.

공유 가치 창출을 가장 보편화한 대표적인 사례가 공익 연계 마케팅 또는 코즈 마케팅(Cause Marketing)이라 불리는 활동이다. 특정 제품과 서비스를 구매하면 기업이 그 판매 수익금의 일부를 공익 기금으로 조성하여 각종 사회 문제 해결을 위한 재원으로 활용하는 등 소비자의 직접 참여를 이끌어 내는 마케팅 기법이다. 아메리칸익스프레스의 '자유의 여신상 복원 프로젝트', 코카콜라의 '북극곰 돕기 캠페인' 등이 대표적 사례다. 농협네트웍스의 경우에도 주력 사업인 건축, 토목, 전기, 통신, 인테리어 분야의 우수한 전문 인력과 기술을 활용하여 공유 가치 창출형 코즈 마케팅을 실천하고 있다. 기업의 핵심 비즈니스 역량과 농촌 고령화, 주택 노후화 등의 농촌 사회 문제를 연계하여 매월 실시하고 있는 '농가 노후 주택 주거 환경 개선 사업'이 그 예다.

① 정부와 국민은 사회적 문제 해결에 기업이 동참하기를 기대하고 있다.
② 기업의 사익을 배제하고 사회의 공익을 우선하려는 기업들이 증가하고 있다.
③ 사회 책임 투자의 활성화는 기업이 사회적 책임을 이행하는 원인 중 하나이다.
④ 아메리칸익스프레스, 코카콜라, 농협네트웍스에서는 코즈 마케팅을 실천하고 있다.
⑤ 제품 선택에서 가격보다 사회적, 윤리적 상품인지 여부를 따지는 소비자가 증가하고 있다.

31 다음은 △△조합원 자격 안내에 관한 내용이다. 이를 바탕으로 추론한 내용으로 적절하지 <u>않은</u> 것을 고르면?

△△조합원 자격 안내

◎ 우리 농협의 조합원 및 준조합원이 되기 위해서는 조합원은 농협의 구역 안에 주소나 거소 또는 사업장이 있는 농업인과 농업·농촌기본법 제15조 및 제16조의 규정에 의한 영농조합법인 및 농업회사법인으로서 그 주된 사무소를 농협의 구역 안에 두고 농업을 경영하는 법인으로서 출자 50좌 250,000원(법인은 500좌 2,500,000원) 이상을 납입하여 조합원으로 가입이 승인되어야 한다.

◎ 조합원 자격 요건 중 농업인의 범위는 다음 각 호의 1에 해당하는 자로 한다.
- 1천 m² 이상의 농지를 경영 또는 경작하는 자
- 1년 중 90일 이상 농업에 종사하는 자
- 잠종 0.5상자(2만립(粒) 기준 상자)분 이상의 누에를 사육하는 자
- 다음 기준 이상의 가축을 사육하는 자

구분	가축의 종류	사육 기준
대가축	소, 말, 노새, 당나귀	2마리
중가축	돼지(젖 먹는 새끼돼지 제외), 염소, 면양, 사슴, 개	5마리(개의 경우는 20마리)
소가축	토끼	50마리
가금	닭, 오리, 칠면조, 거위	100마리
기타	꿀벌	10군

- 축산법 제2조 제1호에 규정된 가축으로서 농림부장관이 정하여 고시하는 기준 이상을 사육하는 자

구분	가축의 종류	사육 기준
지역농협	오소리	3마리 이상
	메추리	300마리 이상
	꿩	30마리 이상
	타조	3마리 이상

- 농지에서 330m² 이상의 시설을 설치하고 원예작물을 재배하는 자
- 660m² 이상의 농지에서 채소·과수 또는 화훼를 재배하는 자

◎ 조합원의 가입 절차 시 필요 서류
- 신규 가입의 경우
  - 조합원 가입신청서
  - 농지원부, 가축자가사육사실확인원 또는 농지임대차계약서, 경작(영농)확인을 위한 서류 등
  - 주민등록증 사본(개인인 경우)

－ 법인정관과 가입을 의결한 총회의사록, 사업계획서, 대차대조표 및 손익계산서, 법인 등기부 등본(법인인 경우)

　　－ 주민등록등본(개인인 경우)

・지분양수도에 의한 가입의 경우(지분상속 시)

　　－ 양수인: 조합원 가입신청서, 농지원부, 자경증명발급신청서(가축자가사육사실확인원) 또는 농지임대차계약서 등, 주민등록증 사본

　　－ 양도인: 주민등록증 사본

・상속에 의한 가입의 경우

　　－ 조합원 가입신청서

　　－ 조합원 가입(자격) 증빙서류

　　－ 상속지분 승계승낙 의뢰서

　　－ 상속지분 취득동의서 또는 상속지분 취득확인서

　　－ 호적(제적)등본 1통

　　－ 상속인의 주민등록증 사본 1부

① △△시 조합원인 갑의 아들이 갑의 지분을 일부 상속한 경우 조합원 가입이 가능할 수 있다.

② 출자 50좌를 납입하고, △△시에서 닭과 병아리를 120마리 사육한다면 조합원 가입이 가능하다.

③ △△시에 영업 신고된 농작물 가공 및 유통 법인으로 출자금 300만 원을 납입했다면 조합원 가입이 가능하다.

④ 농한기에는 □□시에서 거주하고, 농번기에는 △△시의 농막에서 생활하며 400평 농지를 관리한다면 조합원 가입이 가능하다.

⑤ 개인이 △△시 조합원으로 가입하고자 하는 경우 상속에 의한 가입보다 지분상속 가입 시의 필요 서류를 준비해야 할 인원이 많다.

32 준희는 2010년 1월 1일부터 매년 초 50만 원씩 연이율 3%의 연 복리 상품에 저금하였고, 진희는 2015년 1월 1일부터 매년 초 100만 원씩 연이율 3%의 연 복리 상품에 저금하였다. 2019년 12월 31일에 준희가 받는 원리금 합계가 진희의 몇 배인지 고르면?(단, $(1.03)^5$=1.16으로 계산하고, 세금은 무시한다.)

① 1.06배　　　　　　　② 1.08배　　　　　　　③ 1.09배

④ 1.12배　　　　　　　⑤ 1.16배

33 다음 글에 대한 설명으로 적절하지 <u>않은</u> 것을 고르면?

[고객 응대 매뉴얼]

■ 이유 없이 욕설 등 언어폭력을 행사하는 경우
- 고객 입장 표명: 고객님께서 말씀해 주신 내용은 충분히 이해하였습니다. 제가 고객님 입장이어도 화가 났을 겁니다. 최대한 빠르게 처리될 수 있도록 도와드리겠습니다.
- 욕설 자제 요청: 고객님 죄송합니다만, 계속 심한 말씀을 하시면 상담 진행이 어렵습니다. 욕설을 자제해 주시기 바랍니다.

■ 무조건 윗사람/책임자를 바꾸라고 하는 경우
- 담당자 처리 의지 표명: 지점장과 연결을 원하셔도 업무적인 부분은 실제로 담당하는 부서에서 처리하고 있습니다. 담당직원인 저에게 말씀해 주시면 곧바로 처리하여 드리도록 하겠습니다.
- 민원접수 권유: 고객님께서 말씀하신 사항은 지점장실로 전화가 연결되더라도 다시 민원 담당부서에서 접수하게 됩니다. 제가 직접 고객님의 고충을 기재하여 담당부서에 전달하도록 하겠습니다. 저에게 말씀해 주시겠습니까?
- 담당직원으로 인해 발생한 이의제기 시: 고객님, 불편하게 해드려 죄송합니다. 저에게 말씀해 주시면 앞으로 이러한 일이 발생하지 않도록 시정하겠습니다. 정말 죄송합니다.

■ 고객의 입장만 반복할 경우
- 고객 말자름에 대한 사과와 양해: 고객님, 말씀 중에 죄송합니다만 같은 말씀만 반복하시고 저에게 말할 기회를 주지 않고 계십니다. 그러면 고객님을 도와드릴 수가 없습니다. 제가 말씀드려도 되겠습니까?
- 계속해서 반복할 경우: 고객님께서 말씀해 주신 내용 충분히 이해했습니다. 하지만 동일 내용으로 (?)회 이상 말씀하고 계십니다. 이후 동일한 내용에 대해서는 응대하지 않을 예정입니다. 더 이상 상담이 어렵습니다.

■ 그 밖의 경우
- 고객을 기다리게 할 경우: (대기 전) 바로 확인해 드리겠습니다. 잠시 기다려 주시겠습니까? (대기 후) 기다려 주셔서 감사합니다.
- 고객의 개인정보가 필요한 경우: 고객님, 본인 확인을 위해 주민등록번호 뒷자리와 본인 주소가 필요합니다. 괜찮으시다면 확인 부탁드립니다.
- 갑자기 기침이나 재채기가 나올 때: (송화구를 막고 상대방이 들리지 않도록 한 후) 죄송합니다. 다시 말씀드리겠습니다.

---

① 대화 도중 기침이 나올 경우 곧바로 사과한다.
② 고객의 개인정보는 유선으로 물어볼 수 없다.
③ 고객의 말이 끝나지 않았더라도 고객의 말을 끊을 수 있다.
④ 고객이 흥분하였을 경우에는 고객의 심정에 동의하며 흥분을 가라앉히는 것이 중요하다.
⑤ 다짜고짜 책임자를 바꾸라고 할 경우에도 본인의 권한 내에서 처리가 가능한 일이라면 자신이 처리할 수 있도록 한다.

34 다음 [그림]의 워크시트에서 'DAVERAGE(A1:D7,4,B1:B2)' 수식을 입력했을 경우 결괏값으로 옳은 것을 고르면?

[그림] 워크시트

	A	B	C	D
1	성명	부서	리스닝	리딩
2	김규원	개발	450	480
3	이상우	영업	362	377
4	박유리	마케팅	405	455
5	최현호	개발	450	400
6	김호원	영업	495	465
7	류은아	마케팅	399	410

① 440   ② 450   ③ 880

④ 900   ⑤ 431

35 다음 글의 ㉠에 공통적으로 들어갈 알맞은 단어를 고르면?

2020년 5월 12일 윤면식 한국은행 부총재는 "국제금융거래의 대표적 지표금리로 사용돼 온 (㉠)가 2022년부터 더 이상 산출·공표되지 않을 것으로 보인다"며 "각 금융회사 CEO께서는 조만간 마련될 가이드라인을 참고해 지표전환에 필요한 조치가 이뤄지도록 부탁드린다"고 밝혔다.

(㉠)는 런던은행 간 무담보금리로 달러·파운드·유로·엔·스위스 프랑 5개 통화, 7개 만기별로 고시되고 있다. 영국과 미국은 2012년 (㉠) 조작사건 이후 국제 지표금리 개선과 (㉠) 산출 중단을 주장해왔다. 이후 지난 2017년 영국 금융행위감독청(FCA)는 (㉠) 호가 제출의무를 2021년 말까지만 강제하기로 결정했다.

① Call금리

② CD금리

③ CP금리

④ LIBOR금리

⑤ RP금리

36 다음은 애호박의 수확량에 따른 개당 판매가와 개당 판매가에 따른 판매량에 관한 자료이다. 이를 바탕으로 김 씨가 얻을 수 있는 이익은 최대 얼마인지 고르면?

> 애호박 농사를 짓는 김 씨는 올해 애호박 농사가 풍년이었지만 마냥 기뻐할 수만은 없었다. 애호박 생산량이 증가할수록 개당 판매 가격이 하락하여 오히려 이익이 줄어들 수 있었기 때문이다. 따라서 김 씨는 이익을 극대화하고자 수확량을 조절하기로 결정하고, 수확량에 따른 개당 판매가와 개당 판매가에 따른 판매량을 고려하여 수확할 예정이다. 수확은 1,000개에서 2,000개까지 200개 단위로 가능하며, 애호박의 개당 생산원가는 500원이다. 이익은 총판매수익—총생산원가이다.

[그래프1] 애호박 수확량에 따른 애호박 개당 판매가 (단위: 원)

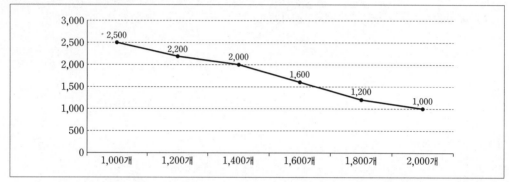

[그래프2] 애호박 개당 판매가에 따른 애호박 판매량 (단위: 개)

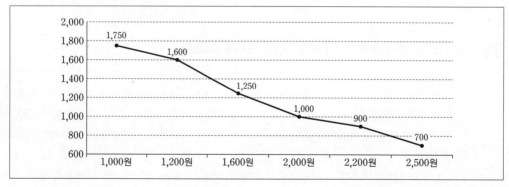

① 125만 원   ② 130만 원   ③ 134만 원
④ 138만 원   ⑤ 140만 원

37 다음은 신혼부부인 갑과 을이 소파를 구입하기 위해 브랜드별로 비교한 자료이다. 이를 바탕으로 갑과 을이 구입하는 소파의 가격은 얼마인지 고르면?

갑과 을은 소파를 가격, 디자인, 내구도를 기준으로 각각 가격, 디자인, 내구도에 대해 평가하였다. 가격은 아주 나쁨을 10점, 나쁨을 9점, 보통을 8점, 좋음을 7점, 아주 좋음을 6점으로 부여하였고, 디자인과 내구도는 아주 나쁨을 6점, 나쁨을 7점, 보통을 8점, 좋음을 9점, 아주 좋음을 10점으로 부여하였다.

각자 소파에 대한 만족도를 $\dfrac{\text{디자인}\times0.3+\text{내구도}\times0.7}{\text{가격}}$ 으로 산출하며 두 사람의 만족도의 평균이 가장 높은 소파를 구입한다. 단, 둘 중 한 명의 만족도가 1.1점 미만인 브랜드의 경우에는 소파를 구입하지 않는다.

[표] 브랜드별 갑과 을의 평가 점수 (단위: 점)

브랜드	가격(만 원)	갑의 평가 점수			을의 평가 점수		
		가격	디자인	내구도	가격	디자인	내구도
A	90	9	8	10	8	9	10
B	100	10	10	10	9	9	9
C	50	6	10	6	6	9	6
D	60	7	8	8	7	9	8
E	100	9	9	10	8	10	10
F	60	6	7	9	7	8	8
G	90	8	10	8	8	10	9
H	80	7	9	9	7	8	10

① 50만 원
② 60만 원
③ 80만 원
④ 90만 원
⑤ 100만 원

38 다음 글의 내용과 일치하지 <u>않는</u> 것을 고르면?

> 세계 경제의 글로벌화 시대를 이끌어 온 국제 무역 증가세가 글로벌 금융 위기 이후 세계적인 경기 침체, 무역 불균형의 확대에 따른 보호 무역주의 확산 등으로 주춤해졌다. 국제 무역의 부진에도 불구하고 최근 세계 경제의 글로벌화를 이끄는 또 다른 축인 국제 자산 거래, 금융 거래는 지속해서 증가하고 있다.
>
> 우리나라의 금융 글로벌화 과정에서 나타난 가장 큰 문제점은 국제 자본의 급격한 유출입으로 인해 외환 위기, 금융 위기가 발생한 것이었다. 1990년대 후반의 외환 위기, 글로벌 금융 위기를 거치면서 우리나라의 가장 주된 관심사는 '또다시 급격한 자본 유출이 발생해 외환 위기, 금융 위기가 재발하지 않을까'였다.
>
> 우리나라는 이에 대비하기 위해 외환보유액, 글로벌 금융 안전망의 확대, 거시 건전성 정책의 강화 등 그동안 다방면으로 준비해 왔고, 최근 미국 금리 인상과 세계 경제 환경에 따른 자본 유출 가능성에도 예의 주시하고 있다.
>
> 하지만 금융 글로벌화가 진행되면서 우리나라가 간과한 부분은 국제 자산 거래와 금융 거래가 지속적으로 증가하면서 우리나라의 대외 자산과 대외 부채가 지속적으로 축적됐고, 우리나라 경제에 중요한 함의를 갖게 되었다는 점이다. 1994년 국내총생산(GDP) 대비 불과 20% 내외였던 대외 자산과 대외 부채가 2016년 70~90%에 달하게 됐고, 소유하고 있는 자산과 부채에서 얼마나 높은 수익률을 얻을 수 있는지가 중요한 이슈가 되었다.
>
> 대외 부채에 비해 수익률이 높고 자본 이득이 큰 대외 자산을 소유하면 외국으로부터 부와 순소득을 얻을 수 있지만, 수익률이 낮고 자본 이득이 작은 대외 자산을 소유하면 외국에 부와 순소득을 지급하게 된다.

① 우리나라는 급격한 자본 유출이 발생하는 상황에 대해 다방면으로 대비해 왔다.

② 우리나라의 외환 위기, 금융 위기가 발생한 것은 국제 자본의 급격한 유출입 때문이다.

③ 최근 국제 무역의 부진에도 불구하고 국제 자산 거래, 금융 거래는 지속해서 증가하고 있다.

④ 수익률이 낮고 자본 이득이 작은 대외 자산을 소유하면 외국으로부터 부와 순소득을 얻을 수 있다.

⑤ 국제 자산 거래와 금융 거래가 지속적으로 증가하면서 우리나라의 대외 자산과 대외 부채가 지속적으로 축적되었다.

[39~40] 다음은 A사의 스마트폰 A/S 규정에 관한 자료이다. 이를 바탕으로 질문에 답하시오.

A/S 규정

• 본 제품은 구입일로부터 1년 이내에 제품 하자로 인한 고장 발생 시 무상수리를 제공한다.

※ 단, 사용자 부주의로 인한 고장 발생 시 유상수리 기준이 적용된다.

• A/S 서비스료는 부품비＋수리비로 구성되어 있으며 출장 수리의 경우 보증기간과 관계없이 출장비가 추가된다.

[부품비]

부품	가격
메인보드	145,000원
액정	134,000원
이어폰 단자	42,000원
전면 카메라	33,000원
후면 카메라	52,000원

[수리비]

기본 20,000원, 1시간 이상 소요 시 시간당 8,000원 추가

[출장비]

유무상 보증기간과 관계없이 출장 수리를 하는 경우에 적용되며 거리에 상관없이 동일하게 15,000원 청구된다. 단, 평일 오후 6시 이후 또는 주말 및 공휴일의 경우 출장비 20,000원을 적용한다.

39 김 대리는 6개월 전에 구입한 A사의 스마트폰을 떨어뜨려 액정과 전면 카메라가 파손되었다. 목요일 오후 4시 서비스센터에 방문해 액정과 전면 카메라를 교체하였고, 수리시간은 총 1시간 26분이 소요되었다. 이때 김 대리가 지불해야 할 비용을 고르면?

① 무상   ② 167,000원   ③ 187,000원

④ 195,000원   ⑤ 210,000원

40 이 주임은 1년 2개월 전에 A사의 스마트폰을 구입하였다. 최근 전원 꺼짐 현상이 발생하여 수요일 오전 11시 출장 수리를 불렀고, 메인보드 불량으로 인한 이상이라는 진단을 받았다. 수리 기사가 메인보드를 교체하는 데 총 26분이 소요되었을 때 이 주임이 지불해야 할 비용을 고르면?

① 무상   ② 15,000원   ③ 180,000원

④ 185,000원   ⑤ 193,000원

[41~42] 다음은 Java에서 작성한 코드이고, 제시된 코드의 일부가 [보기]의 결과를 가져온다고 한다. 이를 바탕으로 질문에 답하시오.

```
1    class A {
2        public A( ) {
3            System.out.print("A") ;
4        }
5        public A(String a) {
6            System.out.print("B") ;
7        }
8    }
9
10   class B extends A {
11       public B( ) {
12           System.out.print("C") ;
13       }
14       public B(String a) {
15           System.out.print("D") ;
16       }
17   }
18
19   public class C {
20       public static void main(String [ ] args) {
21           B a = new B("#") ;
22       }
23   }
```

보기

A사원은 B extends A는 B 클래스가 A 클래스를 상속한다는 의미로 B 클래스는 A 클래스의 필드와 메소드를 전달받아 사용하게 된다는 것을 알았다.

41 위의 자료에 대한 설명으로 옳지 <u>않은</u> 것을 고르면?

① A 클래스는 B 클래스의 슈퍼 클래스로 정의되어 있다.

② A 클래스와 B 클래스는 각각 두 개의 생성자를 갖고 있다.

③ B a=new B("#") ; 구문이 실행될 때 A 클래스의 기본 생성자가 먼저 호출되고 그 다음에 B 클래스의 생성자가 수행된다.

④ 프로그램의 실행 결과로 "BD"가 출력된다.

⑤ 21행의 코드를 A a = new B("#") ;로 수정해도 실행 결과는 동일하다.

42 다음 중 제시된 코드의 21행 이후에 B b=new B( ) ; 코드를 추가한 후 프로그램을 실행했을 때 나오는 결괏값으로 옳은 것을 고르면?

① ABCD
② ABAD
③ DACA
④ ADAC
⑤ BDAC

다음 [표]는 농협몰 e-하나로마트에서 판매 중인 채소류에 관한 자료이다. 이를 바탕으로 A, B가 [보기]와 같이 상품을 구입하여 배송하였을 때 각각의 결제액을 고르면?

[표] e-하나로마트에서 판매 중인 채소류 정보

구분	가격	할인 안내
무	2,000원 / 1개	5개 이상 구매 시, 개당 400원 할인
배추	3,000원 / 1포기	3포기 구매 시, 1포기 추가 증정
파	2,500원 / 1단	10단 이상 구매 시, 10% 할인
양파	5,000원 / 500g	2kg 이상 구매 시, 3,000원 할인
감자	4,000원 / 300g	1.5kg 이상 구매 시, 15% 할인
당근	4,000원 / 5개	10개 이상 구매 시, 5개당 500원 할인

※ 배송료는 4,000원이며, 50,000원 이상 주문 시 무료배송

보기

- A: 무 5개, 배추 12포기, 파 3단, 양파 1kg
- B: 양파 2kg, 감자 1.8kg, 당근 15개

	A	B
①	52,000원	47,900원
②	52,000원	49,900원
③	52,500원	47,900원
④	52,500원	51,900원
⑤	53,000원	51,900원

44 다음 약관을 바탕으로 고객문의에 대한 답변으로 적절하지 <u>않은</u> 것을 고르면?

제13조(계약 전 알릴 의무) 회사는 계약자 또는 피보험자가 고의 또는 중대한 과실로 중요한 사항에 대하여 사실과 다르게 알린 경우에는 회사가 별도로 정하는 방법에 따라 계약을 해지하거나 보장을 제한할 수 있습니다. 보험계약 청약서에 자신의 병력을 기재하지 않고 보험설계사 등에게 구두로 알린 경우에는 보험회사에 알리지 않은 것으로 간주되므로, 청약서에 반드시 서면으로 기재해주셔야 합니다.

제14조(계약 전 알릴 의무 위반의 효과) 다음의 어느 하나에 해당하는 경우에는 회사는 계약을 해지할 수 없습니다.

1. 회사가 계약 당시에 그 사실을 알았거나 과실로 알지 못하였을 때
2. 회사가 그 사실을 안 날부터 1개월 이상 지났거나 또는 제1회 보험료를 받은 날부터 보험금 지급사유가 발생하지 않고 2년(진단계약의 경우 질병에 대해서는 1년)이 지났을 때
3. 최초계약체결일부터 3년이 지났을 때
4. 이 계약을 청약할 때 회사가 피보험자의 건강상태를 판단할 수 있는 기초자료(건강진단서 사본 등을 말함)에 따라 승낙한 경우, 건강진단서 사본 등에 명기되어 있는 사항으로 보험금 지급사유가 발생하였을 때. 다만, 계약자 또는 피보험자가 회사에 제출한 기초자료의 내용 중 중요사항을 고의로 사실과 다르게 작성한 때에는 계약을 해지할 수 있습니다.
5. 보험설계사 등이 다음의 어느 하나에 해당하는 행위를 하였을 때
   가. 계약자 또는 피보험자에게 고지할 기회를 주지 않았을 때
   나. 계약자 또는 피보험자가 사실대로 고지하는 것을 방해하였을 때
   다. 계약자 또는 피보험자에게 사실대로 고지하지 않게 하였거나 부실하게 고지하도록 권유했을 때

[고객문의]

• **고객:** 2년 6개월 전 보험 가입 당시 보험모집인 D씨에게 과거 고혈압 병력을 구두로 알렸으나, 문제될 것이 없다고 하여 청약서에 작성하지 않고 계약을 체결했습니다. 한 달 전 고혈압으로 병원에 입원하게 되어 퇴원 후 보험금을 청구하였으나, 계약 전 알릴 의무 위반이라며 보험료를 2년 5개월이나 냈는데 이제 와서 보험계약을 강제해지 당했습니다. 제 실수도 아닌데 보상받을 수 있는 방법이 없을까요?

• **답변:** 안녕하세요, ○○○ 고객님의 보험 계약을 검토한 답변입니다. 계약을 청약하면서 보험설계사에게 고혈압 병력이 있다고만 이야기하였을 뿐, 청약서의 계약 전 알릴 사항에 아무런 기재도 하지 않을 경우에는 ① 회사 입장에서는 계약 전 알릴 의무 위반을 이유로 계약을 해지하고 보험금은 지급하지 않을 수 있습니다. 다만 ② 회사가 계약 당시에 그 사실을 알았거나 과실로 알지 못하였을 때, 최초계약체결일부터 3년이 지났을 경우 등 약관 제14조에 해당하는 사항에 대해서는 회사가 계약을 해지할 수 없습니다. ③ 고객님의 경우는 계약 전 알릴 의무 위반에 해당하며, ④ 보험 계약이 체결된 지 3년을 경과하지 않았으므로 회사의 계약해지는 약관에 따른 정당한 조치로 보입니다. 하지만 고객님, ⑤ 보험설계사 등에게 구두로 알린 사항은 효력이 없음을 다시 한 번 말씀드립니다.

다음 글의 ㉠~㉣에 들어갈 알맞은 단어를 고르면?

대출거래약정서

○○○○ 협동조합 앞

본인	성명		(서명 또는 인)
	주소		

조합은 본인에게 이 약정서상의 중요한 내용을 설명하여야 하며, 회원조합여신거래기본약관과 이 약정서의 사본을 (㉠)하여야 합니다.

본인은 귀 조합(이하 "조합"이라 합니다)과 아래의 거래 조건에 따라 대출거래를 함에 있어 "회원조합여신거래기본약관(가계용)"이 적용됨을 승인하고 다음 각 조항을 (㉡)합니다.

제10조 (㉢) 방법
- 대출기간 만료일에 전액 (㉢)합니다.
- 대출개시일로부터 6년 0개월 동안 (㉣)하고, 원금은 7년 1개월부터 매 1개월마다 분할 (㉢)합니다.

	㉠	㉡	㉢	㉣
①	교부	확약	상환	거치
②	교부	확정	상환	거치
③	배부	확약	상환	거치
④	지급	확정	변제	균등
⑤	지급	확약	변제	균등

46 다음은 H수제버거 가게의 SWOT분석에 관한 자료이다. 이를 바탕으로 각각의 분석 결과에 해당하는 A~D요인으로 바르게 짝지어진 것을 고르면?

A	B
• 수제버거 수요 증가 • 테이크아웃 문화 확산	• 식재료 물가 상승 • 일회용품 등 포장용기 사용 제한 정책

C	D
• 신선한 재료만 활용 • 넓은 매장	• 제품의 높은 가격 • 한정된 메뉴

	A	B	C	D
①	O	W	S	T
②	O	T	S	W
③	O	S	T	W
④	S	W	O	T
⑤	S	T	O	W

[47~48] 다음은 ○○화학이 놓인 상황에 대해 설명한 글과 배터리 1대당 생산 비용에 관한 [그래프]이다. 이를 바탕으로 질문에 답하시오.

매월 전기자동차용 배터리 4,000대를 생산할 수 있는 ○○화학은 현재 매월 2,000대의 배터리를 생산하여 국내 시장에서 대당 100만 원에 판매하고 있다. 그런데 일본의 XX상사가 ○○화학에 수출용으로 매월 1,000대의 배터리를 대당 150만 원에 팔 것을 제안하였다. 배터리를 매달 2,000대 생산할 때의 대당 생산 비용은 80만 원이고, 증산 및 감산은 1,000대씩 할 수 있으며, 이에 따른 1대당 생산 비용의 변화는 다음과 같다.

[그래프] 배터리 1대당 생산 비용   (단위: 만 원)

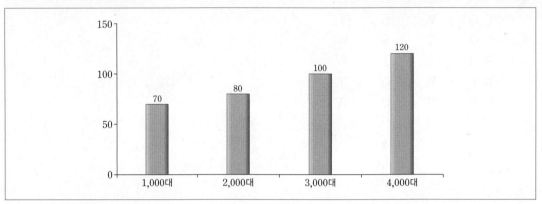

47 위의 자료를 바탕으로 ○○화학이 선택할 수 있는 최적의 판매 방안을 고르면?

① 수출 제안을 거절하고 1,000대를 생산하여 국내에만 판매한다.

② 수출 제안을 거절하고 2,000대를 생산하여 국내에만 판매한다.

③ 1,000대를 생산하여 모두 일본에 수출한다.

④ 2,000대를 생산하여 1,000대는 국내에 판매하고, 1,000대는 일본에 수출한다.

⑤ 3,000대를 생산하여 2,000대는 국내에 판매하고, 1,000대는 일본에 수출한다.

48 ○○화학은 배터리의 증산이나 감산 시 1대당 생산 비용이 변동되지만 정확하게 얼마가 될지는 알 수 없어 5가지 방안을 준비하고, 아래의 방식으로 이사진의 선택에 따라 결정하기로 하였다. 다음 중 김 이사가 자신의 1순위를 지키기 위해 거부해야 하는 2가지 방안을 고르면?(단, 세 사람은 다른 사람의 선호도를 모두 알고 있으며, 이를 고려하여 자신의 순위가 높은 방안이 선정되도록 행동한다.)

> 먼저 김 이사가 2가지 방안에 대해서 거부권을 행사하고, 다음으로 박 이사가 남은 3가지 방안 중 하나에 대해 거부권을 행사한다. 마지막으로 최 이사가 남은 두 방안 중 하나에 대해 거부권을 행사한다. 결과적으로 아무도 거부권을 행사하지 않은 방안이 최종안으로 선정된다. 이사 3명의 5가지 방안에 대한 선호도는 다음과 같다.

구분	1순위	2순위	3순위	4순위	5순위
김 이사	D방안	B방안	E방안	C방안	A방안
박 이사	C방안	D방안	B방안	A방안	E방안
최 이사	B방안	C방안	A방안	D방안	E방안

① A방안, B방안
② A방안, E방안
③ B방안, C방안
④ B방안, E방안
⑤ D방안, E방안

49 다음은 프리랜서 음악가 P씨의 한 달 수익 내역이다. T음악학원에서는 P씨를 선생님으로 고용하기 위해 P씨가 포기하는 금액의 120%의 월급을 제시하려고 한다. 음악학원에서 P씨에게 제시한 연봉이 얼마인지 고르면?(단, P씨가 T음악학원에 고용될 경우 교회 반주를 제외한 다른 업무 겸직은 금지된다.)

[P씨의 수익 내역]
- 전공 학생 레슨: 1인당 레슨비 400,000원, 총 3명 레슨 수강 진행 중
- 라이브 카페 공연: 1회당 100,000원, 한 달 평균 2회 공연
- 교회 반주: 1회당 50,000원, 한 달 평균 4회 진행
- T음악학원 출강: 1일당 출강비 150,000원, 한 달 평균 3회 출강
- 음악 관련 서적 감수: 1건당 200,000원, 한 달 평균 3회 진행

① 35,200,000원
② 35,220,000원
③ 35,240,000원
④ 35,260,000원
⑤ 35,280,000원

50 다음 [표]는 국가별 대중교통 수송 분담률에 관한 자료이다. 이에 대한 설명으로 옳지 <u>않은</u> 것을 [보기]에서 고르면?

[표] 국가별 대중교통 수송 분담률   (단위: %)

구분	2009년	2010년	2011년	2012년	2013년	2014년
호주	11.5	11.5	11.6	11.8	11.8	11.8
네덜란드	12.7	13.1	13.5	13.8	14.0	14.5
영국	12.9	13.7	13.8	13.9	13.9	13.9
독일	14.0	14.0	14.1	14.6	14.2	14.3
핀란드	15.1	15.1	14.8	15.1	15.1	14.8
프랑스	14.6	14.6	14.7	14.9	14.8	14.9
스페인	18.7	17.7	19.1	19.3	19.7	17.3
스위스	22.5	22.7	22.7	22.3	24.3	24.3
오스트리아	21.1	21.6	21.7	22.2	22.5	22.4
우리나라	40.9	39.6	41.8	41.6	41.3	40.8

※ 대중교통 수송 분담률＝(대중교통 여객 수송 실적÷육상 교통수단 총 여객 수송 실적)×100
※ 여객 수송 실적은 교통수단을 이용한 인원과 이동 거리를 곱한 수치로, '인－km'단위로 측정됨

> **보기**
>
> ㉠ 조사한 국가 중 2009~2014년 평균 대중교통 수송 분담률이 두 번째로 낮은 나라는 네덜란드이다.
> ㉡ 2011년 네덜란드의 대중교통수단을 이용한 이동 거리는 전년보다 증가하였다.
> ㉢ 대중교통 여객 수송 실적이 동일하다면 육상 교통수단 총 여객 수송 실적이 커질수록 대중교통 수송 분담률도 높아진다.
> ㉣ 2014년 스페인의 육상 교통수단을 이용한 이동 거리가 총 100km라면 대중교통을 이용한 이동 거리는 17.3km이다.
> ㉤ 스위스는 매년 두 번째로 대중교통 수송 분담률이 높다.

① ㉠, ㉡, ㉢   ② ㉠, ㉡, ㉣   ③ ㉠, ㉢, ㉤
④ ㉡, ㉢, ㉣   ⑤ ㉡, ㉢, ㉤

01 다음 중 농협이 주도한 농촌 운동에 대한 설명으로 적절하지 <u>않은</u> 것을 고르면?

① 새농민운동(1965): 자립·과학·협동의 정신으로 농업인의 경제·사회적 지위 향상을 도모했다.

② 농도불이운동(1996~2002): 농산물 직거래 사업을 통해 도시와 농촌 간의 유대를 확보했다.

③ 농촌사랑운동(2003): 농업·농촌 문제 해결의 일환으로 1사 1촌 자매결연을 추진했다.

④ 신토불이운동(2006): 쌀 시장 개방과 관련하여 우리 양곡에 대한 단계적 관세 철폐를 주장했다.

⑤ 또하나의마을만들기(2016): 도농 교류 활성화 등 농업의 공익적 가치 확산에 기여했다.

02 다음 중 주식회사와 협동조합의 차이점으로 적절하지 <u>않은</u> 것을 고르면?

구분	주식회사	협동조합
㉠ 의결권	투자액에 비례하여 1주 1표 행사	출자액에 무관하게 1인 1표 행사
㉡ 이사회 구성	주주에 의하여 선출	조합원에 의하여 선출
㉢ 자금 조달	증자, 채권 발행 등	조합원 출자 등
㉣ 설립 목적	이윤 극대화	조합원의 복지와 실익 증진
㉤ 법적 근거	상법에 의한 인가	협동조합기본법에 따른 신고

① ㉠   ② ㉡   ③ ㉢

④ ㉣   ⑤ ㉤

03 다음 중 협동조합의 조합원이 공동의 생산 비용을 절감하기 위해 물자를 제공하여 조직하는 농협의 유형을 고르면?

① 구매 농협   ② 신용 농협   ③ 종합 농협

④ 판매 농협   ⑤ 서비스 농협

04 다음 글의 ㉠, ㉡에 들어갈 용어로 바르게 짝지어진 것을 고르면?

> '쌀의 날'은 한자 '쌀 미(米)'를 풀어 (㉠)으로 표기한 (㉡)에 '한 톨의 쌀을 생산하기 위해 모판에서부터 추수까지 농부의 손길을 여든여덟 번 거쳐야 한다'라는 의미를 더해 농협과 농림축산식품부가 지정한 날이다. 농업인의 노고에 대하여 감사의 마음을 담아 2015년부터 쌀 소비 촉진 운동을 추진해 오고 있다.

	㉠	㉡
①	六·八(6·8)	6월 8일
②	八·八(8·8)	8월 8일
③	六·十·八(6·10·8)	6월 18일
④	八·十·六(8·10·6)	8월 16일
⑤	八·十·八(8·10·8)	8월 18일

05 다음 [표]는 농협의 5대 핵심 가치이다. 이를 바탕으로 핵심 가치에 대한 사례로 적절하지 않은 것을 고르면?

[표] 농협의 5대 핵심 가치

농업인과 소비자가 함께 웃는 유통 대변화	소비자에게 합리적인 가격으로 더 안전한 먹거리를, 농업인에게 더 많은 소득을 제공하는 유통 개혁 실현
미래 성장 동력을 창출하는 디지털 혁신	4차 산업혁명 시대에 부응하는 디지털 혁신으로 농업·농촌·농협의 미래 성장 동력 창출
경쟁력 있는 농업, 잘 사는 농업인	농업인 영농 지원 강화 등을 통한 농업 경쟁력 제고로 농업인 소득 증대 및 삶의 질 향상
지역과 함께 만드는 살고 싶은 농촌	지역 사회의 구심체로서 지역 사회와 협력하여 살고 싶은 농촌 구현 및 지역 경제 활성화에 기여
정체성이 살아 있는 든든한 농협	농협의 정체성 확립과 농업인 실익 지원 역량 확충을 통해 농업인과 국민에게 신뢰받는 농협 구현

① 산지 직거래로 유통 단계를 축소하여 농산물 유통 구조를 선도한다.

② 경제 사업과 신용 사업 체제를 전문화하여 업무별 경쟁력을 강화한다.

③ 지역별 실정에 맞는 문화 사업을 전개하고 맞춤형 복지 서비스를 제공한다.

④ 4차 산업혁명에 따라 블록체인 기술을 접목한 가상 화폐 거래소를 신설한다.

⑤ 농장의 경영 상태를 진단하여 문제점을 해결하기 위한 종합 컨설팅 등을 지원한다.

06 다음 중 NH농협은행의 윤리 경영을 위한 실천 프로그램에 속하지 <u>않는</u> 것을 고르면?

① 외부 청탁 시스템
② 행동 지침 상담 센터
③ NH윤리실천 프로그램
④ 계약 사무 모니터링 및 클린 콜
⑤ 임직원 금융 투자 상품 매매 신고

07 다음 중 데이터 라벨링의 과정을 설명한 사례로 적절하지 <u>않은</u> 것을 고르면?

① 다양한 운동 종목의 사진을 수집하여 무작위로 표본을 추출한다.
② 성별, 나이, 지역 등 특정 조건에 적합한 발화자의 음성을 구분한다.
③ 야외에 설치한 카메라의 영상에 찍힌 야생 동물의 종을 구별해 분류한다.
④ 교통 상황에 개입되는 도로, 신호등, 차량 등의 요소를 영상에서 구분한다.
⑤ 표정, 반응 등 조건에 부합하는 제스처가 나타난 구간을 영상에서 추출한다.

08 다음 글의 ㉠, ㉡에 들어갈 용어로 바르게 짝지어진 것을 고르면?

> 블록체인 기반으로 작동하는 기술인 (㉠)은 거래 조건을 충족할 경우 알고리즘에 따라 자동으로 계약 체결을 수행한다. 이 기술을 활용하면 상대방과 만나지 않고도 거래 대상의 진위를 간편하게 확인할 수 있으며, 거래 조건 및 이행 여부를 온라인에서 추적할 수 있다. (㉡)은 이를 구현한 최초의 암호 화폐로, 블록체인에 거래 정보를 기록하는 것으로 한정하는 스크립트 기반 방식의 한계를 극복하여 차별성을 갖췄다.

	㉠	㉡
①	퍼블릭 계약	리플
②	스마트 계약	리플
③	스마트 계약	비트코인
④	퍼블릭 계약	이더리움
⑤	스마트 계약	이더리움

09 다음 중 온라인을 통해 성장한 기업이 오프라인으로 사업을 확대하는 현상을 일컫는 용어를 고르면?

① O2O   ② O4O   ③ P2P
④ B2B   ⑤ B2C

10 다음 글을 읽고 A씨가 얻는 경제적 이윤은 한 달에 얼마인지 고르면?(단, 대출금리와 예금금리가 같다고 가정한다.)

> 직장에서 월급 200만 원을 받는 A씨는 300만 원으로 임금 인상을 약속받았음에도 불구하고 커피점을 개업했다. 커피점을 차리는 데 2억 원의 비용이 들었는데, 1억 원은 자신이 모아둔 돈을 사용하였고, 1억 원은 은행에서 월 1%의 이자율로 대출을 받았다. 커피점의 한 달 수입은 2,000만 원이고 커피 등 각종 원자재 구입에 월 500만 원이 들며, 가게의 임대료는 월 300만 원이다. 그리고 종업원의 인건비로 월 200만 원이 지출되고 있다.

① 400만 원   ② 500만 원
③ 1,100만 원   ④ 1,700만 원
⑤ 2,000만 원

11 다음 (가), (나)는 최근 '갑'국에 나타난 경제 현상들이다. 이에 대한 설명으로 옳은 것을 고르면?

> (가) 과거 '을'국에 생산기지를 건설했던 '갑'국 기업들 중 '을'국의 임금 상승으로 경쟁력을 상실하자 갑국으로 복귀하여 공장을 건설하고 생산시설을 설치하는 기업이 증가하고 있다.
> (나) '갑'국 중앙은행은 3개월 내에 공개시장에서 1,000억 달러 규모의 국공채를 매입하기로 결정하고 현재 40%를 집행하였다.

① (가)는 총공급곡선을 왼쪽으로 이동시킨다.
② (나)는 '갑'국의 총수요곡선을 왼쪽으로 이동시킨다.
③ (가), (나)는 모두 '갑'국의 경기를 활성화시키는 요인이 된다.
④ (가)보다 (나)의 효과가 클 경우 '갑'국의 물가는 하락한다.
⑤ (가), (나)는 모두 총수요곡선을 좌측으로 이동시키는 요인이다.

[12~13] 다음 [표]는 핀테크 관련 기술을 정리한 자료이다. 이를 바탕으로 질문에 답하시오.

[표] 핀테크 기술

기술명	내용
가상화폐	각국의 중앙은행이 발행하는 화폐와 달리 실물이 없고, 사이버상에서 발행·유통되는 화폐
간편송금	모바일 기반 앱을 통해 인증서나 OTP 없이 간단한 절차로 송금이 가능하게 하는 기술
로드바이저	로봇(robot)과 투자전문가(advisor)의 합성어로, 고도화된 알고리즘과 빅데이터를 활용해 자산 포트폴리오 관리를 수행하는 온라인 자산관리 서비스
블록체인	거래 정보를 기록한 원장을 특정 기관의 중앙 서버가 아니라 여러 네트워크에 분산해, 시장 참가자들이 공동으로 기록·관리하는 기술
빅데이터	기존의 데이터 처리 및 활용 능력을 뛰어넘는 수준의 대규모 데이터로부터 가치 있는 정보를 추출하고 분석하는 기술
생체인증	지문, 홍채, 안면, 목소리, 걸음걸이 등 개개인의 고유한 생체 정보를 이용하여 사용자를 인증하는 방식
지급결제	기존의 현금 및 카드를 통한 결제방식에서 탈피해 하드웨어(스마트폰) 또는 소프트웨어(앱)를 기반으로 결제가 가능하게 하는 기술
크라우드 펀딩	특정 사업의 수행을 위해 소비자, 후원자 등 불특정 일반 대중으로부터 소액의 사업자금을 모집하는 행위

12 위의 자료를 바탕으로 후불 버스나 편의점 현장에서 이용하기에 가장 적합한 핀테크 기술을 고르면?

① 가상화폐   ② 간편송금   ③ 블록체인

④ 빅데이터   ⑤ 지급결제

13 사용자들 간에 아이템이나 게임 화폐를 자주 거래하는 스마트폰 게임을 운영 중인 회사에서 향후 사업전략을 검토 중이다. 다음 중 해당 회사에 가장 적합한 핀테크 사업전략을 고르면?

① 크라우드 펀딩을 통해 대규모 신규 프로젝트의 개발 자금을 추가 조달한다.

② 자체 개발한 딥러닝 알고리즘을 탑재한 로드바이저 시스템을 대대적으로 홍보하여 투자 자금을 유치한다.

③ 별도의 어플리케이션을 통해 간편하게 게임 화폐를 충전하거나 아이템을 거래할 수 있는 시스템을 구축한다.

④ 걸음걸이로 사용자를 인증하고 로그인하는 시스템을 개발한다.

⑤ 고객의 동의 없이 고객의 아이템 구매 및 게임 화폐 거래 내역과 게임 플레이 데이터를 타 기업에 판매하여 영업 외 수익을 얻는다.

14 다음 글의 밑줄 친 부분과 관련된 경제적 상황으로 옳은 것을 고르면?

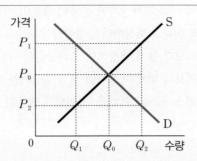

　　S는 Y재의 국내 공급곡선을, D는 Y재의 국내 수요곡선을 나타낸다. 한-칠레 FTA 체결 이전 칠레산 Y재는 관세를 포함 P_1에서 무한정 공급 가능한 상태였다. <u>FTA의 체결로 칠레산 Y재에 대해 부과되던 P_1~P_2만큼의 관세가 철폐되었다.</u>

① 관세철폐 이전 칠레산 Y재의 국내 거래량은 Q_1이다.
② 관세철폐 이후 칠레산 Y재의 국내 거래량은 Q_2이다.
③ 관세철폐 이후 Y재의 국내 거래량은 Q_0~Q_2만큼 증가하였다.
④ 관세철폐로 우리나라 국제수지는 $P_0 \times (Q_1$~$Q_2)$만큼 악화되었다.
⑤ 관세철폐 이전 국내 가격은 P_1이다.

15 다음 중 실업률 및 경제 활동 참가율에 대한 설명으로 옳지 <u>않은</u> 것을 [보기]에서 모두 고르면?

> **보기**
> ㉠ 실망실업자는 직장을 갖기를 원하는 사람으로서 경제 활동 인구에 속한다.
> ㉡ 파업 중이거나 휴가 중인 사람은 취업자로 분류되지 않는다.
> ㉢ 지난달보다 실업자 수가 늘어도 실업률이 하락하는 것은 산술적으로 가능하다.
> ㉣ 지난달에 비해 취업자 수에는 변화가 없는데 신규로 직장을 구하려는 사람들이 늘어났다면 실업률은 상승한다.
> ㉤ 경제 활동 인구가 증가하고 경제 활동 참가율이 낮아졌다면 비경제 활동 인구가 증가한 것이다.

① ㉠, ㉡　　　　　　　　　　　　　② ㉠, ㉡, ㉢
③ ㉠, ㉢, ㉣　　　　　　　　　　　④ ㉡, ㉢, ㉣, ㉤
⑤ ㉣, ㉤

16 다음 중 최고가격제와 최저가격제에 대한 설명으로 옳지 <u>않은</u> 것을 고르면?

① 최고가격을 균형가격 이하로 책정하면 상품의 배분이 비효율적으로 이루어진다.

② 최고가격을 균형가격 이하로 책정하면 만성적인 초과수요가 발생하고 암시장이 나타날 수 있다.

③ 최저가격을 균형가격보다 높게 책정하면 초과공급이 나타나므로 암시장은 발생하지 않는다.

④ 최저가격을 균형가격보다 낮게 책정하면 시장 수급에는 아무 영향이 없다.

⑤ 최저임금제는 미숙련 노동자의 취업을 더 어렵게 만든다.

17 다음 중 완만하면서 기대된 인플레이션의 사회적 비용에 대한 설명으로 옳은 것을 [보기]에서 모두 고르면?

> 보기
>
> ㉠ 인플레이션 때문에 가격표를 자주 교체해야 하는 비용인 메뉴 비용(menu costs)이 증가한다.
> ㉡ 기대된 인플레이션은 단기계약보다 장기계약을 선호하게 만들어 자원배분의 왜곡을 초래한다.
> ㉢ 인플레이션은 소비자들이 신용카드보다 현금 사용을 선호하게 만들어 세금포탈의 불법행위가 증가하게 한다.
> ㉣ 메뉴 비용이 커서 1년 동안 가격을 변경시킬 수 없는 기업은 연초의 판매량이 적고 연말의 판매량이 많아 자원배분 비용이 증가한다.
> ㉤ 인플레이션 때문에 화폐보유의 기회비용이 증가함으로써 사람들은 화폐보유량을 줄이는 대신 자주 은행이나 현금인출기를 이용하게 된다. 따라서 시간 비용과 구두가죽 비용(shoe leather cost)이 증가한다.

① ㉠, ㉡   ② ㉡, ㉢   ③ ㉢, ㉣

④ ㉠, ㉢, ㉤   ⑤ ㉠, ㉣, ㉤

18 다음 중 BCG 매트릭스에서 별(star)에 해당하는 사업 영역의 전략으로 가장 옳은 것을 고르면?

① 시장 예측에 기반을 두어 사업을 더 확장하고 자원을 추가 투입한다.

② 자원의 유출을 제거하기 위해 사업을 매각·분사·청산한다.

③ 자원 투자를 최소화로 유지하여 보다 많은 현금 흐름의 편익을 유지한다.

④ 영업양도전략을 추구한다.

⑤ 전망이 좋으면 자원을 확대투입하고, 그렇지 않으면 자원 투입을 축소한다.

19 다음 중 옳지 <u>않은</u> 것을 고르면?

① 확장적 통화정책을 쓰게 되면 이자율이 하락하고 투자가 증가하여 총수요곡선은 우측으로 이동하므로 경기침체의 해결 방안으로 고려할 수 있다.

② 물가가 하락하게 되면 자국화폐로 표시된 실질환율이 상승하여 총수요곡선이 우측으로 이동하므로 경기침체의 해결 방안으로 고려할 수 있다.

③ 투자세액공제를 확대하게 되면 총수요를 증가시키게 되므로 경기침체의 해결 방안으로 고려할 수 있다.

④ 향후 물가가 상승할 것이라고 예상하게 되면 총수요 증가가 나타나므로 경기침체의 해결 방안으로 고려할 수 있다.

⑤ 기술진보는 장기총공급곡선을 우측으로 이동시키므로 경제성장에 도움이 되는 방안이라 할 수 있다.

20 다음 [표]는 갑의 취미 활동에 대한 비용과 편익에 관한 자료이다. 이에 대한 설명으로 가장 적절한 것을 고르면?

[표] 갑의 비용과 편익
(단위: 원)

구분	비용	편익
연극 관람	7,000	9,000
떡볶이 먹기	5,000	5,000
커피 마시기	4,000	2,000

① 떡볶이를 먹는 것이 가장 합리적 선택이다.

② 떡볶이를 먹을 때의 순편익이 가장 크다.

③ 커피를 마실 때 순편익은 2,000원이다.

④ 세 가지 중에서 연극 관람을 할 때 순편익이 가장 크다.

⑤ 연극 관람을 하는 것과 커피를 마시는 활동의 기회비용은 같다.

21 다음 [표]는 금일 A~D종목의 주식 시세에 관한 자료이다. 이에 대한 설명으로 옳은 것을 고르면?

[표] 오늘의 주식 시세표

KOSPI 2548.32 (▲ 10.58)					
종목명	종가	등락	거래량(주)	고가	저가
A	43000	▽1000	50000	46000	41000
B	54000	▲3000	49000	55000	49000
C	25500	▽1500	25000	25900	24500
D	4000	▲200	95000	4400	3800

① 시가총액이 가장 높은 종목은 A이다.

② 전일 주가가 가장 높은 종목은 A이다.

③ 전일 대비 주가 상승률이 가장 높은 종목은 B이다.

④ 당일 거래액이 가장 큰 종목은 D이다.

⑤ C종목은 거래 전일에 비해 상승 출발했으나 최종적으로 하락했다.

22 우리기업은 현재 전체시장에서 40%의 시장점유율을 차지하고 있는 시장점유율 1위 기업이다. 아울러 해당 시장은 올해 15%의 성장률을 보이고 있다. BCG 매트릭스에서 우리기업이 차지하고 있는 위치로 가장 옳은 것을 고르면?

① 물음표(question mark) ② 현금젖소(cash cow)

③ 별(star) ④ 야생고양이(wild cat)

⑤ 개(dog)

23 다음 [표]는 갑과 을이 시간당 생산할 수 있는 X재의 수량과 Y재의 수량에 관한 자료이다. 이에 대한 설명으로 옳지 <u>않은</u> 것을 고르면?

[표] 갑과 을의 시간당 생산 가능한 X, Y재 수량 (단위: 개)

구분	X재	Y재
갑	1	2
을	2	2

① 갑의 X재 생산의 기회비용은 Y재 2개이다.

② 을의 X재 생산의 기회비용은 Y재 1개이다.

③ X재 생산에 특화하는 자는 을이다.

④ 을이 X재와 Y재를 2 : 3으로 교환할 것을 제시하면, 갑은 이를 수락하지 않을 것이다.

⑤ 갑은 X재 생산에 절대열위에 있다.

24 다음 [표]는 생수시장을 양분하고 있는 백두산수와 한라산수의 광고 여부에 따른 보수행렬에 관한 자료이다. 이에 대한 설명으로 옳은 것을 [보기]에서 모두 고르면?(단, 각 보수쌍에서 왼쪽은 백두산수의 보수이고, 오른쪽은 한라산수의 보수이다.)

[표] 백두산수와 한라산수의 광고 여부에 따른 보수행렬

구분		한라산수	
		광고함	광고 안 함
백두산수	광고함	(25, 15)	(30, 0)
	광고 안 함	(15, 20)	(40, 5)

보기

ⓐ 한라산수는 우월전략을 가지고 있다.
ⓑ 백두산수의 우월전략은 광고를 하는 것이다.
ⓒ 내쉬균형은 모두 광고를 하는 것이다.

① ㉠ ② ㉠, ㉢ ③ ㉡

④ ㉡, ㉢ ⑤ ㉠, ㉡, ㉢

25 다음 글의 (가), (나)에 대한 설명으로 가장 옳은 것을 고르면?

조세는 납세자와 담세자의 일치 여부에 따라 (가)와 (나)로 분류할 수 있다. (가)는 납세자와 담세자가 일치하며, (나)는 납세자와 담세자가 일치하지 않는다. 여기서 납세자는 세금을 국가나 지방자치단체에 납부하는 사람을 의미하며, 담세자는 부과된 세금을 자신의 소득 또는 재산에서 실질적으로 부담하는 사람을 의미한다.

① (가)는 조세전가가 나타난다.
② (가)는 간접세, (나)는 직접세이다.
③ (나)는 주로 소득이나 재산에 부과된다.
④ (가)에 비해 (나)는 소득재분배효과가 작다.
⑤ (가)에 부가가치세, (나)에 법인세가 해당된다.

26 현재 A기업의 주식은 10,000원에, B기업의 주식은 1,000원에 거래되고 있다. 다음 [표]의 미래 경제 예측을 바탕으로 A기업과 B기업 주식의 각각 기대수익률로 바르게 짝지어진 것을 고르면?

[표] A, B기업 주식의 미래 경제 예측 (단위: %, 원)

구분	발생 확률	A기업 주가	B기업 주가
호황	25	20,000	4,000
불황	75	10,000	1,000

	A기업	B기업
①	12.5%	50%
②	25%	50%
③	25%	75%
④	50%	75%
⑤	50%	100%

27 다음 [표]는 '갑'국의 GDP를 서로 다른 방식으로 나타낸 자료이다. 이에 대한 설명으로 옳은 것을 고르면?

[표1] (단위 : %)

항목	비율
소비	65
㉠ 투자	13
정부 지출	17
순수출	5
계	100

[표2] (단위 : %)

항목	비율
㉡ 임금	68
이자	4
지대	8
㉢ 이윤	20
계	100

① '갑'국의 수출액은 수입액에 비해 5% 많다.

② [표1]은 생산 측면, [표2]는 분배 측면의 GDP 구성을 나타낸다.

③ ㉠에는 외국에서 생산된 기계구입대금이 포함된다.

④ ㉡에는 '갑'국 내 기업에 취업한 외국인 근로자의 임금은 포함되지 않는다.

⑤ ㉢에는 '갑'국 기업이 해외 공장에서 얻은 이윤도 포함된다.

28 다음 글에서 설명하는 박람회의 명칭과 주최국으로 옳은 것을 고르면?

> 매년 개최되는 세계 최대 규모의 전자 제품 박람회로, 가전 업계의 최신 경향을 한눈에 확인할 수 있는 권위 있는 행사이다. 주요 전자 업체들이 자사의 신제품을 발표하는 전시회로 전 세계 가전의 흐름을 한눈에 확인할 수 있다. VCR(1970년), CD플레이어(1981년), IoT(2015년), 커브드 UHD TV(2014년) 등 일상 생활과 밀접한 첨단 가전 제품이 이 박람회를 통해 첫선을 보였다.

① CES, 미국　　　　　　② IFA, 독일　　　　　　③ IFA, 미국
④ MWC, 독일　　　　　　⑤ MWC, 스페인

29 다음 중 디스플레이 기술의 발전 양상을 순서대로 바르게 나열한 것을 고르면?

① CRT – LCD – OLED – PDP
② CRT – PDP – LCD – OLED
③ CRT – LCD – OLED – PDP
④ PDP – CRT – LCD – OLED
⑤ PDP – LCD – OLED – CRT

30 다음 중 농협은행이 국내 핀테크 스타트업 활성화를 위해 조성한 특구의 이름을 고르면?

① NH스타트큐브
② NH디지털라운지
③ NH핀테크스튜디오
④ NH스타트업스트리트
⑤ NH디지털혁신캠퍼스

정답과 해설 ❿ P.59

직무능력평가

01 다음 글의 ㉠~㉣에 들어갈 알맞은 단어를 고르면?

NH앱캐시 이용 안내

- 스마트폰 기종에 관계없이 웹마켓에서 다운로드하여 설치 가능
- 현금카드 관련 금융사고 예방을 위한 알림 서비스 무료 제공
  - 스마트폰에 등록된 '현금카드' 등록 시 사용한 플라스틱 현금카드의 출금, (㉠), 장기미사용 등 각종 이용 상황을 PUSH서비스를 통해 알림
- 스마트폰을 이용한 자동화기기 출금 서비스 지원
  - 전국 26천여 개의 농협 자동화기기에서 출금 가능
- 국내 최초 On-Line 현금카드 (㉠) 서비스 구현
  주요 On-Line 쇼핑몰에서 '앱캐시' 사용 시 소득(㉡) 혜택 제공

▣ 이용 대상

　가. 본인명의로 통신사 등록된 스마트폰 소지고객
　나. 농협은행 및 농·축협의 현금카드(CD(㉢) 등록된 신용/체크카드 포함)를 발급받은 개인 고객

▣ 서비스 신청

　'NH앱캐시'를 통해 본인인증 후 현금카드 등록
　　- 1개 카드에 여러 (㉣)를 등록한 고객은 (㉣)번호 직접 입력 필요

	㉠	㉡	㉢	㉣
①	결재	공제	겸용	계좌
②	결재	세금	공용	통장
③	결재	공제	공용	계좌
④	결제	세금	겸용	통장
⑤	결제	공제	겸용	계좌

02 다음 [표]는 영농형태별 농가소득에 관한 자료이다. 이에 대한 설명으로 옳지 <u>않은</u> 것을 [보기]에서 고르면?

[표] 영농형태별 농가소득 (단위: 천 원)

구분	2014년		2015년		2016년	
	농업 총수입	농업 경영비	농업 총수입	농업 경영비	농업 총수입	농업 경영비
논벼	22,861	15,800	25,039	16,664	21,818	16,013
과수	46,910	27,640	43,384	27,364	43,052	26,952
채소	36,545	25,476	35,309	23,582	35,348	22,611
특용작물	16,171	11,155	16,835	14,336	15,241	10,351
화훼	67,922	59,848	72,927	63,053	79,695	63,492
일반밭작물	17,805	10,334	19,709	11,545	21,577	15,845
축산	150,502	100,771	163,304	104,950	166,167	109,734

※ 농가소득＝농업 총수입－농업 경영비

보기

㉠ 2016년 논벼 농가소득은 5,805,000원이다.

㉡ 축산의 농가소득은 매년 증가하고 있다.

㉢ 특용작물의 농가소득은 2014보다 2016년에 더 높다.

㉣ 과수의 3년 평균 농업 경영비는 2,700만 원 미만이다.

㉤ 2015년 채소의 농업 경영비는 일반밭작물의 2배 이상이다.

---

① ㉠, ㉡, ㉢　　　　　　② ㉠, ㉢, ㉣　　　　　　③ ㉡, ㉢, ㉣

④ ㉡, ㉣, ㉤　　　　　　⑤ ㉢, ㉣, ㉤

[03~04] **다음은 ○○전자 노사협의위원회의 의사결정 구조에 관한 자료이다. 이를 바탕으로 질문에 답하시오.**

○○전자는 직원들의 휴식공간으로 이용되고 있는 회사 내 공원을 어떻게 이용할 것인지에 대해 논의 중이다. 노사협의위원회 5명의 위원 중 위원장인 A위원은 연구소를 설치해야 한다고 주장하였다. 그밖에 다른 위원들은 운동장, 기숙사, 식당, 주차장 등을 건의하였는데, 각자의 안에 대한 우선순위는 다음과 같다.

[표] 휴식공간에 대한 5명 위원의 우선순위

구분	A위원	B위원	C위원	D위원	E위원
연구소	1순위	5순위	2순위	4순위	2순위
운동장	5순위	2순위	3순위	2순위	4순위
기숙사	2순위	1순위	1순위	5순위	3순위
식당	4순위	4순위	5순위	3순위	1순위
주차장	3순위	3순위	4순위	1순위	5순위

최종안을 결정하기 위해 먼저 A위원의 주장인 연구소 설치를 '1안'으로 하고 B위원이 건의하는 것을 '2안'으로 하여 1차 투표를 하기로 하였다. 5명의 위원은 두 안 중에서 우선순위가 높은 안에 투표한다. 1차 투표의 결과와 나머지 안 중 1순위가 가장 많이 나온 안을 가지고 2차 투표를 하여 최종안을 결정하기로 하였다(단, 1순위가 가장 많이 나온 안이 여러 개일 경우, 여러 안 중 5순위가 적은 안, 이 또한 같다면 4순위가 적은 안으로 한다). 만약 B위원이 '2안'을 건의하지 않으면 1차 투표 없이 '1안'과 1순위가 가장 많이 나온 안을 가지고 결선투표를 한다.

03 위원들의 우선순위에 대한 조사 결과가 B위원에게만 유출되었다. 위의 자료를 바탕으로 B위원이 직원 기숙사를 최종안으로 결정되게 하기 위해 1차 투표에서 '2안'으로 건의해야 할 내용을 고르면?

① 운동장을 건의한다.
② 기숙사를 건의한다.
③ 식당을 건의한다.
④ 주차장을 건의한다.
⑤ '2안'을 건의하지 않고 바로 결선투표를 한다.

04 다음 [그림]과 같이 투표방식을 바꾸어 진행하였을 때 최종안으로 선택되는 것을 고르면?(단, B위원도 우선순위에 대한 조사 결과를 알지 못한다고 가정한다.)

[그림] 새로운 투표방식

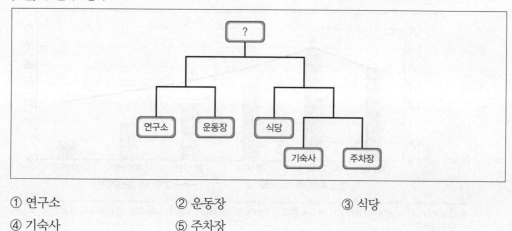

① 연구소   ② 운동장   ③ 식당
④ 기숙사   ⑤ 주차장

05 다음 글의 ㉠~㉣에 들어갈 알맞은 단어를 고르면?

신종 코로나바이러스 감염증(코로나19)이 전 세계로 확산되면서 원·달러 (㉠)이(가) 다시 1,200원대로 올랐다. 미국 연방준비제도의 금리인하 등으로 잠시 주춤하던 원·달러 환율은 글로벌 금융시장의 변동성이 커지면서 다시 급등하는 모양새다. 코로나19 확산에 따라 (㉡) 또한 폭락했다. 이는 원유 수요 감소 우려와 더불어 석유수출국기구(OPEC)와 러시아 등 주요 산유국이 추가감산에 합의하지 못한 결과이다. (㉡) 하락은 우리나라 (㉢) 흑자 증가 요인이나 정유화학 및 조선산업 부진으로 이어질 가능성이 있다. 이는 원화 약세 압력으로 작용될 것으로 전망된다. 결국 금융시장의 불안심리가 확대되면서 위험회피 심리가 강화되고, 신흥국 통화에 비해 상대적으로 안전자산으로 간주되는 (㉣)인 달러에 힘이 실리는 방향으로 나아갈 것으로 예측 가능하다.

	㉠	㉡	㉢	㉣
①	환율	유가	경상수지	무역통화
②	환율	유가	경상수지	기축통화
③	환율	배럴	자본수지	기축통화
④	금리	유가	자본수지	무역통화
⑤	금리	배럴	경상수지	무역통화

06 다음 [그래프]는 은행의 고정이하 여신비율과 대손충당금 적립률에 관한 자료이다. 이에 대한 설명으로 옳지 **않은** 것을 고르면?

[그래프1] 은행 고정이하 여신비율 추이   (단위: %, 조 원)

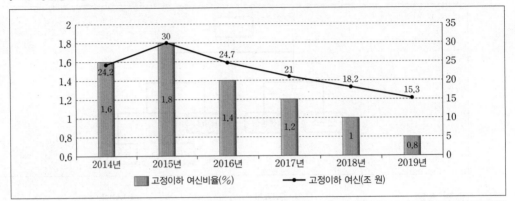

※ 고정이하 여신비율(%)=(고정이하 여신÷총여신)×100%로 계산하며, 비율이 낮을수록 은행이 보유하고 있는 여신의 건전성이 양호하다.

[그래프2] 은행 대손충당금 적립률   (단위: %)

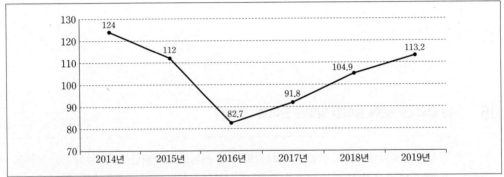

※ 대손충당금 적립률(%)=(총대손충당금 잔액÷고정이하 여신)×100%로 계산하며, 일반적으로 100%를 상회하는 경우 현재의 문제여신이 은행 경영에 크게 영향을 미치지 않는 것으로 판단할 수 있다.

① 고정이하 여신의 추이와 고정이하 여신비율의 증감 추이는 동일하다.

② 2019년 대손충당금 적립률은 5년 전 대비 10.8%p 감소하였다.

③ 은행이 보유하고 있는 여신의 건전성이 가장 양호하지 않은 해에 문제여신이 은행 경영에 크게 영향을 미치지 않았다.

④ 총대손충당금 잔액이 가장 적은 해는 2016년이다.

⑤ 2019년 총여신은 전년 대비 증가하였다.

07 다음 글을 읽고 주간 일기예보를 정리한 것으로 옳은 것을 고르면?

10월 첫째 주 서울·경기·지방 주간 날씨 예보입니다. 월요일 현재 서울·경기·지방의 하늘에는 구름이 잔뜩 끼어 날씨가 흐리지만, 내일부터는 점차 날씨가 개어 맑은 하늘을 볼 수 있을 것 같습니다. 주초에는 하루 평균 기온이 15℃ 정도로 예년 평균 수준을 유지하겠으나, 이동성 고기압의 뒤에 따라오는 기압골의 영향으로 수요일에는 계절을 재촉하는 비가 내리겠습니다. 비가 내리면서 기온은 3℃ 내외로 낮아져 12~14℃를 유지할 것으로 예상됩니다.

작년 이맘때쯤 태풍이 우리나라 남부와 동해안 지방을 덮쳐 많은 피해를 냈습니다. 다행히 이번 주 목요일부터 주말까지는 서쪽에서 다가오는 이동성 고기압의 영향으로 예년 기온을 되찾겠고, 당분간 선선하고 맑은 전형적인 가을 날씨가 이어질 것으로 예상됩니다.

이상으로 기상 전문 캐스터 ○○○의 주간 날씨 예보를 마치겠습니다.

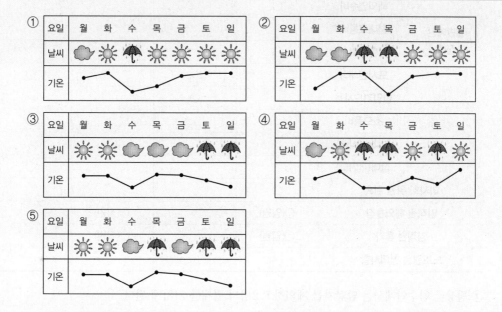

08

다음 [표]는 A사의 전결규정에 관한 자료이다. 이에 대한 설명으로 옳은 것을 고르면?

[표] A사의 전결규정

업무 내용		전결권자			
		사장	부사장	본부장	팀장
주간업무보고					○
팀장급 인수인계			○		
일반예산 집행	잔업수당	○			
	회식비			○	
	업무활동비			○	
	교육비		○		
	해외연수비	○			
	시내교통비			○	
	출장비	○			
	도서인쇄비				○
	법인카드사용		○		
	소모품비				○
	접대비(식대)			○	
	접대비(기타)				○
이사회 위원 위촉		○			
임직원 해외출장		○(임원)		○(직원)	
임직원 휴가		○(임원)		○(직원)	
노조관련 협의사항			○		

① 팀장급 인수인계서는 담당자를 제외하고 2명의 결재를 거치게 된다.

② 업무활동비 집행을 위한 결재 문서에는 '사장' 결재란에 아무도 서명하지 않는다.

③ 해외연수비와 시내교통비 집행을 위한 두 결재 문서의 '부사장' 결재란에는 아무도 서명하지 않는다.

④ 접대비 집행을 위한 결재 문서에는 금액에 관계없이 사장과 부사장 모두 결재하지 않는다.

⑤ 임직원 해외출장을 위한 결재 문서에는 항상 부사장의 결재가 필요하다.

09 김 과장은 지갑을 구매하고자 한다. 우리나라 온라인 최저가와 직구 가격 및 환율이 다음 [표]와 같을 때, 가장 저렴하게 지갑을 구매할 수 있는 국가를 고르면?(단, 엔화는 달러를 기준으로 한 간접 환거래만 가능하며, 부가 비용을 제외한 기타 세금 및 환전 수수료는 존재하지 않는다.)

[표1] 현재 각국 지갑 가격

국가	현재가	부가 비용
우리나라	340,000원	현재가에서 8% 할인
미국	300달러	현재가에서 10달러 할인
중국	2,100위안	현재가에서 10% 할인
일본	26,900엔	–
독일	218유로	현재가에서 관세 10% 추가

[표2] 현재 각국 환율

환율 단위	원/달러	원/위안	엔/달러	원/유로
환율	1,080	170	90	1,270

① 우리나라   ② 미국   ③ 중국
④ 일본   ⑤ 독일

[10~11] 다음은 조합장 선거에 관한 글과 조합원들의 선호경향을 나타낸 [그래프]이다. 이를 바탕으로 질문에 답하시오.

조합원이 340명인 ○○조합의 조합장 선거에 박수진과 김명철이 입후보하였다. 이번 선거의 최대 쟁점은 올해 조합이익의 0~6% 중 얼마를 조합원에게 분배할 것인가이다. 조합원들은 자신이 선호하는 수치와 가장 근접한 수치를 공약으로 내건 후보에게 반드시 투표하려고 한다. 예를 들어 박수진 후보는 1%, 김명철 후보는 6%를 공약하였다면 4%를 선호하는 조합원은 김명철 후보에게 투표할 것이다. 만약 두 후보가 공약한 수치와 자신이 선호하는 수치의 차이가 같다면 두 후보 중 한 명에게 같은 비율로 투표한다. 만약 두 후보의 득표수가 같다면 더 높은 수치를 공약한 후보가 승리하며, 두 후보는 같은 수치를 공약으로 할 수 없다. 조사 결과 조합원들이 선호하는 이익 배분수치의 분포는 다음과 같으며, 후보들은 조합원들의 선호경향을 알 수 없다.

[그래프] 조합원들의 선호경향   (단위: 명)

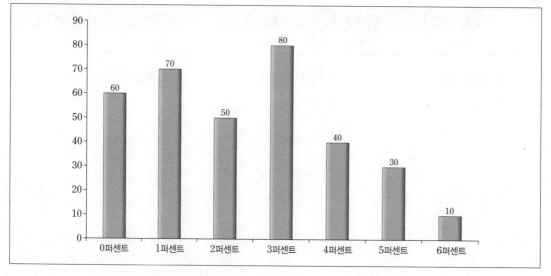

10 위의 자료에 대한 설명으로 옳은 것을 고르면?

① 박수진이 2%, 김명철이 4%를 공약하였다면 두 후보의 득표 수 차이는 20표이다.
② 상대 후보와 최대한 비슷하게 공약하는 것이 유리하다.
③ 상대 후보보다 먼저 공약을 발표하는 것이 유리하다.
④ 박수진이 1%, 김명철이 4%를 공약하였다면 김명철이 당선된다.
⑤ 두 후보가 동시에 공약한다면 0~6%의 중앙값 수치를 공약하는 것이 유리하다.

11 공약 전에 조합원들의 선호경향 조사 결과가 박수진 후보에게 유출되었다고 한다. 박수진 후보가 먼저 공약할 수 있을 때, 반드시 승리할 수 있는 공약 수치를 고르면?

① 1%　　　　　　　② 2%　　　　　　　③ 3%
④ 4%　　　　　　　⑤ 5%

12 다음 [표]는 하나로마트에서 판매 중인 수산물에 관한 자료이다. 이를 바탕으로 A, B가 [보기]와 같이 상품을 구입하였을 때 총결제 금액을 고르면?

[표] 하나로마트에서 판매 중인 수산물 정보

구분	가격	할인 안내
갈치	4,000원 / 1마리	5마리 이상 구매 시, 1마리 추가 증정
고등어	10,000원 / 3마리	9마리 이상 구매 시, 3,000원 할인
광어	7,000원 / 2마리	8마리 이상 구매 시, 2마리 추가 증정
도미	5,000원 / 1마리	4마리 이상 구매 시, 4,000원 할인
전복	15,000원 / 500g	1kg 이상 구매 시, kg당 2,000원 할인
굴	10,000원 / 1kg	2kg 구매 시 500g 추가 증정

보기
- A: 갈치 8마리, 전복 2kg, 고등어 6마리 구매
- B: 광어 10마리, 도미 5마리, 굴 1kg 구매

① 163,000원　　　　② 164,000원　　　　③ 165,000원
④ 166,000원　　　　⑤ 167,000원

13 다음 글의 내용을 바탕으로 [보기]의 고객문의에 대한 답변으로 적절하지 <u>않은</u> 것을 고르면?

■ 모닝캄 회원 자격
아래 조건 중 하나를 충족해야 합니다.
- ○○항공 5만 마일 이상 적립
- ○○항공 탑승 3만 마일 이상이면서 제휴사 이용 실적과 합하여 5만 마일 이상 적립
- ○○항공 탑승 횟수 40회 이상(국내선 1회 탑승은 0.5회로 계산되며, 마일리지 적립이 불가한 항공권으로 탑승하신 경우에는 탑승 횟수에 포함되지 않음)

■ 모닝캄 회원 혜택
- 모닝캄 클럽 전용 탑승수속 카운터 이용
- ○○항공 이용 시 수하물 우선적으로 처리
- 스카이팀 엘리트 회원 혜택 제공
- 무료 수하물 1개를 추가로 허용(단, 미주노선 일반석 제외)
- 예약 대기 시 좌석을 우선적으로 지원(동일 예약 등급의 경우에만 적용, 공항 대기는 제외)
- ○○항공이 직접 운영하는 프레스티지 클래스 라운지 이용 가능(2년간 총 4회)
※ 라운지 이용 횟수 추가 차감 시, ○○항공 비행 편으로 여행하시는 고객의 동반 이용 가능
※ 라운지 이용은 ○○항공편(○○항공 편명으로 발권된 경우에 한하며, 스카이팀 및 제휴 항공사 이용 시 제외) 탑승 당일 출발지 공항에서 가능하며, 라운지 좌석 사정에 따라 이용이 제한될 수 있음

■ 모닝캄 클럽 자격 유지 조건
자격 유효기간인 2년 동안 아래 조건 중 하나를 충족해야 합니다.
- ○○항공 3만 마일 이상 적립
- ○○항공 20회 이상 탑승
- ○○항공 탑승 실적이 2만 마일 또는 15회 이상이고, 제휴사 이용 실적과 합하여 3만 마일 이상 적립(마일리지 적립이 가능한 항공권 탑승 조건이며, 국내선은 0.5회로 계산)

보기

[고객문의]
　제가 ○○항공 5만 마일 이상을 적립해서 모닝캄 회원이 되었다는 연락을 받았습니다. 제가 받을 수 있는 혜택과 회원 유지 기간이 궁금합니다.

① ○○항공이 직접 운영하는 프레스티지 클래스 라운지를 일정 횟수 이용 가능하십니다.
② 향후 별다른 조건 없이 2년 동안 모닝캄 회원 혜택을 누리실 수 있습니다.
③ 자격 유효기간 동안 ○○항공 3만 마일 이상 적립하시면 회원 혜택을 2년 이상 누리실 수 있습니다.
④ 자격 유효기간 동안 마일리지 적립이 가능한 항공권으로, ○○항공을 20회 초과하여 탑승하시면 회원 혜택을 2년 이상 누리실 수 있습니다.
⑤ 다음부터는 모닝캄 클럽 전용 탑승수속 카운터를 이용하시면 됩니다.

14 다음 [그래프]는 연간 총급수량과 1인당 일평균 물 사용량에 관한 자료이다. 이에 대한 설명으로 옳은 것을 고르면?

[그래프] 연간 총급수량과 1인당 일평균 물 사용량

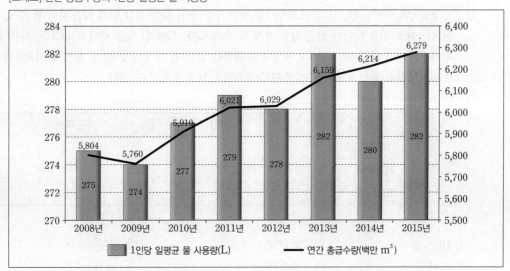

※ 1인당 일평균 물 사용량 = {(유수량 − 분수량) ÷ 급수인구} ÷ 365
※ 유수량: 유효수량 중 요금으로 징수할 수 있는 수량
※ 분수량: 수돗물이 부족한 다른 수도사업자에게 나누어준 수량, 타수도 사업자에게 수입을 받을 수 있는 수량

① 1인당 일평균 물 사용량이 많아질수록 연간 총급수량도 높아진다.

② 2009년 이후 5년간 연간 총급수량은 증가하고 있다.

③ 2014년에 비해 2015년 유수량이 더 많다.

④ 2011년과 2012년의 유수량과 분수량이 서로 같다면 2012년 급수인구는 전년 대비 감소하였다.

⑤ 2008~2012년의 연평균 연간 총급수량은 276.6백만 m³이다.

15 다음 상황에서 두 사람이 항상 함께 일을 할 때와 처음에는 따로 일을 할 때 작업에 걸리는 최단시간의 차이를 고르면?

> 철민이와 주아는 배, 사과, 포도농사를 짓는 부부이다. 둘은 항상 함께 일을 같이 할 수도, 처음에는 따로 일을 하다가 남은 일을 함께 할 수도 있다. 해야 할 일은 배나무 40그루, 사과나무 30그루와 포도나무 60그루에서 과일을 수확하는 일이다. 두 사람은 일을 동시에 시작하며 한 종류의 나무를 전부 수확한 후에야 다른 종류의 나무를 수확할 수 있다.
>
> [표] 철민, 주아가 10분 동안 수확을 끝낼 수 있는 나무의 양　　　　　　　(단위: 그루)
>
> | 구분 | 철민 | 주아 |
> |------|------|------|
> | 배나무 | 2 | 2 |
> | 사과나무 | 3 | 2 |
> | 포도나무 | 5 | 10 |

① 10분　　　　　　　　② 20분　　　　　　　　③ 30분
④ 40분　　　　　　　　⑤ 50분

16 의류를 수입해서 판매하는 사업을 운영하는 김 씨는 의류를 수입해올 때 구입비의 10%를 세금으로 납부한다. 김 씨는 의류의 원가를 의류 구입비+세금으로 책정하고, 이익이 30%가 되도록 정가를 매기려고 한다. 김 씨가 한 벌에 400달러짜리 의류를 구입하여 우리나라에서 판매할 때, 이 의류 한 벌의 정가는 얼마인지 고르면?(단, 1,000원은 0.8달러이다.)

① 625,000원　　　　　　② 680,500원　　　　　　③ 700,000원
④ 702,500원　　　　　　⑤ 715,000원

다음 신문기사를 읽고 나눈 대화인 [보기]의 흐름상 빈칸에 들어갈 말로 가장 적절한 것을 고르면?

농협은행, '호랑이 불리온 메달' 단독 판매

NH농협은행 경북 본부는 4일부터 조폐공사가 출시한 '호랑이 불리온 메달'을 국내 은행 중 단독으로 선착순 예약 판매한다.

이번에 판매되는 '호랑이 불리온 메달'은 순금 3종(31.1g, 15.55g, 7.78g 각 200장)과 3종 세트 200세트로 구성되어 있으며 조폐공사가 99.99%의 순도와 중량을 보증한다.

불리온 메달은 일별 금 시세에 따라 판매 가격이 변동되는 것이 특징이나, 이번 농협은행 판매 수량에 한해 고정 가격으로 판매할 예정이다. '불리온'은 '금괴[은괴]들; (엄청난 양의) 금[은]'을 뜻하는 단어로, 프랑스 루이 13세 때 재정 장관이었던 '끌로 드 불리온'에서 비롯되었다.

현재 해외 주요 국가에서는 미국의 독수리, 중국의 판다, 호주의 캥거루 등 국가를 상징하는 동식물을 활용한 지금형(Bullion) 사업을 활발히 수행하고 있다.

농협은 "100% 국내 자본 은행인 NH농협은행이 우리나라를 대표하는 동물인 '호랑이'를 주제로 한 불리온 메달을 금융권 최초로 판매하는 것은 매우 뜻깊은 일"이라며, "불리온 메달의 국내 인지도가 낮은 편이나 전국적인 영업망을 가진 NH농협은행의 이번 판매로 많은 수집상의 관심을 불러일으킬 것으로 보인다"고 말했다.

보기

- 갑: '호랑이 불리온 메달'이라는 게 나왔다는군. 우리나라를 대표하는 동물인 호랑이를 주제로 했다고 하네.
- 을: 순금 메달인데, 조폐공사가 순도와 중량을 보증해 준다더군.
- 갑: 게다가 NH농협은행에서 판매한다니 더욱 믿을 수 있겠어.
- 을: 그러니 수집하려는 사람들도 많지 않겠어? 그런데 한정 수량이라니 더더욱 구입할 만하지.
- 갑: 맞아. 우리가 '호랑이 불리온 메달'을 구입한다면 (   ) 효과를 주로 기대할 수 있지.

① 기존의 지폐나 수표 대신 사용하는
② 투자 가치와 수집 가치를 동시에 만족하는
③ 순수 국내 자본 은행인 NH농협은행의 이익을 창출하는
④ 국가 행사나 국제 교류 행사에서 표창의 의미를 나타내는
⑤ 우리나라를 상징하는 동물을 형상화한 점에서 애국심을 고취하는

다음은 P회사의 A~E 영상 크리에이터별 분석 내역에 관한 자료이다. 이를 바탕으로 선정된 영상 크리에이터에게 인센티브를 포함하여 지불해야 하는 총광고비는 얼마인지 고르면?(단, 광고 후 한 달 동안 조회 수는 총 23만 회이다.)

> P회사에서는 신제품 홍보를 위하여 Y플랫폼 영상 크리에이터 A~E 중 1명을 선정하여 광고 영상을 의뢰할 예정이다. P회사에서는 아래 기준에 따라 나온 총점이 가장 높은 영상 크리에이터에게 광고 영상을 의뢰한다. 단, 점수가 동일한 경우 광고 비용이 더 저렴한 영상 크리에이터에게 의뢰한다.
>
> [기준]
> • 점수는 구독자 수, 최근 한 달 평균 조회 수, 주 구독자 층, 광고 비용 점수에 1 : 4 : 2 : 3 가중치를 반영하여 계산한다.
> • 구독자 수 점수는 50만 명 이하인 경우 7점, 50만 명 초과 100만 명 이하인 경우 8점, 100만 명 초과 200만 명 이하인 경우 9점, 200만 명을 초과하는 경우는 10점이다.
> • 최근 한 달 평균 조회 수 점수는 10만 회 이하인 경우 7점, 10만 회 초과 20만 회 이하인 경우 8점, 20만 회 초과 50만 회 미만인 경우 9점, 50만 회 이상인 경우 10점이다.
> • 주 구독자 층 점수는 30대인 경우 10점, 20대인 경우 9점, 40대인 경우 8점, 그외의 연령대인 경우 7점이다.
> • 광고 비용은 1천만 원 이하 10점, 1천만 원 초과 3천만 원 이하 9점, 3천만 원 초과 5천만 원 미만 8점, 5천만 원 이상 7점이다.
> • 선정된 영상 크리에이터에게는 광고 후 한 달 동안 조회 수 1회당 20원의 인센티브를 지급한다.

[표] A~E 영상 크리에이터별 분석 내역

구분	구독자 수	최근 한 달 평균 조회 수	주 구독자 층	광고 비용
A	52만 명	18만 회	20대	1,200만 원
B	38만 명	12만 회	30대	800만 원
C	120만 명	48만 회	40대	3,000만 원
D	240만 명	62만 회	10대	4,500만 원
E	88만 명	23만 회	30대	2,500만 원

① 2,960만 원 ② 3,060만 원 ③ 3,600만 원

④ 4,060만 원 ⑤ 5,060만 원

[19~20] 다음은 조합원들의 상황에 관한 글과 농사짓는 인원에 따른 소득을 나타낸 [표]이다. 이를 바탕으로 질문에 답하시오.

○○조합은 조합원들이 경작지를 공동으로 이용하고 있다. 조합원들은 농사를 직접 짓거나 조합행정 업무를 하면서 소득을 얻을 수 있다. 농사를 지으면 농사를 짓는 조합원 수에 따라 소득이 달라지고 행정업무를 하면 국가 지원금으로 1인당 월 120만 원을 받는다. 조합원들은 두 가지 일을 동시에 할 수 없으며, 서로의 소득이 얼마인지 알 수 있다. 조합원은 A~E 모두 5명이다. A조합원이 가장 먼저 가입하여 어떤 일을 할 것인지 결정하고, 이후 B, C, D, E의 순서로 가입하여 각자의 업무를 선택하였다. 가입 시 결정한 업무는 임의로 변경할 수 없으며, 소득을 1순위, 소득이 같을 경우 본인의 성향을 2순위 결정기준으로 한다. 농사를 짓는 인원에 따른 조합원의 소득은 다음과 같다.

[표] 농사짓는 인원에 따른 소득

농사짓는 인원	1인당 월소득
1명	500만 원
2명	300만 원
3명	150만 원
4명	120만 원
5명	80만 원

19 위의 상황에 대해 추론한 내용으로 옳은 것을 고르면?

① 행정업무는 반드시 1명이 한다.
② 농사는 5명이 지을 수도 있다.
③ 조합의 총소득은 농사짓는 인원이 2명일 때보다 3명일 때 더 많다.
④ 조합원들끼리의 소득이 달라질 수도 있다.
⑤ 결과적으로 조합의 총소득은 400만 원이 된다.

20 조합원 5명이 모두 가입한 후 조합 전체의 소득을 극대화하기 위해 업무를 재조정하기로 하였을 때, 조합의 총소득을 고르면?

① 900만 원　　　　　② 920만 원　　　　　③ 940만 원
④ 960만 원　　　　　⑤ 980만 원

개인종합자산관리계좌(ISA) 상품설명서

상품 소개	한 계좌에서 예금, 펀드, 파생결합증권 등 여러 금융상품에 자유롭게 분산투자하며 비과세 혜택까지 받을 수 있는 통합자산관리 계좌입니다.
가입 대상	다음 요건 중 하나를 갖춘 자 • 거주자 중 직전 과세기간 또는 해당 과세기간에 근로소득 또는 사업소득이 있는 자(단, 신규취업자 등은 당해 연도 소득이 있는 경우 가입 가능) • 대통령령으로 정하는 농어민 ※ 전 금융기관 1인 1계좌 ※ 직전연도 금융소득종합과세 대상자는 제외
납입한도	연간 2천만 원(5년간 누적 최대 1억 원, 연간 납입 한도 이월 불가) ▶ 기가입한 재형저축 및 소장펀드 한도는 납입한도에서 차감(단, 한도는 연간으로 계산함)
투자 가능상품	• 예·적금, 예탁금 • 펀드, 파생결합증권(ELS, ELB, DLB, ETN 등)
가입 기한	2018. 12. 31.까지 가입 가능
손익통산	가능
상품 간 교체	가능
의무 가입 기간	• 일반형: 5년 • 청년형, 자산형성 지원금 수령자, 서민형, 농어민: 3년
세제 혜택	계좌 내 상품 간 손익통산 후 순이익 중 • 200(400*)만 원까지 비과세 • 200(400*)만 원 초과분에 한해 9.9% 분리과세 * 서민형, 농어민 가입자의 경우 ▶ ISA계좌를 의무 가입 기간 이내에 해지하게 되면 각 상품에서 실현한 이익금의 15.4%를 세금으로 내게 됩니다. 이 경우 해지수수료는 없으나 비과세, 9.9% 분리과세, 손익통산 등 세제 혜택이 사라지게 됩니다.(단, 혜택과 상관없는 기존 비과세 항목은 비과세 적용)
기타 안내	• 이 개인종합자산관리계좌(ISA)에 편입된 금융상품 중 예금보호 대상으로 운영되는 금융상품에 한하여 예금자보호법에 따라 예금보험공사가 보호하되, 보호 한도는 금융상품을 판매한 금융회사 별로 귀하의 모든 예금보호대상 금융상품의 원금과 소정의 이자를 합하여 1인당 '최고 5천만 원'이며, 5천만 원을 초과하는 나머지 금액은 보호하지 않습니다. • ISA계좌 내 일부 금융투자상품은 원금손실이 발생할 수 있습니다. • ISA계좌는 신탁보수 또는 일임수수료가 발생할 수 있습니다.

[A씨의 고객문의]

안녕하세요, 이번에 처음으로 ISA를 신청하려고 하는데요. 상품 설명서를 읽던 도중 궁금한 점이 생겨서 연락드립니다. 손익통산이 가능하다고 되어있는데 손익통산이 무엇인지, 그리고 세제 혜택에서 분리과세가 무엇인지 궁금합니다. 그리고 청년형 대상자에 해당될 것 같은데요, 2년 만기 제대한 만 30세인 저도 청년형으로 가입이 가능한가요?

[농협 직원의 답변]

안녕하세요, 고객님! 말씀해주신 문의에 답변해드리겠습니다. 손익통산은 이익에 대해서만 과세를 하는 것이 아닌, 이익과 손해를 합산한 것에 대해서 과세하는 방식을 뜻합니다. 가령 2개의 금융상품에 투자해 이익 300만 원, 손실 90만 원이 발생했을 때, 기존에는 이익 300만 원에 세금을 부과하였다면 ISA 내에서 투자했을 경우 손익을 300−90=210(만 원)으로 확정하고 여기에 세금을 부과하게 됩니다.

그런데 ISA 내 투자 가능한 상품에서 손익통산의 대상이 되지 않는 것도 있는데요. 예·적금과 예탁금은 모두 손익통산의 대상이 되지만 펀드, 파생결합증권은 금융상품별로 상이합니다. 이를 정리한 목록은 다음과 같습니다.

구분		손익통산 대상	
		매매차익(차손)	배당수익
펀드	국내주식형 펀드	×(비과세)	○
	국내주식형 외의 펀드	○	○
	투자회사형 펀드	×(비과세)	○
ETF(ETN)	국내주식형 ETF	×(비과세)	○
	국내주식형 외의 ETF	○	○
	해외 ETF	×(양도소득)	○
파생결합증권		○(상환금)	

여기서 비과세라고 쓰인 항목은 세제 혜택이 없어도 비과세이므로 손익통산 대상에서 제외되는 것이며, 해외 ETF의 매매차익은 양도소득세가 따로 적용됩니다. 당연히 매매차손이 발생한 경우에는 세금이 부과되지 않습니다. 분리과세는 특정소득을 종합소득에 합산하지 않고 소득 발생 시마다 독립적인 과세표준을 적용하여 원천징수함으로써 납세의무를 종결시키는 것입니다. 종합소득세가 누진세율인 점을 감안하면 분리과세로 인하여 조세부담이 가벼워지는 효과를 얻을 수 있습니다.

마지막으로 청년형 상품은 병역이행기간 차감 연령이 만 15세 이상 만 29세 이하인 경우에만 가입 가능하며, 만 30세 이상의 경우 병적증명서를 반드시 지참해야 합니다. 따라서 (㉠   )

21 위의 금융상품에 대한 설명으로 옳은 것을 고르면?

① 소득이 있는 사람만 가입할 수 있다.

② 분기별 납입한도 300만 원인 재형저축에 가입되어 있는 사람은 연간 납입한도가 1,700만 원으로 제한된다.

③ 청년형 가입자의 경우 3년 이내에 해지하게 되면 ISA의 세제혜택을 누릴 수 없다.

④ ISA 계좌에서 투자한 모든 금액은 원금과 이자를 합하여 최대 5천만 원까지 보호받을 수 있다.

⑤ ISA 계좌에서 발생한 모든 수익은 손익을 통산하여 과세한다.

22 위의 답변의 ㉠에 들어갈 내용으로 옳은 것을 고르면?

① 고객님은 청년형 상품에 가입 가능하시며, 이 경우 의무 가입 기간은 3년, 계좌 내 손익통산 후 순이익 중 400만 원까지 비과세 혜택을 받으실 수 있습니다.

② 고객님은 청년형 상품에 가입 가능하시며, 이 경우 의무 가입 기간은 3년, 계좌 내 손익통산 후 순이익 중 200만 원까지 비과세 혜택을 받으실 수 있습니다.

③ 고객님은 청년형 상품에 가입 가능하시며, 이 경우 의무 가입 기간은 5년, 계좌 내 손익통산 후 순이익 중 200만 원까지 비과세 혜택을 받으실 수 있습니다.

④ 고객님은 청년형 상품에 가입이 불가능하시어 일반형으로 가입하셔야 하며, 이 경우 의무 가입 기간은 5년, 계좌 내 손익통산 후 순이익 중 200만 원까지 비과세 혜택을 받으실 수 있습니다.

⑤ 고객님은 청년형 상품에 가입이 불가능하시어 일반형으로 가입하셔야 하며, 이 경우 의무 가입 기간은 5년, 계좌 내 손익통산 후 순이익 중 400만 원까지 비과세 혜택을 받으실 수 있습니다.

23 A씨는 해당 ISA 상품에 가입하여 다음 [보기]와 같은 투자수익을 얻게 되었다. 이때 발생하는 세금의 액수를 고르면?

> **보기**
>
> • 예금 이자: 100만 원
> • 채권형 펀드: 매매차손 100만 원, 배당수익 100만 원
> • 국내주식형 펀드: 매매차익 100만 원, 배당수익 100만 원
> • 미국 ETF: 매매차손 200만 원, 배당수익 100만 원

① 99,000원   ② 198,000원   ③ 297,000원

④ 396,000원   ⑤ 495,000원

24 A씨가 해당 ISA 상품에 가입하며 **23**번의 [보기]와 동일한 투자수익을 얻은 상태에서 계좌를 해지하였다. 계좌 해지 시점이 가입 2년차일 때 발생하는 세금의 액수를 고르면?

① 396,000원   ② 462,000원   ③ 495,000원

④ 616,000원   ⑤ 770,000원

[25~26] 다음은 도서관에서 도서 고유번호 부여 시 사용하는 한국십진분류법과 부여되는 기준에 관한 자료이다. 이를 바탕으로 질문에 답하시오.

[표1] 한국십진분류법

총류	철학	종교	사회과학	자연과학	기술과학	예술	언어	문학	역사
000	100	200	300	400	500	600	700	800	900

[표2] 한글순도서기호법

자음기호													
ㄱㄲ	ㄴ	ㄷㄸ	ㄹ	ㅁ	ㅂㅃ	ㅅㅆ	ㅇ	ㅈㅉ	ㅊ	ㅋ	ㅌ	ㅍ	ㅎ
1	19	2	29	3	4	5	6	7	8	87	88	89	9

모음기호																			
ㅏ	ㅐ	ㅑ	ㅒ	ㅓ	ㅔ	ㅕ	ㅖ	ㅗ	ㅘ	ㅙ	ㅚ	ㅛ	ㅜ	ㅝ	ㅞ	ㅟ	ㅠ	ㅡ	ㅢ	ㅣ
2	3		4				5						6					7		8

[고유번호 부여 기준]
- 도서번호 처음 세 자리에는 분류기호가 들어간다.
- 네 번째 자리에는 세목이 들어간다.
- 다섯 번째 자리에는 저자의 성이 들어간다.
- 성 다음으로는 저자의 이름 중 첫글자 자음이 한글순도서기호법상의 수로 들어가고, 그다음에는 첫 글자 모음이 한글순도서기호법상의 수로 들어간다.
- 마지막에는 제목 첫글자의 자음이 들어간다.

25 위의 자료에 따라 부여한 도서 고유번호로 옳지 **않은** 것을 고르면?(단, 한국 현대소설의 처음 세 자리 분류기호는 813이고, 현대소설의 세목은 6이라 가정한다.)

① 이광수의 「무정」: 813.6이15ㅁ
② 이효석의 「메밀꽃 필 무렵」: 813.6이95ㅁ
③ 김유정의 「봄봄」: 813.6김66ㅂ
④ 현진건의 「운수 좋은 날」: 813.6현66ㅇ
⑤ 황순원의 「소나기」: 813.6황56ㅅ

26 도서관에 방문한 박 군이 빌리는 「조선왕조실록」 도서의 고유번호는 '911.5이24ㅈ'이다. 이에 대한 설명으로 옳지 <u>않은</u> 것을 고르면?

① 저자의 성은 '이'일 것이다.

② 세목에 해당하는 번호는 5이다.

③ 'ㅈ'은 제목인 「조선왕조실록」의 첫 글자인 조의 자음을 의미한다.

④ 앞의 세 자리가 911이므로 한국 역사서의 분류기호는 911이다.

⑤ 24는 저자의 이름 중 첫 글자의 자음이 'ㄷ'이거나 'ㄹ'이고, 모음이 'ㅏ, ㅐ, ㅑ, ㅒ' 중 하나임을 의미한다.

27 다음 [표]는 한식 뷔페 프랜차이즈의 SWOT분석 결과에 관한 자료이다. 이를 바탕으로 세운 전략으로 옳지 <u>않은</u> 것을 고르면?

[표] 한식 뷔페 프랜차이즈 SWOT분석 결과

강점(S)	약점(W)
• 전 연령층을 공략하는 다양한 메뉴 • 타 양식 뷔페에 비해 저렴한 가격 • 시기마다 새로운 메뉴 제공	• 낮은 인지도 • 제휴 카드 및 할인 혜택 부족
기회(O)	**위협(T)**
• 한식의 세계화 • 건강한 식단에 대한 관심 증대 • 맛집 블로거 증가	• 경기 침체로 외식 소비 위축 • 타 한식 뷔페 프랜차이즈와의 경쟁 • 원재료의 가격 상승

① SO전략: 계절 채소를 이용하는 건강한 메뉴 출시

② ST전략: 시기별로 저렴한 재료를 주재료로 하는 메뉴 출시

③ WO전략: 유명 맛집 블로거를 섭외하고, 일반 블로거들에게도 블로그 홍보 시 뷔페 무료 이용권 제공

④ WT전략: 소비자들이 가장 많이 이용하는 포인트 카드와 제휴하여 금액별 할인 제공

⑤ ST전략: 양식 뷔페보다 저렴하다는 것을 적극 홍보하여 타 한식 뷔페 프랜차이즈와의 경쟁 우위 선점

28 어느 사무실에서 L전자의 에어컨을 철거하려고 한다. 이 사무실은 총 100평이며 천장형 에어컨 3개 (각 냉방용량 40평), 스탠드형 에어컨 2개(각 냉방용량 20평)가 설치되어 있다. 철거일자가 수요일 오전 9시라고 할 때, 다음 철거비용 규정을 바탕으로 이 사무실에서 지불해야 할 총비용을 고르면?

에어컨 철거비용 규정

- 총철거비=기본철거비+에어컨별 추가철거비
- 기본철거비
  - 평일 주간 기본철거비: 20,000원
  - 평일 야간(18시 이후) 기본철거비: 25,000원
  - 주말 기본철거비: 30,000원
- 에어컨별 추가철거비

타입	냉방용량	개당 추가철거비
창문형	10평 미만	37,000원
	10평 이상 15평 미만	45,000원
	15평 이상	58,000원
스탠드형	15평 미만	62,000원
	15평 이상 20평 미만	74,000원
	20평 이상 25평 미만	85,000원
	25평 이상	91,000원
벽걸이	10평 미만	52,000원
	10평 이상 15평 미만	61,000원
	15평 이상 20평 미만	70,000원
	20평 이상	77,000원
천장형	25평 미만	124,000원
	25평 이상 35평 미만	136,000원
	35평 이상 45평 미만	145,000원
	45평 이상	152,000원

① 455,000원   ② 525,000원   ③ 603,000원
④ 605,000원   ⑤ 625,000원

29 다음 글을 읽고 추론한 내용으로 가장 적절한 것을 고르면?

1회용 주사기 등 재사용 신고 안내문

1. 신고 사항

1회용 주사기 등 한 번 사용할 목적 또는 한 번의 의료행위에서 한 환자에게 사용하는 용도인 의료용품을 재사용한 것으로 의심되는 의료기관에 대해 신고합니다.

예) 약물투여, 혈액·지방 등 채취를 위해 주사침, 주사기, 연결줄·카테터 등 수액세트 재사용

2. 신고 방법

- 신고서와 개인정보 활용 동의서를 작성하여 이메일, 방문, 우편, 팩스로 신고하시면 됩니다.(아래 전화는 상담만 가능하므로 상담 후 방문, 우편, 팩스 방법으로 신고하셔야 합니다.)
  - (이메일 접수) medisupport@nhis.or.kr
  - (방문 접수) 가까운 국민건강보험공단 지사(민원센터) 또는 보건소
  - (우편 접수) 26464 강원도 원주시 삼보로 32, 21층(반곡동 국민건강보험공단) 의료기관 관리지원단
  - (팩스 접수) 033-749-6397
  - ※ (인터넷 접수) 2016년 2월 23일부터 인터넷으로 직접 접수 가능합니다.
- 신고는 실명(희망 시 익명)으로 가능합니다. 다만, 인적사항 기입 정도에 따라 후속 조사에 한계가 발생할 수 있으며, 국민건강보험공단 의료기관 관리지원단(033-736-3402)과 상담을 통해 보다 적절한 신고 방법을 제안받으실 수 있습니다.
  - ※ (전화 문의) 재사용 신고 관련 상담 문의는 아래의 연락처로 연락바랍니다.
  - 국민건강보험공단 의료기관 관리지원단: 033-736-3402
  - 국민건강보험공단 지역본부
    - 서울·강원: 02-2126-8942, 부산·경남: 051-801-0631, 대구·경북: 053-650-8931, 광주·전라·제주: 062-250-0231, 대전·충청: 042-605-7431, 경기·인천: 031-230-7831
  - 보건복지부 콜센터: 국번 없이 129

3. 신고자의 비밀 보호

신고 내용 및 인적사항은 신고인의 허락 없이 공개되지 않으며, 업무처리 전 과정뿐 아니라 업무처리가 완료된 후에도 신고인에 대한 비밀이 보장됩니다.

① 신고센터에서 1회용 비닐봉지나 1회용 플라스틱 컵에 대한 신고도 함께 받고 있어서 신고자의 혼선을 줄일 수 있군.

② 서울·강원에 거주하는 거주자의 경우 02-2126-8942의 번호로만 신고 상담이 가능하겠군.

③ 원하지 않는다면 신고인의 이름을 밝히지 않고도 신고 접수가 가능할 것 같군.

④ 신고 관련 상담 문의가 이루어지면 자동으로 신고 접수가 되겠군.

⑤ 방문 접수는 가까운 보건소에서도 가능하지만 우편으로 접수하려면 관할 국민건강보험공단 지사를 통해서 접수를 해야겠군.

30 다음 글의 내용에 대해 <u>잘못</u> 해석한 것을 고르면?

'종신 보험의 대안'이라는 정기 보험 상품이 잇따라 출시되고 있다. 가성비(가격 대비 성능)가 상대적으로 높다는 점을 내세우고 있다. '한 번 사는 인생, 하고 싶은 것 하고 살자'는 '욜로(YOLO, You Only Live Once)' 라이프를 살아가는 젊은 세대를 타깃으로 한다. 종신 보험은 정해진 기한 없이 죽을 때까지 보장한다. 그래서 일생 한 번은 보험금을 받을 수 있다. 그만큼 납입 기간이 길고 보험료가 높아 유지가 쉽지 않다. 이와 달리 정기 보험은 보장을 원하는 기간을 정해 보장받는 상품이다. 종신 보험 대비 보험료가 8분의 1 수준으로 낮다. 다만, 보장 기간이 지난 후 사망하면 보험금을 받을 수 없다는 단점이 있다.

정기 보험은 아직까지 낮은 인지도와 종신 보험의 탄탄한 아성에 밀려 가입률이 저조한 편이다. 보험개발원에 따르면 국내 정기 보험 신계약 건수는 최근 3년 연속 전체 생명 보험의 약 3%대에 머물러 있다. 종신 보험과 비교해 봐도 지난해 국내 정기 보험 신계약 건수는 총 25만 건으로, 종신 보험(206만 건)의 12% 수준이다.

이런 가운데 정기 보험 판매에 집중하고 있는 곳은 온라인 보험 업계다. 사업비와 보험 설계사 수수료가 낮아 대면 채널에서 적극적으로 판매하지 않는 '블루오션'으로 보고 있기 때문이다. 온라인 보험은 소비자가 직접 가입하는 형태로 설계사 수수료나 점포 임대료 등 중간 유통 비용이 없어 보험료가 낮다. 일부 상품은 비흡연자 할인과 건강체 할인 제도를 갖춰 고객의 건강 상태에 따라 보험료를 추가로 할인해 준다. 가입자의 건강 상태를 표준체(흡연체), 비흡연체, 건강체, 슈퍼 건강체로 분류한 후 보험료 할인 혜택을 제공하는 것이 가장 큰 특징이다.

보험료가 저렴한 것만을 내세우는 것은 아니다. 경영인과 전문직 종사자 등 고액 자산가를 위한 VIP 정기 보험도 내놓고 있다. 경영자가 갑자기 사망할 경우 기업 승계 시 상속세 재원 마련을 위한 상품이다.

① 정기 보험은 타 보험 상품에 비해 보험 설계사가 직접 고객을 만나 판매하는 경우가 적은 모양이야.
② 정기 보험의 판매율이 저조한 것은 아직 인지도가 낮고 정해진 납입 기간이 길기 때문이야.
③ 정기 보험은 총 보험료를 낮게 책정해 주로 젊은 세대를 겨냥하고 있지만, 부유층을 위한 상품 또한 갖추고 있군.
④ 보험도 인터넷을 통해 구입한다면 사무실 임대료나 인건비 등을 절약할 수 있으니 가격 경쟁력을 갖추는 데 유리하겠어.
⑤ 일부 상품에서 건강 상태에 따라 보험료를 할인해 주는 것은 가입자가 건강할수록 보험금 지급 가능성이 낮아지기 때문이겠지.

31 다음은 기회비용의 개념에 관한 글이다. 글과 [보기]를 바탕으로 A가 B를 영입하기 위해 제시해야 할 최소 연봉을 고르면?

합리적인 의사결정을 하기 위해서는 반드시 기회비용을 고려해야 한다. 기회비용이란 어떤 선택으로 인해 포기된 기회들 가운데 가장 큰 가치를 갖는 기회 또는 그러한 기회가 갖는 가치를 말한다. 가령 한 빌딩에 아무도 입주하지 않아 비어 있는 사무실이 있다고 하자. 빌딩 주인은 이 공실로 표면적인 피해는 입지 않는다. 그러나 만약 비어 있는 사무실에 누군가가 입주해 있다면 임대 수익을 올릴 수도 있을 것이다. 이 임대 수익이 곧 기회비용이다. 즉, 공실로 인한 표면적인 비용은 없지만 기회비용이 존재하므로 빌딩 주인은 누군가가 입주하려고 한다면 비어 있는 사무실을 그냥 놔두는 선택보다는 입주자를 받으려는 선택을 하게 되는 것이다.

보기

○○프랜차이즈의 오너인 A는 최근 건강상의 이유로 경영 일선에서 물러나고 B를 전문경영인으로 영입하려고 한다. 영입제안을 받은 B는 입사와 식당 창업을 두고 고민 중인데 창업에 따른 제반 상황을 조사한 결과는 다음과 같다.

창업 시 소요 비용 및 기대 매출액	• 보증금: 3억 원 • 임대료: 연 6,000만 원 • 인건비: 연 14,000만 원 • 재료비: 연 4,500만 원 • 기타 경비: 연 5,800만 원 • 기대 매출액: 연 4억 원
보유자산	• 부동산: 5억 원(처분 불가. 자산가치의 60%까지 연이율 6%로 대출 가능) • 현금: 1억 원(예금으로 거치 시 연이율 2%)

① 8,100만 원　　　② 8,300만 원　　　③ 8,500만 원
④ 8,700만 원　　　⑤ 8,900만 원

- 기간과 날짜 관련 용어
  가. 보험기간: 계약에 따라 보장을 받는 기간을 말합니다.
  나. 영업일: 회사가 영업점에서 정상적으로 영업하는 날을 말하며, 토요일, 관공서의 공휴일
  에 관한 규정에 따른 공휴일과 근로자의 날을 제외합니다.
  다. 보장개시일: 회사가 보장을 개시하는 날로서 계약이 성립되고 제1회 보험료를 받은 날을
  말하나, 회사가 승낙하기 전이라도 청약과 함께 제1회 보험료를 받은 경우에는 제1회 보
  험료를 받은 날을 말합니다. 또한, 보장개시일을 계약일로 봅니다.
  라. 암보장개시일: 암에 대한 보장이 개시되는 날로, 계약일부터 그 날을 포함하여 90일이
  지난 날의 다음 날을 말합니다.
- 보험금 지급과 관련하여 특히 유의할 사항
  ① 보험계약일부터 90일 이내에 암으로 진단 확정된 경우에는 보험금을 지급하지 않습니다.
  또한, 90일이 지난 이후에도 암 진단일이 보험계약일부터 일정 기간(2년 등) 이내의 경우
  에는 보험금이 삭감(전체 보장금액의 50%)됩니다.
  ② 암은 원칙적으로 조직검사, 미세바늘 흡인검사(미세한 침을 이용한 생체검사 방법) 또는
  혈액검사에 대한 현미경 소견을 기초로 한 진단만 인정됩니다.

보기

[고객문의]

　제가 암보험 계약(암 진단 시 보험금 2,000만 원 상품)을 체결하고 보험료를 납부하고 있는
상황인데, 오늘 병원에서 MRI 촬영을 한 후 담당 의사선생님께 암 소견의 진단과 향후 조직검
사를 권유받았습니다. 앞으로 검사받아야 할 항목들이 많아 비용이 많이 들 것 같은데 전문의의
암 소견 진단을 받았으니 보험금을 지급받아 치료를 하려고 합니다. 제가 암 보장이 되는 기간
에 진단을 받았으니 2,000만 원의 보험금을 지급받을 수 있겠죠?

① 보험계약일로부터 90일 이내에 암 진단이 확정된 경우라면 보험금을 지급받을 수 없습니다.
먼저 이 부분을 확인해 보겠습니다.

② 고객님께서 체결하신 암보험 계약이 90일을 초과한 상태라면 암 보장을 받을 수 있는 기간에
해당합니다.

③ 담당 전문의의 암 소견 진단서와 근거가 되는 MRI 촬영 결과를 첨부해 주셔야 보험금이 지
급됩니다.

④ 보험계약일로부터 2년을 초과하지 않은 상황이라면 보험금이 지급되더라도 보장금액(2,000
만 원)에서 1,000만 원을 삭감하고 지급됩니다.

⑤ 보험계약일부터 2년을 초과하여 조직검사와 혈액검사에 대한 현미경 소견을 기초로 암 진단
을 받으신 경우에는 2,000만 원의 보험금을 보장받을 수 있습니다.

33 다음 파워포인트 프로그램을 이용하여 슬라이드를 작성한 후 슬라이드 쇼를 할 때의 여러 상황을 설명한 내용 중 옳지 <u>않은</u> 것을 고르면?

① 처음부터가 아닌 원하는 슬라이드부터 슬라이드 쇼를 진행하려면 [Shift]+[F5]를 누르거나 [슬라이스 쇼]−[현재 슬라이드부터]를 선택한다.

② 재구성한 쇼를 만들면 하나의 프레젠테이션을 청중에 맞게 특정 슬라이드만 발표할 수 있다.

③ 슬라이드 쇼를 진행하는 중 포인터를 펜으로 변경할 수 있으며 [Ctrl]+[P]를 눌러 펜을 사용할 수 있다.

④ 파워포인트에는 프레젠테이션 예행연습 기능이 있으며 이를 실행하여 프레젠테이션이 특정 시간에 맞는지 확인할 수 있다.

⑤ 전시회나 회의장의 부스 또는 키오스크에서 슬라이드 쇼를 보는 사람들이 [Esc]를 누를 때까지 슬라이드 쇼를 반복하려면 '웹 형식으로 진행'을 선택한다.

34 다음 글의 ㉠~㉣에 들어갈 알맞은 단어를 고르면?

> 토지공개념의 헌법 (㉠)은(는) 1990년대 초에 시행됐다가 위헌 (㉡)을(를) 받았던 토지초과이득세와 택지소유상한제를 부활시키고 개발이익 환수제를 강화하기 위한 포석이다. 강력한 부동산 (㉢) 정책을 내놓고도 효과가 없자 헌법을 손 봐서라도 부동산 불로소득을 (㉣)하겠다는 것이다.

	㉠	㉡	㉢	㉣
①	압수	규제	조치	환수
②	명시	규제	조치	압수
③	명시	판결	규제	환수
④	판결	환수	규제	압수
⑤	판결	환수	규제	지지

[35~36] 다음 [표]와 [그래프]는 농가소득 현황과 농업의존도 및 농업소득률에 관한 자료이다. 이를 바탕으로 질문에 답하시오.

[표] 농가소득 현황(평균)   (단위: 천 원)

구분	2013년	2014년	2015년	2016년	2017년	2018년	2019년
농가소득	34,524	34,950	37,215	37,197	38,239	42,066	41,182
40~49세	43,135	45,083	50,043	48,170	48,976	49,807	55,211
50~59세	54,745	57,816	60,703	63,151	65,082	66,619	66,745
60~69세	34,223	35,533	40,133	42,637	44,551	46,385	47,398
70세 이상	22,088	22,616	24,368	24,476	26,223	28,953	27,989

[그래프] 농업의존도 및 농업소득률   (단위: %)

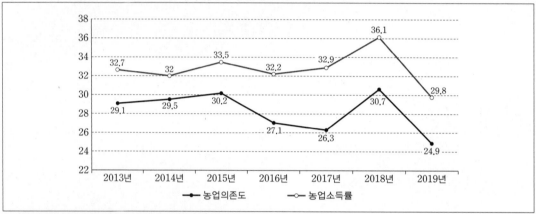

※ 농업의존도(%): 농업소득이 농가소득에서 차지하는 비중
※ 농업소득률(%): 농업총수입에서 농업소득이 차지하는 비중

35 위의 자료에 대한 설명으로 항상 옳은 것을 [보기]에서 모두 고르면?

> **보기**
>
> ㉠ 40세 이상 70세 미만의 농가소득은 매해 증가하고 있다.
> ㉡ 5년 전 대비 2019년의 40대의 농가소득 증가율은 50대보다 높다.
> ㉢ 농업소득률이 높아질수록 농업의존도도 높아진다.
> ㉣ 60대와 70세 이상의 농가소득 차이는 매해 증가한다.

① ㉠   ② ㉠, ㉡   ③ ㉡
④ ㉡, ㉢   ⑤ ㉡, ㉣

36 위의 자료를 바탕으로 2019년 농업총수입은 얼마인지 고르면?(단, 천 원 단위에서 반올림한다.)

① 3,124만 원   ② 3,441만 원   ③ 3,728만 원
④ 4,118만 원   ⑤ 4,929만 원

37 다음은 친환경농산물 인증제도에 관한 자료이다. A작물을 [보기]의 (가)~(다) 방식으로 각각 재배할 경우 얻을 수 있는 인증과 각 생산농가에서 생각하는 적정가로 바르게 짝지어진 것을 고르면?

[친환경농산물 인증제도]

친환경농산물이란 환경을 보전하고 소비자에게 안전한 농산물을 공급하기 위하여 농약과 화학비료 및 사료첨가제 등 합성 화학 물질을 사용하지 않거나, 최소량만 사용하여 생산한 농산물을 말한다. 친환경농산물은 재배할 때 몸에 유해한 물질을 사용하지 않기 때문에 안심하고 먹을 수 있다. 또 맛과 향이 좋고, 영양가 함량이 높으며, 인공첨가물을 넣지 않아 신선도가 오래 지속된다.

종류	기준
유기농인증 농산물	• 전환기간 이상을 유기합성농약과 화학비료를 사용하지 않고 재배 (전환기간: 다년생 작물은 3년, 그 외 작물은 2년)
무농약인증 농산물	• 유기합성농약을 사용하지 않고, 화학비료는 권장시비량의 1/2 이하로 사용
저농약인증 농산물	• 화학비료는 권장시비량의 1/2 이하로 사용 • 농약 살포횟수는 농약안전사용기준의 1/2 이하로 사용 • 제초제는 사용하지 않아야 함 • 잔류농약은 농산물의 농약잔류허용기준의 1/2 이하로 사용

다음은 농산물 유통에 참여하는 각 주체들을 대상으로 그들이 각 유통 단계별로 거래 현장에서 실제로 접하는 현재 가격과 그들이 적절하다고 생각하는 적정 가격을 조사한 것이다. 아래 표 내의 수치는 각 유통 단계별로 일반 농산물 가격을 100으로 했을 때의 환산 가격이다.

예를 들어 생산농의 경우, 일반 농산물의 현재 판매 가격이 1만 원이고 저농약인증 농산물의 현재 판매 가격이 1만 1천 원이라면, 일반 농산물의 환산 가격은 100, 저농약인증 농산물의 환산 가격은 110이다.

유통 주체	가격	일반농산물	저농약인증 농산물	무농약인증 농산물	유기농인증 농산물
생산농	현재가	100	110	115	125
	적정가	100	122	124	130
도매상	현재가	100	105	105	131
	적정가	100	107	120	138
소매상	현재가	100	110	113	135
	적정가	100	105	126	140
소비자	현재가	100	110	113	135
	적정가	100	110	112	130

(가) 4년간 유기합성농약과 화학비료를 사용하지 않고 재배한 A작물의 현재 가격은 5,500원이다.

(나) 농약안전사용기준과 잔류허용기준의 절반 이하를 사용 및 유지하였으며, 권장시비량의 40%에 해당하는 화학비료를 사용한 A작물의 현재 가격은 6,000원이다.

(다) 농약은 전혀 사용하지 않고 화학비료만 권장시비량의 30%를 사용한 A작물의 현재 가격은 6,500원이다.

	<u>(가)</u>	<u>(나)</u>	<u>(다)</u>
①	유기농인증(5,720원)	저농약인증(6,655원)	무농약인증(7,009원)
②	저농약인증(6,655원)	유기농인증(5,720원)	무농약인증(7,009원)
③	유기농인증(5,760원)	무농약인증(7,015원)	저농약인증(6,660원)
④	저농약인증(6,660원)	무농약인증(7,015원)	유기농인증(5,760원)
⑤	유기농인증(5,760원)	저농약인증(6,660원)	무농약인증(7,015원)

38 다음 [그림]과 같이 워크시트에 자료가 입력되어 있다. 판매수량이 15개 이상인 상품의 개수를 구하는 수식을 고르면?

[그림] 워크시트 자료

◢	A	B	C	D	E	F
1						
2		제품명	권장소비자가격	판매수량	금액	
3		홍삼정	₩ 150,000	15	₩ 2,250,000	
4		루테인	₩ 99,000	25	₩ 2,475,000	
5		블루베리	₩ 50,000	14	₩ 700,000	
6		유산균	₩ 45,000	12	₩ 540,000	
7		프로폴리스	₩ 33,000	11	₩ 363,000	
8		오메가3	₩ 50,000	20	₩ 1,000,000	
9						

① =COUNTA(D3:D8)

② =COUNTIF(D3:D8,">=15")

③ =DCOUNTA(B2:E8,D2,B2:B3)

④ =DCOUNT(B2:E8,D2,">=15")

⑤ =SUMIF(D3:D8,">=15",D3:D8)

세테크 NH연금저축보험(확정기간연금형)

■ 상품 개요

일정기간 동안 보험료를 납입한 후, 발생한 복리수익을 확정기간(1~30년) 동안 연금으로 수령하면서 세액공제 혜택도 누릴 수 있는 상품입니다.

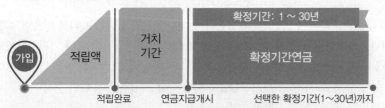

■ 보험료 납입기간·연금개시나이·연금지급 방법·납입주기

납입기간	연금개시나이	연금지급 방법	납입주기
5~10년, 15년, 20년	만 55세~80세	매월, 3개월, 6개월, 매년	월납(천 원 단위 납입)

■ 납입보험료 세액공제

당해 연도에 납입한 보험료 중 연간 400만 원 또는 300만 원 한도(연금저축계좌 합산)로 납입금액의 16.5% 또는 13.2%를 세액공제함

종합소득금액 (총급여액)	4천만 원 이하 (5천 500만 원 이하)	4천만 원 초과 1억 원 이하 (5천 500만 원 초과 1억 2천만 원 이하)	1억 원 초과 (1억 2천만 원 초과)
세액공제율	16.5%	13.2%	13.2%
세액공제 대상 납입액	400만 원	400만 원	300만 원

※ 종합소득금액(총급여액): 해당 과세기간에 종합소득과세표준을 계산할 때 합산하는 종합소득금액(근로소득만 있는 경우 총급여액 적용)

■ 연금수령 요건·연금수령 해당금액 과세

구분	내용
연금수령 요건	만 55세 이후 & 가입일로부터 5년 후 연금수령한도 내에서 수령(단, 계약자의 연금수령개시 신청 후 연금수령 가능) ▶ 연금수령한도 $= \dfrac{\text{연금재원평가 잔금총액}}{(\text{확정기간}+1)-\text{연금수령연차}} \times 120\%$
연금수령 해당 금액 과세	1) 전체 연금계좌에서 수령한 소득세 과세대상 연금소득(공적연금소득 제외)의 합계가 • 연간 1,200만 원 초과인 경우: 계약자의 다른 소득과 합산하여 종합과세 • 연간 1,200만 원 이하인 경우: 3.3~5.5%의 연금소득세로 납세의무 종결 2) 연금소득세 • 연금수령나이 만 55세 이상 70세 미만: 5.5% • 연금수령나이 만 70세 이상 80세 미만: 4.4% • 연금수령나이 만 80세 이상: 3.3%

[A씨의 고객문의]

안녕하세요, 전 만 40세 남성입니다. 10년 동안 납입을 하려 하고 만 60세부터 연금을 받고 싶습니다. 근데 이 상품의 이율이 어떻게 되는지, 적립하는 기간 외에 거치기간에도 이자가 붙는지 알고 싶네요. 제가 한눈에 알 수 있게 매년 받을 수 있는 연금지급액을 정리하여 보여주세요. 그리고 해약했을 시 해지환급금도 정리해주시고요. 그리고 공적연금은 또 뭔가요?

[농협 직원의 답변]

안녕하세요, 고객님! 말씀해주신 문의에 답변해드리겠습니다. 본 상품은 연 단위 복리로 이율이 적용되며, 공시이율을 따릅니다. 2018년 3월 현재 공시이율은 연 2.4%이며, 적립기간 외에 거치기간에도 당연히 이자가 붙는 상품입니다. 공시이율 2.4%가 유지되고, 고객님께서 월 33만 4천 원을 납입하신다는 가정하에 수령받으실 수 있는 연금지급액과 해지환급금은 다음과 같습니다(만 원 미만 절사).

1) 연금지급액 예시(세전, 매년 동일 액수 지급 가정)

▶ 연금개시시점 연금재원평가액: 5,361만 원

구분	확정기간 5년	확정기간 10년	확정기간 20년	확정기간 30년
연간 연금지급액	1,116만 원	591만 원	330만 원	245만 원

2) 해지환급금 예시(세전)

경과기간	1년	5년	10년	20년
납입보험료 누계	400만 원	2,004만 원	4,008만 원	4,008만 원
해지환급금	364만 원	1,992만 원	4,269만 원	5,361만 원

이때 실제적립금은 납입보험료에서 계약체결비용 및 계약관리비용을 차감한 후 적립되어 해지환급금은 이미 납입한 보험료보다 적거나 없을 수 있습니다. 또한 주의하셔야 할 점은 계약을 해지하거나 연금 이외의 형태로 지급받는 경우 등 연금수령에 해당하지 않는 금액은 기타소득세(16.5%)로 과세됩니다.

마지막으로 공적연금은 국가가 운영주체가 되는 연금으로, 우리나라에서는 국민연금, 공무원연금, 군인연금, 사립학교교직원연금이 이에 해당됩니다.

39 A씨는 해당 연금저축보험 상품에 다음 [보기]와 같이 가입하였다. 이때 A씨가 연금수령 1년차에 받을 수 있는 세후 연금액의 최댓값을 고르면?(단, 만 원 미만은 절사한다.)

> 보기
>
> • 10년 동안 매월 33만 4천 원씩 납입
> • 가입 20년 후 연금개시
> • 확정기간 10년
> • 공시이율 2.4% 유지 가정
> • 공무원연금 외에는 어떠한 연금에도 가입되어 있지 않음

① 289만 원   ② 607만 원   ③ 614만 원

④ 643만 원   ⑤ 670만 원

40 위의 자료에 대한 설명으로 옳은 것을 고르면?

① 거치기간이 반드시 존재할 수밖에 없는 상품이다.

② 종합소득금액이 4천만 원 이하인 사람은 모든 연금 저축계좌를 합산하여 연간 최대 66만 원까지 세액공제 혜택을 받을 수 있다.

③ 국민연금 외에는 어떠한 연금에도 가입되어 있지 않은 만 40세 고객이 월 60만 원씩 10년납, 거치기간 10년을 거쳐 확정기간 5년 동안 동일한 액수의 연금을 지급받고 공시이율이 2.4%로 유지된다면, 연금소득세 5.5%를 적용받는다.

④ 만 40세 고객이 10년납, 거치기간 10년을 거친 후 보험을 해지할 때 발생하는 기타소득세는 납입기간 동안 받은 세액공제 혜택 총액보다 작다(단, 공시이율은 2.4%로 유지되며 비교 시 시간 가치는 고려하지 않음).

⑤ 연금지급개시 이후에는 연금재원평가 잔금의 투자를 중지하여 더 이상 이자가 발생하지 않는다.

41 다음 [보기]의 고객문의에 대한 답변으로 옳은 것을 고르면?

> **보기**
>
> [B씨의 고객문의]
> 　안녕하세요, 절세 혜택이 있다는 연금저축보험 상품에 가입하려고 문의드렸습니다. 제가 근로소득이 한 해에 1억 500만 원이고 다른 소득은 전혀 없는데요, 한 달에 50만 원씩 납입하려고 합니다. 1년 동안 납입하면 제가 얻을 수 있는 세액공제 혜택 액수는 얼마인가요? 다른 연금저축 계좌는 없습니다.

① 66,000원입니다.

② 396,000원입니다.

③ 528,000원입니다.

④ 660,000원입니다.

⑤ 792,000원입니다.

[42~43] 다음은 Java에서 작성한 코드이고, 제시된 코드의 일부가 [보기]의 결과를 가져온다고 한다. 이를 바탕으로 질문에 답하시오.

1	public class Sample
2	{
3	public static void main(String[] args)
4	{
5	int n＝10, first＝0, second＝0, num＝8672, sum, third, fourth;
6	num＝(num＞0)? num: −num;
7	first＝num/1000;
8	second＝(num/100)%n;
9	third＝(num/10)%n;
10	fourth＝num%n;
11	sum＝first＋second＋third＋fourth;
12	System.out.println("숫자는 "＋first＋second＋third＋fourth);
13	System.out.println("천의 자리는 "＋first);
14	System.out.println("4자리 숫자의 합은 "＋sum);
15	}
16	}

보기

G사원은 m%n;이라는 코드가 m을 n으로 나누었을 때의 나머지를 구하는 것이라는 사실을 알았다.

42 위의 자료에 대한 설명으로 옳은 것을 고르면?

① 제시된 코드의 6행은 양수와 음수를 가리기 위한 코드이다.
② 만약 num에 −8672가 입력되면 12행의 결과로 −8672가 출력된다.
③ 8행의 (num/100)%n에서 괄호를 입력하지 않으면 867의 결과가 나온다.
④ num에 반드시 네 자릿수의 정수만 입력될 때, 11행의 출력 결과로 가장 작은 수는 0이다.
⑤ 12행의 출력 결과를 반대(fourth＋third＋second＋first)로 입력하면 num의 숫자가 역순으로 나온다.

43 제시된 코드의 10행 이후에 "check=(first%8==0 && second%8==0)? first: 0;"이라는 새로운 코드를 추가하고 check를 출력했을 때 나오는 결과를 고르면?

① 0   ② 2   ③ 4
④ 8   ⑤ 10

다음 [표]는 어느 기업의 승진 후보자 선정기준과 승진 신청자들의 평가사항이다. 점수가 높은 순서대로 4급은 1명, 5급은 2명, 6급은 1명이 최종 선정되었다고 할 때, 6급 직원 중 승진한 사람을 고르면?

[표1] 승진 후보자 선정기준

구분		만점	기준
기본 점수	근무성적	100점	최근 2년간 근무성적×5
	경력	100점	기본 94점, 초과 1개월당 0.1점 가산
가점 사항	포상	5점	사장상 1등급 이상: 5점 사장상 2등급, 사업소장상: 3점
	군경력	5점	사병: 3점, 부사관 이상: 5점
합계		210점	

[표2] 승진 신청자 평가사항

직원	직급	최근 2년간 근무성적	초과 경력	포상	군경력
A	5급	19	21개월	사업소장상	사병
B	4급	18.4	30개월	—	부사관
C	6급	17.6	17개월	사장상(1등급)	—
D	6급	16.8	19개월	—	사병
E	5급	15.8	25개월	사업소장상	—
F	6급	16.2	16개월	—	부사관
G	4급	15.8	24개월	사장상(2등급)	부사관
H	5급	17	20개월	—	—
I	6급	19.4	12개월	—	—
J	5급	19	26개월	—	—
K	4급	18.4	28개월	사장상(2등급)	사병
L	5급	17.4	23개월	—	—

① B   ② C   ③ D
④ F   ⑤ I

45 다음 글을 읽고 추론한 내용으로 가장 적절한 것을 고르면?

우리나라 전체 화폐 발행 잔액 중 5만 원권 비중이 80%에 달하는 것으로 나타났다. 장수 기준으로도 시중 유통 지폐 3장 중 1장이 5만 원권이었다. 한국은행에 따르면 2016년 6월 말 현재 5만 원권의 발행 잔액은 80조 3,642억 원으로 전체 화폐 발행 잔액 101조 3,685억 원의 79.3%를 차지했다. 화폐 발행 잔액은 한국은행이 시중에 공급한 화폐에서 환수된 돈을 제외하고 시중에 남은 금액을 말한다. 2009년 6월 처음 나온 5만 원권은 매년 평균 10조 원 규모로 시중에 풀렸다. 5만 원권은 전체 화폐 발행 잔액 비중뿐만 아니라 장수 기준으로도 가장 많았다. 5만 원권은 전체 지폐 49억 8,100만 장 가운데 16억 700만 장(32.3%)으로 1만 원권(15억 6,300만 장)을 추월했다.

5만 원권은 가계나 기업의 수요가 늘면서 발행 잔액이 크게 늘어난 것으로 분석됐다. 부조금이나 용돈 등으로 5만 원권이 자주 사용되고 상점에서 고가품을 살 때도 5만 원권을 건네는 경우도 많아졌다. 5만 원권은 가계나 기업의 비상금으로도 선호되고 있다. 한국은행이 지난해 3월 발표한 '2015년 경제 주체별 화폐 사용 행태 조사 결과'에 따르면 가계에서는 거래용으로 보유하는 현금의 경우 5만 원권(46.9%)과 1만 원권(45.1%)이 대부분을 차지했으며, 특히 예비용 현금으로 5만 원권(80.7%)이 압도적이었다. 기업에서도 보유 현금을 확대한다면 거래용이든 예비용이든 90% 이상을 5만 원권으로 확대하겠다고 답했다.

① 5만 원권보다 액면가가 높은 화폐가 필요하다.
② 시중에서 잘 사용되지 않는 지폐는 발행을 중지할 필요가 있다.
③ 한국은행은 5만 원권의 화폐 발행 잔액을 적절히 조절하고 있다.
④ 5만 원권은 국가나 기업 차원에서 사용될 뿐, 일상에서는 잘 사용되지 않는다.
⑤ 5만 원권이 비리·은닉 등 불법 자금으로 사용되는 등 지하 경제를 조장할 수도 있다.

46 다음 [표]는 K백화점에 대한 SWOT분석 결과에 관한 자료이다. 이를 바탕으로 세운 전략으로 옳지 <u>않은</u> 것을 고르면?

[표] K백화점의 SWOT분석 결과

강점(S)	약점(W)
• 국내 최대의 점포망 • 오프라인 최대 종합 유통망 보유	• 낮은 고객 만족도 • 단일 점포 간의 매출 격차 심화 • 부정적인 기업 이미지
기회(O)	위협(T)
• 동남아 시장 성장과 고급 상품에 대한 소비 욕구 증가 • 소비 생활의 다양화와 개성화	• 경쟁 백화점의 급격한 매출 성장 • 경기 침체로 인한 소비 둔화

① SO전략: 국내 오프라인 유통망 구축 및 운용 경험을 살려 동남아 시장 진출

② ST전략: 각 지역의 소비 특성별 특화 전략을 수립하여 점포 간 격차 경감

③ WO전략: 동남아의 고급 백화점 시장을 초기 선점하여 수출 역군이라는 긍정적 이미지 획득

④ WO전략: 기존 여성 의류 중심의 판매를 벗어나 다양한 분야의 매장을 입점시켜 고객 만족도 증진

⑤ WT전략: 매출 순위가 높은 점포의 판매 전략을 매출이 낮은 점포에 응용하여 매출 경쟁력 향상

[47~48] 갑 병원에서는 기존 치료법과 새로운 치료법 A~E의 경제성을 평가하여 새로운 치료법을 선택하려고 한다. 다음 자료를 바탕으로 질문에 답하시오.

의약품 경제성 평가란 질병의 예방과 치료를 위한 두 가지 이상의 방법에 대하여 투입된 비용과 효과를 비교 검토하여 경제성을 평가하는 것이다. 의약품 경제성 평가를 위한 여러 가지 유형 중 효과가 동일하지 않은 두 가지 이상의 방법에 대한 분석에는 대표적으로 비용-효과분석(CEA, Cost-Effectiveness Analysis)과 비용-효용분석(CUA, Cost-Utility Analysis)이 있다.

비용-효과분석이란 자연단위의 임상적 성과(생존연수 증가, 혈압 수치 개선 등)가 한 단위 증가할 때 비용이 얼마나 더 투입되는지를 분석한다. 비용-효과분석은 직관적으로 이해가 쉬워 가장 많이 이용되지만 단위 또는 건강성과 지표가 다른 방법들끼리의 비교가 불가능한 단점이 있다. 비용-효과분석의 결과는 점증적 비용-효과비(ICER, Incremental Cost-Effectiveness Ratio)로 나타내고, 비교 대안과 비교한 비용의 변화량(ΔC)을 효과의 변화량(ΔE)으로 나누어 구한다. 여기서 효과란 생존연수를 의미한다.

비용-효용분석이란 '질 보정수명(QALY, Quality-Adjusted Life Year)으로, 성과를 측정하는 분석법이다. QALY란 삶의 질과 양을 동시에 반영한 지표이다. 치료로 인해 얻어진 생존연수에 해당기간 동안 건강상태의 삶의 질 가중치를 곱하여 산출한다. 삶의 질 가중치는 죽음을 '0', 완벽한 건강상태를 '1'로 두고, 그 사이의 값으로 산출된다.

예를 들어 8년 동안 생존한 사람의 삶의 질이 0.6이라면 이 사람의 QALY는 $8 \times 0.6 = 4.8$(QALYs)가 되는 것이다. 비용-효용분석은 생존연수와 관련된 치료성과뿐만 아니라 생존연수에는 영향을 주지 않지만 삶의 질에 영향을 주는 비염, 알러지 등의 만성 질환 등의 치료 성과 비교에도 유용하다.

또한 단위가 QALY로 통일되기 때문에 비용-효과분석과 달리 단위 또는 건강성과 지표가 다른 방법들끼리의 상호 비교가 가능하다는 장점이 있다. 비용-효용분석의 결과는 점증적 비용-효용비(ICUR, Incremental Cost-Utility Ratio)로 나타내고, 비교 대안과 비교한 비용의 증분(ΔC)을 효용의 증분(ΔU)으로 나누어 구한다. 여기서 효용이란 QALY를 의미한다.

점증적 비용-효과비와 점증적 비용-효용비는 평가자가 정한 특정 임계값과 비교하여 그 임계값 이하일 경우 비용-효과적인 것으로 해석하며, 이는 대체한 대안이 가져다주는 추가적인 효과 및 효용에 대한 최대지불의사를 뜻한다.

[그래프] 기존 치료법과 대안 치료법 A~E의 비용 및 효과, 삶의 질 가중치 지표

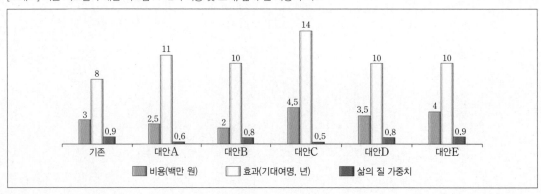

47 위의 자료와 [보기]를 바탕으로 갑 병원이 선택할 수 있는 치료법으로 가장 적절한 것을 고르면?

> **보기**
>
>   갑 병원에서는 기존 치료법에서 새로운 치료법 $A \sim E$ 중 하나로 변화를 주고자 한다. 새로운 치료법은 기존 치료법에 비해 효용이 더 높아야 하지만, 단순히 효용이 가장 높다고 하여 무조건 채택하지는 않을 계획이다. 효용과 더불어 비용까지 고려하여, 기존 치료법 대비 점증적 비용－효용비(ICUR) 분석을 통해 그 값이 가장 작은 치료법을 채택한다.

① 대안A   ② 대안B   ③ 대안C
④ 대안D   ⑤ 대안E

48 위의 자료에 대한 설명으로 옳은 것을 고르면?(단, 평균 비용－효과비, 평균 비용－효용비는 한 단위에 대한 비용을 의미한다.)

① 대안A의 평균 비용－효용비는 대안C보다 크다.
② 기존 치료법에 대한 대안E의 점증적 비용－효과비는 2백만 원/년이다.
③ 기존 치료법 대비 점증적 비용－효과비의 임계값이 50만 원/년인 경우 채택되는 대안은 없다.
④ 대안D에 대한 대안E의 점증적 비용－효용비는 50만 원/QALYs이다.
⑤ 평균 비용－효과비가 더 클수록 채택될 확률이 높다.

49 다음 중 Windows에 설치된 불필요한 응용 프로그램을 삭제하는 방법에 대한 설명으로 옳은 것을 고르면?

① 파일탐색기에서 해당 응용 프로그램 폴더에서 마우스 오른쪽을 누른 후 [삭제]를 선택한다.
② 바탕화면에 있는 해당 응용 프로그램의 바로 가기 아이콘을 삭제한다.
③ [시작] 버튼을 누르고 해당 응용 프로그램에서 마우스 오른쪽을 누른 후 [시작 화면에서 제거]를 선택한다.
④ 작업 표시줄에 있는 해당 응용 프로그램에서 마우스 오른쪽을 누른 후 [작업 표시줄에서 제거]를 선택한다.
⑤ [제어판]의 [프로그램 및 기능]에서 해당 응용 프로그램을 선택하고 [제거/변경]을 클릭한다.

버팀목 전세자금대출

■ 대출 대상

다음 요건을 모두 충족하여야 함

- 대출 신청일 현재 만 19세 이상 만 25세 미만 청년 단독세대주로서 대출 대상주택 임차보증금 5천만 원 이하의 임대차계약을 체결하고 임차보증금의 5% 이상을 지불한 자(주택 임대자의 영수증 첨부)
- 대출 신청일 현재 세대주로서 무주택자(예비세대주 포함)
- 연소득 합산 50백만 원(5천만 원) 이하인 자

■ 대출한도

최대 3,500만 원

■ 대출금리

- 연소득 2천만 원 이하: 연 2.3%
- 연소득 2~4천만 원: 연 2.5%
- 연소득 4~5천만 원: 연 2.7%

■ 상환 기간

최초 2년(4회까지 연장 가능－2년 단위 갱신)

보기

[고객문의]

　저의 경우 연소득이 4천 5백만 원인데 회사 근처로 이사를 하던 중 저렴한 금리의 전세 상품이 나온 것을 알게 되어 대출을 신청하게 되었습니다. 제가 당장 가진 돈이 5백만 원인데 월세는 부담이 돼서 전세 4천만 원 임대차계약을 체결하고 계약금 4백만 원을 집주인께 드린 상황입니다. 앞으로 대출 절차, 금리 등에 대해 자세히 알려주셨으면 합니다.

① 대출 신청일 현재 만 19세 이상 만 25세 미만 청년 단독세대주에 해당하시는지 자격 요건을 확인하셔야 합니다.

② 우선 집주인께 청년 전세대출 건임을 전달드린 후 전세대출이 되는지 알아보셔야 합니다.

③ 계약금 4백만 원을 지불하셨으면 임차보증금 5% 이상을 납입했다는 영수증을 받아 두셔야 합니다.

④ 고객님의 경우 연 2.7%의 금리가 적용되며 대출한도는 3천 5백만 원까지 가능하신 상태입니다.

⑤ 처음 상환 기간은 2년이며, 2년 단위로 4회 연장 갱신 가능하시니 대출 실행 후 최장 8년 후까지 상환해야 하는 상품입니다.

01 다음 중 NH농협은행의 ESG 경영 활동으로 적절하지 **않은** 것을 고르면?

① 녹색금융사업단 신설

② 신재생 에너지 업체 지원

③ 환경 영향 평가 조례 제정

④ 소셜 본드 등 ESG 채권 발행

⑤ 여신심사 시 ESG 수준 반영

02 다음 [그림]의 ㉠~㉢에 대한 설명으로 적절하지 **않은** 것을 고르면?

[그림] 농협의 조직 체계(2020. 10. 기준)

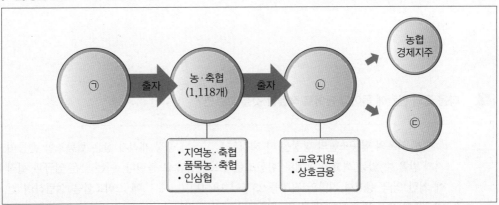

① ㉠: 농협에 속한 '조합원'으로, 약 211만 명이다.

② ㉡: 농·축협 연합회인 '농협중앙회'로, 8개의 본부로 구성되어 있다.

③ ㉡: 농협정보시스템, 농협자산관리 등의 계열사가 있다.

④ ㉢: 은행·유통·제조·식품 부문으로 구성된 '농협금융지주'이다.

⑤ ㉢: NH농협은행이 은행 부문으로 포함되어 있다.

03 다음 국제협동조합연맹(ICA)의 7대 원칙인 ㉠∼㉢ 중 옳지 <u>않은</u> 것을 고르면?

- 제1원칙: ㉠ 자의적이고 의무적인 조합원 제도 – Voluntary and Open membership
- 제2원칙: 조합원에 의한 민주적 관리 – Democratic member control
- 제3원칙: ㉡ 조합원의 경제적 참여 – Member's economic participation
- 제4원칙: ㉢ 자율과 독립 – Autonomy and Independence
- 제5원칙: ㉣ 교육, 훈련 및 정보 제공 – Education, Training and Information
- 제6원칙: 협동조합 간의 협동 – Cooperation among Cooperatives
- 제7원칙: ㉤ 지역사회에 대한 기여 – Concern for community

---

① ㉠   ② ㉡   ③ ㉢

④ ㉣   ⑤ ㉤

04 다음 글의 빈칸에 들어갈 단어로 적절한 것을 고르면?

　세계 최초의 협동조합의 명칭을 따 제정된 (　　　) 공정 개척자 상은 협동조합 운동의 선구자가 받을 수 있는 최고의 영예로 '협동조합의 노벨상'으로 불린다. 이는 낮은 임금과 실직 위기에 처한 영국 랭커셔 지방의 직조공 28명이 1844년 (　　　)에 소비조합을 설립하여 전 세계 협동조합 운동의 초석이 된 것을 기념하여 제정된 것이다. 우리나라에서는 김병원 농협중앙회장이 자국의 협동조합 발전뿐 아니라 세계 협동조합 운동에 기여한 점이 높이 평가되어 2019년 수상자로 선정되었다.

---

① 리버풀   ② 윔블던   ③ 로치데일

④ 선덜랜드   ⑤ 포츠머스

05 다음 중 1920년대 민간 협동조합 운동에 대한 설명으로 옳지 <u>않은</u> 것을 고르면?

① 일제 치하의 어려움 속에서 농민 운동이 경제적 자조 운동으로 전환되면서 시작되었다.

② 자생적인 조합의 기틀을 유지하여 1960년대부터 우리나라 협동조합의 근본을 세웠다.

③ 조선농민사는 농촌 계몽과 생활 물자의 알선 등으로 농업인의 신뢰와 호응을 얻었다.

④ 협동조합운동사는 고리대의 추방과 경제적 단결을 통한 농촌 진흥을 목적으로 결성되었다.

⑤ 기독교계 농촌협동조합은 서울에서 지방으로 조직이 보급되어 조합 수가 720개에 이르렀다.

06 다음 [그림]의 빈칸에 들어갈 내용으로 옳은 것을 고르면?

[그림] 협동조합 조직의 구성 요소

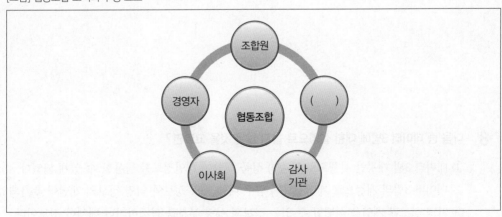

① 총회   ② 포럼   ③ 세미나

④ 워크숍   ⑤ 심포지엄

07 랜섬웨어(Ransomware)란 컴퓨터 시스템을 잠그거나 데이터를 암호화해 사용할 수 없도록 만든 후 이를 인질로 금전을 요구하는 악성 프로그램이다. 다음 중 랜섬웨어의 감염 경로와 예방수칙에 대한 설명으로 옳지 않은 것을 고르면?

① 신뢰할 수 없는 사이트의 홈페이지 방문만으로도 감염될 수 있으며, 이를 방지하기 위해 운영체제 및 각종 SW의 보안 패치를 항상 최신으로 업데이트해야 한다.

② 토렌트, 웹하드 등의 P2P 사이트를 통해 동영상 파일을 다운로드받고 실행할 경우 악성 코드에 감염되는 사례가 많으므로 주의해야 한다.

③ 출처가 불분명한 이메일 수신 시 첨부파일이나 메일의 URL 링크를 통해 악성코드가 유포될 수 있으므로 URL 링크 클릭에 주의해야 한다.

④ 거짓 정보를 토대로 메일을 보내 사용자를 속이는 방식의 협박성 사기 메일이므로 대응하지 않아야 한다.

⑤ 홈페이지 등의 방문 시 사용자 모르게 SW의 취약점을 이용해 감염되는 것을 차단하는 안티 익스플로잇 도구를 설치하면 예방에 도움이 된다.

08 다음 중 데이터 3법에 대한 설명으로 옳지 않은 것을 고르면?

① 데이터 3법 개정안 시행으로 맞춤형 상품 개발에 개인정보를 활용할 수 있게 되었다.

② 데이터 3법의 개정으로 개인정보의 범주 내에 가명 정보와 익명 정보의 개념이 추가되었다.

③ 가명 정보란 개인을 식별할 수 있는 정보의 상당 부분을 삭제하거나 대체한 정보이다.

④ 익명 정보란 개인을 특정할 수 있는 핵심적인 정보를 모두 삭제한 정보이다.

⑤ 가명 정보는 개인정보보호법의 적용을 받지만 익명 정보는 해당 법을 적용받지 않는다.

09 다음 중 등대 공장에 대한 설명으로 옳지 <u>않은</u> 것을 고르면?

① 세계경제포럼(WEF)과 맥킨지 그룹이 매년 2차례 선정하고 있다.
② 밤하늘에 등대가 불을 비춰 길을 안내하듯 미래를 이끈다는 의미로 명명되었다.
③ 4차 산업혁명 핵심 기술을 적극적으로 도입하여 혁신을 이끄는 공장에 부여된다.
④ 전 공장의 데이터를 수집하여 최적의 조건에 따라 자동으로 공정을 제어할 수 있다.
⑤ 2020년 10월 기준, 우리나라는 보유하고 있는 등대 공장이 없다.

10 다음 중 효율성 임금이론이 주장하는 내용으로 옳지 <u>않은</u> 것을 고르면?

① 높은 임금을 지급할수록 노동자의 근무태만이 줄어든다.
② 높은 임금을 지급할수록 노동자의 이직동기가 낮아진다.
③ 높은 임금을 지급할수록 노동자의 근로의욕이 높아져서 생산성이 향상된다.
④ 노동공급과 노동수요가 일치하는 시장 균형임금수준은 효율성 임금수준과 같다.
⑤ 저소득 국가의 경우보다 높은 임금을 받는 노동자의 생산성이 향상된다.

11 다음 [표]는 소비의 배제성과 경합성의 존재 유무에 따라 분류한 재화에 관한 자료이다. 다음 중 C에 해당하는 재화로 옳은 것을 고르면?

[표] 소비의 배제성과 경합성의 존재 유무에 따른 재화

구분	경합성 있음	경합성 없음
배제성 있음	A	B
배제성 없음	C	D

① 사적(私的) 재화　　　② 유료 도로　　　③ 국방 서비스
④ 유료 케이블 TV　　　⑤ 공해(公海)상의 물고기

12 다음 글의 ⑦~ⓒ에 들어갈 내용으로 바르게 짝지어진 것을 고르면?

> (⑦)은 머리에 뿔이 (ⓒ)개 달린 전설 속에 등장하는 동물로, 경제 분야에서는 기업 가치가 (ⓒ)억 달러 이상인 스타트업을 지칭할 때 사용하는 용어이다. 공유 경제와 4차 산업혁명과 관련하여 떠오른 수많은 신생 스타트업 중 기업 가치가 높은 기업을 구분하여 부르기 위해 미국의 통신사인 블룸버그가 처음으로 명명하였다. 미국의 에어비앤비, 핀터레스트, 우버 등이 대표적이다.

	⑦	ⓒ	ⓒ
①	유니콘	1	100
②	데카콘	1	10
③	데카콘	10	100
④	헥토콘	1	100
⑤	헥토콘	10	1,000

13 다음 글에서 설명하는 현상으로 가장 적절한 것을 고르면?

> 이 현상은 평상시보다 재난이 발생했을 때 그 위험성이 더 크다. 2020년 코로나 바이러스 감염증에 대한 잘못된 정보와 예측은 이 현상을 부추겼으며, 정보의 정제 기능을 상실한 사회 관계망 서비스를 통해 더욱 악화되었다. 검색 기능이나 사회 관계망 서비스를 제공하는 세계적인 IT 기업들은 정치인이나 연예인 등 유명 인사들이 잘못된 정보 확산에 책임이 있다는 판단하에 보건 당국과 협력하여 대책을 마련하고 있다.
> • 구글: 연관 검색 화면에 세계보건기구(WHO)의 소식 표시
> • 유튜브: 검증되지 않은 민간요법 콘텐츠를 가이드라인에 따라 삭제
> • 틱톡: '가짜 뉴스' 또는 허위 정보를 퍼트리는 동영상 삭제
> • 페이스북: 불확실한 음모론과 관련된 영상에 '가짜 뉴스' 경고 문구 삽입

① 에코데믹   ② 인포데믹   ③ 트윈데믹

④ 엔데믹   ⑤ 팬데믹

14 다음 가격차별에 관한 [보기]의 대화 내용 중에서 옳은 진술을 한 사람으로 짝지어진 것을 고르면?

> **보기**
>
> • 교수: 가격차별의 예로 어떠한 것을 들 수 있습니까?
> • 학생 A: 비행기의 비즈니스석과 이코노미석의 경우, 같은 좌석임에도 차별적으로 가격을 받기 때문에 가격차별입니다.
> • 학생 B: 놀이공원에서 공원의 입장료와 놀이기구의 이용료를 따로 받는 것도 가격차별입니다.
> • 교수: 그럼 구체적으로 어느 경우에 가격차별이 일어납니까?
> • 학생 C: 완전경쟁적시장 구조에서 쉽게 발생합니다.
> • 학생 D: 만약 규모의 경제가 발생할 경우, 쉽게 발생합니다.

① 학생 A, 학생 B   ② 학생 A, 학생 C

③ 학생 B, 학생 D   ④ 학생 B, 학생 C

⑤ 학생 C, 학생 D

15 다음 [보기]의 (가), (나)는 GDP를 서로 다른 측면에서 나타낸 것이다. 이에 대한 설명으로 옳은 것을 고르면?

> **보기**
>
> (가) ㉠＋이자＋지대＋이윤
> (나) 소비지출＋㉡＋정부지출＋순수출(수출−수입)

① ㉠의 크기는 생산물시장에서 결정된다.

② 수입 제품에 대한 지출은 ㉡에 포함되지 않는다.

③ 업무용 자동차 구입을 위한 기업의 지출은 (나)에 해당한다.

④ ㉡을 증가시키기 위해서는 ㉠의 상승이 필수적이다.

⑤ (가)는 지출 측면의 국민소득을 나타낸다.

16 최근 엔·달러 환율이 달러당 85엔을 위협하면서 일본 통화 당국이 정책금리를 내릴 것이라는 전망까지 나오고 있다. 다음 중 금리와 환율 관계에 대한 설명으로 옳은 것을 [보기]에서 모두 고르면?

> **보기**
>
> ㉠ 금리 인하는 국내 자본유출을 초래해 자국통화가치를 떨어뜨릴 수 있다.
> ㉡ 외국 자본이 국내에 유입되면 자국통화가치 상승과 함께 국내금리를 인상시킬 수 있다.
> ㉢ 일반적으로 자본 이동에 대한 제약 때문에 자국과 외국 간 금리 차이는 환율의 기대변화율과 다르다.
> ㉣ 국가 간 자본 이동에 제약이 없다면 자국과 외국 간 금리 차이는 환율의 기대변화율과 일치한다는 것이 이자율 평가식이다.

① ㉠, ㉡
② ㉠, ㉡, ㉢
③ ㉠, ㉢
④ ㉠, ㉢, ㉣
⑤ ㉠, ㉡, ㉢, ㉣

17 요구불예금만 존재하면 은행조직 밖으로의 현금누출은 없다고 가정했을 때, 본원적 예금이 1,000원이고 법정지급준비율이 10%이면 은행조직 전체의 대출가능총액은 얼마인지 고르면?

① 1,000원
② 2,000원
③ 9,000원
④ 10,000원
⑤ 20,000원

18 올해 1분기 물가상승률이 전년 동기 대비 약 5%에 이를 때, 정부가 물가를 안정화시키기 위해 시행할 수 있는 정책 방향으로 옳지 <u>않은</u> 것을 고르면?

① 이자율의 인상
② 통화공급의 감소
③ 원화 가치의 하락
④ 재정지출의 감소
⑤ 공개시장 운영을 통한 중앙은행의 채권 매각

19 다음 중 기업 내 정보 시스템을 활용한 고객 관리 기법을 일컫는 용어를 고르면?

① BPR　　　　　　　② ERP　　　　　　　③ PRM
④ eCRM　　　　　　⑤ eSCM

20 甲기업이 새로운 투자프로젝트 비용으로 현재 250억 원을 지출하여 1년 후 120억 원, 2년 후 144억 원의 수익을 얻을 수 있다. 연간 시장이자율(할인율)이 20%일 때, 이 투자프로젝트의 순현재가치를 고르면?

① −50억 원　　　　　② −30억 원　　　　　③ −3억 원
④ 14억 원　　　　　　⑤ 50억 원

21 다음 중 자국통화의 가치가 평가절하될 경우 나타날 수 있는 J-곡선효과에 대해 옳게 설명한 것을 [보기]에서 고르면?

보기

㉠ 초기에는 경상수지가 악화되지만 일정 시간이 지나면 경상수지가 개선되는 것을 말한다.
㉡ 초기에는 경상수지가 개선되지만 일정 시간이 지나면 경상수지가 악화되는 것을 말한다.
㉢ 초기에는 경상수지의 변동이 없지만 일정 시간이 지나면 경상수지가 개선되는 것을 말한다.
㉣ 가격변동과 수량변동 사이에는 시차가 있음을 보여준다.

① ㉠, ㉡　　　　　　② ㉠, ㉢　　　　　　③ ㉠, ㉣
④ ㉡, ㉣　　　　　　⑤ ㉢, ㉣

22 다음은 A국에서 5월에 나타난 고용 관련 현상이다. 전월 대비 5월의 상황에 대한 설명으로 옳은 것을 고르면?(단, 나머지 조건은 변함이 없다.)

- 갑은 4월까지 ○○시청에서 비정규직으로 근무하였으나, ○○시에서 실시한 비정규직의 정규직 전환 정책에 힘입어 지금은 정규직으로 근무하고 있다.
- 을은 4월까지 △△회사에서 근무하였으나 근로조건이 마음에 들지 않아 퇴사하고, 근로조건이 더 나은 회사 몇몇 곳에 입사원서를 제출하였다.
- 병은 1년 동안 취업하기 위해 많은 노력을 하였으나 취업이 되지 않자 한 달 전부터는 내년에 시행되는 공무원 시험을 준비하기 위해 도서관에 다니고 있다.

① 실업률은 증가하였다.
② 취업자 수는 변함이 없다.
③ 비경제 활동 인구는 감소하였다.
④ 경제 활동 참가율은 변함이 없다.
⑤ 실업자 수가 증가하였다.

23 다음 [표]는 20가구가 살고 있는 연립주택단지 내 가로등을 설치하는 데 소요되는 총비용과 가로등 수에 따른 가구당 한계효용에 관한 자료이다. 이 단지에는 가로등을 몇 개 설치해야 가장 효율적인지 고르면?(단, 가구당 한계효용은 해당 가로등이 건설될 때의 값이다.)

[표] 가로등 수에 따른 설치 총비용 및 가구당 한계효용

가로등 수	설치 총비용	가구당 한계효용
1개	200만 원	100만 원
2개	400만 원	50만 원
3개	600만 원	25만 원
4개	800만 원	15만 원
5개	1,000만 원	5만 원

① 1개   ② 2개   ③ 3개
④ 4개   ⑤ 5개

24 다음 농협의 국제적 위상을 나타낸 사건을 순서대로 바르게 나열한 것을 고르면?

> ⊙ 국제협동조합연맹(ICA) 이사국으로 선임되었다.
> ⓛ 국제협동조합농업기구(ICAO) 의장 기관으로 활동을 시작하였다.
> ⓒ 국제협동조합연맹에 준회원으로 참여 후 정회원 자격을 획득하였다.
> ⓔ '세계화 시대의 협동과 평화'를 주제로 서울에서 국제협동조합연맹 총회를 개최하였다.
> ⓜ '농업, 행복한 미래를 꿈꾸다'를 주제로 서울에서 국제협동조합농업기구 총회를 개최하였다.

① ⓛ-ⓒ-⊙-ⓔ-ⓜ
② ⓛ-ⓜ-ⓔ-ⓒ-⊙
③ ⓒ-⊙-ⓛ-ⓔ-ⓜ
④ ⓒ-ⓛ-ⓔ-⊙-ⓜ
⑤ ⓒ-ⓔ-ⓛ-ⓜ-⊙

25 GDP는 국가의 경제 규모를 측정하는 대표적인 경제 지표이다. 다음 중 GDP 산정 시 포함되지 않는 항목을 고르면?

① 국내 편의점의 매출액
② 정부의 국방비 지출액
③ 국내 기업의 해외 자회사 매출액
④ 국내 대형 조선업체의 선박 수출액
⑤ 국내의 외국인 근로자가 받은 임금

26 다음 글에서 설명하는 것을 고르면?

> 기업의 정보 기술 및 시스템 부문을 책임지고 있는 사람에게 부여되는 직무 명칭이다. 정보 시스템 구축이 기업의 경쟁력으로 부각되기 시작하면서 사내외 기술을 관리하고 전략적 목표를 세워 경영 목표를 달성하는 데 크게 기여하고 있다. 최근에는 기업 내 정보 유출 예방과 관련하여 보안 체계와 관련한 책임을 기대받기도 한다. 네트워크 확충과 자원 식별 등 기술적인 지식과 경험을 바탕으로 기업 경영에 참여하므로, 경영에 대한 충분한 지식과 안목을 갖출 필요성이 높다.

① CFO
② CIO
③ COO
④ CSO
⑤ CTO

27 우리나라는 변동환율제를 채택하고 있다. 다음 중 다른 조건이 일정하다고 할 때 원·달러 환율을 상승(원화값 하락)시키는 상황을 고르면?

① 해외의 경기가 호황일 때
② 미국의 이자율이 하락할 때
③ 국내 기업의 해외 투자가 감소할 때
④ 국내 기업의 해외공장 설립이 증가할 때
⑤ 외국인 관광객의 국내 방문이 증가할 때

28 다음 [그래프]의 명목이자율과 실질이자율 추이를 분석한 내용으로 옳은 것을 고르면?

[그래프] 명목이자율, 실질이자율 추이 (단위: %)

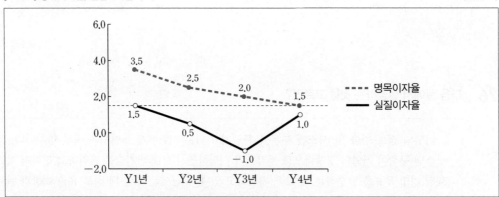

① Y1년에는 예금하는 것이 현금 보유보다 불리하다.
② 물가수준은 Y1년과 Y2년이 서로 같다.
③ 대출의 상환부담은 Y1년이 가장 크다.
④ 위 기간 중 물가상승률은 Y3년이 가장 낮았다.
⑤ 위 기간 중 화폐 가치는 지속적으로 상승했다.

29 다음 중 원화의 대달러 환율의 변동과 그에 따른 영향에 대한 설명으로 가장 적절한 것을 고르면?

① 환율이 상승하면 수출품의 달러표시 가격이 하락하여 미국 시장에서 상품의 가격경쟁력은 낮아진다.

② 환율이 상승하면 경상수지는 개선되고 국내 물가가 하락할 수 있다.

③ 환율이 상승하면 내국인의 해외여행은 감소하고 외국인의 국내 관광객은 증가한다.

④ 환율이 상승하면 외채가 많은 기업의 상환부담은 하락한다.

⑤ 환율이 상승하면 교역조건이 개선되어 경상수지가 개선된다.

30 다음 [그래프]는 외환시장의 수요와 공급을 나타낸 자료이다. 이에 대한 설명으로 가장 적절한 것을 고르면?

[그래프] 외환시장의 수요와 공급

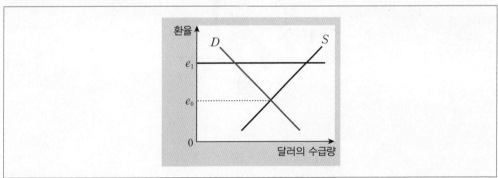

> **보기**
>
> • 외환시장의 환율은 e_0이다.
> • 경제 상황이 침체되자 환율을 인상해야 한다는 기업들의 주장이 나오고 있다.

① 환율을 e_1으로 상승시키려면 한국은행은 달러를 매입하여야 할 것이다.

② 환율을 e_1으로 상승시키려면 정부는 미국 기업의 국내 유치를 적극적으로 검토해야 한다.

③ 환율 인상에 대한 주장에 대해 달러 표시 외채가 많은 기업은 이를 지지할 것이다.

④ 환율 인상에 대한 주장에 대해 상품을 미국에 수출하는 사람은 이를 반대할 것이다.

⑤ 환율 인상에 대한 주장에 대해 상품을 미국으로부터 수입하는 사람은 이를 지지할 것이다.

잘 시작하는 것은 중요합니다.
잘 마무리하는 것은 더 중요합니다.

– 조정민, 『사람이 선물이다』, 두란노

부록

01 인성검사

농협은행 인성검사 특징

농협은행의 인성검사는 온라인 인적성(Lv1)과 오프라인 인적성(Lv2)으로 구분된다. 온라인 인적성(Lv1)은 서류전형에서 시행되며 오프라인 인적성(Lv2)은 필기시험과 함께 진행된다. 두 검사에서 중복되는 문항이 있기 때문에 두 인성검사 답변의 괴리율을 토대로 지원자의 정직성을 평가하고 있는 것으로 보인다. 따라서 무엇보다 이 괴리율을 좁히는 것이 농협은행 인성검사의 핵심이다.

하지만 두 검사 간의 시차가 길기 때문에 의도적인 답변을 한다면 자신이 예전에 어떤 식의 답변을 했는지 기억이 나지 않을 수 있다. 따라서 가장 최선의 방법은 평소의 경험과 자신의 신념을 바탕으로 일관성 있게 답변하는 것이다. 또한, 농협은행 인성검사는 네 개의 문항에 대해 자신의 성향에 부합하는 정도를 표시하는 동시에 그 문항 중에서 거리가 가장 가까운 것과 가장 먼 것을 고르는 유형이 출제되었다. 가까운 것과 먼 것에 대한 표시를 잘못할 경우 부정적인 결과가 나올 수 있으니 실수가 없도록 주의해야 한다.

인성검사의 답변 요령

01 솔직성

사람의 성격은 제각기 다르기 때문에 인성검사에는 정답이 없다. 출제자가 의도한 바를 미리 짐작하여 그 입맛에 맞추려고 인위적으로 응답해서는 안 된다. 다양한 특성을 갖고 있는 인재들을 특성에 맞게 활용하고자 하는 데에 인성검사의 목적이 있으므로 솔직하게 답할 필요가 있다. 비슷한 내용의 문항이 반복되어 나오기 때문에 인위적인 응답은 일관성이 결여된 사람으로 보일 수 있다. 솔직하게 문항에 응답하고, 면접 시 적절한 답변으로 대응하는 것이 좋다.

02 일관성

인성검사의 문항을 풀다 보면 일정한 간격으로 유사한 내용의 문항이 반복된다는 것을 알 수 있다. 무심코 문제를 풀다 보면 유사한 내용의 문항에 다른 답을 체크하는 결과가 종종 생기기도 한다. 유사한 내용에 다른 답을 체크하는 것은 일관성이 없어 보일 수 있으며, 이는 결코 좋은 인상을 심어줄 수가 없다. 많은 문항을 풀다 보면 지루함에 빠지기 쉽지만, 긴장을 늦추지 말고 문항의 내용을 기억해 가며 차분히 풀어 나가도록 한다.

03 연관성

지원한 직무에서 요구하는 성향이 무엇인지 파악해 두는 것도 좋은 방법이다. 인성검사를 통해 나타나는 성격과 지원한 직무와의 연계성이 높을수록 같은 조건의 타 지원자보다 유리한 위치에 설 수 있기 때문이다. 따라서 자신이 지원한 직무에 대해서 미리 생각해 보는 것도 필요하다.

유의사항 | 인성검사 전에는 충분한 휴식을 가져야 한다. 정서적인 안정감을 갖고 편안하게 검사에 응해야 한다. 하나의 문항에 너무 몰두하여 시간을 할애할 필요는 없으며, 문항마다 생각나는 대로 체크해 나간다. 선택이 곤란한 문항들이라고 해서 건너뛰고 풀다 보면 대답을 하지 않은 문항이 생길 수도 있으므로, 뒤로 미루지 말아야 한다. 명확한 정답이 없으므로 있는 그대로 자신의 생각을 표출하도록 한다. 단, 인성검사를 통해 회사의 인재상과 부합하는가를 보기도 하므로 농협의 인재상, 핵심 가치에 대해 미리 생각해 놓도록 한다.

[001~325] 다음 문항을 읽고 자신의 성향에 부합하는 정도를 고른 후, 네 개의 문항 중 자신과 가장 가까운 것(가)과 가장 먼 것(멀)을 고르시오.

(1: 매우 그렇지 않다, 2: 그렇지 않다, 3: 보통이다, 4: 그렇다, 5: 매우 그렇다)

문항	내용	1	2	3	4	5	가	멀
001	나는 같이 일하는 것을 좋아한다.							
002	새로운 모험을 하는 것을 좋아한다.							
003	나는 문화생활을 즐기는 편이다.							
004	개인 프로젝트 수업이 더 편하다.							

문항	내용	1	2	3	4	5	가	멀
005	나는 창의적이다.							
006	개인보다 집단의 이익을 우선시한다.							
007	나는 지루한 것은 참지 못한다.							
008	나는 항상 자기 계발을 추구한다.							

문항	내용	1	2	3	4	5	가	멀
009	나는 주도적이다.							
010	나는 리더십이 강하다.							
011	나는 나에 대해 엄격한 편이다.							
012	나는 남에게 엄격한 편이다.							

문항	내용	1	2	3	4	5	가	멀
013	나는 항상 새로운 것에 도전한다.							
014	어려워 보이는 목표부터 달성한다.							
015	동시에 여러 일을 하는 것을 좋아한다.							
016	나는 한 가지 일에 열중을 잘한다.							

문항	내용	1	2	3	4	5	가	멀
017	나는 팀워크가 필요한 일을 잘한다.							
018	나는 모임에서 항상 리더를 맡는다.							
019	나는 혼자만의 힘으로도 최고의 성과를 낼 수 있다.							
020	계획대로 안 되면 스트레스를 받는다.							

문항	내용	1	2	3	4	5	가	멀
021	기계의 부품을 분리하는 것을 좋아한다.							
022	물건을 살 때 다양한 제품들을 꼼꼼히 비교하고 분석한다.							
023	신기한 물건들을 자주 구매한다.							
024	나는 새로운 일에 도전하는 것을 즐긴다.							

문항	내용	1	2	3	4	5	가	멀
025	혼자만의 생각에 빠질 때가 많다.							
026	다른 사람들의 시선을 많이 신경 쓴다.							
027	하고 싶은 일은 무리를 해서라도 한다.							
028	다른 사람들과 협상하는 것에 능숙하다.							

문항	내용	1	2	3	4	5	가	멀
029	어떤 일을 하기 전에 미리 계획을 세운다.							
030	새해 다짐과 목표를 꼭 챙겨 적는다.							
031	벼락치기를 하는 경우가 많다.							
032	매일 일기를 쓴다.							

문항	내용	1	2	3	4	5	가	멀
033	처음 보는 사람과 쉽게 친해진다.							
034	친구가 많다.							
035	학창 시절 특별 활동에 적극적이었다.							
036	주목받는 것을 싫어한다.							

문항	내용	1	2	3	4	5	가	멀
037	긍정적이라는 말을 많이 듣는다.							
038	당황스러운 질문에도 능청스럽게 대답할 수 있다.							
039	융통성이 부족한 편이다.							
040	지나친 고민으로 기회를 놓친 적이 있다.							

문항	내용	1	2	3	4	5	가	멀
041	도전적인 사람을 좋아한다.							
042	즉흥적으로 행동하는 일이 거의 없다.							
043	예측되지 않는 일은 실행하지 않는다.							
044	일을 시작할 때 철저한 계획을 세운다.							

문항	내용	1	2	3	4	5	가	멀
045	중요한 가족 모임이 있는 날에는 회식에 빠질 수 있다.							
046	정해진 방식을 따르는 것이 좋다.							
047	남에게 피해를 입힌 적이 없다.							
048	주목받는 것이 좋다.							

문항	내용	1	2	3	4	5	가	멀
049	혼자 여행 다니는 것을 좋아한다.							
050	해외에 나가서 살고 싶다.							
051	어떤 분야의 개척자가 되는 것을 좋아한다.							
052	불안감에 잠을 못 이룰 때가 많다.							

문항	내용	1	2	3	4	5	가	멀
053	어릴 적 추억을 자주 떠올린다.							
054	편지를 자주 쓰는 편이다.							
055	기회는 능력과 상관없이 주어져야 한다고 생각한다.							
056	다정한 사람이라는 말을 자주 듣는다.							

문항	내용	1	2	3	4	5	가	멀
057	전공이 아닌 일을 배우는 것이 즐겁다.							
058	한 번 여행했던 곳에는 다시 가지 않는다.							
059	나의 생활에 만족한다.							
060	나는 지루한 것보다는 차라리 어려운 것이 낫다.							

문항	내용	1	2	3	4	5	가	멀
061	이루고자 하는 목표가 명확하다.							
062	해야 하는 일을 미루지 않는다.							
063	여유를 가지고 생활한다.							
064	계획이 틀어지면 스트레스를 받는다.							

문항	내용	1	2	3	4	5	가	멀
065	자기가 맡은 일은 끝까지 해야 한다.							
066	내가 시작한 일은 남에게 맡기기 불안하다.							
067	남들과 경쟁하는 것이 불편하다.							
068	무슨 일이 있어도 약속을 지킨다.							

문항	내용	1	2	3	4	5	가	멀
069	봉사 활동하는 것을 좋아한다.							
070	어떤 상황에서도 먼저 상대방의 입장에서 생각한다.							
071	항상 친구들에게 먼저 연락한다.							
072	다른 사람들을 쉽게 믿지 않는다.							

문항	내용	1	2	3	4	5	가	멀
073	일을 시작할 때 항상 실패할 가능성을 염두에 둔다.							
074	새로운 사람과의 만남이 부담스럽다.							
075	좋아하는 일보다 잘할 수 있는 일을 선택한다.							
076	남들이 나의 성과를 알아주면 좋겠다.							

문항	내용	1	2	3	4	5	가	멀
077	주어진 일을 하는 것이 좋다.							
078	전통에 얽매일 필요는 없다고 생각한다.							
079	많은 사람 앞에 나서는 것을 꺼린다.							
080	남들과 경쟁하는 것에 관심 없다.							

(1: 매우 그렇지 않다, 2: 그렇지 않다, 3: 보통이다, 4: 그렇다, 5: 매우 그렇다)

문항	내용	1	2	3	4	5	가	멀
081	몸을 움직이는 활동을 좋아한다.							
082	생각보다 행동이 앞선다.							
083	하루하루 계획을 세워 생활한다.							
084	하고 싶은 일은 망설이지 않고 도전한다.							

문항	내용	1	2	3	4	5	가	멀
085	나의 의견을 잘 개진한다.							
086	내가 아는 것에 대해 설명하는 것을 좋아한다.							
087	전공이 아닌 일을 배우는 것이 즐겁다.							
088	한 가지 일에 빠지면 그것에만 몰두한다.							

문항	내용	1	2	3	4	5	가	멀
089	명소보다 남들이 잘 모르는 곳에 여행가는 것이 좋다.							
090	나와 다른 생각을 지닌 사람의 이야기를 듣는 것이 즐겁다.							
091	넓은 교제보다 좁은 교제를 한다.							
092	낯을 가리지 않는다.							

문항	내용	1	2	3	4	5	가	멀
093	의견이 대립되었을 때 조정을 잘한다.							
094	쉽게 설득을 당하는 편이다.							
095	다른 사람으로부터 이해를 받지 못해도 상관없다.							
096	결점을 지속적으로 지적받으면 스트레스를 받는다.							

문항	내용	1	2	3	4	5	가	멀
097	나는 감정을 잘 드러낸다.							
098	다른 사람을 쉽게 믿지 않는 편이다.							
099	신중한 편이어서 어떤 일을 시작할 때 준비 기간이 길다.							
100	차분하다는 말을 자주 듣는다.							

문항	내용	1	2	3	4	5	가	멀
101	우울할 때 밖에 나가서 돌아다니면 기분이 좋아진다.							
102	서두르지 않고, 느긋하게 차분히 일을 진행한다.							
103	앞으로 진행할 일을 정리해 두지 않으면 불안하다.							
104	나는 욕심 덩어리이다.							

문항	내용	1	2	3	4	5	가	멀
105	어렵고 힘들더라도 새로운 일에 도전하는 것을 좋아한다.							
106	가끔 걱정 때문에 잠을 이루지 못할 때가 있다.							
107	스스로 질책하며 무기력함에 빠져들곤 한다.							
108	친구의 말에 따라 나의 견해가 종종 바뀐다.							

문항	내용	1	2	3	4	5	가	멀
109	지인을 우연히 만나도 먼저 인사하는 것이 어렵다.							
110	몇몇이 반대를 해도 내 생각대로 하는 편이다.							
111	작은 일에도 쉽게 우쭐해져서 기분이 좋아진다.							
112	언제나 정직한 편이어서 거짓말을 하지 않는다.							

문항	내용	1	2	3	4	5	가	멀
113	내가 먼저 다가가서 친구를 사귀는 것이 힘들다.							
114	무슨 일이든 하기 전에 곰곰이 생각하는 것을 좋아한다.							
115	어떠한 운동이든 매우 좋아한다.							
116	포기라는 것은 없다. 끝까지 실행해 본다.							

문항	내용	1	2	3	4	5	가	멀
117	일을 시작하기 전에 다시 한 번 확인해 보고 시작한다.							
118	모든 업무 시스템은 나를 중심으로 흘러가야 한다.							
119	내가 잘하지 못하는 일이라고 해도 자원해서 하는 편이다.							
120	조그마한 소리에도 신경이 쓰여 잠이 깨곤 한다.							

(1: 매우 그렇지 않다, 2: 그렇지 않다, 3: 보통이다, 4: 그렇다, 5: 매우 그렇다)

문항	내용	1	2	3	4	5	가	멀
121	갑자기 식은땀이 날 때가 있다.							
122	때때로 욕설을 퍼붓고 싶을 때가 있다.							
123	스스로를 생각할 때 나는 개성적인 편이다.							
124	나는 발표하는 것을 좋아한다.							

문항	내용	1	2	3	4	5	가	멀
125	주위로부터 에너지가 넘친다는 얘기를 종종 듣는다.							
126	약간의 위법도 해서는 안 된다고 생각한다.							
127	사람과 첫 대면을 한다는 것이 경쾌한 일은 아니다.							
128	주위로부터 차분하다는 말을 많이 듣는 편이다.							

문항	내용	1	2	3	4	5	가	멀
129	사람이 많은 곳에 가서 활동하는 것이 좋다.							
130	일단 시작하면 끝장을 봐야 후련하다.							
131	어떠한 일에 대한 비전을 세우고 시작한다.							
132	무슨 일을 하든 주위로부터 리더라는 말을 듣고 싶다.							

문항	내용	1	2	3	4	5	가	멀
133	운동 경기를 좋아한다.							
134	배탈이 자주 난다.							
135	누군가와 다툰 것이 모두 내 잘못 때문인 것 같다.							
136	어디론가 자주 떠나고 싶다.							

문항	내용	1	2	3	4	5	가	멀
137	마음을 터놓고 진정으로 대할 수 있는 사람이 주위에 없다.							
138	내 의견을 확실하게 말하는 편이다.							
139	조용하고 차분한 모임보다는 떠들썩한 모임을 더 좋아한다.							
140	어떠한 일이든 변명을 하며 합리화시켜 본 적이 없다.							

문항	내용	1	2	3	4	5	가	멀
141	파티에 가는 것을 싫어한다.							
142	생각을 먼저 하고 나중에 행동하는 편이다.							
143	무엇을 하든 몸을 움직이는 것을 좋아한다.							
144	자신을 생각할 때 나는 완고한 편이다.							

문항	내용	1	2	3	4	5	가	멀
145	항상 준비하고 철저히 계획한다.							
146	정부 부처의 장관이 되고 싶다는 꿈을 가진 적이 있다.							
147	좀 피곤하더라도 동시에 많은 일을 진행할 수 있다.							
148	다른 사람의 감정에 종종 이입되기도 한다.							

문항	내용	1	2	3	4	5	가	멀
149	타인의 충고를 듣고 나면, 모두가 내 탓인 것 같다.							
150	가끔 울음이나 웃음을 참지 못할 때가 있다.							
151	무엇인가를 생각한다는 것은 즐거운 일이다.							
152	좋은 아이디어가 생각나도 한 번 더 검토해 본다.							

문항	내용	1	2	3	4	5	가	멀
153	다른 사람들이 무엇을 하든 그 일에 관심이 없다.							
154	새로운 일에 대한 도전을 즐기는 편이다.							
155	모르는 사람을 만나는 일은 피곤하다.							
156	실행하기 전에 한 번 더 생각하는 편이다.							

문항	내용	1	2	3	4	5	가	멀
157	취미가 하나 생기면 오랜 시간 즐기는 편이다.							
158	쉽게 포기하지 않는다.							
159	신중하게 계획적으로 하는 것이 중요하다고 생각한다.							
160	종료된 것보다 완성되지 않은 업무에 더 관심이 간다.							

문항	내용	1	2	3	4	5	가	멀
161	사소한 일이더라도 열심히 하려고 한다.							
162	이유 없이 불안하다.							
163	지난 일에 대하여 후회할 때가 있다.							
164	무슨 일이든 쉽게 싫증이 나서 하기 싫을 때가 많다.							

문항	내용	1	2	3	4	5	가	멀
165	우연히 아는 사람을 만나면 나도 모르게 피하게 된다.							
166	무슨 일이든 잘할 수 있다는 자신감이 있다.							
167	한껏 들뜬 기분에 가만히 있지 못하고 설치는 경우가 있다.							
168	약속 시간에 늦은 적이 한 번도 없다.							

문항	내용	1	2	3	4	5	가	멀
169	낯가림을 하는 편이다.							
170	무엇인가를 생각한다는 것은 즐거운 일이다.							
171	몸을 움직이는 것을 좋아한다.							
172	나는 단거리보다 장거리 선수가 더 어울린다.							

문항	내용	1	2	3	4	5	가	멀
173	새로운 길로 가는 것이 즐겁다.							
174	인생에서 목표를 갖는다는 것은 중요하다.							
175	적극적이고 의욕적으로 활동하는 편이다.							
176	몸이 좀 힘들거나 할 때는 병에 걸렸다는 생각이 든다.							

문항	내용	1	2	3	4	5	가	멀
177	일이 잘 풀리지 않으면 비관적으로 생각하는 편이다.							
178	남의 의견을 들으면 나의 의견을 많이 바꾼다.							
179	한 번 내린 결정은 바꾸지 않는다.							
180	낯선 사람들과도 편하게 이야기할 수 있다.							

문항	내용	1	2	3	4	5	가	멀
181	다른 사람들의 얘기를 하는 것을 좋아하는 편이다.							
182	누군가를 의심해 본 적이 한 번도 없다.							
183	조심스러운 성격이다.							
184	무슨 일이든 신중하게 행동하는 편이다.							

문항	내용	1	2	3	4	5	가	멀
185	학창 시절 체육 수업을 매우 좋아했다.							
186	단기적인 일보다는 꾸준히 하는 일이 적성에 맞는다.							
187	휴가는 세부적인 일정까지 세우고 움직인다.							
188	꼭 출세하여 보란 듯이 살고 싶다.							

문항	내용	1	2	3	4	5	가	멀
189	지시를 내리기보다는 받는 편이다.							
190	신중히 생각하고 행동한다.							
191	많이 움직인다는 소리를 많이 듣는 편이다.							
192	모두가 싫증을 내는 상황에서도 잘 참는 편이다.							

문항	내용	1	2	3	4	5	가	멀
193	인간관계를 중요하게 생각하여 일을 선택한다.							
194	어려움에 부딪혀도 좀처럼 포기하지 않는다.							
195	알려지지 않은 새로운 방법으로 일하는 편이다.							
196	이웃집의 소리에 신경이 많이 쓰이는 편이다.							

문항	내용	1	2	3	4	5	가	멀
197	이것저것 걱정을 많이 한다.							
198	일에 대한 욕심이 많은 편이다.							
199	휴식을 할 때는 혼자 편안히 쉬고 싶다.							
200	상대방과 있어도 나의 주장을 말하는 편이다.							

(1: 매우 그렇지 않다, 2: 그렇지 않다, 3: 보통이다, 4: 그렇다, 5: 매우 그렇다)

문항	내용	1	2	3	4	5	가	멀
201	조용하거나 너무 지루하면 떠들고 싶다.							
202	한번도 다른 사람들의 욕을 해 본 적이 없다.							
203	동호회 등 모임에 나가는 것을 좋아하지 않는다.							
204	사려가 깊다는 말을 자주 듣는다.							

문항	내용	1	2	3	4	5	가	멀
205	정정당당하고 생각이 열린 사람이다.							
206	쉽게 타협하지 않고 내 방식대로 끝까지 한다.							
207	한 달간의 계획을 수립하여 생활하는 편이다.							
208	과정보다 성공이 중요하다고 생각한다.							

문항	내용	1	2	3	4	5	가	멀
209	어떠한 일을 주면 빨리 실행에 옮기는 편이다.							
210	주변의 말에 비교적 상처를 잘 받는다.							
211	자신을 생각할 때 낙천적인 편은 아닌 것 같다.							
212	감정의 변화가 심한 편이다.							

문항	내용	1	2	3	4	5	가	멀
213	독특하다는 말을 많이 듣는다.							
214	상대방한테 지적을 받는다는 것을 참을 수 없다.							
215	신중한 사람이라는 평가를 받는 편이다.							
216	누군가의 부탁을 거절하지 못하는 편이다.							

문항	내용	1	2	3	4	5	가	멀
217	내 의견을 상대방에게 주장하는 편은 아니다.							
218	일의 성취도보다 문화생활이 중요하다.							
219	능력을 최대치로 발휘할 수 있는 곳에서 일하고 싶다.							
220	담당 업무 이외의 일도 의욕적으로 할 것 같다.							

문항	내용	1	2	3	4	5	가	멀
221	일이 제대로 되지 않을 때가 자주 있다.							
222	자신을 생각할 때 의지가 약한 편에 속한다.							
223	공동프로젝트보다 혼자 진행하는 것이 좋다.							
224	무슨 주제로 어떤 대화를 하든지 지지 않는 편이다.							

문항	내용	1	2	3	4	5	가	멀
225	TV 드라마를 보면서 쉽게 흥분한다.							
226	무슨 주제로 어떤 대화를 하든 지지 않는 편이다.							
227	학창 시절, 학급에서 눈에 띄는 편은 아니었다.							
228	하루 일과가 끝나고 돌아볼 때 반성하는 경우가 많다.							

문항	내용	1	2	3	4	5	가	멀
229	어떠한 결정이 나면 즉각 행동으로 옮기는 편이다.							
230	나는 스스로 인내력이 강하다고 생각한다.							
231	항상 시작 전에는 세부적인 계획을 먼저 세운다.							
232	나는 최고라고 생각한다.							

문항	내용	1	2	3	4	5	가	멀
233	주위로부터 활력이 넘친다는 말을 자주 듣는다.							
234	나에 관한 다른 사람들의 생각이 궁금하다.							
235	나를 싫어하는 사람이 있다.							
236	감정을 조절하지 못해 싸움한 적이 있다.							

문항	내용	1	2	3	4	5	가	멀
237	내가 나를 생각해도 융통성이 없다고 생각한다.							
238	누군가를 설득한다는 것은 어려운 일이 아니다.							
239	기분이 고무되는 일을 하는 것이 좋다.							
240	지금껏 누군가와 싸워 본 적이 없다.							

문항	내용	1	2	3	4	5	가	멀
241	인간관계가 편협하다는 말을 듣는 편이다.							
242	생각하고 나서 행동한다.							
243	아침에 일어나는 것이 그렇게 어렵지 않다.							
244	포기하지 않고 노력하고 있다는 사실이 중요하다.							

문항	내용	1	2	3	4	5	가	멀
245	사람들을 잘 배려한다.							
246	어떠한 일이든 꼼꼼히 생각하는 경우가 많다.							
247	시간만 있으면 집에서 공상을 즐기고 싶다.							
248	새로운 일을 시작하는 것이 쉽지 않다.							

문항	내용	1	2	3	4	5	가	멀
249	조그마한 일이라도 계획을 세운다.							
250	역사에 남을 만한 중요한 일을 해 보고 싶다.							
251	도전하기를 좋아하여 직접 부딪히는 편이다.							
252	미래를 생각하면 종종 불안해지곤 한다.							

문항	내용	1	2	3	4	5	가	멀
253	말로 표현할 수 없는 나쁜 일을 상상한다.							
254	어떤 조직에서든 조용히 생활하는 것을 좋아한다.							
255	가끔 집을 떠나서 여행을 가고 싶다.							
256	상대방이 재촉하면 나도 모르게 화가 난다.							

문항	내용	1	2	3	4	5	가	멀
257	자살하고 싶은 충동을 가끔 느낀다.							
258	어렸을 때에도 도둑질한 적이 없다.							
259	새로운 사람들과 관계를 만들어 가고 싶지 않다.							
260	너무 많이 고려하다가 기회를 놓치는 경우가 많다.							

문항	내용	1	2	3	4	5	가	멀
261	친구들 사이에 활발한 사람으로 인정받는다.							
262	등산을 할 때는 정상까지 올라가는 편이다.							
263	주위에서 좋다고 하더라도 검토 후 실행한다.							
264	일하는 분야에서는 일인자가 되어야 한다.							

문항	내용	1	2	3	4	5	가	멀
265	시원시원한 성격이라는 말을 자주 듣는다.							
266	인간관계가 편협하다는 말을 듣는 편이다.							
267	공동 업무의 실패는 모두 내 탓이다.							
268	진정한 프로라는 말을 들으면 기분이 좋아진다.							

문항	내용	1	2	3	4	5	가	멀
269	누가 나한테 충고하는 것이 싫다.							
270	자존감이 높다.							
271	사람들과 이야기하는 것을 좋아한다.							
272	법을 위반한 행위를 한번도 하지 않았다.							

문항	내용	1	2	3	4	5	가	멀
273	남과 대화하는 것은 많은 용기가 필요하다.							
274	항상 무슨 말을 하기 전에 생각하는 습관이 있다.							
275	무리해서 운동한다고 해도 별로 피로하지 않다.							
276	어려움에 부딪혀도 좀처럼 포기하지 않는다.							

문항	내용	1	2	3	4	5	가	멀
277	갑자기 식은땀이 날 때가 있다.							
278	때때로 욕설을 퍼붓고 싶을 때가 있다.							
279	스스로를 생각할 때 나는 개성적인 편이다.							
280	나는 발표하는 것을 좋아한다.							

문항	내용	1	2	3	4	5	가	멀
281	주위로부터 에너지가 넘친다는 얘기를 듣는다.							
282	약간의 위법도 해서는 안 된다.							
283	사람과 첫 대면을 한다는 것이 경쾌하지 않다.							
284	주위로부터 차분하다라는 말을 많이 듣는다.							

문항	내용	1	2	3	4	5	가	멀
285	사람이 많은 곳에 가서 활동하는 것이 좋다.							
286	일단 시작하면 끝장을 봐야 후련하다.							
287	어떠한 일에 대한 비전을 세우고 시작한다.							
288	주위로부터 리더라는 말을 듣고 싶다.							

문항	내용	1	2	3	4	5	가	멀
289	남들보다 감정이입을 잘한다.							
290	한 달에 한두 번 스트레스를 해소한다.							
291	잘 안풀리면 자책하는 편이다.							
292	종종 여행가는 것을 좋아한다.							

문항	내용	1	2	3	4	5	가	멀
293	진정한 친구가 주위에 없다.							
294	내 의견을 확실하게 말하는 편이다.							
295	차분한 모임보다는 활동적인 모임을 좋아한다.							
296	일에 변명을 하며 합리화시켜 본 적이 없다.							

문항	내용	1	2	3	4	5	가	멀
297	새로운 것을 고민하는 것은 비효율적이다.							
298	생각을 하기 전에 앞서 행동하는 편이다.							
299	무엇을 하든 몸을 움직이는 것을 좋아한다.							
300	자신을 생각할 때 나는 완고한 편이다.							

문항	내용	1	2	3	4	5	가	멀
301	항상 준비하고 철저히 계획한다.							
302	어떤 조직에서든 조용히 생활하는 것을 좋아한다.							
303	피곤하더라도 동시에 많은 일을 진행할 수 있다.							
304	다른 사람의 감정에 종종 이입되기도 한다.							

문항	내용	1	2	3	4	5	가	멀
305	충고를 듣고 나면 모두가 내 탓인 것 같다.							
306	가끔 울음이나 웃음을 참지 못할 때가 있다.							
307	남들 시선이 어떻든 별로 상관하지 않는다.							
308	기분에 따라 즉흥적으로 행동한다.							

문항	내용	1	2	3	4	5	가	멀
309	작은 일에도 쉽게 우울해진다.							
310	과장하거나 축소해서 말한 적은 없다.							
311	분위기를 주도한다거나 하지 못한다.							
312	실행하기 전에 한번 더 생각하는 편이다.							

문항	내용	1	2	3	4	5	가	멀
313	취미가 하나 생기면 오랜 시간 즐기는 편이다.							
314	전통문화에 관심이 많다.							
315	계획적으로 하는 것이 중요하다고 생각한다.							
316	새로운 일에 도전하는 것을 즐긴다.							

문항	내용	1	2	3	4	5	가	멀
317	사소한 일이더라도 열심히 하려고 생각하고 있다.							
318	이유 없이 불안하다.							
319	지난 일에 대하여 아쉬움에 후회할 때가 있다.							
320	무슨 일이든 쉽게 싫증나서 하기 싫을 때가 많다.							

문항	내용	1	2	3	4	5	가	멀
321	아는 사람을 만나면 나도 모르게 피하게 된다.							
322	무슨 일이든 잘할 수 있다는 자신감이 있다.							
323	가만히 있지 못하고 설치는 경우가 있다.							
324	약속 시간에 늦어 본 적이 한 번도 없다.							
325	처음 본 사람하고 단둘이 있기 어렵다.							

02 면접

농협은행 공채 면접 3 STEP

구분	집단면접	RP면접	토의면접	심층면접	PT면접	주장면접
농협은행 6급	○	×	○	×	×	×
농협은행 5급	○	×	○	○	○	×
지역농협 6급	○	×	×	×	×	○

1 면접 전

농협은행 6급의 면접은 각 지역별로 지역 영업 본부에서 2~3일 동안 진행된다. 필기시험 결과 발표 이후 5일 이내에 면접이 진행되는데, 첫째 날에 배정될 경우 면접 준비 시간이 매우 촉박할 수 있으므로 미리 대비하는 편이 좋다.

• 하루에 오전 그룹, 오후 그룹 2개의 그룹이 면접을 본다.
• 오전 그룹의 경우 오전 8시까지 입실해야 하며, 면접에 대한 간단한 안내 후 9시부터 본격적인 면접을 실시한다.
• 9시 이후 핸드폰은 모두 수거하지만, 교재 및 인쇄물은 참고할 수 있다.
• 무작위로 6명이 하나의 조를 이루며, 1조는 집단면접, 3조는 2명씩 각각 다른 방에서 RP면접을 동시에 진행한다. 나머지 조는 대기한다.
• 모든 지원자에게 번호 명찰이 부여된다. 블라인드 면접으로 실명을 거론할 수 없으며, 본인을 지칭할 때는 반드시 ○○번 지원자라고 말해야 한다.
• 집단면접은 1조당 50분, RP면접은 한 사람당 최대 15분이 소요된다.

2 집단면접

집단면접은 일반적인 다대다 면접의 형태로 이루어진다. 지원자 6명이 한 조를 이뤄 면접관 5명과 면접을 진행하며, 자기소개서 기반의 질문을 토대로 지원자의 역량을 평가한다. 면접은 다음 그림과 같은 구도로 진행되며, 지원자에게는 별도의 책상이 주어지지 않고 의자에 앉아 면접을 실시한다.

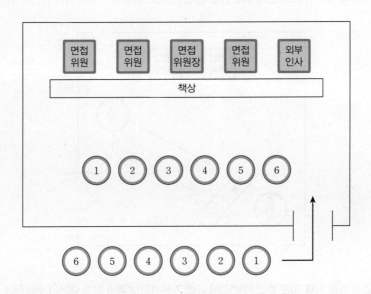

- 면접은 인사 후 1분 자기소개부터 시작한다.
- 면접관 한 사람이 모든 지원자(또는 시간관계상 일부 지원자)에게 질문을 한 후 다른 면접관에게 발언권을 넘기는 형태로 진행되며, 지원자가 답변한 후 다른 면접관이 추가 질문을 할 수도 있다.
- 면접관 중 1명은 외부 전문가이며, 농협 배지를 달고 있지 않다.
- 기본적으로 인사팀에서는 NCS에 기반한 절차와 자소서에 입각한 질문을 할 것을 면접관들에게 교육한다. 인사팀의 요구를 잘 따르는 면접관도 있는 반면, 자신만의 스타일로 면접을 진행하는 면접관도 있다. 그러나 갈수록 자소서 기반 면접을 진행하는 추세이며, 외부 전문가는 철저하게 NCS, 자소서에 기반한 구조화된 질문을 한다.
- 면접관 모두 미리 지원자의 자소서를 정독한 상태에서 면접이 진행되며, 자소서의 내용에 의문점이 있는 경우 관련 내용을 검색하고 오기도 한다. 자소서 내용을 토대로 꼬리에 꼬리를 무는 구조화된 질문이 계속해서 던져지므로, 서투른 거짓말은 바로 발각될 수밖에 없다. 따라서 객관적 사실에 대해서는 반드시 사실만을 적어야 한다.
- 1분 자기소개에서 특이한 내용이 나올 경우 자소서와 별개로 그에 대한 질문을 할 수도 있다.
- 예전에는 용어의 뜻을 묻는 단순 지식형 질문들도 등장했으나, NCS 기반 면접이 정착되는 기조에 따라 단순 지식이나 용어를 묻는 질문은 사라지고 있다. 대신 어떠한 상황이나 사건에 대해서 지원자의 생각을 묻는 질문들이 등장하고 있다.

3 RP면접

RP면접은 지원자가 은행원이 되어서 손님을 연기하는 면접관에게 직접 상품을 권유하는 역할극 형식으로 진행된다. 6명 중 2명씩 각각 다른 방에 입실하여 면접을 진행하며, 지원자의 고객 응대법, 적극성 등 세일즈에 관련된 역량을 평가한다. 면접은 다음과 같은 구도로 진행되며, 면접 전 면접 장소 밖에서 면접에 대한 간단한 설명과 준비시간이 주어진다.

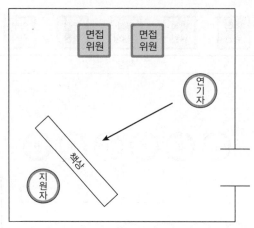

- 면접 시작 전 2명씩 짝을 이뤄 20분 동안 RP면접에 대한 기본적인 설명과 함께 대본이 주어진다.
- 면접은 각자 다른 방에서 실시되며, 문 앞에서 인사한 후 준비된 자리에 앉아 대본에 쓰인 연기를 하면 면접이 시작된다.
- 손님을 연기하는 연기자를 상대로 면접이 진행되며, 역할극에는 관여하지 않는 면접관 2명이 지원자를 평가한다.
- 2018년 하반기 RP면접에서는 연기자의 정보를 사전에 공지하지 않았으며, 대화를 통해 고객의 정보와 숨겨진 니즈를 파악하여 세일즈를 해야 했다.

2018년 하반기 RP면접 대본

지원자: (일어서서) 99번 고객님 도와드리겠습니다.
(손님이 온다.)
지원자: 안녕하십니까 고객님. 어서 오십시오. 이쪽으로 앉으시겠어요?
(손님이 앉은 후 자리에 앉는다.)
지원자: 어떤 업무 도와드릴까요?
손님: 체크카드를 분실했어요. / 환전 좀 하려구요.
지원자: 네 알겠습니다. 바로 처리해 드리겠습니다.

이후 자유롭게 진행

※ 주의사항: 가상의 상황(아이가 있다는 듯이 말하거나, 사원증을 보니 회사원이시네요 등등)을 면접자가 자의로 설정해서는 안 되며, 반드시 대화를 통해 상대방의 신분을 유추하고 숨겨진 니즈를 이끌어내야 합니다.

1 집단면접

1 1분 자기소개는 완벽히 준비하자!

1분 자기소개는 대부분의 면접에서 요구하고 있다. 말하자면 최고 빈도 기출문제다. 게다가 면접의 시작이기 때문에 1분 자기소개에 따라 지원자의 첫 이미지와 면접 전체의 분위기가 결정될 수 있다. 그만큼 완벽한 준비가 필요하다.

> [1분 자기소개의 정석적인 전체 구조]
> 인사 ▶ 농협 분석 ▶ 분석과 연계되는 지원 동기 ▶ 입사를 위한 자신의 어필 포인트
> ▶ 어필 포인트의 농협 직무 연관성 ▶ 입사 후 다짐, 계획 ▶ 마무리 인사

• 최근 취업 시장의 키워드는 '직무'다. 애초에 NCS가 국가직무능력표준의 줄임말이다. 강점이 있어도 그 강점을 해당 직무와 연결하지 못하면 아무 소용이 없다. 핵심 강점은 농협과의 직무 연관성이 높은 것으로 선정하자.

• 너무 많은 것을 담지 마라. 지원자는 자신의 어필 포인트에서 더 많은 강점을 말하고 싶은 욕심이 있겠지만, 이러면 횡설수설하는 것처럼 보이기 좋으며 자칫 1분을 넘길 수 있다. 1분 자기소개에는 핵심 강점 딱 하나만 담아라.

• 스크립트를 통째로 외우지 마라. 대신 전체 구조와 핵심 키워드를 중심으로 자연스럽게 말하는 연습을 하자.

• 100번 이상 연습하자. 이때, 키워드와 그 순서만을 기억하고 대화하는 느낌으로 연습하라. 연습할 때마다 말하는 내용에 조금씩 차이가 생기겠지만 상관없다. 키워드 중심 말하기 연습을 계속할수록 좀 더 자연스럽게 말할 수 있고 말의 빠르기와 목소리의 톤 등 비언어적인 요소들까지 신경 쓸 여유가 생긴다.

• 1분을 모두 채우지 마라. 1분보다 약간 빠르게 끝내는 것이 바람직하다.

• 경우에 따라 30초 자기소개 등 시간이 변칙적으로 바뀔 수 있으니 몇 가지 버전을 따로 준비하자.

2 자기소개서를 철저히 분석하자!

농협은행은 블라인드 채용을 시행하므로 면접관이 활용할 수 있는 지원자의 정보는 오직 자기소개서뿐이다. 따라서 자신의 자기소개서를 철저히 분석하고 나올 수 있는 모든 예상 질문을 뽑아내야 한다.

• 예상 질문을 선정할 때는 '직무'를 키워드로 삼자. 직무역량 중심의 평가가 기반이 되므로 자기소개서에 쓰인 내용과 직무의 연관성에 대한 질문이 나올 수밖에 없다. 자신이 가진 재료가 농협은행 업무를 볼 때 어떻게 활용될 수 있는지 모든 가능성을 모색하자.

• 경험의 디테일한 부분까지 기억해 놓자. 자기소개서 기반 직무역량면접에서는 꼬리에 꼬리를 무는 구조화된 질문이 이어지는 경우가 많다. 이때, 대비가 부족하여 추가 질문에 답변하지 못한다면 진정성을 의심받을 수 있다.

- 거짓 경험을 꾸며내지 마라. 꼬리에 꼬리를 무는 구조화 면접에서 답변이 막힐 수도 있다. 그리고 완벽하게 답변을 해냈다 하더라도 거짓을 말할 때는 비언어적 요소가 흔들릴 가능성이 크다. 이는 지원자의 인상에 부정적인 영향을 줄 수 있다.

- 자랑 나열식 말하기를 자제하자. 블라인드 면접인 만큼 자신의 실력을 자랑하는데 급급한 지원자들이 많다. 여러 자랑거리를 단순 나열하는 것은 면접관의 주의를 끌기 어렵고 자칫하면 거만한 지원자로 비칠 수 있다. 핵심이 되는 강점만을 어필하고 자신의 생각을 진솔하게 이야기하여 자기 자신을 보여주는 것이 좋다. 면접은 초면인 상대방을 알아가는 자리라는 점에서 소개팅과 유사하다. 소개팅 자리에서 자신의 재력과 능력을 과시하는 사람이 어떻게 보일지 생각해 보자.

- 주변인을 활용하자. 자신의 시각으로만 보면 의외로 놓치기 쉬운 것들이 많다. 쑥스러워하지 말고 주변 사람들에게 자신의 자기소개서를 보여준 후 예상 질문을 요청하자.

3 비언어적 요소를 챙기자!

면접은 기본적으로 상호 간의 대화이다. 대화를 통해서 면접관에게 좋은 인상을 남기고 호감을 얻어야 합격할 수 있다. 대화를 구성하는 요소는 크게 언어적 요소와 비언어적 요소가 있는데 이 중 상대방의 인상을 결정하는 것은 단연 비언어적 요소라고 할 수 있다.

- 비언어적 요소에는 외모, 표정, 태도, 말투, 목소리, 톤, 말의 빠르기 등이 있다. 여기서 키포인트는 예의, 자신감 그리고 자연스러움이다. 이는 모두 지원자의 신뢰도를 높이는 데 직접적인 영향을 미친다.

- 자연스러운 미소를 연습하자. 서로 초면인 관계에서 긴장을 완화하고 호감을 쌓는 가장 빠른 방법은 미소를 짓는 것이다. 단, 자연스러워야 한다.

- 절대로 면접 답변을 외우지 마라. 이는 1분 자기소개뿐만 아니라 면접 전체에 해당되는 이야기다. 면접은 발표가 아니라 대화이다. 지원자들이 가장 많이 하는 실수가 완벽한 모범답안을 만들어 놓고 발표 준비하듯 달달 외우는 것이다. 우선 사람의 기억력에는 한계가 존재하므로 50분 내외의 면접시간 동안 한 번도 틀리지 않고 외운 내용을 말하기 어렵다. 설령 성공했다고 하더라도 외운 말을 쏟아내게 되면 내용을 잊기 전에 빨리 끝내야 한다는 부담감이 작용하여 자연스레 말이 빨라지고 톤도 불안정해진다. 또한, 태도도 조급해져 모든 비언어적인 요소를 놓치게 되고, 면접관과의 대화 호흡을 안정적으로 가져가기 힘들어진다. 이러면 답변 내용이 아무리 훌륭해도 면접관의 귀에 그 내용이 들어가지 않는다. 교수님이 강단에 서서 책만 읽어주는 '더 리더(reader)'라고 해 보자. 당신은 그 교수님의 수업을 신청하겠는가?

- 답변 연습은 키워드를 활용하자. 질문에 맞는 키워드를 정리하고 그에 맞춰 면접관과 대화하는 느낌으로 연습을 하는 것이 좋다. 스크립트 없이 처음 연습할 때는 다소 말문이 막히고 생각보다 매끄럽게 말이 흘러나오지 않지만, 반복해서 연습하면 체계가 잡힌 답변이 입 밖으로 나올 것이다.

- 평소보다 약간 느리게 말하자. 질문과 답변 사이에는 한 템포씩 쉬어 주고, 평소보다 약간 느리되 강약의 흐름을 타면서 말하는 것이 좋다. 그래야 면접관들의 주의력을 끌어모을 수 있고 진중하고 차분하다는 인상을 줄 수 있다. 또한, 약간 느리고 침착하게 말하면 생각이 한층 더 잘 정돈되는 경향이 있어 더 효과적으로 면접을 치를 수 있다.

4 평소 상식에 대한 대비를 해두자!

농협은행 면접에서는 상식 질문도 종종 등장한다. 그 분야의 상식 수준을 점검함으로써 전문성과 해당 분야에 대한 관심도를 알 수 있기 때문이다. 상식은 범위에 제한이 없기 때문에 평소에 신문이나 상식 서적을 통해 미리 공부해두는 습관을 길러야 한다.

- 농업 상식에 대한 대비를 해두자. 많은 지원자가 금융·경제에 대한 상식은 잘 준비하지만, 농업에 대한 상식을 놓치는 경우가 많다. 농협은행은 농업협동조합을 모태로 하는 특수한 집단이기 때문에 금융·경제 상식 못지않게 농업에 대한 상식 질문이 자주 등장한다. 따라서 농협을 목표로 하고 있다면 농업에 대한 관심을 가지고 농업의 최신 이슈를 알아두어야 한다.

- 모르는 내용이면 빠르게 모른다고 말하자. 면접관들은 생각보다 이런 면에서 관대하다. 모르는 내용을 물으면 현재 정확히 알지는 못하지만, 면접이 끝난 후 어떻게 알아보겠다는 식의 구체적인 후속 대책을 말하는 것이 좋다. 시간을 끄는 것은 좋지 않은 선택이다. 시간을 끈다고 몰랐던 것을 알게 될 리가 없기 때문이다. 가장 최악은 잘못된 답변을 어설프게 말하는 것이다. 이런 답변을 하게 된다면 잘 알지도 못하면서 아는 체하려는 지원자, 진정성이 떨어지는 지원자, 문제를 덮어뒀다 훗날 사고를 칠 지원자로 보일 가능성이 높다. 단, 두 번 연속으로 모른다는 답변을 할 경우 위험할 수 있으니 상식에 대한 공부를 게을리 하는 것은 금물이다.

2 RP면접

1 거절당하는 상황에 대비하자!

RP면접은 지원자가 은행원이 되어서 손님을 연기하는 면접관에게 직접 상품을 권유하는 역할극 형식으로 진행된다. 이때, 면접관은 지원자의 반응을 관찰하기 위해 절대로 상품을 사지 않는다. 고객에게 거절당했을 때의 대처요령이 주요 체크 요소이므로, 거절당했을 때 어떻게 대화를 이끌어나갈 것인지 다양한 상황별 시나리오를 준비해야 한다.

- 보통 다른 용무를 위해 창구로 찾아온 고객에게 상품을 권유하는 상황이 주어진다. 원래 용무를 처리하면서 자연스럽게 상품 권유로 이야기를 전환하는 방법을 생각해야 한다.
- 고객이 상품 구입을 거절한다고 해서 단번에 포기하는 것은 면접을 포기하는 것과 같다. 지원자의 상품 어필 방법, 적극성, 응대 매너 등을 평가하기 위해 일단 거절을 하는 것이니 대화를 이어나가야 한다.
- 구입을 거절했을 때는 다른 각도에서 설명을 드려 재차 권유한 후, 여러 이유를 들어 다시 거절하면 고객님의 현재 상태에 더 알맞은 다른 상품을 권유하는 것도 하나의 방법이다.
- "혹시 다른 상품가입을 고려하시게 된다면 여기로 연락 주십시오. 친절하게 안내해드리겠습니다"라며 명함을 건네는 것도 방법이 될 수 있다.
- "주변 분 중에 이 상품이 꼭 필요하다고 생각되시는 분께 말씀 한번 전해주시길 부탁드립니다" 등의 멘트를 건네는 것도 방법이 될 수 있다.

- 고객이 불쾌감을 느낄 정도로 지나치게 매달리는 것도 좋지 않다. 적극성을 어필하는 것보다 중요한 것은 고객이 불편한 마음을 가지지 않게 하는 것이다.

- 자신이 미리 생각해둔 시나리오대로만 흘러가지 않으므로 고객의 반응에 맞춰 자연스러운 대화를 유도하는 것이 가장 중요하다. 자신이 정한 시나리오를 억지로 관철하는 것은 역효과를 낳을 수 있다.

- 어떤 상황에서도 고객이 불편함을 느낄 언행을 하면 안 된다. 표정과 어휘 선택에 주의하자.

- 고객이 선물을 따로 건네려고 할 경우 반드시 거절해야 한다. 물론 고객이 불편한 마음을 가지지 않도록 최대한 예의를 갖춰 거절해야 한다. "고객님의 마음 정말 감사합니다. 그러나 회사 내규상 받을 수 없습니다. 대신 저와 농협에 대한 그 마음을 주변 분들에게 알려주시면 저에게도 농협에게도 큰 힘이 될 것 같습니다" 등의 멘트를 고려해 볼 수 있다.

2 고객 맞춤형 상품을 선택하자!

보통은 사전에 고객 정보를 알려준다. 상품의 선택은 자유지만 고객에 대한 정보를 미리 알려준다는 것은 상품의 주 타깃층과 세일즈 포인트를 잘 이해하고 있는지 평가하겠다는 뜻이다. '좀 더 할 말이 많을 것 같아서, 좀 더 돋보일 것 같아서' 같은 이유로 상품을 선택하는 것보다 고객 맞춤형 상품을 선택하는 것이 중요하다. 다만 2018년 하반기 RP면접에서는 사전에 고객 정보를 알려주지 않고, 고객과의 대화를 통해서 고객의 정보와 니즈를 파악해야 하는 보다 난이도 높은 상황이 주어졌다. 이 경우에는 여러 고객 유형별 맞춤 상품을 모두 머릿속에 입력하고 상황에 따라 적절한 상품을 추천해야 한다. 가장 기본적으로 고객 유형을 회사원, 사업자로 나누고 혼인 여부, 자녀 유무 등에 따라 고객 유형을 분류하면 된다.

- 면접장에 상품 설명서(팸플릿 등)를 한 장 지참할 수 있다. 이를 최대한 활용하되, 글씨 방향을 자신 쪽으로 향한 후 내용을 읽어주는 행동은 금물이다. 글씨 방향은 항상 고객을 향해야 하며 지원자는 고객을 바라보고 설명하는 것이 좋다.

- 자신이 설명하는 상품에 대해서는 완벽하게 숙지하고 있어야 한다. 면접장에 지참하는 상품 설명서가 필요 없을 정도여야 하며, 상품 설명서의 용도는 오로지 고객의 이해를 돕기 위한 것으로 생각해야 한다. 따라서 복잡한 상품을 선택할 경우 그에 맞는 사전 준비가 많이 필요하다.

- 가장 좋은 준비 방법은 직접 지점을 방문해서 상품 상담을 받아보는 것이다. 농협에서 잘 나가는 상품의 종류, 해당 상품의 상세 내용, 현직 농협인의 상품 설명 방법 등을 알아낼 수 있다. 평소 은행을 이용할 때 놓치고 있었던 은행원들의 행동 하나하나를 유심히 관찰하자.

3 교차판매를 적극 활용하자!

RP면접에서는 2개 이상의 상품을 준비하는 것이 가능하므로 여러 개의 상품을 준비하여 교차판매를 하는 것이 효과적이다. 손님을 연기하는 면접관은 기본적으로 상품을 구매하지 않는데, 계속해서 하나의 상품만을 권유하면 고객이 피로해지거나 짜증을 느낄 수 있기 때문이다. 이는 실제 업무에서도 사용하는 세일즈 스킬이므로 적극적으로 활용하면 좋다.

- 주로 판매하는 상품은 예·적금, 청약통장, 신용카드(체크카드는 실적과의 연관성이 떨어짐), 올원뱅크 어플, 스마트고지서 등이 있다.

- 고객이 거절 의사를 표현하자마자 바로 교차판매를 하는 것은 세일즈 의지가 약해 보일 수 있다. 따라서 한 가지 상품을 권유하였는데 고객이 상품 가입을 망설인다면, 말하지 않았던 상품의 특장점을 한 가지 더 어필하는 것이 좋다. 그 이후에도 거절을 당한다면 다른 상품의 가입을 권해 보자.

- 교차판매를 할 때는 기계적인 상품 장점 나열보다는 고객과의 연결고리를 찾는 것이 중요하다. 대화 도중 고객이 자신의 상황을 설명하며 상품 가입을 거절했을 때, 그 상황에 딱 맞는 상품이 있다면서 다른 상품을 추천하면 보다 자연스러운 세일즈를 할 수 있다.

(2020. 11. 기준)

ISA	설명	한 계좌에서 예금, 펀드, 파생결합증권 등 여러 금융상품에 분산투자하며 비과세 혜택까지 받을 수 있는 종합 자산관리 계좌다.
	특징	• 세제감면 혜택(손익통산 과세기준, 비과세(수익 200만 원까지)＋분리과세(9.9%)) • 자유로운 상품교체 가능 • 전 금융기관 통틀어 1인 1계좌만 가능 • 근로, 사업소득이 있어야 가입 가능 • 연간 2천만 원 납입한도, 5년간 누적 최대 1억 원, 투자 한도 이월 불가 • 운용방식에 따라 신탁형과 일임형 두 가지 상품으로 나뉨
연금 저축	설명	세액공제 혜택을 받을 수 있는 노후대비 연금 상품으로 연금저축신탁, 연금저축보험, 연금저축펀드로 나뉜다.
	특징	• 소득에 따라 순 납입액의 일부에 한하여 13.2% 또는 16.5%의 세액공제 혜택을 받을 수 있음 • 세액공제 혜택 적용 한도는 소득에 따라 최대 300만 원에서 400만 원 • 최소 적립기간 5년 • 연금 수령 시 나이에 따라 연금소득세가 3.3%~5.5% 발생 • 중도해지 시 또는 연금 외 수령 시 환급금의 16.5%를 기타소득세로 원천징수 • 신탁, 펀드, 보험에 따라 세부내용 상이
펀드	설명	투자자의 투자금을 각종 자산에 분산 투자 대행하고 투자실적에 따라 수익금을 배당하는 상품으로 실제 운용은 각 자산운용사가 하고 은행은 판매대행만 한다.
	특징	• 펀드 종류에 따라 수익률과 위험도가 천차만별 • 펀드 종류에 따라 원금손실이 발생할 수 있음 • 은행은 판매대행만 하는 것이므로 예금자 보호법의 보호를 받지 못함
보험	설명	보험회사의 보험 상품을 은행에서 판매하는 것으로, 펀드와 마찬가지로 실제 운용은 각 보험회사가 전담하고 은행은 판매대행만 하며 이러한 형태를 방카슈랑스라고 한다.
	특징	• 일반적인 보험의 성격을 지님 • 보험 종류에 따라 특색이 다양함
ELT	설명	주가연계신탁이라고도 불리며 투자자의 지시에 따라 상품과 투자 방법 등을 결정하고 운용하는 투자상품이다. 증권사의 ELS를 은행에서 판매하는 것으로 생각하면 된다.
	특징	• 기초자산으로 삼는 지수의 수치와 연계되어 수익률이 결정됨 • 지수가 일정 조건 안에서 움직이거나 조건을 충족시키면 고객은 약정된 수익을 얻고, 그렇지 않으면 상품에 따라 원금 손실을 볼 수도 있음 • 녹아웃 형태의 상품은 단 한 번이라도 조건을 충족시키면 약정된 수익을 얻지 못할 위험이 있음 • 중위험, 중금리 성격의 상품

청약 저축	설명	매월 약정납입일에 저축금을 납입하여 순위요건 충족 시 국민주택과 민영주택 청약권이 부여되는 저축상품이다.
	특징	• 별도 만기가 없으며 입주자로 선정된 날까지 유지 가능 • 매월 2만 원 이상 50만 원 이하의 금액을 자유롭게 납입 가능(단, 월 납입금의 총액이 1,500만 원에 이를 때까지는 50만 원을 초과하여 납입 가능) • 청약 금액의 일부 인출 불가능 • 해지 시 원금과 이자 일괄지급, 단리식 • 일정 요건 충족 시 연간 불입금액의 40%까지 소득공제(연 240만 원 한도) • 일정 요건 충족 시 우대금리와 비과세 혜택이 있는 청년 우대형 주택청약종합저축 가능
신용 카드	설명	현금을 대체하는 수단으로, 일정기간 후에 변제하는 조건으로 물품이나 서비스를 받는 기능을 가진 카드를 말한다.
	특징	• 명확하고 정기적인 소득이 있다고 증빙이 가능한 자에 한해서 발급 가능 • 매년 연회비 납부(특정 카드는 일정 조건 만족 시 연회비 면제) • 사용 실적에 따른 각종 혜택 • 소득공제 혜택
올원 뱅크	설명	농협은행에서 제공하는 핀테크 기반 뱅킹 앱으로, 지역농협의 뱅킹 앱 콕뱅크와는 구별된다.
	특징	• 올원뱅크 전용 비대면 계좌 가입 가능 • 간편뱅크: 간편송금, 간편결제, 간편납부, 환전/송금 • NH농협은행, 농협카드, 투자증권, 농협생명보험, 농협손해보험, 농협캐피탈, 저축은행의 모든 내 자산과 상품을 손쉽게 검색
스마트 고지서	설명	우편 또는 이메일로 안내장을 발송하는 방식에서 스마트기술(PUSH 등)을 활용하여 휴대폰 앱을 통해 다양한 고지서를 전자적으로 발송하는 시스템을 말한다.
	특징	• 경기도 지방세, NH농협카드 청구서, NH농협생명 안내장, 아파트관리비, 상하수도 요금, 국세/범칙금, 삼천리 도시가스, 학원비, KT통신요금, NH손해보험 안내장, NH퇴직연금 안내장 이용 가능 • 고지서 도착 PUSH 알림 가능 • 등록된 출금계좌로 바로 납부 가능 • 납부현황 그래프와 전월 대비 증감 수치 제공

여러분의 작은 소리
에듀윌은 크게 듣겠습니다.

본 교재에 대한 여러분의 목소리를 들려주세요.
공부하시면서 어려웠던 점, 궁금한 점,
칭찬하고 싶은 점, 개선할 점, 어떤 것이라도 좋습니다.

에듀윌은 여러분께서 나누어 주신 의견을
통해 끊임없이 발전하고 있습니다.

에듀윌 도서몰
book.eduwill.net

교재문의
02-2650-3912

「학습자료」 및 「정오표」도
에듀윌 도서몰 도서자료실에서 함께 확인하실 수 있습니다.

2021 NH농협은행 6급(5급 대비 가능)

초 판 인 쇄	2020년 12월 1일
초 판 발 행	2021년 1월 3일
편 저 자	에듀윌 취업연구소
펴 낸 이	박명규
펴 낸 곳	(주)에듀윌
등 록 번 호	제25100-2002-000052호
주 소	08378 서울시 구로구 디지털로34길 55
	코오롱싸이언스밸리 2차 3층
교 재 문 의	02) 2650-3912 Fax 02) 855-0008

* 이 책의 무단 인용 · 전재 · 복제를 금합니다.   ISBN ·979-11-360-0790-2(13320)

www.eduwill.net
대표전화 1600-6700

1위 상식 월간지가 모바일에 쏙!

에듀윌
시사상식 앱

☑ 매월 업데이트 되는 HOT 시사뉴스

☑ 20개 분야 1007개 시사용어 사전

☑ 취업전문가의 명쾌한 무료 상식특강

확! 달라진 에듀윌 시사상식 앱

QR코드를 스캔 후 해당 아이콘 클릭하여 설치 or
구글 플레이스토어나 애플 앱스토어에서 '에듀윌 시사상식'을 검색하여 설치

시사상식 App

꿈을 현실로 만드는
에듀윌

에듀윌은 **고객**의 **꿈**, **직원**의 **꿈**,
지역사회의 **꿈**을 **실현한다**

취업, 공무원, 자격증 시험준비의 흐름을 바꾼 화제작!

에듀윌 히트교재 시리즈

에듀윌 교육출판연구소가 만든 히트교재 시리즈!
YES24, 교보문고, 알라딘, 인터파크, 영풍문고 등 전국 유명 온/오프라인 서점에서 절찬 판매 중!

공인중개사 기초서/기본서/핵심요약집/문제집/기출문제집/실전모의고사 외 11종   주택관리사 기초서/기본서/핵심요약집/문제집/기출문제집/실전모의고사

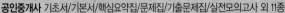

7·9급 공무원 기본서/단원별 기출&예상 문제집/기출문제집/기출팩/실전, 봉투모의고사   공무원 국어·영어·한국사 매일 기출한자/문법 필기노트/기출 영단어/빈문법/매일 3문 독해/킬러 모의고사/흐름노트

7급 공무원 PSAT 기본서/기출문제집   계리직 공무원 기본서/문제집/기출팩   군무원 기출복원문제집/모의고사   경찰공무원 기본서/기출문제집/모의고사/면접   소방공무원 기출문제집   관광통역안내사 필기 1교시/2교시

검정고시 고졸/중졸 기본서/기출문제집/실전모의고사/총정리   사회복지사(1급) 기본서/문제집/핵심요약집   직업상담사(2급) 기본서/기출문제집   경비 기본서/기출/1차 한권끝장/2차 모의고사   전기기사 기본서/기출팩/초보전기   전기기능사 필기/실기

2021

에듀윌 NH농협은행 6급

5급 대비 가능

정답과 해설

에듀윌 NH농협은행 6급

5급 대비 가능

01

| 정답 | ④

1년 6개월짜리 사업에 대한 품의이므로 실장이 전결해야 하는 안건이다. 또한 참조에는 전략기획실을 걸어야 하고, 협조자로 법무실장을 포함해야 한다. 그리고 완료일인 2월 21일에서 일주일 전인 2월 14일까지는 담당자가 서명하여 다음 결재자에게 전달해야 한다. 이를 모두 만족하는 전자결재 형태는 ④이다.

| 오답풀이 |

① 날짜가 2월 14일 이후이다.
② 법무실장이 결재자로 되어 있다.
③ 날짜가 2월 14일 이후이며, 참조가 법무실로 되어 있다.
⑤ 참조에 법무실이, 법무실장은 결재자로 되어 있으며, 실장 전결이 아니다.

02

| 정답 | ②

A는 직진 차량이며, 운전 중 휴대 전화로 영상 통화를 하는 현저한 과실과 제한속도를 초과한 시속 25km의 속도로 달리는 중과실을 동시에 범하였다. 이 경우 중과실만 적용되어 A의 과실은 60＋20＝80, 반대급부로 B의 과실은 40－20＝20이 된다.
B는 좌회전 차량이며, 무면허 운전으로 중과실을 범하였다. 또한 배기량 2,000cc급이므로 대형차로 분류되어 B의 과실은 20＋10＋5＝35, 반대급부로 A의 과실은 80－10－5＝65가 된다.

03

| 정답 | ⑤

두 번째 문단 마지막 문장에서 우루과이, 튀니지 등은 지급 결제 인프라가 미비하여 CBDC 발행을 고려하고 있음을 통해 오히려 CBDC의 효과가 더 크다는 것을 추론할 수 있다.

| 오답풀이 |

① 한국은행은 내년부터 CBDC 시범 운영을 시행할 계획이므로, 아직 CBDC가 발행되지 않았음을 알 수 있다.
② 미국은 기존에 CBDC 발행 계획이 없다는 입장이었으므로, CBDC 발행에 대해 회의적이었음을 알 수 있다.
③ CBDC는 전자적 방식으로 구현되어 현금과 달리 익명성을 제한할 수 있으므로, CBDC가 도입되면 불법자금 및 지하경제 문제의 완화를 기대할 수 있다.
④ 스웨덴은 현금 이용이 크게 감소하여 지급 서비스 시장 독점 문제라는 부작용이 발생하였다. 이러한 문제로 인해 CBDC 발행을 보다 적극적으로 검토할 여건이 마련되었고, 그 결과 'e-크로나' 개발에 착수하였다고 추론할 수 있다.

04

| 정답 | ③

두 번째 문단의 마지막 문장을 보면 '연기금도 공적연금을 중심으로 대체 투자와 해외 투자를 확대하는 등 기금 소진 전망에 따른 수익률 추구 현상이 관찰되고 있다'고 나와 있다. 즉, 연기금은 쌓아놓은 기금이 머지않아 소진될 것이라는 문제에 직면해 있고, 이를 해결하기 위해 더 높은 수익률을 추구한 결과 대체 투자와 해외 투자를 확대하였다는 의미이다. 따라서 연기금이 그동안 공적연금을 투자했던 자산의 수익률은 대체 투자나 해외 투자의 수익률보다 낮은 편이라고 추론할 수 있다.

| 오답풀이 |

① 국내 금융기관 중 증권회사, 투자펀드의 위험선호가 일부 강화되고 있다.
② 은행의 예대마진이 축소될 경우, 보험회사의 수익·비용 역마진이 지속될 경우 위험선호를 강화할 유인이 상존한다. 즉, 더 큰 리스크를 감당한다. 그러나 수익·비용 역마진의 지속과 은행의 위험선호 강화 사이의 관계는 제시된 글의 내용만으로는 알 수 없다.
④ '사모펀드의 급격한 성장이 투자자의 수익률 추구에서 기인한 것으로 보인다'는 내용을 통해 사모펀드가 과도한 수익률을 추구한다는 것을 추론할 수 있다. 또한 이러한 과도한 수익률 추구가 리스크 평가의 관대화로 이어져 공정 가치 평가가 용이하지 않은 금융상품에도 기꺼이 투자하는 행태를 유발함을 알 수 있다. 그러나 반대로 공정 가치 평가가 용이한 금융상품에 투자하는 경향을 만들어내는지 여부는 제시된 글의 내용만으로는 알 수 없다.
⑤ 리스크 과소평가가 심화된 상황에서 금리 급등 등의 충격이 발생하면 급격한 리스크 재평가가 발생할 가능성이 있다. 그러나 현재 은행과 보험회사는 위험선호 강화가 나타나지 않고 있으므로 이러한 우려가 있다고 보기 어려우며, 위험선호가 일부 강화되고 있는 증권회사, 투자펀드의 투자처가 위험에 노출될 가능성이 있다.

05

해당 여신들에 대한 평가 자료는 이미 여신심사부에서 여신관리부로 모두 넘어간 상태이므로 여신심사부에 연락할 필요가 없다.

| 오답풀이 |

② 현재 자산 포트폴리오에 대한 자료는 투자금융부 및 자금부에 연락하여 요청해야 하는 사항으로, 조사를 직접 시작할 필요는 없다.

③ 위험선호가 강화되고 있는지 확인하기 위한 작업이지만, B대리가 해야 할 일은 유관부서에 자료를 요청하여 취합하고, 적절한 평가 모델을 선정하는 선에서 종료된다. 마지막 문장에서 이를 리스크검증단의 C과장에게 맡기라고 하였으므로, 분석 작업은 리스크검증단의 C과장이 수행할 것이라고 추측할 수 있다.

④ 여신관리부에 요청할 자료는 청산되지 않은 모든 여신 자료가 아닌 만기 1년 이내의 여신 자료이다.

⑤ 평가 모델은 미리 선정하는 것이 아니라 자료를 다 받은 후에 선정해야 한다.

06

정답 | ④

• C: (가)를 통해 알 수 있다.

• D: (다)를 보면 비대면 금융 서비스에 대한 수요는 계속해서 증가할 것이며, 카카오, 토스 등 기술력을 앞세운 테크 기업들이 앞다퉈 수요를 선점하는 것으로 보아, 앞으로 경쟁력을 확보하려면 핀테크 등 IT 역량이 확보되어야 함을 추론할 수 있다.

| 오답풀이 |

• A: (가)를 보면 'BIS 자기자본비율은 15.26%로 규제 기준 8%를 상회하고,~양호하여~'라는 문장을 통해 BIS 자기자본비율은 8%보다 높아야 양호한 것이며, 그보다 낮으면 규제의 대상이 된다는 사실을 추론할 수 있다.

• B: (나)를 보면 지속적인 기준금리 인하에 따른 예대금리차 축소로 인하여 국내 5대 은행의 수익성이 하락하였고, 특히 국내은행은 이자이익의 비중이 높아 더욱 문제가 됨을 알 수 있다. 또한, 앞으로 이어지는 저금리 기조에 대비하기 위해서는 이자이익보다 비이자이익의 비중을 확대해야 한다는 것으로 보아 금리가 낮아지면 이자이익이 축소되고, 비이자이익은 상대적으로 덜 영향을 받는다는 사실을 알 수 있다. 즉, 이자이익이 기준금리의 변동에 민감하게 반응하며, 비이자이익은 상대적으로 둔감하게 반응함을 추론할 수 있다.

07

정답 | ③

공항에서 구입한 물품인 '비행기용 목 베개, 슬리퍼, 책'은 공항 측 실수로 분실하였으므로 피보험자에게

귀책사유가 없어 보상을 받을 수 있다. 다만, 책은 영수증을 분실하였으므로 보상을 받을 수 없다. 공항에서 구입한 물품 1개당 보상액이 최대 30$이므로, 비행기용 목 베개의 가격인 40$ 중 30$만 보상받을 수 있다. 즉, 공항에서 분실한 물품에 대한 보상액은 $30+25=55(\$)$이고, 이를 원화로 환전하면 $55 \times 1,200=66,000(원)$이다.

여행지에서 입은 피해는 렌트카 파손, 카메라 도난, 선글라스 분실인데, 카메라는 본인의 물건이 아니므로 보상을 받을 수 없고, 선글라스는 귀책사유가 피보험자에게 있으므로 역시 보상을 받을 수 없다. 렌트카는 본인의 물건이 아니지만 렌트 회사를 통한 렌트 물품이므로 199,000원 모두 보상받을 수 있다.

따라서 지급되는 보상액 총합은 $66,000+199,000=265,000(원)$이다.

08

정답 | ⑤

피셔 효과에 따르면 중앙은행이 경기를 부양하기 위한 조치를 취해도 인플레이션율만 높아질 뿐, 경제적 실효를 거두기 어렵다. 반면, 먼델－토빈 효과에 따르면 중앙은행이 동일한 조치를 취했을 때 실질이자율이 변동하여 경제적 실효를 거둘 수 있다. 따라서 중앙은행의 적극적인 행보를 촉구하는 논평을 작성할 때에는 중앙은행이 유명무실하다는 피셔 효과보다 중앙은행이 경기부양을 위한 능력을 보유하고 있다는 먼델－토빈 효과를 인용하는 것이 효과적이다.

| 오답풀이 |

① 실질이자율을 구하기 위해서는 $r=i-\pi$를 이용해야 하는데, π는 현재로부터 향후 1년 동안의 인플레이션율이므로 예상치를 사용할 수밖에 없으며, 이를 통해서 얻어지는 실질이자율도 예상치에 불과하다. 따라서 현재의 실질이자율을 정확히 알아내는 것은 어려우며, 1년이 지나 인플레이션율을 정확히 알아낸 후에야 비로소 1년 전의 실질이자율을 사후적으로 정확히 구할 수 있다.

② 예금을 맡겨 이자를 받았을 때 경제적 이득을 정확히 측정하려면 인플레이션율을 고려한 실질이자율을 기준으로 삼아야 한다. 실질이자율은 $r=i-\pi$이므로 명목이자율 i보다 인플레이션율 π가 더 높을 경우 실질이자율이 음수가 되어 이자를 받았지만 경제적으로는 손해를 보는 경우가 발생할 수 있다.

③ 고전적인 시각에서 화폐의 초중립성이 성립한다고 보는 이유는 실질이자율이 피셔 방정식과 관계없이 대부자금시장에서 독립적으로 결정된다고 생각하기 때문이다.

④ 고전적인 시각과 케인즈주의적인 시각 모두 화폐공급량의 증가율 상승이 인플레이션율을 높인다는 논리를 활용하고 있다. 다만, 인플레이션율의 상승이 실질이자율에 변화를 줄 수 있

는가, 줄 수 없는가에 대해서 의견이 서로 엇갈린다.

09
| 정답 | ③

은행은 대출이자를 통하여 이득을 얻는데, 제시된 글을 통해 실질적인 이득은 (실질대출금리)＝(명목대출금리)－(인플레이션율)로 측정함을 알 수 있다. 즉, 실제 인플레이션율이 예상보다 높으면 대출로 인한 실질적인 이득이 연초 예상보다 적어지는데, 2017년에 인플레이션율을 실제보다 적게 예상한 은행은 A은행 1곳뿐이다.

| 오답풀이 |

① 은행에 있어서 예금이자는 예금자에게 지출하는 비용인데, 제시된 글을 통해 실질적인 비용은 (실질예금금리)＝(명목예금금리)－(인플레이션율)로 측정함을 알 수 있다. 그런데 명목예금금리가 인플레이션율보다 낮다면 실질예금금리가 음수가 되므로, 은행 입장에서 비용으로 간주되어야 할 예금이자가 실질적으로는 이득임을 추론할 수 있다. 2018년에 명목예금금리가 인플레이션율보다 낮아 예금자의 예금을 통해 실질적인 이득을 얻었던 은행은 C은행 1곳이다.

② 은행의 고객은 예금자와 대출자로 나뉘는데, 두 고객의 실질적인 이득은 모두 은행의 실질적인 이득과 상충 관계에 있다. 예금자의 경우 실질예금금리가 높아지면 고객은 실질적으로 이득이지만, 은행은 실질적으로 손해이다. 반대로 대출자의 경우 실질대출금리가 높아지면 고객은 실질적으로 손해이지만, 은행은 실질적으로 이득이다.

④ A~C은행은 연초에 각자 올해의 인플레이션율을 예상하고 이를 토대로 명목예금금리를 결정하므로, 명목예금금리가 예상 인플레이션율보다 높으면 양의 실질예금금리를 제공하고자 한 것으로 볼 수 있다. 2017년과 2018년 동안 A, B, C은행 모두 (명목예금금리)>(예상 인플레이션율)이므로 옳다.

⑤ 예대마진이란 대출금리와 예금금리의 차이로, 은행의 주요 수입원이다. 대출로 인해 은행이 얻는 실질적인 수익은 (실질대출금리)=(명목대출금리)－(인플레이션율)이고, 예금으로 인해 은행이 입는 실질적인 손해는 (실질예금금리)=(명목예금금리)－(인플레이션율)이므로, 예대마진으로 인한 은행의 실질적인 수익은 (실질대출금리)－(실질예금금리)=(명목대출금리)－(명목예금금리)임을 알 수 있다. 인플레이션율로 인한 효과가 대출과 예금 양쪽 측면에서 서로 상쇄되므로, 예상 인플레이션율과 실제 인플레이션율의 괴리에 따른 불확실성의 영향을 받지 않음을 추론할 수 있다.

10
| 정답 | ④

④는 다음과 같이 모든 자리에 알맞은 코드가 부여되었다.

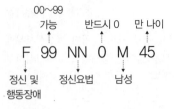

| 오답풀이 |

① 첫 번째 자리의 S는 '손상' 질병계통이며, 두 번째, 세 번째 자리에는 00~98이 올 수 있다. 그런데 해당 자리에 99가 있으므로 옳지 않다.

② 여섯 번째 자리에는 반드시 '0'이 부여되어야 하는데, 해당 자리에 '3'이 있으므로 옳지 않다.

③ 여덟 번째, 아홉 번째 자리에는 환자의 만 나이를 두 자릿수로 부여하며, 나이가 한 자릿수일 경우 여덟 번째 자리에는 '0'을 부여해야 한다. 그런데 해당 자리에 숫자가 '1' 하나뿐이므로 옳지 않다.

⑤ 일곱 번째 자리에는 환자의 성별을 'M' 또는 'F'로 표시해야 한다. 그런데 해당 자리에 'K'가 있으므로 옳지 않다.

11
| 정답 | ②

환자 B는 대장내시경 진료를 받았으므로 'CZ'가 부여되어야 하는데 장기이식에 해당하는 'QZ' 코드가 부여되었으므로 옳지 않다.

12
| 정답 | ③

지문 인식에 대한 설명 내용 중 변경 불가능으로 인한 문제점은 지문 인식뿐만 아니라 생체인식 기술의 전반적인 결점이라고 하였으므로, 안면 인식도 동일한 특성을 가지고 있음을 알 수 있다. 언제든지 사인을 변경할 수 있다고 특별히 언급한 서명만 해당 결점에서 자유롭다.

| 오답풀이 |

① 음성 인식은 시스템 가격이 상대적으로 저렴하다.

② 서명은 연습에 의한 모방이 어느 정도 가능하여, 보안성이 다른 생체인식 기술에 비해 떨어지는 편이다.

④ 홍채 인식은 콘택트렌즈나 안경을 착용한 상태에서도 문제없이 인식이 가능하다.

⑤ 걸음걸이 인식은 옷차림에 따라 인증이 어려운 경우도 발생할 수 있다.

13
| 정답 | ①

C가 행위 특성을 인식하는 방식을 모두 제외하자고 하였으므로, 음성 인식, 걸음걸이 인식, 서명을 소거

할 수 있다. 또한 D의 의견에 따라 홍채 인식을 소거하고, 남은 지문 인식과 안면 인식 중에서 E의 의견에 따라 비용이 높은 안면 인식을 소거할 수 있다. 따라서 최종적으로 지문 인식이 채택된다.

14 | 정답 | ②

'서비스 이용 조건'을 보면 전월 실적을 충족해야 하는 서비스는 사용 등록하신 달에는 제공되지 않는다고 나와 있다. 따라서 카드를 발급받은 직후에는 전월 실적 조건이 없는 기본적립 0.7%로 적립률이 제한된다.

| 오답풀이 |

① 'NH포인트 사용 방법'을 보면 NH포인트를 현금처럼 사용할 수 있지만 사용처는 한정적이다.
③ '국제공항 라운지 무료 이용'의 '공항 라운지 이용 유의사항'을 보면 월 1회, 연 2회 범위 내에서 제공된다고 나와 있다. 따라서 국제공항 라운지를 매달 무료로 이용할 수는 없다.
④ 추가적립 표 아래의 주의사항을 보면 역사 입점매장은 추가적립 미제공이라고 나와 있다. 따라서 기차역 스타벅스에서는 추가적립을 받을 수 없다.
⑤ '포인트 적립 관련 유의사항'을 보면 카드 신규 출시 3년 이후에는 수익성을 이유로 카드사에서 부가 서비스(혜택)를 변경할 수 있다. 그러나 변경 사유와 변경 내용을 즉시 홈페이지에 게시하고, 여러 방법을 통해 개별 고지를 한다고 제시되어 있으므로, 고객 몰래 혜택을 축소하는 일은 일어나지 않을 것이다.

15 | 정답 | ⑤

전월(1월) 실적부터 파악해 보면 '서비스 이용 조건'에 따라 전월 실적은 국내·외 및 할부 금액 전액을 인정하므로, 1월 사용 금액을 모두 더하면 된다. 1월 25일 스시 사이토에서의 지출 36,000엔은 원화로 36,000 ×11=396,000(원)이다. 1월 사용 금액을 모두 더하면 2,034,000원으로 200만 원 이상이다. O씨는 하나로 고객이므로 기본적립률은 1.0%이다.
2월 카드 사용 내역 중 본앤브레드, 롯데시네마, 현대백화점에서의 지출 3,300,000원에는 기본적립률 1.0%가 적용되고, 올리브영에서의 지출 50,000원에는 추가적립률 0.5%p가 가산되어 1.5%가 적용된다. 따라서 2월에 적립된 NH포인트는 3,300,000× 0.01+50,000×0.015=33,750(포인트)이다.

16 | 정답 | ⑤

제시된 글에서 안면 인식이나 정맥 인식 외에도 다양한 간편인증 기술이 상용화되었다고 하였으므로, 추가적인 기술 조사를 지시하는 것은 타당한 피드백 내용이다.

| 오답풀이 |

① 안면 인식, 정맥 인식은 최근에 이미 상용화된 기술이므로, 보고서의 마지막 항목은 '향후 예측'보다는 '발전 양상' 또는 '최신 현황'이 자연스럽다.
② 제시된 글에는 간편인증의 미래에 대한 내용이 없으므로, '간편인증의 현재와 미래'라는 제목은 적절하지 않다. K사원이 작성한 '간편인증의 현주소'가 적절하다.
③ 공인인증서의 도입 연도보다는 폐지 연도를 조사하는 것이 타당하다.
④ '보안카드, OTP → 지문 인식'으로 수정해야 한다.

17 | 정답 | ⑤

각 항목별로 충족하기 위한 조건은 다음과 같다.
• 자동 송금 금액: 월 30 이상
• 자유입출금 잔고: 4~6월 평균 50 이상
• 급여통장 이체액: 4~6월 모두 30 이상
• 금융상품 이체액: 4~6월 모두 30 이상
• 카드 사용액: 6월에 50 이상
신청자 A~D의 각 항목별로 충족 여부를 나타내면 다음과 같다.

구분	자동 송금 금액	자유 입출금 잔고	급여 통장 이체액	금융 상품 이체액	카드 사용액
A	월 30	평균 46.7	4월 충족×	6월 충족×	43
B	월 25	평균 56	4~6월 충족×	충족○	50
C	월 40	평균 49.7	4~6월 충족×	4월 충족×	45
D	월 22	평균 50	충족○	4~6월 충족×	10

5가지 조건 중 2가지 이상 충족 시 개설이 가능하므로, 각각 3가지, 2가지 조건을 충족한 B, D만 통장 개설이 가능하다.

18 | 정답 | ①

출력할 때는 유니코드로 처리하고, 유니코드에서 한

글을 제외한 나머지 문자는 글자당 2Byte의 용량이 사용되므로 (가)의 출력 문장에서 'CONTEN'의 용량은 12Byte이다. 따라서 ㉠에 들어갈 문자의 용량은 26－12＝14(Byte)이어야 한다. 'T', '_', '.'가 각각 2Byte임에 주의하며, 선택지의 용량을 구해 보면 다음과 같다.

① T_니다.　→ 14Byte
② _니다.　→ 12Byte
③ _입니다.　→ 16Byte
④ T입니다.　→ 16Byte
⑤ 입니다.　→ 14Byte

그러므로 ②~④를 소거할 수 있다.

한편, (나)의 출력 문장 'TEXT니다.'는 8＋8＋2＝18(Byte)이고, 입력 문장은 출력 문장보다 4Byte 작으므로 18－4＝14(Byte)이다. '입니다.'는 6＋1＝7(Byte)이므로, ㉡에 들어갈 문자의 용량은 14－7＝7(Byte)이어야 한다. 남은 선택지에서 ① 'INFORM_'의 용량은 7Byte, ⑤ 'INFORM'의 용량은 6Byte이므로 정답은 ①이다.

직무상식평가									P.38~47
01	①	02	②	03	②	04	④	05	②
06	①	07	⑤	08	①	09	④	10	③
11	①	12	②	13	③	14	④	15	⑤
16	⑤	17	①	18	②	19	④	20	①
21	②	22	①	23	②	24	②	25	③
26	②	27	①	28	②	29	②	30	⑤

01　　　　　　　　　　｜정답｜①

근대적 협동조합 운동은 1844년 영국의 로치데일에서 직공들이 결성한 소비조합이 초석이 되었다. 산업 혁명기의 대표적 사상가인 로버트 오언(Robert Owen, 1771~1858년)의 이론을 바탕으로, 질 좋은 생필품을 안정적으로 공급하는 원칙을 표방하여 조합원의 편익과 조합의 지속 가능성을 높였다.

｜오답풀이｜

② 덴마크에서 1882년 축산업의 발달을 바탕으로 세계 최초의 농업 협동조합인 낙농 협동조합이 설립되었다.
③ 독일에서 1849년 도시에서 소상공인을 중심으로 신용 협동조합이 시작되었으며, 1862년 농촌에서 농민을 중심으로 라이파이젠 은행(Raiffeisenbank)이 설립되며 확장되었다.
④ 미국의 주요 프랜차이즈인 던킨도너츠, 버거킹 등이 구매 협동조합을 통해 구매 과정에 개입하여 물품을 조달한다.
⑤ 우리나라의 민간 협동조합 운동은 농민의 권익 보호와 함께 민족의 역량 축적을 도모하여 항일 농민 운동의 성격을 띠었다.

02　　　　　　　　　　｜정답｜②

2012년 농협중앙회는 신용 사업과 경제 사업을 분리하여 은행과 보험 기능 등을 담당하는 농협금융지주와 농산물의 유통과 제조를 담당하는 농협경제지주로 구성된 1 중앙회 2 지주사 체제로 사업 구조를 개편하였다.

03　　　　　　　　　　｜정답｜②

3저 호황(三低好況)이란 1980년대 중반 전 세계적으로 나타난 저유가·저달러·저금리 기조에 따라 1986~1988년에 걸쳐 국내 경제가 호황을 누린 현상이다. 원유 가격, 달러 가치, 국제 금리의 하락으로 생산 비용을 절감하는 동시에 가격 경쟁력을 높이는 기회가 되어 매년 10% 이상의 경제 성장률을 기록하고 무역 수지 흑자를 달성했다.

04 | 정답 | ④

M-curve란 여성이 20대에 노동 시장에서 활동하다가 30대에 출산과 육아 등의 부담으로 경제 활동을 포기한 후 경력이 단절되었다가 다시 재취업을 하는 현상이다. 경제 활동 참가율 등의 변화가 영문 'M'자와 유사하게 나타남에 따라 생긴 명칭이다.

05 | 정답 | ②

농협의 기업 이미지(CI)를 이루는 3가지 색상은 'Nature Green(농협 전통의 친근하고 깨끗한 이미지 계승)', 'Human Blue(젊은 농협의 현대적이고 세련된 새로운 이미지 창조)', 'Heart Yellow(풍요로운 생활의 중심, 근원이 되는 농협의 이미지 계승)'로 구성되어 자연과 인간의 조화, 새로운 희망과 행복 등을 구현한다.

06 | 정답 | ①

스마트 시티(Smart city)는 첨단 정보통신기술(ICT)을 활용해 자원을 효율적으로 관리할 수 있는 도시 유형이다. 스마트 시티의 구성 요소는 크게 인프라, 데이터, 서비스의 3가지 부문으로 구분할 수 있으며, 총 7개의 세부 요소가 포함된다.

- 인프라 부문(도시 인프라, ICT 인프라, 공간 정보 인프라): 도시 전체를 융합할 수 있는 하드웨어와 소프트웨어
- 데이터 부문(IoT, 데이터 공유): 사물과 사람 간 다양한 정보를 자유롭게 공유하고 활용하는 기반
- 서비스 부문(알고리즘&서비스, 도시 혁신): 데이터를 알맞게 처리하고 분석하여 문제를 해결할 수 있는 제도 및 환경

07 | 정답 | ⑤

SaaS(Software as a Service)는 서비스로서의 소프트웨어로, 공급자가 제공하는 클라우드에서 필요한 서비스만을 임대하여 선택적으로 이용할 수 있는 기능이다. 소프트웨어의 이용 환경을 개선하고 개인이나 기업의 관리 비용을 줄일 수 있도록 돕는다.

| 오답풀이 |

① BaaS(Blockchain as a Service): 블록체인 개발 환경을 클라우드로 지원하는 서비스이다.
② IaaS(Infrastructure as a Service): 서버 등의 하드웨어 자원을 클라우드로 지원하는 서비스이다.
③ MaaS(Mobility as a Service): 하나의 플랫폼에서 모든 운송 수단을 이용할 수 있도록 지원하는 서비스이다.
④ PaaS(Platform as a Service): 응용 프로그램이나 애플리케이션 등을 클라우드로 지원하는 서비스이다.

08 | 정답 | ①

4차 산업혁명이란 정보 통신 기술(ICT)의 발전에 따라 사회 전반에 나타나는 혁신적인 변화를 의미한다. 개별 기술이 고도로 발달하여 초연결·초지능·초융합 등의 특성이 나타나는 3D 프린터, 로봇 공학, 빅 데이터, IoT 기술 등이 그 예이다.
ICT는 하드웨어와 소프트웨어를 이용하여 정보를 운용하는 정보통신기술 자체를 의미하는 용어이므로, 4차 산업혁명의 핵심 기술의 범주에는 속하지 않는다.

09 | 정답 | ④

크라우드 펀딩(Crowd funding)이란 사회 관계망 서비스(SNS) 등을 통해 다수의 개인으로부터 자금을 모으는 행위이다. 초기에는 문화·예술 활동을 위한 후원자 모집이나 구호 사업을 위한 모금으로 사용되었으나, 벤처 기업의 기술이나 제품 개발을 위한 투자자 모집 용도로도 확대되고 있다.

| 오답풀이 |

① 엔젤 펀드(angel fund): 높은 성장성을 갖췄으나 자본이 부족한 벤처 기업에 투자하는 펀드이다.
② 벤처 캐피털(venture capital): 장래가 유망한 벤처 기업에 전문적으로 투자하는 회사이다.
③ 팝업 스토어(pop-up store): 한정된 기간에 일시적으로 운영하여 홍보를 목적으로 하는 상점이다.
⑤ 플래그십 스토어(flagship store): 성공한 상품을 중심으로 브랜드의 이미지를 주력으로 내세우는 상점이다.

10 | 정답 | ③

데이터 마이닝(Data mining)이란 방대한 양의 데이터에서 유용한 정보를 추출하는 기술이다. 신뢰도가 높은 자료를 토대로 정확한 예측을 할 수 있기에 의미 있는 자료의 확보가 필수적인 전제이다. 군집 분석, 인공 신경망, 사례 기반 추론, 연관 규칙 분석 등이 주된 분석 방법론이다.

① 군집 분석: 대상 간의 이질성과 동질성을 판단하여 집단을 구분하고 데이터의 구조적 특성을 파악하는 방법이다.
② 인공 신경망: 가중치를 반복적으로 조정하는 학습을 통하여 대상 간의 관계를 찾아 결과를 추론하는 방법이다.
④ 사례 기반 추론: 과거에 일어난 유사한 사례의 결과를 바탕으로, 새로운 사례의 결과를 예측하는 방법이다.
⑤ 연관 규칙 분석: 대상 항목 간의 조건과 결과의 연관성에 따라 빈번히 발생하는 규칙을 찾아내는 방법이다.

11 | 정답 | ①

빅데이터(Big data)는 기존의 도구로 관리하거나 분석하기 어려운 방대한 양의 자료를 의미한다. 고객이 원하는 서비스를 찾아내거나 대중의 반응을 확인하기 위해 데이터의 의미를 분석할 수 있으며, 검색어 빈도를 분석하여 교통량, 날씨 등의 예측에 활용할 수 있다. 빅데이터 기술은 발달할수록 작업에 필요한 인력을 줄일 수 있으므로 노동 집약적 특성과 거리가 멀다.

12 | 정답 | ②

IPv6(Internet Protocol version 6)은 IPv4의 후속으로 개발된 차세대 인터넷 주소 체계이다. 20XX: 0DB8::1428:57AB와 같은 16진수 형식의 주소 구문을 사용하여 192.168.0.X와 같은 10진수 형식을 사용하는 IPv4와 차이가 있다. IPv4는 32비트 체계로 2^{32}개의 주소로 구성된 반면, IPv6는 128비트 체계로 구성되어 2^{128}개의 주소를 할당할 수 있다. 불필요한 헤더 필드를 제거해 빠르게 정보를 처리할 수 있으며, 높은 품질의 서비스를 네트워크상에서 안정적으로 제공할 수 있으므로 편의성이 높다.

13 | 정답 | ③

무차별곡선의 성격 중 볼록성은 극단적인 소비묶음보다 여러 재화를 골고루 소비하는 것을 선호함을 의미한다.

① 무차별곡선의 단조성에 대한 설명으로, 소비량이 증가하면 효용도 증가한다.
② 무차별곡선의 연속성에 대한 설명이다.
④ 무차별곡선의 완비성에 대한 설명으로, 어떤 두 소비묶음 간 선호의 순서를 반드시 알 수 있다.
⑤ 무차별곡선의 이행성에 대한 설명으로, X>Y이고 Y>Z이면 반드시 X>Z이어야 한다.

14 | 정답 | ④

규모의 경제는 장기비용함수에서 도출되는 현상이다. 제시된 비용함수 $Q^2-5Q+30$은 장기비용함수로 적절하지 않다.

① 고정비용 30이 존재하므로 단기비용함수이다.
③ Q로 미분하여 한계비용 MC=2Q-5에 대입하면 3이 도출된다.

15 | 정답 | ⑤

모두 퇴출하는 경우 전체 보수는 0이지만, A는 진입하고, B는 퇴출하는 경우 전체 보수는 40이다.

① A가 진입을 선택할 경우 B는 퇴출을 선택하지만, A가 퇴출을 선택할 경우 B는 진입을 선택한다. 따라서 B 입장에서 무조건 진입이나 퇴출을 선택하는 경우가 없으므로 우월전략이 없다. A 또한 마찬가지이므로 A 입장에서도 우월전략은 없다.
②, ③, ④ 내쉬균형은 A가 진입을 선택하고, B가 퇴출을 선택하는 경우와 A가 퇴출을 선택하고, B가 진입을 선택하는 경우 2가지가 있다. 따라서 A든 B든 먼저 진입을 선택할 경우 내쉬균형이 되므로 먼저 진입하는 쪽이 유리하다.

16 | 정답 | ⑤

코즈의 정리란 소유권이 잘 확립되고 거래 비용이 없을 때 시장 참여자가 자발적인 협상을 통해 외부성(externality)의 문제를 해결할 수 있다는 이론이다. 미국 경제학자 로널드 코즈가 1937년 발표한 논문을 통해 처음으로 제기되었다.
코즈의 정리는 부정적 외부 효과뿐만 아니라 긍정적 외부 효과에 대해서도 작동하며, 협상 등에 필요한 거래 비용이 크거나 이해 당사자가 많으면 협상이 이루어지기 힘들어진다. 또한 외부 효과를 일으키는 행위에 대한 법적 권리가 누구에게 있는지에 상관없이 협상을 통해 모든 사람이 이득을 얻을 수 있도록 진행되어 시장은 효율적인 결과에 도달할 수 있다.

17 | 정답 | ①

㉠ 최저가격이 시장가격보다 높다면 생산자 입장에서는 비싼 가격으로 팔 수 있으므로 공급이 늘어나지만, 수요자 입장에서는 비싼 가격으로 사야 되므로 수요가 줄어든다. 따라서 초과공급이 발생한다.
㉡ 최고가격제로 인해 생산자잉여가 소비자잉여로 일

부 전환되므로 소득재분배 효과가 있다.

| 오답풀이 |

ⓒ 시장가격보다 아래로 정해졌다면 다시 시장가격으로 수렴하게 되므로 아무런 영향이 없다.

ⓔ 최저임금제로 인해 초과공급이 발생하는데, 노동시장에서의 초과공급은 실업이므로 모든 노동자가 누린다고 할 수 없다.

18 | 정답 | ③

㉠ 국가 간 생산요소의 이동은 없다고 가정한다.

ⓔ 헥셔-올린 모형에 따르면 각국은 자국에 풍부한 요소를 집약적으로 투입하는 재화 생산에 비교우위가 있다.

| 오답풀이 |

ⓛ 헥셔-올린 모형에서는 두 국가 간 요소부존의 차이만 있을 뿐 기타 생산함수나 수요함수 등에는 차이가 없다고 가정한다.

ⓒ 무역이 이루어지면 자본이 풍부한 국가는 자본집약재에 특화되고, 노동이 풍부한 국가는 노동집약재에 특화하므로 양국의 산업구조는 차별화된다.

19 | 정답 | ④

지급준비율이 인하될 경우 중앙은행 창구를 통해 현금이 시중에 나오는 것이 아니라, 시중은행이 더 많은 돈을 대출해 줄 수 있게 되는 것이다. 따라서 지급준비율을 인하하면 통화량은 증가하지만 본원통화는 변동이 없으며, 통화승수만 증가한다.

| 오답풀이 |

② 통화안정증권 상환을 위해 중앙은행이 현금을 지불할 것이므로 본원통화는 증가한다.

⑤ 은행이 중앙은행으로부터 차입을 하면 중앙은행이 가지고 있던 현금이 시중으로 흘러가게 되므로 본원통화는 증가한다.

20 | 정답 | ①

교역조건이란 상품의 국제적 교환비율로 수출품 1단위와 교환되는 수입품의 수량이다. 환율이 상승하면 수입품의 가격은 상승하고, 수출품의 가격은 하락하게 되므로 수출 경쟁력은 개선되지만 교역조건은 악화된다. 따라서 교역조건이 개선된다는 것은 환율이 하락할 경우에 발생하는 현상이다.

| 오답풀이 |

②, ⑤ 환율이 상승하면 해외 현지 조달 비용으로 환전하기 위해 더 많은 자국 통화가 필요하다.

③ 환율이 상승하면 외화로 환전하여 상환하는 부채의 비용이 증가한다.

④ 환율이 상승하면 수출품의 가격이 하락하여 수출이 증가한다.

21 | 정답 | ②

디플레이션(Deflation)은 상품과 서비스의 가격이 지속적으로 하락하는 현상이다. 디플레이션으로 인해 물가가 하락하면 명목부채는 일정하더라도 실질적인 채무부담은 증가한다.

| 오답풀이 |

① 물가(P)가 하락하여 실질임금(W/P)은 증가한다.

③ 물가가 하락하면 실물자산의 가치가 하락하므로, 소비와 투자가 위축되고 부채의 실질가치가 증가하며 기업에 악영향을 끼친다.

④ 기술혁신으로 인해 AS곡선이 우측으로 이동하면 물가가 하락하여 디플레이션이 유발될 수 있다.

⑤ 디플레이션 상황에서는 물가 하락으로 실질이자율이 상승하면 투자 수요와 생산 감소를 유발하고, 이로 인해 소비도 감소하게 된다. 이러한 악순환으로 인해 사람들의 상대적으로 안전 자산인 화폐에 대한 수요가 증가한다.

22 | 정답 | ①

장단기금리역전 현상은 장기채권 수익률이 단기채권보다 낮은 현상으로, 보통 경기침체의 전조로 해석된다. 기준금리를 인상하게 되면 오히려 돈이 채권시장에 더 몰리게 되어 상황이 심각해진다.

| 오답풀이 |

② 장기채권의 수요가 증가하면 국채 가격이 상승하고 장기채 수익률이 감소한다.

③ 장기채 금리하락으로 인해 은행의 대출금리가 하락하여 수익률이 악화된다. 그로 인해 은행들은 대출을 줄이려 하고, 통화량이 감소하므로, 시중에 돈이 부족해져 불황을 유발할 수 있다.

④, ⑤ 장기채의 수익률이 낮아진다는 것은 미래의 전망이 어둡다는 의미이며, 이 경우 안전자산으로 수요가 쏠린다.

23 | 정답 | ③

재정정책이란 경제 안정을 이룩하기 위해 정부가 총수요에 관여하는 정책을 의미한다. 재정정책은 종종 특정한 목표를 달성하기 위해 금융정책과 함께 사용된다. 재정정책과 금융정책의 일반적인 목표는 완전고용과 높은 경제성장률을 달성·유지하고 물가를 안정시키는 것이다.

재정정책은 정책 당국이 정책을 수립하고 실시하는 데 소요되는 내부시차가 길고, 실제로 실시된 정책이 효과를 나타낼 때까지 걸리는 외부시차는 짧다. 반면에 금융정책은 외부시차가 길고 내부시차가 짧다.

| 오답풀이 |
① 고정환율제하에서 재정정책의 효과가 크고, 변동환율제하에서 금융정책의 효과가 크다.
② 피구효과가 발생하면 IS곡선은 보다 완만한 형태가 되어 재정정책의 효과가 줄어든다.
④, ⑤ 재정정책은 투자가 이자율에 덜 민감하게 영향을 받고 화폐 수요가 이자율에 민감하게 영향을 받을수록 커지고, 금융정책은 투자가 이자율에 민감하게 영향을 받고 화폐 수요가 이자율에 덜 민감하게 영향을 받을수록 커진다.

24 　　　　　　　　　　| 정답 | ②

독점적 경쟁시장은 완전경쟁시장과 독점시장의 성격을 모두 가진 시장으로, 다수의 기업이 존재하며 시장 진입과 퇴출이 자유롭고, 시장에 대한 정보가 완전하다. 그러나 독점적 경쟁시장에서 장기 초과이윤은 얻지 못한다.

25 　　　　　　　　　　| 정답 | ③

역선택은 어떤 구체적인 계약 이전의 사전적인 선택의 문제이고, 도덕적 해이는 계약 이후의 사후적인 행동의 문제이다. 주인-대리인 문제는 도덕적 해이의 예시이다.

| 오답풀이 |
①, ②, ④, ⑤ 정보의 비대칭성으로 인한 역선택의 대표적인 사례로 건강이 좋지 않은 사람이 의료보험에 더 많이 가입하거나 건강한 사람이 종신연금에 가입하는 현상, 중고시장에서 품질이 좋지 않은 매물이 거래가 되는 현상 등이 있다.

26 　　　　　　　　　　| 정답 | ③

ETF란 인덱스펀드를 거래소에 상장시켜 투자자들이 주식처럼 편리하게 거래할 수 있도록 만든 상품이다. ETF는 자산운용사에서 발행하며, ETN을 증권사에서 발행한다.

| 오답풀이 |
①, ②, ④, ⑤ ETF는 만기가 없으며 자산의 연동성 유지 등의 목적으로 배당금도 지급한다. 또한 상장폐지가 되더라도 운용되던 자금이 있기 때문에 돈을 돌려받을 수 있다. 게다가 거래소에 상장이 되어 있고 안정성이 뛰어나며, 거래량도 많아 자유롭게 매수와 매도가 가능하다.

27 　　　　　　　　　　| 정답 | ①

2020년 8월 27일 'P2P 대출 및 투자 가이드라인 개정안'이 시행됨에 따라 일반 개인투자자의 경우 투자한도가 총한도의 경우 업체별 2,000만 원에서 1,000만 원으로 변경되었다.

| 오답풀이 |
② 대출서비스가 금융기관을 거치지 않고 온라인으로 진행되기 때문에 운영비 등 간접 비용을 줄일 수 있다.
③ P2P 회사는 채권자와 채무자를 연결하는 데 들어가는 수수료와 채무자의 신용등급을 확인하는 서비스로 수익을 얻는다.
④ 국내에서는 현행법상 P2P 대출을 하려면 원칙적으로 해당 업체가 대부중개업으로 등록해야 한다. 만약 P2P 대출 중개업체가 등록을 하지 않고 영업한 경우, 대부업법과 유사수신행위의 규제에 관한 법률을 위반한 행위에 해당된다.
⑤ P2P 대출의 다른 형태로 학자금 대출, 부동산 대출, 단기 소액대출 등이 있다.

28 　　　　　　　　　　| 정답 | ③

금융기관이 영업정지나 파산 등으로 고객의 예금을 지급하지 못하게 될 경우 해당 예금자는 물론, 전체 금융제도의 안정성도 큰 타격을 입게 되는 것을 방지하기 위해 우리나라는 예금자보호법을 제정하여 시행하고 있다. 법인의 경우 보험계약은 예금자보호가 되지 않는다.

| 오답풀이 |
① 예금자보호법에 따라 원금과 이자를 합쳐 1인당 최대 5,000만 원까지 보호가 가능하다.
② 카카오뱅크 등 상품도 다른 은행과 마찬가지로 은행업 인가를 받았기 때문에 최대 5,000만 원까지 예금자보호를 받을 수 있다.
④ 금융회사마다 1인당 보호 금액은 최고 5,000만 원으로 동일하다.
⑤ 새마을금고, 신용협동조합은 예금보험공사의 보호대상 금융회사가 아니므로, 독자적인 예금자보험 제도를 운영하고 있다.

29 　　　　　　　　　　| 정답 | ②

환포지션은 환율에 의하여 매매거래를 한 뒤 파악하는 외화채권의 재고량을 말한다. 환포지션은 외환의 매입액이 매도액을 초과하는 경우인 오버보트포지션, 외환의 매도액이 매입액을 초과하는 경우인 오버솔드포지션, 외환의 매입액과 매도액이 일치하는 경우인 스퀘어포지션의 세 가지 형태로 구분된다. 환포지션은 동일한 통화 간의 거래에서는 발생하지 않는다.

30
| 정답 | ⑤

베이시스는 시장에서 실제로 거래되는 선물가격과 현물가격 간의 가격 차이를 말한다. 선물가격이 현물가격보다 높은 상태를 콘탱고(contango), 반대로 현물가격이 선물가격보다 높은 것을 백워데이션(back-wardation)이라고 한다. 콘탱고 시장에서는 선물가격이 현물가격보다 높기 때문에 수요가 공급을 초과한다.

| 오답풀이 |
① 베이시스는 선물과 현물가격의 차이를 말한다.
② 백워데이션은 선물가격이 현물가격보다 낮은 상태로, 백워데이션이 예상된다면 선물가격이 현물가격보다 낮아질 것으로 예상되므로 선물환 매입 포지션을 청산해야 할 것이다.
③ 선물계약의 만기일이 가까워질수록 보유 비용이 감소하기 때문에, 베이시스는 만기일에 0으로 수렴한다.
④ 베이시스가 양의 값을 가지면 콘탱고라 부른다.

유형 1	독해							P.62~68
01	①	02	①	03	⑤	04	①	05	③
06	④	07	④					

01

| 정답 | ①

큐싱은 QR코드를 이용한 해킹 수법이며, 파밍은 웹사이트 도메인을 탈취하여 위장 웹사이트로 유도하는 수법이다. 둘을 조합하여 사용할 수는 있지만 큐싱을 파밍의 일종으로 보기는 어렵다.

| 오답풀이 |

② 피싱은 보이스 피싱과 스미싱 등으로 나눌 수 있으며, 파밍과 큐싱은 스미싱의 한 수법이다. 따라서 스미싱, 파밍, 큐싱 모두 피싱의 일종으로 볼 수 있다.
③ 전화를 걸어 육성을 이용하는 수법은 보이스 피싱으로 볼 수 있다.
④ 올바른 홈페이지 주소를 정확히 알고 있어도 파밍에 의해 해킹 위협에 노출될 수 있다.
⑤ QR코드를 이용하는 수법은 큐싱으로 볼 수 있다.

02

| 정답 | ①

첫 번째 문단에서 NH농협은행은 급변하는 글로벌 농업 환경에서 핀테크 기술과 농업을 융합하여 국내 농업 시장의 경쟁력을 확보하고자 함을 알 수 있다. 그리고 제시된 글의 마지막 문단에서 핀테크 아이디어톤을 개최해 우수한 아이디어를 확보하여 농업 혁신에 활용하고자 함을 알 수 있다.

| 오답풀이 |

② 지난 3월에 제1회 경진 대회를 개최하였고, 1회 대회와 2회 대회가 같은 해에 열렸으므로, 기사가 작성된 시점이 3월이 될 수 없다. 따라서 참가 신청이 마감되는 다음 달 18일은 4월 18일이 될 수 없다.
③ 핀테크 기업의 투자 유치를 돕는다고 하였을 뿐, 다양한 기업에 투자하고 있다는 내용은 찾을 수 없다.
④ 농협 정체성에 맞는 핀테크 서비스를 발굴, 지원하겠다고 하

였을 뿐, 농업 정체성이 달라진다는 내용은 찾을 수 없다.
⑤ 아이디어톤은 장시간 동안 쉼 없이 아이디어를 내고 결과물을 도출하는 경진 대회이므로, 경쟁적 구도를 통해 아이디어를 얻는다고 보기 어렵다.

03

| 정답 | ⑤

고객이 신발 매장을 세 번 이용한 것과 직원의 태도가 불친절했던 것이 사실이더라도 일단 S직원에 대한 컴플레인이 3회라고 확신할 수는 없다. 또한 백화점 입장에서 S직원의 개선 여지를 확인할 필요도 있으므로, 고객의 불만 사항만을 듣고 S직원을 해고하는 것은 옳지 않다.

04

| 정답 | ①

세 번째 문단에 따르면 농협은행은 신보에 120억 원을 특별 출연하고 신보는 이를 재원으로 협약 보증서를 발급함을 알 수 있다. 즉, 협약 보증서를 발급하는 것은 신용보증기금에서 하는 업무이다.

| 오답풀이 |

② 마지막 문단에 따르면 농식품 기업에 대한 사업 컨설팅을 제공한다.
③ 두 번째 문단에 따르면 우량 중소기업에 대한 여신을 늘려, 중소기업이 자금 부족으로 사업이 위축되지 않도록 하였다.
④ 네 번째 문단에 따르면 중소기업의 경영 효율성 제고를 위한 기업 자금 관리 서비스를 제공하였다.
⑤ 중소기업의 비용 절감을 위해 기업 자금을 관리할 수 있는 '클라우드 브랜치'를 내놓았는데, 이는 기존의 CMS에 비해 구축 비용과 이용료 부담이 적다.

05

| 정답 | ③

첫 번째 문단의 '고객 수익률의 장기 안정적 관리와 WM 경쟁력 강화를 위한 체계적 투자 가이드라인인 WM 하우스뷰 플랫폼을 마련했다'에서 고객 수익률을 장기적, 안정적으로 관리한다는 것을 알 수 있다.

| 오답풀이 |

① 네 번째 문단의 '하우스뷰는 지주, 은행, 증권, 자산 운용 전문 인력이 참여하는 고객 자산 가치 제고 실무 회의에서 매월 토론과 협의를 통해 결정된다'에서 알 수 있다.

② 마지막 문단의 '농협금융은 하우스뷰를 통해 '타 금융 기관 대비 투자 상품의 전문성이 떨어진다. 혹은 가입할 좋은 상품이 별로 없다'라는 인식을 불식시키고 고객 자산의 가치를 높여 고객으로부터의 신뢰를 회복하겠다는 계획이다'에서 알 수 있다.

④ 네 번째 문단의 '핵심 엔진은 NH투자증권의 리서치 역량과 ISA(개인 종합 자산 관리 계좌) 최고의 수익률로 성과가 검증된 QV 포트폴리오이다'에서 알 수 있다.

⑤ 세 번째 문단의 '하우스뷰는 1단계로 6개 자산군에 대한 자산 배분 비중을 결정하고, 2단계로 국가·섹터별 21개 자산군에 대한 투자 매력도를 분석해 의견을 제시한다'에서 알 수 있다.

06
| 정답 | ④

로컬푸드 운동은 생산자와 소비자 사이의 이동거리를 단축시켜 식품의 신선도를 극대화시키자는 취지를 담고 있다. 마지막 문단의 '완주군 로컬푸드 직매장의 성공적인 개장' 사례를 통해 로컬푸드 전략 초기에 지자체의 지원을 받는다면 안정화의 단계를 거쳐 향후 발전의 가능성을 기대할 수 있다.

| 오답풀이 |

① 외국 메이저 기업이 국내 농산물 거래에 미치는 영향이 점차 커지고 있는 것은 맞으나, 글에서 제시한 80%는 국제 농산물 거래상에서의 비중을 말하는 것이다.
② 1차 산업에 고령화가 심각하다는 문제점을 제시하고 있을 뿐, 젊은 인력의 유입에 관한 내용은 알 수 없다.
③ 지역 특산물과 수입 농산물의 경쟁적인 시장 개입으로 소비자의 식품안전이 위협받고 있다고 제시되어 있으나, 금전적인 피해를 입는지는 알 수 없다.
⑤ 모든 특별자치시와 특별자치도가 지역 농산물을 직접 생산·가공하는 기업을 형성할 것이라는 추론 내용은 옳지 않다.

07
| 정답 | ④

금색, 은색과 같은 특이한 색을 표현하려면 반드시 별색을 추가 사용해야 하므로, 일반적인 4도 인쇄로는 금색 표현이 어렵다는 것을 설명해야 한다. 4도에 금색을 추가한 5도나 그 이상 또는 1도에 금색을 추가한 2도 인쇄로 표현이 가능하다.

| 오답풀이 |

① 3도 인쇄도 가능하지만 금색을 사용하고 싶어하는 고객의 문의에 대한 답변으로는 적절하지 않다.
② 제시된 글에서 예시를 6도까지만 들었지만, 별색을 계속 추가하면 더 높아질 것이라는 것을 알 수 있다.
③ 1도에 별색을 추가하면 2도이므로 옳지 않다.
⑤ 금색을 표현하기 위해 별색을 추가하면 인쇄비가 비싸지는 것은 맞지만, 고객의 질문에 대한 답변으로는 적절하지 않다.

유형 2	어휘 유추			P.69~71
01 ①	02 ①	03 ④		

01
| 정답 | ①

5. 기타사항을 보면 을이 갑에게 매매대금을 지불하고, 그 시점부터 물품의 소유권이 갑에서 을로 이전되므로, 갑이 물품을 매도하고 을이 매수하는 계약임을 알 수 있다. 따라서 ㉠에는 '값을 받고 물건의 소유권을 다른 사람에게 넘김'의 뜻인 매도, ㉡에는 '물건을 사들임'의 뜻인 매수가 들어가야 한다.

그리고 ㉢에는 '사물이나 권리 따위를 넘겨줌'의 뜻인 인도 또는 '남김없이 완전히 납부함'의 뜻인 완납이 들어갈 수 있는데, ㉣에서 매매대금을 '인도'하는 것보다 '완납'하는 것이 보다 자연스러우므로 ㉢에 인도, ㉣에 완납이 들어가야 한다.

02
| 정답 | ①

㉠ '선물(Futures transaction)'에 대한 설명이다. 선물거래는 매매계약과 동시에 상품의 인도와 대금지급이 이루어지는 현물거래와 반대되는 개념이다.

㉡, ㉢ 옵션에는 '콜옵션(Call option)'과 '풋옵션(Put option)'이 있다. 간단하게 콜옵션은 기초자산을 살 수 있는 권리를, 풋옵션은 기초자산을 팔 수 있는 권리를 이른다.

㉣ '스왑(Swap)'에 대한 설명이다. 스왑은 '금리스왑'과 '통화스왑'이 있다. 금리스왑은 두 당사자 간에 동일한 통화로 서로 다른 형태의 이자지급 현금 흐름을 교환하는 거래이고, 통화스왑은 서로 다른 통화의 현금 흐름을 교환하는 거래이다.

03
| 정답 | ④

㉠ '경매'에 대한 설명이다.
㉡ '공매'에 대한 설명이다.
㉢ 차감 정도를 힌트로 삼는다면, 경매 또는 공매 입찰 결과 낙찰이 결정되지 않고 무효로 돌아가, 다음 공고로 넘어가면서 가격이 떨어진 상태를 떠올릴 수 있다. 따라서 ㉢에는 '입찰 결과 낙찰이 결정되지 아니하고 무효로 돌아가는 일'을 뜻하는 '유찰'이라는 단어가 들어가야 한다.
㉣ 대금 납부 기한을 힌트로 삼는다면, 이미 낙찰을

받은 상태에서 일어나는 과정임을 생각할 수 있으므로 '낙찰'이 ㉣에 들어가야 한다. 더불어 경매 결과 허가 여부를 '매각 허가'라고도 부르므로 '매각' 역시 들어갈 수 있다.

- 낙찰(落札): 『경제』 경매나 경쟁 입찰 따위에서 물건이나 일이 어떤 사람이나 업체에 돌아가도록 결정하는 일. 또는 그리하여 어떤 사람이나 업체가 물건이나 일을 받는 일.
- 매각(賣却): 물건을 팔아버림.

| 오답풀이 |

- '압류'는 강제집행 전, 즉 경매를 하기 전에 일어나는 절차이다.
- '입찰'은 경매 혹은 공매 과정에서 낙찰받기 위해 금액을 써서 제출하는 것을 뜻한다.

유형 1	문제해결								P.84~89
01	①	02	②	03	⑤	04	④	05	③
06	③								

01

| 정답 | ①

T유저와 V유저의 레벨차는 14이므로 T유저는 1.1, V유저는 0.9의 보정치가 적용된다. 이에 따라 각각의 턴별 점수를 구하면 다음과 같다.

- T유저의 턴별 점수
  1턴: $1 \times 1.2^2 \times 1.1 = 1.584$(점)
  2턴: $2 \times 1.2^1 \times 1.1 \times 1.0 = 2.64$(점)
  3턴: $3 \times 1.2^2 \times 1.1 = 4.752$(점)
  4턴: $4 \times 1.2^3 \times 1.1 \times 1.0 = 7.603$(점)
  5턴: $5 \times 1.2^1 \times 1.1 = 6.6$(점)
  최종 점수는 $1.584 + 2.64 + 4.752 + 7.603 + 6.6 = 23.179$(점)이다.

- V유저의 턴별 점수
  1턴: $1 \times 1.2^2 \times 0.9 = 1.296$(점)
  2턴: $2 \times 1.2^3 \times 0.9 \times 1.1 = 3.421$(점)
  3턴: $3 \times 1.2^2 \times 0.9 = 3.888$(점)
  4턴: $4 \times 1.2^3 \times 0.9 \times 1.1 = 6.843$(점)
  5턴: $5 \times 1.2^2 \times 0.9 = 6.48$(점)
  최종 점수는 $1.296 + 3.421 + 3.888 + 6.843 + 6.48 = 21.928$(점)이다.

따라서 둘의 점수 차이는 $23.179 - 21.928 = 1.251$(점)이다.

02

| 정답 | ②

변경된 로직에 따라 T, V유저의 레벨차는 14로, 13 이상 25 미만에 해당되므로 각각 1.07, 0.93의 보정치가 적용된다. 이에 따라 각 턴별 점수를 구하면 다음과 같다.

- T유저의 턴별 점수

  1턴: $1 \times 1.2^3 \times 1.07 = 1.849$(점)
  2턴: $2 \times 1.2^1 \times 1.07 \times 1.0 = 2.568$(점)
  3턴: $3 \times 1.2^3 \times 1.07 = 5.547$(점)
  4턴: $4 \times 1.2^5 \times 1.07 \times 1.0 = 10.650$(점)
  5턴: $5 \times 1.2^1 \times 1.07 = 6.42$(점)
  최종 점수는 $1.849 + 2.568 + 5.547 + 10.650 + 6.42 = 27.034$(점)이다.

- V유저의 턴별 점수
  1턴: $1 \times 1.2^3 \times 0.93 = 1.607$(점)
  2턴: $2 \times 1.2^5 \times 0.93 \times 1.1 = 5.091$(점)
  3턴: $3 \times 1.2^3 \times 0.93 = 4.821$(점)
  4턴: $4 \times 1.2^5 \times 0.93 \times 1.1 = 10.182$(점)
  5턴: $5 \times 1.2^3 \times 0.93 = 8.035$(점)
  최종 점수는 $1.607 + 5.091 + 4.821 + 10.182 + 8.035 = 29.736$(점)이다.

그러므로 둘의 점수 차이는 $29.736 - 27.034 = 2.702$(점)으로 2.7점 이상이다.

| 오답풀이 |

① T유저의 최종 점수는 기존 대비 27.034-23.179=3.855(점)으로 4점 이하로 증가하였다.
③ V유저의 5턴 점수는 8.035점이다.
④ T유저의 점수 중 턴별 점수가 두 번째로 높은 턴은 6.42점인 5턴이다.
⑤ T와 V유저의 점수 중 턴별 점수 차이가 가장 큰 턴은 2턴으로, 5.091-2.568=2.523(점) 차이가 난다.

03

| 정답 | ⑤

할인 혜택을 적용한 A의 결제 금액은 다음과 같다.

- 간장 2kg: 500g 이상 구매 시 100g당 200원 할인이 적용되므로 총 4,000원이 할인된다.
- 고추장 2kg: 900g 이상 구매 시 900g당 100g이 추가 증정되므로 1.8kg만 계산하면 된다.
- 식용유 1.5kg: 1.5kg 이상 구매 시 3,000원 할인이 적용된다.

따라서 총결제 금액은 $(2{,}000 \times 20) - 4{,}000 + (5{,}000 \times 6) + (8{,}000 \times 3) + (2{,}000 \times 5) - 3{,}000 = 97{,}000$(원)이다. 100,000원 미만이므로 배송료가 추가되어 최종 결제액은 $97{,}000 + 5{,}000 = 102{,}000$(원)이다.

할인 혜택을 적용한 B의 결제 금액은 다음과 같다.
- 간장 3kg: 500g 이상 구매 시 100g당 200원 할인이 적용되므로 총 6,000원이 할인된다.

따라서 총결제 금액은 $(2,000 \times 30) - 6,000 + (8,000 \times 4) + (10,000 \times 2) + 6,000 = 112,000$(원)이다. 100,000원 이상 주문하였으므로 배송료는 무료이다. 따라서 두 사람의 총결제 금액은 $102,000 + 112,000 = 214,000$(원)이다.

04

| 정답 | ④

할인 혜택을 적용한 A의 결제 금액은 다음과 같다.
- 김 40장: 20장 이상 구매 시 5% 할인이 적용된다.
- 다시마 3kg: 500g 이상 구매 시 100g당 500원이 할인되므로 총 15,000원이 할인된다.

따라서 총결제 금액은 $(5,000 \times 4 \times 0.95) + (15,000 \times 2) + (2,000 \times 30) - 15,000 = 94,000$(원)이다. 98,000원 미만이므로 배송료가 추가되어 최종 결제액은 $94,000 + 8,000 = 102,000$(원)이다.

할인 혜택을 적용한 B의 결제 금액은 다음과 같다.
- 멸치 3kg: 900g 이상 구매 시 900g당 100g이 추가 증정되므로 2.7kg만 계산하면 된다.
- 오징어 7마리: 6마리 이상 구매 시 1마리가 추가 증정되므로 6마리만 계산하면 된다.
- 쥐포 3kg: 1kg 이상 구매 시 10% 할인이 적용된다.

따라서 총결제 금액은 $(4,000 \times 9) + (10,000 \times 2) + (8,000 \times 6 \times 0.9) = 99,200$(원)이다. 98,000원 이상 주문하였으므로 배송료는 무료이다.

따라서 두 사람 중 총결제 금액이 적은 사람은 B이고, 결제 금액의 차이는 $102,000 - 99,200 = 2,800$(원)이다.

05

| 정답 | ③

여행자 보험 규정에 따라 지갑 등의 귀중품을 분실한 경우 관할 경찰서의 확인서가 필요하다. 하지만 K씨는 지갑 분실에 대한 확인서를 발급받지 못하였으므로, 지갑에 대한 보상금을 지급받을 수 없다.

| 오답풀이 |
① 지연 일수당 40,000원의 보상금이 지급된다. 수하물 도착이 2일 지연되었으므로 80,000원의 보상금이 지급된다.
② 병원, 약국 사용 비용의 100%가 지급된다. 병원에서 진료비로 3,000엔을 사용하였으므로 $300 \times 100 = 30,000$(원)의 보상금이 지급된다.
④ 휴대 전화 파손의 경우, 국내 수리 비용의 100%가 지급된다. 따라서 휴대 전화 액정 수리 가격이 50,000원이라면 50,000원을 지급받을 수 있다.
⑤ K씨는 의사소통 문제로 지갑 분실에 대한 확인서를 발급받지 못하였으므로, 지갑 분실에 대한 보상금은 지급이 불가능하다.

06

| 정답 | ③

정확성이 좋음 이상인 업체는 A와 C이다. 두 업체 모두 신속성과 친절도가 보통 이상이므로 가격이 더 나은 업체를 선정한다. A와 C 중 가격이 더 나은 업체는 C이다.

01

| 정답 | ⑤

제시된 글에서 오퍼레이션 트위스트의 결과로 20년 물과 같은 장기채권 금리는 낮아지고, 3년물과 같은 단기채권 금리는 높아진다고 하였다. 또한 일반적으로 우상향하는 국채의 수익률곡선이 오퍼레이션 트위스트를 시행하면 기울기가 줄어들어 수평에 가까워지거나, 음의 기울기로 변하는 장단기금리역전 현상이 발생하기도 한다고 되어있다. 따라서 수익률곡선에 변화가 없는 ①, ②는 정답이 될 수 없다.

또한 오퍼레이션 트위스트는 3년물과 같은 단기채권을 매도하여 금융당국 보유 자산 비율을 변화시키므로, ㉠에는 351보다 작은 값이 들어가야 한다. 따라서 ③도 정답이 될 수 없다. 오퍼레이션 트위스트는 채권의 매수와 매도가 병행되어 시중 통화량에는 큰 변화를 발생시키지 않는다고 하였으므로, ㉡에는 774와 비슷한 값이 들어가야 한다. 따라서 정답은 ⑤이다.

02

| 정답 | ⑤

현재 미국에서는 100엔/1달러로 환시세가 형성되어 있는데, 일본에서 100엔을 원화로 바꾼 후 그 돈을 우리나라에서 달러화로 바꾸면 1.2달러가 된다. 즉, 각 시장의 환시세가 불균형 상태에 있으므로 환차익 거래가 일어나며 다음과 같이 전개된다.

- 우리나라의 경우: 우리나라에서 1,000원을 달러화로 바꾸면 1달러가 된다. 그 1달러를 미국에서 엔화로 바꾸면 100엔이 되고, 그 100엔을 일본에서 원화로 바꾸면 1,200원이 되어 200원의 차익을 얻을 수 있다.
- 미국의 경우: 미국에서 1달러를 엔화로 바꾸면 100엔이 된다. 그 100엔을 일본에서 원화로 바꾸면 1,200원이 되고, 그 1,200원을 우리나라에서 달러화로 바꾸면 1.2달러가 되어 0.2달러의 차익을 얻을 수 있다.
- 일본의 경우: 일본에서 100엔을 원화로 바꾸면 1,200원이 된다. 그 1,200원을 우리나라에서 달러화로 바꾸면 1.2달러가 되고, 그 1.2달러를 미국에서 엔화로 바꾸면 120엔이 되어 20엔의 차익을 얻을 수 있다.

즉, 우리나라 외환시장에서는 원화 매도, 달러 매수가 이루어지고 미국 외환시장에서는 달러 매도, 엔화 매수, 일본 외환시장에서는 엔화 매도, 원화 매수가 이루어진다. 외환시장에서 매수가 이루어진다는 것은 곧 해당 화폐 수요가 증가한다는 것이고, 매도가 이루어진다는 것은 해당 화폐 공급이 증가한다는 것이므로 정답은 ⑤이다.

03

| 정답 | ①

2014~2018년 국내 HW 대비 SW의 규모는 다음과 같다.

2014년	2015년	2016년	2017년	2018년(E)
0.32	0.30	0.23	0.18	0.13

따라서 국내 HW 대비 SW의 규모는 계속해서 감소하였다.

| 오답풀이 |

② 2014~2018년 글로벌 HW 대비 SW의 규모는 다음과 같다.

2014년	2015년	2016년	2017년	2018년(E)
0.44	0.82	1.17	1.08	1.26

따라서 2017년에 전년 대비 감소하였다.

③ 2018년 국내 VR 시장규모는 24,874+3,125=27,999(억 원), 글로벌 VR 시장규모는 290+230=520(억 달러)에 이를 것으로 전망된다. 계산을 단순히 하기 위해 원/달러 환율을 1,000원/달러라고 가정하면 27,999억 원은 대략 28,000÷1,000=28(억 달러)이므로, 국내 VR 시장규모는 글로벌 VR 시장규모의 절반에 한참 미치지 못한다.

④ 정확히 계산하지 않더라도 전년 대비 2배 이상 증가한 2015년에 비해 2016, 2017년에는 2배 이하로 증가하였으므로, 2016년부터 증가율의 상승세가 꺾였음을 알 수 있다.

⑤ [그래프]를 보면 2018년 VR 이용자 수는 전년에 비해 2배 가까이 증가할 전망이다. 신규로 유입된 이용자들은 HW기기를 새로 구매해야 하므로, 이미 대부분의 VR 이용자들이 HW기기를 구매하여 HW 시장규모가 크게 늘어나지 않는다는 분석은 적절하지 않다. 그보다는 HW기기 시장의 공급자 경쟁이 격화되면서 기술혁신으로 인한 원가절감과 과잉 공급으로 HW기기 가격이 크게 낮아져 공급량이 늘어나는 것에 비해 시장규모 성장이 더뎌진다는 분석이 더 타당하다.

🕐 시간단축 TIP

① 2015년의 국내 HW 규모는 2014년보다 10% 이상 증가한 반면, SW 규모는 10% 이하로 증가하였으므로 국내 HW 대비 SW의 규모는 2015년에 감소하였다. 2016, 2017, 2018년의 국내 HW 규모는 모두 전년보다 20% 이상 증가한 반면, SW 규모는 20% 이하 증가하였으므로 국내 HW 대비 SW의 규모는 계속해서 감소하였음을 알 수 있다.

② 2014년에는 글로벌 VR 시장의 SW가 HW의 절반에 미치지 못하였지만, 2015년에는 거의 비슷한 규모가 되었고, 2016년에는 SW가 HW를 역전하였다. 따라서 눈대중만으로도 2016년까지는 HW 대비 SW의 규모가 계속해서 증가하였음을 알 수 있다.

한편, 2016년 HW 대비 SW의 규모는 $\frac{205.1}{174.9}$이고, 2017년에는 $\frac{239.8}{222.7}$이다. 2016년 분자 205.1의 20%인 41 정도를 분자에 더하면 239.8보다 커지므로 분자는 20% 이하로 증가하였다. 반면 2016년 분모 174.9의 20%인 35 정도를 분모에 더해도 222.7보다 작으므로 분모는 20% 이상 증가하였다. 분자의 증가율이 분모의 증가율보다 낮으므로 $\frac{205.1}{174.9} > \frac{239.8}{222.7}$이다. 따라서 2017년에 글로벌 HW 대비 SW의 규모는 감소하였다.

04
| 정답 | ④

[보기]를 보면 B사는 펄프를 전량 국외에서 수입하므로 제지 펄프의 국제 가격이 상승한다면 원가 상승에 따른 타격을 고스란히 입게 된다. 그러나 A사의 경우에는 펄프를 자체 생산하며 일부는 업계에 내다 팔기도 하므로, 제지 펄프의 국제 가격 상승에 따른 타격이 B사에 비해 적을 것이라는 추론을 할 수 있다.

| 오답풀이 |
① B사가 생산한 제지를 국내에만 판매하는지, 해외 수출도 병행하는지에 대한 언급은 찾아볼 수 없다.
② A사는 펄프의 생산과 제지의 생산을 겸하고 있다. 제지 펄프의 국제 가격 상승은 펄프의 생산자 측면에서는 유리하지만, 종이 제조를 위해 부족한 펄프를 국외에서 수입하는 측면에서는 불리하다. 따라서 경우에 따라 유리할 수도, 불리할 수도 있으므로 반드시 유리하다고 단언할 수 없다. 또한 [그래프2]를 보면 제지 펄프의 국제 가격이 높아지는 기간 동안 A사의 매출총이익률과 매출액순이익률이 상승·하락을 반복한다는 것을 알 수 있다.
③ 매출액은 가격×판매량인데, 가격탄력성이 1보다 크다면 가격을 높였을 때 가격 상승률보다 판매량의 감소율이 더 높으므로 매출액은 낮아질 것이다. 또한 이는 원가 상승에 따른 대응책으로써 가격을 높인다는 가정이 전제되어 있는데, 제시된 자료만으로는 B사가 가격을 높였는지를 알 수 없다.
⑤ [그래프2]를 보면 매출총이익률이 감소하는 시기에 매출액순이익률이 증가하기도 하고, 그 반대의 경우도 찾아볼 수 있으므로 서로 비례 관계에 있다고 보기 어렵다. 매출총이익률은 $\frac{매출액-매출원가}{매출액}$-100으로 구할 수 있고, 매출액순이익률은 $\frac{순이익}{매출액}$-100으로 구할 수 있다.

05
| 정답 | ①

B사가 A사의 경쟁 업체인 경우 B사의 향후 전략이나 제지, 펄프의 향후 수요·공급량이 시장을 통해 A사의 수익성에 간접적인 영향을 미칠 수 있다. 그러나 B사의 향후 매출원가가 A사의 수익성에 영향을 준다고 보기는 어렵다.

| 오답풀이 |
② A사의 공장 확장 비용은 향후 단기적인 수익성을 낮추는 요인으로 추론할 수 있다.
③ 향후 제지 수요 추이에 따라 제지 가격이 변동될 수 있다. A사는 제지도 생산하므로 제지 가격 변동을 일으키는 향후 제지 수요 추이는 A사의 향후 수익성에 영향을 미칠 수 있다.
④ 국내 펄프의 향후 공급 추이에 따라 국내 펄프의 가격이 변동될 수 있다. A사는 자체 생산한 펄프를 국내에도 판매하고 있으므로, 국내 펄프의 가격 변동을 일으키는 국내 펄프의 향후 공급 추이는 A사의 향후 수익성에 영향을 미칠 수 있다.
⑤ A사는 부족한 펄프를 해외에서 수입하기도 하므로, 제지 펄프의 향후 국제 가격 추이는 A사의 향후 수익성에 영향을 미칠 수 있다.

유형 1	자료해석				P.106~109
01 ④	02 ①	03 ②	04 ①	05 ②	

01

| 정답 | ④

간접 환거래만 가능한 파운드, 엔의 원화 환율을 먼저 계산하면 다음과 같다.

- $\dfrac{원}{파운드} = \dfrac{원}{달러} \times \dfrac{달러}{파운드} = 1{,}150 \times 1.2$
  $= 1{,}380(원/파운드)$

- $\dfrac{원}{엔} = \dfrac{원}{달러} \times \dfrac{달러}{엔} = 1{,}150 \times \dfrac{1}{100} = 11.5(원/엔)$

각 국가별 향수 구매에 드는 비용을 원화로 환산하면 다음과 같다.
- 우리나라: $120{,}000 + 3{,}000 = 123{,}000(원)$
- 미국: $100 \times 1.08 = 108(달러)$,
  $\quad\quad 108 \times 1{,}150 = 124{,}200(원)$
- 영국: $100 \times 0.9 = 90(파운드)$,
  $\quad\quad 90 \times 1{,}380 = 124{,}200(원)$
- 일본: $10{,}000 \times 0.95 + 200 = 9{,}700(엔)$,
  $\quad\quad 9{,}700 \times 11.5 = 111{,}550(원)$
- 프랑스: $100 \times 0.94 = 94(유로)$,
  $\quad\quad 94 \times 1{,}320 = 124{,}080(원)$

따라서 향수를 가장 저렴하게 구매할 수 있는 국가는 일본이다.

02

| 정답 | ①

2017년 상장 공기업에 해당하는 ○○전력공사의 종업원 수는 전년보다 1,000명 이하로 증가하였지만, 전체 상장 공기업들의 종업원 수가 전년보다 1,000명 이하로 증가하였는지는 제시된 자료만으로 알 수 없다.
참고로, 실제 시험에서는 기업명이 모두 공개되었으며, ○○전력공사는 한국전력으로 한국전력이 공기업이라는 사전 지식이 필요하였다. 그 외에도 증감폭에

서 숫자 앞에 △가 붙을 경우, 음수를 뜻한다는 사전 지식도 필요한 형태로 출제되었다.

| 오답풀이 |
② 2014~2017년 동안 상장회사의 영업이익과 순이익은 모두 증가하고 있다.
③ 2014~2017년 상장회사의 종업원 수 대비 영업이익은 다음과 같다.

2014년	2015년	2016년	2017년
0.735억 원	0.810억 원	0.976억 원	1.260억 원

따라서 조사기간 동안 상장회사의 종업원 수 대비 영업이익은 매년 증가하였다.
④ ○○전자의 종업원 수는 전년 대비 2017년에 증가한 반면, 전체 상장회사 종업원 수는 2016년보다 2017년에 더 적으므로 ○○전자 종업원 수가 차지하는 비중은 2017년에 더 높아졌음을 알 수 있다.
⑤ 감소폭 1위 기업의 종업원 수 감소폭과 증가폭 1위 기업의 증가폭을 비교해 보면 감소폭이 더 크다. 이는 2, 3, 4, 5위 기업에도 해당되므로 1~5위를 더한 값도 감소폭이 더 크다는 것을 알 수 있다.

03

| 정답 | ②

전년 대비 2017년 상장회사 종업원 수 증감률은
$\dfrac{125.2 - 126}{126} \times 100 ≒ -0.6(\%)$이다.

04

| 정답 | ①

㉠ 곶감의 경우 대형마트의 가격이 가장 높다.
㉡ 대형마트는 사과, 한우갈비(1^+), 굴비의 가격이 상승하였고, 온라인몰은 사과, 곶감, 잣, 한우갈비(1^+)의 가격이 상승하였고, SSM은 곶감, 한우갈비(1^+)의 가격이 상승하였다. 따라서 모든 판매처에서 가격이 상승한 품목은 한우갈비(1^+) 1가지 품목이다.

| 오답풀이 |
㉢ 판매처별 표고버섯의 구입 비용 감소폭을 계산하면 대형마트 $70{,}235 - 68{,}028 = 2{,}207(원)$, 온라인몰 $55{,}625 - 53{,}095 = 2{,}530(원)$, SSM $91{,}163 - 88{,}036 = 3{,}127(원)$이므로, 2020년 전년 대비 감소폭이 가장 큰 판매처는 SSM이다.
㉣ [표1]과 [표2]를 확인해 보았을 때, 한우갈비(1^+)를 제외한 품

목의 가격은 온라인몰이 가장 낮다.

05
| 정답 | ②

곶감을 최소 개수로 사기 위해서는 곶감의 가격이 가장 비싼 곳에서 구입해야 하고, 최대 개수로 사기 위해서는 곶감의 가격이 가장 저렴한 곳에서 구입해야 한다.

2019년의 경우 대형마트의 곶감 가격이 40개당 64,240원으로 가장 비싸다. 따라서 100만 원으로 살 수 있는 곶감 세트는 최소 $1,000,000 \div 64,240 ≒ 15$(세트)이다. 2020년의 경우 온라인몰의 곶감 가격이 40개당 40,720원으로 가장 저렴하다. 따라서 100만 원으로 살 수 있는 곶감 세트는 최대 $1,000,000 \div 40,720 ≒ 24$(세트)이다. 그러므로 2020년 곶감을 최대 개수로 살 때와 2019년 곶감을 최소 개수로 살 때의 개수 차이는 $24 - 15 = 9$(세트)이므로, $9 \times 40 = 360$(개)이다.

| 유형 2 | 금융수리 | P.110~112 |

01	①	02	②	03	③	04	②	05	④
06	②								

01
| 정답 | ①

김 대리는 외화 예금 통장으로 송금받았으나, 수수료는 고려하지 않으므로 송금받은 1만 달러를 출금할 수 있다. 8월 3일 달러를 팔 때의 환율은 1달러에 1,107.77원이므로, 1만 달러를 환전하면 $10,000 \times 1,107.77 = 11,077,700$(원)이다.

02
| 정답 | ②

8월 3일 원화 통장으로 유로화를 송금받을 때의 환율은 1유로에 1,319.60원이다. 2,000유로를 송금받았으므로 $2,000 \times 1,319.60 = 2,639,200$(원)이 입금된다. 8월 4일 엔화를 송금보낼 때 환율은 100엔 기준 1,087.38원이다. 즉, 50,000엔을 송금하기 위해서는 $500 \times 1,087.38 = 543,690$(원)을 보내야 한다. 따라서 통장에 남은 금액은 $2,639,200 - 543,690 = 2,095,510$(원)이다.

03
| 정답 | ③

해당 문제 내 2018년 초와 2018년 말은 1년 차이가 난다고 가정한다는 것에 유의한다. 즉, 2018년 말에 받는 2,200만 원을 2018년 초의 가치로 환산하면 $\dfrac{2,200만}{1.04}$이고, 연금 수령 2년차인 2019년 말에 받는 2,200만 원을 2018년 초의 가치로 환산하면 $\dfrac{2,200만}{(1.04)^2}$이다. 따라서 2018년 초에 일시불로 수령하게 되는 연금액을 S라 하면 $S = \dfrac{2,200만}{1.04} + \dfrac{2,200만}{(1.04)^2} + \cdots + \dfrac{2,200만}{(1.04)^{20}}$이다.

양변에 $(1.04)^{20}$을 곱하면 $S(1.04)^{20} = 2,200만(1.04)^{19} + 2,200만(1.04)^{18} + \cdots + 2,200만$이다. 우측의 항들을 반대로 나열하면 초항이 2,200만, 공비가 1.04, 항의 개수가 20개인 등비수열의 합이므로 $S(1.04)^{20} = \dfrac{2,200만\{(1.04)^{20} - 1\}}{1.04 - 1}$이다.

이를 계산하면 $2.2S = \dfrac{2,200만 \times 1.2}{0.04}$이므로 $S = 30,000만$ 원 $= 3$억 원이다.

04

| 정답 | ②

올해 말의 연금액 1,630만 원을 올해 초의 가치로 환산하면 $\frac{1,630만}{1.05}$, 다음 해 말의 연금액 1,630만 원의 올해 초 가치는 $\frac{1,630만}{(1.05)^2}$, …, 10년 후 말의 연금액 1,630만 원의 올해 초 가치는 $\frac{1,630만}{(1.05)^{10}}$ 이다.

따라서 일시불로 수령하게 되는 금액을 S라 하면

$S = \frac{1,630만}{1.05} + \frac{1,630만}{(1.05)^2} + \cdots + \frac{1,630만}{(1.05)^{10}}$ 이다.

양변에 $(1.05)^{10}$을 곱한 후 우측 항의 순서를 반대로 나열하면 초항 1,630만, 공비 1.05, 항의 개수가 10개인 등비수열의 합이므로

$S(1.05)^{10} = \frac{1,630만\{(1.05)^{10}-1\}}{1.05-1}$

$S = \frac{1,630만 \times 0.63}{0.05}$ 이다.

따라서 S=12,600만 원=1억 2,600만 원이다.

05

| 정답 | ④

미국으로 5,000달러를 송금해야 하므로 송금(전신환)의 보낼 때의 환율이 적용된다. 따라서 1,150.60×5,000=5,753,000(원)을 환전해야 한다.

06

| 정답 | ②

유럽과 일본에서 송금을 받았으므로 송금(전신환)의 받을 때의 환율이 적용된다. 이때 엔화는 100엔 기준이므로 실제 환율은 10.0052원/엔이다.

따라서 원화로 환전했을 때의 금액은 유로화가 1,282.15×1,000=1,282,150(원), 엔화가 10.0052×30,000=300,156(원)이므로 총 1,282,150+300,156=1,582,306(원)이다.

유형 1	컴퓨터 활용				P.134~137
01 ④	02 ③	03 ④	04 ⑤	05 ②	

01
| 정답 | ④

- AND(인수1, 인수2): 인수1과 인수2가 모두 True 인 경우 True를 반환한다.
- OR(인수1, 인수2): 인수1과 인수2 중 하나 이상 True인 경우 True를 반환한다.
- NOT(인수): 인수가 True이면 False를, False 이면 True를 반환한다.

따라서 =IF(NOT(A1>B1), A1−B1, B1−A1)에서 A1은 B1보다 크므로 True가 되고, NOT에 의해 조건은 False가 되어 B1−A1을 계산한다.

| 오답풀이 |

① A1과 B1은 같지 않으므로 조건은 True가 되어 A1−B1을 계산한다.
② A1<0은 False이고, NOT에 의해 조건은 True가 되어 A1−B1을 계산한다.
③ A1>=0은 True이므로 조건은 True가 되어 A1−B1을 계산한다.
⑤ A1<=0과 B1=0은 모두 False이며, NOT에 의해 조건은 True가 되어 A1−B1을 계산한다.

02
| 정답 | ③

INDEX(범위, 행번호, 열번호, 참조 영역 번호) 함수는 선택된 범위에서 지정한 행, 열에 있는 값을 반환하는 수식이다.
따라서 INDEX((A2:D6, A8:D14), 3, 4, 2)는 두 번째 참조 영역인 [A8:D14]의 3번째 행과 4번째 열의 교차값을 구하는 것으로 결괏값은 19,203이다.

03
| 정답 | ④

해당 문서의 문단 모양과 글자 모양을 미리 저장해 두었다가 사용하기 위해서는 '스타일' 탭을 실행해야 하므로, 이때 사용할 단축키는 [F6]이다.

| 오답풀이 |

① '찾아 바꾸기'를 실행해야 하므로 [Ctrl]+[F2] 또는 [Ctrl]+[H]를 누른다.
② '문자표 입력'을 실행해야 하므로 [Ctrl]+[F10]을 누른다.
③ 표를 작성하기 위한 단축키는 [Ctrl]+[N], [T]이다.
⑤ 문단 모양과 글자 모양 등을 다른 곳에 복사하기 위해서는 '모양 복사' 탭을 실행해야 하므로, 이때 사용할 단축키는 [Alt]+[C]이다.

04
| 정답 | ⑤

VLOOKUP(찾을 값, 데이터의 범위, 원하는 값의 열 번호, 찾는 방법)이며, 찾는 방법은 정확히 일치하는 값을 찾을 경우에는 0, 근사치를 찾을 경우에는 1을 작성한다.

- 찾을 값: "발산지점"
- 데이터의 범위: B2:F6(반드시 찾을 값이 범위의 첫 번째 열에 있어야 함)
- 원하는 값의 열 번호: 데이터 범위에서 찾으려는 대상의 목표 열 번호(3번째 열)
- 찾는 방법: 찾으려는 대상과 정확히 일치하는 값만 추출(0)

05
| 정답 | ②

디스크 정리는 불필요한 파일을 삭제하여 디스크 공간을 확보하는 기능으로, 폰트 파일이나 이미지 파일을 삭제할 수는 없다.

| 오답풀이 |

디스크 정리로 삭제할 수 있는 파일에는 Windows 업데이트 정리, Microsoft Defender 바이러스 백신, Windows 업그레이드 로그 파일, 다운로드한 프로그램 파일, 임시 인터넷 파일, Windows 오류보고서 및 피드백 진단, DirectX 셰이더 캐시, 전송 최적화 파일, 장치 드라이버 패키지, 언어 리소스 파일, 휴지통, 임시파일, 미리 보기 사진 등이 있다.

□ ■ Windows 업데이트 정리	4.71GB	^
□ 🗋 Microsoft Defender 바이러스 백신	9.78MB	
□ ■ Windows 업그레이드 로그 파일	577MB	
☑ 🗋 다운로드한 프로그램 파일	0바이트	
☑ 📄 임시 인터넷 파일	650KB	
□ 🗋 Windows 오류보고서 및 피드백 진단	857KB	∨

□ 🗋 DirectX 셰이더 캐시	64.9KB	^
□ 🗋 전송 최적화 파일	15.6MB	
□ 📦 장치 드라이버 패키지	0바이트	
☑ 🗋 언어 리소스 파일	0바이트	
☑ 🗑 휴지통	1.67GB	
□ 🗋 임시파일	3.3MB	∨

01 | 정답 | ③

제시된 프로그램의 실행 결괏값은
"LOVECOMPUTERAI*"이 출력된다.

| 오답풀이 |

① b[0]에는 "LOVE", b[1]에는 "COMPUTER", b[2]에는 "AI"가
저장되고, a는 3이므로 b[--a]+="*"에 의해 b[2]의 문자열
뒤에 "*"을 덧붙이므로 "LOVECOMPUTERAI*"이 출력된다.

④ 5행을 삭제하면 배열 b에 원래 저장된 문자열이 그대로 출력
되므로 "LOVECOMPUTERAI"가 출력된다.

02 | 정답 | ④

a는 2로 수정되므로 b[--a]+="*"에 의해 b[1]
에 '*'이 추가되고 a는 1이 된다.
따라서 b[++a]="+"에 의해 b[2]에 '+'가 저장
되므로 "LOVECOMPUTER*+"이 출력된다.

03 | 정답 | ⑤

comp가 25 이상인 경우에는 화씨온도를 계산하고
comp가 25 미만인 경우에는 섭씨온도를 계산하는
프로그램이다. 따라서 day1, day2, day3값의 순서
를 바꾸더라도 comp에는 day1, day2, day3 중 가
장 큰 값이 저장되므로 출력 결괏값은 같다.

| 오답풀이 |

① fahrenheit와 celsius은 C언어에서 제공하는 함수가 아니라
사용자가 선언한 변수이다.

② fahrenheit의 데이터 형식을 정수형으로 할 경우 처리된 실수
형을 정수형으로 받을 수가 없다.

③ 9행의 9.0/5.0의 결과는 1.8이고 9/5로 변경 시 정수형으로
0.8이 생략된 1로 계산된다. 데이터 값의 형식에 따라 결과
값의 데이터에 영향을 받는다.

④ 9행은 출력 결과로 음수가 나올 수 없으나 16행의 출력 결
과는 0이나 음수가 나올 수 있다.

04 | 정답 | ③

comp는 20, −8, 4 중에서 가장 큰 값인 20이 되므
로 섭씨온도를 계산하는 과정을 수행한다. 이에 따라
celsius=(5.0/9.0)×(fahrenheit−32)=(5.0/9.0)
×(44.45−32)≒6.9이므로 섭씨온도 6.9가 출력된다.

유형 1	농업·농촌·협동조합 분야	P.198~199
01	①	02	④	03	⑤

01
| 정답 | ①

뉴스1은 전 세계의 통신사와 뉴스를 교류하고 있는 우리나라의 민영 종합 통신사이며, 세계은행(World Bank)은 개발도상국의 경제적 자립을 위하여 정책 자문과 지원 활동을 수행하는 UN 산하의 금융 기관 이다. 뉴스1과 세계은행 모두 협동조합의 범주에 속하지 않는 단체이다.

| 오답풀이 |

• 썬키스트: 미국의 오렌지 협동조합이다.
• 제스프리: 호주의 키위 협동조합이다.
• AP 통신: 미국의 언론 협동조합이다.
• 그라민은행: 방글라데시의 금융 협동조합이다.
• 새마을금고: 우리나라의 금융 협동조합이다.
• FC 바르셀로나: 스페인의 축구 협동조합이다.

02
| 정답 | ④

우선 출자는 협동조합에 소속된 조합원이 아닌 자를 대상으로 출자를 유도하고 잉여금 배당에 우선적 지위를 부여하는 방식이다. 우선 출자를 한 투자자는 조합원과 달리 의결권과 선거권 등에 대한 권한이 없다.

| 오답풀이 |

① 목적 출자: 새로운 투자 등에 필요한 자본을 확보하고자 할 때 조합원을 중심으로 납부를 유도하는 방식이다.
② 순환 출자: 3개 이상의 계열사가 서로 자본금을 출자하여 지배력을 높이는 방식이다.
③ 외부 출자: 조합원에 의한 출자의 한계를 극복하기 위해 대규모 투자를 유치하는 방식이다.
⑤ 조합원의 직접 출자: 조합원의 요구 실현을 위해 각자 출자금을 각출하는 방식이다.

03
| 정답 | ⑤

NH농협은행의 디지털금융브랜치는 창구 업무를 빠르게 처리할 수 있는 디지털기기인 'NH-STM(Smart Teller Machine, 스마트텔러머신)을 통해 비대면 금융 거래가 가능하다. 디지털금융브랜치 외에 영업점과 편의형 마트를 결합한 '하나로미니 인 브랜치', 영업점과 베이커리를 결합한 '뱅킹 위드 디저트' 등 다양한 점포 형태를 시도하고 있다.

01

| 정답 | ④

㉠은 비용인상 인플레이션, ㉡은 수요견인 인플레이션이다. 수출은 총수요의 구성요소이므로 수출의 증가로 물가가 상승했다면, 이는 수요견인 인플레이션에 해당한다.

| 오답풀이 |

① ㉠은 고철 가격 상승으로 인한 인플레이션이므로 비용인상 인플레이션이다.

② 비용인상 인플레이션이 발생하면, 경기가 침체하면서 물가가 상승하는 스태그플레이션이 발생한다.

③ 수요견인 인플레이션이 발생하면, 물가는 상승하지만 경기 확장으로 실업률은 감소한다.

⑤ ㉠은 총공급이 감소하므로 경기침체를 유발하지만, ㉡은 총수요가 증가하므로 경기확대를 가져온다.

02

| 정답 | ④

t년 GDP디플레이터가 100이므로, 기준 연도는 t년이다. 경제성장률은 실질 GDP의 증가율이고, 실질 GDP는 기준 연도(t년)의 가격으로 GDP를 계산한 것이다.

- t년 명목 GDP:
  (20원×10개)+(40원×20개)=1,000
- t년 실질 GDP:
  (20원×10개)+(40원×20개)=1,000
- t+2년 명목 GDP: (30원×20개)+(x원×40개)
- t+2년 실질 GDP:
  (20원×20개)+(40원×40개)=2,000

따라서 실질 GDP에서 소주생산이 차지하는 비율은 동일하다.

| 오답풀이 |

① t+2년 GDP디플레이터(=A/B)가 130이므로,
$\dfrac{(30×20)+(x×40)}{(20×20)+(40×40)}×100=130$, $x=50$(원)이다.

② 경제성장률은 실질 GDP의 증가율로 측정한다. 그러나 실질은 수량을 의미하기 때문에 굳이 실질 GDP의 증가율을 계산할 필요 없이, 수량이 2배 증가한 것으로 실질 GDP가 100% 증가했음을 알 수 있다.

③ GDP디플레이터는 물가지수 중 하나이다. t+2년 GDP디플레이터가 130이 되었으므로, 물가는 상승하고 화폐의 실질가치는 하락했음을 알 수 있다.

⑤ GDP디플레이터는 비교 연도를 기준으로 하는 파셰지수이므로, 파셰지수는 130이다.

03

| 정답 | ③

㉢ 코즈정리(Coase theorem)에 따르면 자원에 대한 소유권이 주어지고, 거래 비용이 없다면 자발적인 협상을 통해 외부효과로 초래되는 비효율성을 시장에서 스스로 해결할 수 있다. 이때 재산권은 가해자(공장)나 피해자(세탁소) 누구에게 부여하더라도 상관없다.

㉣ 매연 배출권이 정부에 의해 만들어져 배분된 후, 자원 이용단계에서 흥정에 비용이 든다면 누가 매연 배출권을 갖느냐는 매연 배출량을 결정하는 데 중요한 영향을 미친다. 코즈정리가 성립하기 위해서는 협상하는 데 드는 비용이 없어야 하므로, 거래 비용이 많아지면 코즈정리는 성립하지 않는다.

| 오답풀이 |

㉠, ㉡ 코즈정리에 의하면 공장과 세탁소의 한계생산성과 무관하게 재산권을 누구에게 부여하더라도 자발적 협상에 의해 외부성이 해결된다.

㉤ 정부가 처음에 매연 배출권(재산권)을 만들어내지 않는다면 누가 원래 주인인지 확실하지 않아 협상 자체도 불가능하므로, 효율적인 자원배분을 이룰 수 없다.

04

| 정답 | ④

B재 수요의 가격탄력성이 탄력적이므로 B재 가격이 하락할 때, 가격하락률보다 수요량의 증가율이 많다. 따라서 B재의 판매수입은 증가한다.

| 오답풀이 |

① 소비자의 선호가 낮아지면 수요가 감소하므로 균형가격은 하락한다.

② 수요가 감소하면 균형가격은 하락하고 균형거래량이 감소하므로 가격탄력성과 무관하게 판매수입은 반드시 감소한다.

③ B재를 생산하는 기업이 늘어나면 공급이 증가하므로 균형가격은 하락한다.

⑤ B재 수요의 가격탄력성이 탄력적이므로 B재 가격이 하락할 때, 가격하락률보다 수요량의 증가율이 크다.

01

인터넷전문은행은 24시간 365일 온라인 등을 통해 금융 업무가 가능한 은행이다. 영업점 없이도 계좌 개설 등 모든 금융 상품을 이용할 수 있으나, 본인 확인 절차가 간소하여 부실 대출을 방지할 방안이 상대적으로 미흡하다.

| 오답풀이 |

① 자산운용사: 주식이나 채권 등의 자산을 투자자의 이익을 위해 운용하는 회사이다.
② 여신전문금융회사: 신용 카드업, 할부 금융업 등 대출 업무만을 전문으로 담당하는 회사이다.
④ 금융지주회사: 은행이나 증권사 등의 금융기관을 주식 보유 등으로 소유하고 경영하는 회사이다.
⑤ 상호저축은행: 서민과 소상공인의 금융 편의와 저축 증대를 위하여 설립된 회사이다.

02

스마트 그리드(Smart grid)란 전력망을 통해 공급자와 소비자가 실시간으로 정보를 교환하여 에너지 효율을 최적화하는 차세대 지능형 전력망이다. 전기 사용량을 실시간으로 모니터링하여 일시적인 전력 수요를 분산하거나 정전 등 사고가 발생했을 때 유연하게 대처할 수 있다. 에너지 저장 시스템(ESS) 등을 활용해 풍력, 태양광 등 발전량이 일정하지 않은 신재생 에너지의 보급을 확대할 수 있어 긍정적으로 평가된다.

03

비트코인의 반감기(半減期)는 4년 주기로 발생하며 2012년, 2016년, 2020년에 걸쳐 세 차례 일어났다. 최초의 보상 수량인 50 비트코인(BTC)은 세 차례의 반감기에 걸쳐 25BTC, 12.5BTC, 6.25BTC로 감소하였다. 이는 증가하는 비트코인의 수량을 줄어들게 하여 희소성을 높이므로, 비트코인의 장기적인 가격 상승 요인으로 작용한다.

| 오답풀이 |

① 역치(閾値): 생물이 외부 자극에 대하여 반응을 일으키는 데 필요한 최소한의 자극의 세기이다.
② 용매(溶媒): 어떠한 물질을 녹여 용액을 만드는 성분이다.
③ 주기(週期): 어떤 현상이나 특징이 한 번 되풀이 되는 데 걸리는 간격 또는 기간을 말한다.
⑤ 보인자(保因者): 겉으로 드러나지 않는 유전 인자를 가진 사람이나 생물을 지칭한다.

직무능력평가									P.208~251
01	②	02	⑤	03	④	04	④	05	⑤
06	⑤	07	④	08	③	09	⑤	10	④
11	①	12	②	13	②	14	③	15	②
16	④	17	⑤	18	③	19	⑤	20	③
21	②	22	⑤	23	②	24	④	25	④
26	①	27	⑤	28	②	29	③	30	③
31	④	32	②	33	④	34	⑤	35	②
36	③	37	③	38	②	39	③	40	④
41	⑤	42	②	43	②	44	⑤	45	④
46	⑤	47	①	48	③	49	⑤	50	⑤

01
| 정답 | ②

두 번째 문단의 '국가마다 감내해 낼 수 있는 부채 수용력이 다르다는 의미이다'에 따라 각국의 부채 수용력이 서로 다르다는 것을 알 수 있다.

| 오답풀이 |

① 최소 20개가 넘는 변수들이 부채 수용력에 영향을 미친다'를 통해 알 수 있다.
③ '또한 달러나 엔화처럼 국제 통화를 발행할 수 있으면 언제든지 자국 통화로 자금을 조달할 수 있기 때문에 부채 수용력이 향상된다. 우리나라는 이러한 부분들이 부족한 실황이다'를 통해 알 수 있다.
④ '과도함을 판단하기 위해서라도 부채 수용력부터 구해야 한다'를 통해 알 수 있다.
⑤ '부채 수용력은 채무 불이행이나 신용등급 하락 같은 신용 사건을 유발하지 않고 가계, 기업, 정부가 사용할 수 있는 부채의 최대 수준을 말한다'를 통해 알 수 있다.

02
| 정답 | ⑤

ⓒ 경운기의 경우 3년 전 대비 2004년에 90천 대로 가장 크게 감소하였다. 이앙기는 2004년에 9천 대 감소하였고, 그 이후로는 항상 20~40천 대가량 감소하였으므로 옳지 않다.

ⓒ 3년 전 대비 밭농사의 기계화율의 증가폭이 가장 큰 해는 2013년으로 5.6%p 증가하였다. 벼농사의 경우 3년 전 대비 2013년에 2.6%p 증가하였고, 3년 전 대비 2016년에 3.8%p 증가하였다. 따라서 벼농사는 2016년에 기계화율의 증가폭이 가장 크므로 옳지 않다.
ⓔ 다른 농업 기계는 매 3년마다 감소하고, 트랙터는 매 3년마다 증가하므로, 제시된 농업 기계 중 트랙터가 차지하는 비율은 매 3년마다 증가하고 있다. 그러나 매년 증가하는지를 물어보고 있으므로, 제시된 자료로는 알 수 없다.

| 오답풀이 |

ⓐ 트랙터는 매 3년마다 10~20천 대씩 증가하는 반면에 콤바인, 이앙기, 경운기는 매 3년마다 감소하고 있다. 그중에서도 경운기는 40~100천 대씩 감소하고 있으므로, 총농업 기계 보유 대수는 감소하고 있다.

🕐 시간단축 TIP
제시된 자료에서 알 수 없는 보기부터 제거한다. ⓔ은 트랙터의 매해 차지하는 비율에 대해 묻고 있으므로 알 수 없는 내용이다. 따라서 답은 ②, ③, ⑤ 중 하나로, ⓐ은 계산하지 않아도 된다.
다음으로 계산이 간단한 보기는 ⓒ이다. 그래프를 통해 증가량 혹은 감소량이 가장 큰 해가 언제인지 대략적으로 알 수 있다. 밭농사의 경우 2010~2013년의 기울기가 가장 가파르므로, 2013년에 3년 전 대비 증가량이 가장 크다는 것을 알 수 있다. 벼농사의 경우 2010~2013~2016년의 기울기가 가파르다. 따라서 2013년, 2016년을 계산해 보면 2016년의 증가량이 더 크므로 옳지 않은 내용이다.
ⓒ도 정확한 값을 요구하는 것이 아니므로, 큰 단위만 계산해 보았을 때 경운기와 이앙기의 감소폭이 가장 큰 해가 다르다는 것을 쉽게 알 수 있다.

03
| 정답 | ④

할인 혜택을 반영한 A의 최종 결제액
• 사과 7kg: 6kg 이상 구매 시, 1kg이 추가 증정되므로 6kg만 계산하면 된다.
• 수박 3개: 3개 이상 구매 시, 5,000원이 할인된다.
이에 따라 최종 결제액은 $(20,000 \times 2) + 25,000 + (15,000 \times 3) - 5,000 = 105,000$(원)이다. 100,000원 이상 구매하였으므로 배송료는 무료이다.

할인 혜택을 반영한 B의 최종 결제액

• 감 4kg: 3kg 이상 구매 시, 1kg당 1,000원이 할인되므로 총 4,000원이 할인된다.

• 귤 20kg: 20kg 이상 구매 시, 10kg당 2,000원이 할인되므로 총 4,000원이 할인된다.

이에 따라 최종 결제액은 $30,000+(8,000\times4)-4,000+(22,000\times2)-4,000=98,000$(원)이다. 100,000원 이상 구매하지 않았으므로 배송료가 추가되어 $98,000+4,000=102,000$(원)이다.

따라서 최종 결제액이 더 적은 사람은 B이고, 결제액의 차이는 $105,000-102,000=3,000$(원)이다.

04 | 정답 | ④

이달 말부터 a원씩 상환한다고 하면 매달 상환한 금액들의 12개월 후 원리합계는 $\dfrac{a\{(1.015)^{12}-1\}}{1.015-1}$ $=\dfrac{a\times0.2}{0.015}$다. 이는 성우가 쭉 상환해왔던 금액들을 만기일 기준의 가치로 환산한 금액이라고 볼 수 있다. 한편, 1월 1일에 성우가 대출받은 180만 원을 만기일 기준의 가치로 환산하면 $180만\times(1.015)^{12}=180$만$\times1.2$(원)이다. 두 금액의 시점이 모두 만기일로 같으므로 같은 시간대의 가치이며, 따라서 직접적인 비교가 가능하다. 이때 상환해왔던 금액들과 대출받은 금액이 같아지면 비로소 모든 대출금을 다 갚은 것이라고 볼 수 있다.

그러므로 $\dfrac{a\times0.2}{0.015}=180만\times1.2$이며, 이를 통해 a를 구하면 162,000원이다.

05 | 정답 | ⑤

사업 내용 중 '(농촌여행상품 개발·운영) 농촌여행 접근성 제고를 위해 국내·외 여행사의 내·외국인 대상 농촌여행 상품 개발·운영 지원'을 통해 추론 가능하다.

| 오답풀이 |

① 사업 내용의 (보험 가입 지원)을 살펴보면, '체험마을' 보험료를 지원하는 것으로, '농촌마을'을 지원한다고 보기 어렵다. 더불어 '대물배상 보험'의 지원 여부도 확인할 수 없으므로 적절한 추론으로 보기 어렵다.

② 사업 목적에 따르면 정보 제공은 '도시민'을 대상으로 하고 있으므로, 적절한 추론으로 보기 어렵다.

③ 사업 내용의 (관광 콘텐츠 개발)에 따르면 특색 있는 콘텐츠를 개발하라는 내용이 있으므로, 다른 지역의 관광명소를 벤치마킹하여 개발 시 지원받을 수 있다는 내용은 적절한 추론으로

보기 어렵다.

④ 사업 내용에서 사무장 지원이라는 내용은 있으나, 마을 주민 중에 사무장이 임명된다는 내용의 근거를 찾을 수 없으므로 적절한 추론으로 보기 어렵다.

06 | 정답 | ⑤

㉠~㉣에 들어갈 항목을 정리하면 다음과 같다.

• 채권 추심(㉠): Q4, Q5

• 카드 발급(㉡): Q1, Q3, Q8

• 연회비(㉢): Q2, Q7, Q10

• 자동화기기(㉣): Q12

• 부가 서비스(㉤): Q6, Q9, Q11

따라서 항목에 맞게 분류한 것은 ⑤이다.

07 | 정답 | ④

2018년 2월 C씨의 전 재산은 $565,000,000+6,900,000+2,000,000+27,800,000-324,000,000=277,700,000$(원)이다.

이 금액을 2020년 2월까지 은행에 저축할 경우, 기대 금액은 $277,700,000\times(1.028)^2≒293,468,900$(원)이므로, 기대 수익은 $293,468,900-277,700,000=15,768,900$(원)이다.

또한 주택 매입, 매각 금액을 제외한 주택 구매에 사용한 수수료 등의 비용은 $6,900,000+2,000,000+27,800,000+2,500,000=39,200,000$(원)이다.

마지막으로 C씨가 324,000,000원 대출 후 매년 납부해야 하는 이자는 3.2%이므로, 2년간 납부해야 하는 이자는 $324,000,000\times0.032\times2=20,736,000$(원)이다.

즉, C씨가 저축 대비 손해를 보지 않으려면 집값 증가액이 은행 기대 수익+C씨가 주택 구매에 사용한 비용+대출 이자보다 많아야 한다. 이에 대한 총합은 $15,768,900+39,200,000+20,736,000=75,704,900$(원)이다.

따라서 저축 대비 손해를 보지 않기 위한 최소 주택 매각 금액은 $565,000,000+75,704,900=640,704,900$(원)이다.

08 | 정답 | ③

본점의 영업망을 확대하고자 하는 정책에 대한 적극적인 지원이 가능하다는 점은 강점(S)에 해당한다. 또한 이러한 본점의 전략에 따른 홍보 강화를 통해 인

터넷 및 모바일 등의 전자금융 이용률이 저조한 지역 (T)의 전자금융 이용률을 제고하는 대응 방안은 외부적 위협 요인을 내부 강점으로 극복하는 적절한 ST전략이다.

① 자산 관리를 필요로 하는 노인(O) 대상의 지역특화 상품 개발(W)에 대한 WO전략이다.
② 본점의 지원과 인근 지역 지점망(S)을 통해 완성되지 않은 지역 개발(T)의 활성화를 지원하는 ST전략이다.
④ 노인을 대상으로 하는 점에서 기회를 활용하고 있으나, 젊은 연령층 상대 영업력이 부족한 점을 극복할 수 없으므로 옳지 않다.
⑤ 직원 대부분이 인근 지역에 거주한다는 점(S)을 활용해 지역 특화 상품 개발 경험 부족(W)을 개선하기 위한 전략이다.

09 　　　　　　　　　　　　| 정답 | ⑤

두 번째 문단에 따르면 '수급 상황에 따라 변동폭이 크고 단가가 낮은 특정 품목의 가격 상승과 하락이 전체 지수에 미치는 영향은 작을 수 있다'고 하였으므로 옳지 않다.

① '물가 지수가 서민의 생활과 직결된 지표인 만큼'에서 알 수 있다.
② '소비자 물가 지수는 물가 변동을 파악하기 위한 대표적인 지표다'에서 알 수 있다.
③ '소비자 물가 지수는 사람들이 많이 소비하는 460개의 대표 품목을 토대로 측정한 평균값이다'에서 알 수 있다.
④ 통계청은 지표와 체감 물가의 괴리를 좁히기 위해 많은 노력을 기울이고 있다. 민감도가 높은 품목을 중심으로 한 생활 물가 지수, 신선 채소와 과일 중심의 신선 식품 지수를 별도로 작성하고'에서 알 수 있다.

10 　　　　　　　　　　　　| 정답 | ④

B 제약회사는 아세트아미노펜 원료의약품을 전량 수입하고, 아세트아미노펜 원료의약품 가격은 매분기 증가하고 있다. 분석 자료에 따르면 2021년 1분기 B 제약회사의 총판매량이 2020년 1분기와 동일한데 순이익은 증가하였다. 만약 판매 금액이 동일하면 아세트아미노펜 원료의약품의 수입 가격이 증가하므로, 순이익이 감소해야 하는데 순이익이 증가하였으므로 2021년 1분기에 완제의약품 Q의 판매 금액이 2020년 1분기에 비해 증가하였음을 알 수 있다.

① 분석 자료에 따르면 B 제약회사는 아세트아미노펜 원료의약품을 전량 수입했다고 하였으므로, 국내 제약회사인 A사로부터 아세트아미노펜 원료의약품을 구입하지 않았다.
② 제시된 자료만으로 A 제약회사가 아세트아미노펜 원료의약품을 수입하였는지는 알 수 없다.
③, ⑤ 제시된 자료는 A 제약회사의 이익률로, 완제의약품 P와 아세트아미노펜 원료의약품 매출이 함께 고려된 내용이므로 완제의약품 P, 아세트아미노펜 원료의약품에 대한 각각의 정보를 알 수 없다.

11 　　　　　　　　　　　　| 정답 | ①

완제의약품 Q는 제약회사 B에서 생산한다. 따라서 완제의약품 Q의 제조원가 추이는 A 제약회사의 수익성에 영향을 주지 않으므로, 필요하지 않다.

② 아세트아미노펜 원료의약품 수입 가격이 올라가면 국내 타 제약회사의 A 제약회사 아세트아미노펜 원료의약품 수요가 증가할 것이고, 수입 가격이 A 제약회사의 가격보다 내려가면 A 제약회사에서 아세트아미노펜 원료의약품을 수입하여 완제의약품 P를 생산할 수 있다. 따라서 아세트아미노펜 원료의약품 수입 가격은 A 제약회사의 향후 수익성에 영향을 준다.
③ A 제약회사는 아세트아미노펜 원료의약품을 생산하므로, 아세트아미노펜 원료의약품 생산 비용 추이는 A 제약회사의 향후 수익성에 영향을 준다.
④ A 제약회사의 완제의약품 P와 B 제약회사의 완제의약품 Q는 모두 성분이 아세트아미노펜인 의약품이다. 따라서 두 의약품은 경쟁 의약품이므로 Q의 판매량 추이가 P의 판매량 추이에 영향을 줄 것이고, A 제약회사의 향후 수익성에도 영향을 주게 될 것이다.
⑤ 완제의약품 P가 아세트아미노펜 성분 의약품이므로, 향후 아세트아미노펜 계열 진통제 수요 추이는 A 제약회사의 향후 수익성에 영향을 준다.

12 　　　　　　　　　　　　| 정답 | ②

두 번째 문단에 따르면 코로나19를 계기로 대대적인 귀촌·귀향 캠페인을 진행해야 한다는 주장을 제시하고 있을 뿐, 귀촌·귀향하는 사람들이 늘어날 것이라는 추론 내용은 적절하지 않다.

① 첫 번째 문단에서 코로나19의 심각성을 게리 하멜의 전망을 인용하여 1929년 대공황보다 더 심각할 것이라고 언급한 부분을 통해 추론할 수 있다.
③ 세 번째 문단에 따르면 전국 도매 물류센터 건설 등 농산물 유통구조 개선 노력을 통해 농산물을 제값에 판매하면서 농산

물 브랜드를 확산할 수 있을 것이라고 하였으므로 옳은 내용이다.

④ 네 번째 문단에 따르면 코로나19가 가져올 가장 큰 변화는 디지털 전환의 가속화임을 알 수 있다. 이에 따라 포스트 코로나 시대가 올 경우 농업 분야의 디지털 역량 또한 키우게 될 것임을 추론할 수 있다.

⑤ 마지막 문단에 따라 우리나라도 포스트 코로나 시대를 대비하여 인공지능 등의 기술을 활용한 농업 분야 상품을 만들어낼 것이다.

13
정답 | ②

WO전략은 약점을 보완하고 기회를 최대한 활용하는 전략이다. 높은 직원 이직률이라는 약점을 갖는 경우 무조건적인 보안, 감시의 철저는 오히려 역효과를 낳게 된다. 이보다는 앞으로 사진인화 시장에 대한 기회 요인을 강조하며, 직원의 역량을 키워줄 수 있는 교육을 실시하는 것이 보다 효과적인 WO전략이다.

14
정답 | ③

제시된 공매도에 대한 설명을 통해 주가가 하락해야 이익을 보고, 주가가 상승하면 손해를 보는 구조임을 알 수 있다. 그러므로 김 대리가 2년 후 이익을 보려면 2년 후의 주가가 하락해야 한다. 주가는 경기와 연관이 있으므로 올해 경기가 호황임을 기억하며 2년 후 경기에 대한 예상 확률을 구하면 다음과 같다.

구분	확률
1년 후 호황, 2년 후에도 호황	$\frac{3}{4} \times \frac{3}{4} = \frac{9}{16}$
1년 후 호황, 2년 후에는 불황	$\frac{3}{4} \times \frac{1}{4} = \frac{3}{16}$
1년 후 불황, 2년 후에는 호황	$\frac{1}{4} \times \frac{1}{2} = \frac{1}{8}$
1년 후 불황, 2년 후에도 불황	$\frac{1}{4} \times \frac{1}{2} = \frac{1}{8}$

1년 후 호황, 2년 후에도 호황인 경우는 주가가 명백히 상승하므로 김 대리는 손해를 보게 된다. 1년 후 불황, 2년 후에도 불황인 경우는 주가가 명백히 하락하므로 김 대리는 이익을 보게 된다. 그런데 1년 후 호황, 2년 후에는 불황 또는 1년 후 불황, 2년 후에는 호황처럼 호황과 불황이 한 번씩 찾아왔을 경우 얼핏 생각하면 이득도, 손해도 보지 않아 주가가 제자리일 것이라고 생각할 수도 있지만 실제로 따져 보면 $1.2 \times 0.8 = 0.96$으로 주가가 4% 하락한다. 이런 현상이 일어나는 이유는 복리가 적용되기 때문이다. 첫해에 이익을 보면 그만큼 투자금의 크기가 커지기 때문에 수익률과 동일한 손실률을 기록한다면 더 많은 금액을 잃게 된다. 반면, 첫해에 손실을 보면 그만큼 투자금의 크기가 작아지기 때문에 손실률과 동일한 수익률을 거둔다고 해도 더 적은 금액만 얻게 된다.

따라서 2년 후 주가가 하락하여 김 대리가 이익을 볼 수 있는 확률을 구하면 $\frac{3}{16} + \frac{1}{8} + \frac{1}{8} = \frac{7}{16}$이다.

15
정답 | ④

ⓒ $229.22 - 106.84 = 122.38$(시간) 더 투하한다.

ⓔ 제시된 [표]를 통해 모든 항목의 부업 농가의 직접 노동 투하량이 자급 농가보다 많은 것을 확인할 수 있다.

ⓜ 세 가지 축종별 직접 노동 투하량을 계산하면 소가 $73.13 + 53.04 + 22.35 + 20.84 = 169.36$(시간), 돼지가 $37.74 + 0.03 + 0.29 = 38.06$(시간), 닭이 $22.77 + 4.76 + 3.90 + 1.01 = 32.44$(시간)이므로 소의 직접 노동 투하량이 가장 많다.

| 오답풀이 |

ⓐ 두류에서는 일반 농가의 직접 노동 투하량이 더 많다.

ⓒ 농업 총수입 중 현금 수입과 외상 판매 수입에 대한 정보가 없으므로 알 수 없다.

16
정답 | ④

할부금을 갚는 문제의 경우 판매자의 입장에서 마지막 할부금을 갚는 시점에 일시불로 판매할 때와 할부로 판매할 때의 수익이 동일해야 한다. 즉, 마지막 할부금을 갚는 시점에 원래 갚아야 하는 금액의 원리 합계와 매달 갚아 나간 금액의 원리 합계가 동일해야 한다.

김 대리가 갚아야 할 금액이 a원, n개월 할부, 월이율 r, 매달 갚은 금액을 b원이라고 할 때, 이때 n개월 말에 a원의 원리 합계는 $a(1 + \frac{r}{100})^n$이다. 1개월 말에 갚은 b원은 n개월 말에 $b(1 + \frac{r}{100})^{n-1}$원이 되고, 마지막 n개월 말에 갚는 금액은 b원이므로 n개월 동안 갚은 금액의 원리 합계는 $\dfrac{b\left\{\left(1 + \frac{r}{100}\right)^n - 1\right\}}{1 + \frac{r}{100} - 1}$이다.

$1+\dfrac{r}{100}=R$로 단순화하면 즉, $a(1+R)^n=\dfrac{b(R^n-1)}{R-1}$

이다. 5,400만 원을 36개월 동안 0.2% 월 복리로 할부로 구입하고, 매월 b만 원을 갚는다면 $5,400\times(1.002)^{36}$

$=\dfrac{b(1.002^{36}-1)}{1.002-1}\rightarrow 5,400\times1.07=\dfrac{b(1.07-1)}{0.002}$

이다.

따라서 $b=5,400\times1.07\times0.002\div0.07≒165.0857$
(만 원)$=1,650,857$원이다.

17 | 정답 | ⑤

김 대리가 5,400만 원 중 3,000만 원을 일시불로 지급하였으므로 갚아야 할 금액이 2,400만 원이다. 매달 b만 원을 갚는다면 $2,400\times(1.002)^{24}=$

$\dfrac{b(1.002^{24}-1)}{1.002-1}\rightarrow 2,400\times1.05=\dfrac{b(1.05-1)}{0.002}$이다.

따라서 $b=2,400\times1.05\times0.002\div0.05=100.8$(만 원)$=1,008,000$원이다.

18 | 정답 | ③

마지막 문단의 '카드 발급 및 아파트 관리비 자동 이체는 전국 NH농협 영업점·NH농협카드 홈페이지·카드 고객 상담 센터 등에서 신청 가능하며'를 통해 농협 영업점에서 직접 상담하고 발급받는 것, 카드사 홈페이지를 통해 직접 신청하는 것, 카드사 고객 상담 센터에서 전화로 상담하고 발급받는 것 등 다양한 신청 방법을 제시하였음을 알 수 있다. 따라서 카드 신청 절차를 젊은 세대 위주로 설정했다고 보기 어렵고, 노인 세대도 카드를 발급하기 어렵지 않음을 알 수 있다.

| 오답풀이 |

① '전월 실적에 따라 월 최대 1만 원 청구 할인 혜택을 받을 수 있으며'를 통해 카드 사용 금액에 따라 할인 혜택을 다르게 적용하는 것을 알 수 있다.

② '부자 되세요'라는 문구는 할인 혜택을 통해 돈을 절약하고 싶은 심리를 자극한다고 볼 수 있다.

④ 아파트에 사는 사람이 많고, 그들이 매달 관리비를 꾸준히 지출한다는 점에 착안하여 아파트 관리비를 할인해 준다는 점을 카드의 주된 혜택으로 설정하였음을 알 수 있다.

⑤ '이벤트를 10월 말까지 진행할 예정이다'를 통해 이벤트 기간이 한정되어 있음을 알 수 있다. 이는 만약 카드를 발급받을 생각이 있다면 기간 내에 발급받아야 캐시백을 받고 경품 추첨에 응모하는 등의 추가 혜택이 있음을 알리고, 발급을 독려하고자 하는 의도가 담겨 있다.

19 | 정답 | ⑤

보일러의 판매 원가가 10만 원이므로 판매 가격은 그 이상으로 해야 한다.

판매 가격	한 대당 판매 이익	판매 가구	전체 판매 이익
12만 원	2만 원	80가구	160만 원
15만 원	5만 원	60가구	300만 원
20만 원	10만 원	40가구	400만 원

따라서 20만 원일 때 이익이 극대화된다.

20 | 정답 | ③

공적이전소득이 가장 적은 분위는 4분위이고, 4분위의 가구주 평균연령도 가장 낮다.

| 오답풀이 |

① 3분위 가구의 균등화 처분가능소득은 전체 평균에 비해 낮은데 가구원 수도 전체 평균에 비해 적으므로, 균등화하지 않은 처분가능소득은 평균보다 낮다.

② 기초연금은 공적이전소득에 포함되므로 처분가능소득이 증가한다. 가구에 월 30만 원을 지급하였으므로, 균등화 처분가능소득은 가구원 수로 나눈 $\dfrac{30}{2.4}=12.5$(만 원)$=125$(천 원) 증가하여 100만 원에 미치지 못한다.

④ 가구주 평균 연령이 60대인 1분위의 재산소득은 7천 원으로, 40대인 4분위의 재산소득은 13천 원의 절반 이상이다.

⑤ 보일러 원가가 8만 원이어도 여전히 판매가가 20만 원일 때 이익이 극대화된다.

판매 가격	한 대당 판매 이익	판매 가구	전체 판매 이익
12만 원	4만 원	80가구	320만 원
15만 원	7만 원	60가구	420만 원
20만 원	12만 원	40가구	480만 원

21 | 정답 | ②

NH농협금융지주, 신한금융이 디지털 부분 사업을 위해 새로운 부서와 직책을 신설한 내용을 바탕으로 금융권의 동향을 짐작할 수 있다.

| 오답풀이 |

① 기사에 전혀 언급되지 않은 내용이다.

③ 농협금융에서 오픈 플랫폼 관련 금융 상품 API를 개발할 예정이라는 내용이 있기는 하나, 이것을 금융권의 대세로 보기는 어렵다.

④ NH농협금융지주에서는 조직 내부 인력을 활용하였다.

⑤ 농협금융에서 분산된 '위성 애플리케이션'을 통합할 예정이라는 내용은 있으나, 이를 통해 젊은 층의 신규 소비자를 유입하려 한다는 내용은 찾을 수 없다. 또한 앱 개발은 농협금융에만 해당하는 내용이다.

22 |정답| ⑤

두 번째 문단에서 '단위농협은 농협중앙회 즉, 농협은행의 감독 및 감사를 받는다'는 것은 알 수 있으나, 그 반대의 경우에 대해서는 언급되어 있지 않으므로 알 수 없다.

| 오답풀이 |

① 세 번째 문단의 '단위농협은 농협은행과 달리 농협조합원들의 출자로 만들어진 조합이기 때문에 금융 업무뿐만 아니라 경제사업 업무를 병행하기도 한다'를 통해 추론이 가능하다.

② 두 번째 문단의 '단위농협의 경우~급여나 복리후생도 다르다'와 '단위농협은 농협중앙회~엄연히 다른 회사이다'를 통해 추론이 가능하다.

③ 두 번째 문단의 '하지만 웬만한 금융 업무는 호환이 가능하고'를 통해 추론이 가능하다.

④ 네 번째 문단의 '농협은행의 계좌번호는 01, 02, 12'가 들어간다는 것과 '현재는 앞으로 오게 되었다'를 통해 추론이 가능하다.

23 |정답| ②

주요 서비스: Off-Line 서비스를 보면 커피 20% 할인이 명시되어 있으므로, 피칭워드로 사용하기에 적절하다.

| 오답풀이 |

① 주요 서비스: On-Line 서비스를 보면 온라인 서점 할인이라고 명시되어 있으므로, 가까운 서점에서 할인을 받으라는 문구는 적절하지 않다.

③ 주요 서비스: Off-Line 서비스를 보면 시외·고속버스는 할인혜택에서 제외되므로, 귀향길 사용을 강조하는 문구는 적절하지 않다.

④ 해봄 선택 서비스를 보면 카드발급 신청 시 택1 및 발급 후 변경 불가라고 명시되어 있으므로, 시즌에 따라 자유롭게 변경하여 혜택을 누리라는 문구는 적절하지 않다.

⑤ 해봄 선택 서비스를 보면 본 서비스는 카드 사용등록하신 달에는 제공되지 않는다고 명시되어 있으므로, 카드신청 즉시 혜택을 드린다는 문구는 적절하지 않다.

24 |정답| ④

8월 실적이 120만 원이므로 9월 On-Line 할인 한도는 2만 5천 원, Off-Line 할인 한도는 1만 원이다. Off-Line은 이동통신 자동납부 2,000원, 커피와 GS25 월 최대 4,000원, 대중교통 월 최대 4,000원을 할인받아 Off-Line 한도 1만 원의 할인 혜택을 채울 수 있다.

On-Line은 온라인 쇼핑몰, 서점, 어학시험 월 최대 8,000원, CGV 온라인 예매 월 1회 2,000원, 어플리케이션 월 최대 6,000원을 할인받아 금액 제한이 없는 배달앱을 제외하면 총 16,000원의 할인 혜택을 받을 수 있다. On-Line 한도는 2만 5천 원이므로 배달앱에서 최소 9,000원의 할인 혜택을 받아야 주요 서비스를 최대한도로 이용할 수 있다.

따라서 배달앱 할인율은 5%이므로, 배달앱 이용 금액은 최소 $\frac{9,000}{0.05}=180,000$(원)이어야 한다.

25 |정답| ④

갑상선암이므로 하루에 8만 원을 지급받고, 입원 기간이 100일 이하이므로 20×8=160(만 원)을 지급받는다.

| 오답풀이 |

① 건강검진비는 연간 250천 원=25만 원을 지급받을 수 있다.

② 일반질병으로 3일 미만 입원 시 보조비를 받지 못한다.

③ 통원 치료를 받는 경우 보조비를 받지 못한다.

⑤ 입원기간이 100일을 초과하는 경우 전체 일수에 대한 보조비를 받지 못한다.

26 |정답| ①

㉠ 30대 이하는 지역 문화관광 개발 응답률이 가장 높다.

㉡ 읍/면과 영농 여부는 동시에 알 수 없다.

| 오답풀이 |

㉢ 2,770×0.205=567.85(명)이므로 550명 이상이다.

㉣ 읍/면 또는 영농 여부의 항목 수가 적으므로 둘 중 하나를 이용해서 계산한다. 읍/면을 이용해 계산하면 지역특화농공단지 조성에 응답한 사람은 읍이 1,803×0.205≒370(명), 면이 2,074×0.17≒353(명)이다.

즉, 총응답자 수는 3,877명이고, 이 중 지역특화농공단지 조성에 응답한 사람은 370+353=723(명)이므로, 응답률은 723÷3,877×100=18.6(%)로 18% 이상이다.

㉤ 60대가 601×0.216≒130(명), 40대가 763×0.168≒128(명)이므로 60대가 더 많다.

27

70대 미만의 전체 응답자 수는 862＋763＋751＋601
＝2,977(명)이다. 연령별 지역 문화관광 개발에 답변
한 응답자는 862 ×0.251≒216(명), 763×0.199≒
152(명), 751×0.17≒128(명), 601×0.154≒93(명)
이므로 총응답자 수는 216＋152＋128＋93＝589(명)
이다.
따라서 구하고자 하는 비율은 589÷2,977×100≒
19.8(%)이다.

시간단축TIP

70대 미만 응답자 중 지역 문화관광 개발이라고 응답한 사람의
비율은 각 연령대에서 지역 문화관광 개발이라고 응답한 사람 비
율의 가중평균으로 구할 수 있다. 각 연령대별 비율은 30대 이하
25.1%, 40대 19.9%, 50대 17%, 60대 15.4%이고, 이들의 산
술평균은 $\frac{25.1+19.9+17+15.4}{4}$=19.35(%)이다. 그런데 30대
이하와 40대의 응답자 수가 50대와 60대의 응답자 수보다 많으
므로 실제 가중평균은 산술평균 19.35%보다 높아야 할 것이다.
따라서 19.8%인 ⑤만 정답이 될 수 있다.

28

i＝0일 때 result＝0.0 * 2＋1.0＝1.0
i＝1일 때 result＝1.0 * 2＋2.0＝4.0
i＝2일 때 result＝4.0 * 2＋3.0＝11.0
i＝3일 때 result＝11.0 * 2＋4.0＝26.0
i＝4일 때 result＝26.0 * 2＋5.0＝57.0
"%3.1f"에 의해 소수 한자리의 실수형으로 출력되므
로 57이 아닌 57.0이 출력된다.

29

result는 누적되지 않고 x만 증가하므로 i가 4일 때
x는 6이 되어 6.0＋5.0＝11.0이 된다. 이때, 5.0은
i＝4일 때의 num[4]＝5.0이다.

30

세 번째 문단의 '지난해까지만 해도 은행권 하위에
머물던 페이스북 팔로워 수가 전년 대비 435% 급성
장해 9월 24일 54만 명을 넘어서 은행권에서 가장 많
은 팔로워를 보유하는 성과를 거뒀다'를 통해 은행권
에서 페이스북 팔로워 수가 가장 적었던 과거와 달리
현재는 팔로워 수가 가장 많은 상황임을 알 수 있다.

| 오답풀이 |
① '농가 소득 증대 및 지역 균형 발전에 이바지하는 농협금융의
공익적 성격을 최대한 살리면서도'를 통해 알 수 있다.
② '범농협 계열사 간에 공통적으로 적용되는 인쇄 광고 정책 도
입', '테마별 공통 광고 시안을 제작해 전 계열사가 공동 사용'
을 통해 알 수 있다.
④ '뮤지션 제이슬로우의 랩을 바탕으로', '탤런트 유승호를 새롭
게 기용하여'를 통해 알 수 있다.
⑤ '다소 딱딱하고 경직된 보수적 이미지와 아날로그적 향수를
자극하던 기존 홍보 전략에서 벗어나 디지털 금융 시대에 맞
춰 젊고 역동적이며 참신한 브랜드 이미지를 적극 강조하고
있다'를 통해 알 수 있다.

31

평상시에는 부채에 6시간, 우산에 2시간을 투입하여
50만 원을 버는 것이 최선이지만, 장마철에는 부채에
5시간, 우산에 3시간을 투입하여 56만 원을 버는 것
이 최선이다.

부채		우산		평상시 수입	장마철 수입
투입 시간	생산량	투입 시간	생산량		
0	0	8	30	30	45
1	6	7	28	34	48
2	10	6	26	36	49
3	16	5	24	40	52
4	24	4	20	44	54
5	32	3	16	48	56
6	40	2	10	50	55
7	44	1	4	48	50
8	46	0	0	46	46

32

㉠ 시장 전체 외국인 보유금액:
＝418.8＋11.8＝430.6(조 원),
유가증권시장 시가총액:
418.8÷0.353≒1,186.4(조 원),
코스닥시장 시가총액: 11.8÷0.099≒119.2(조
원)이므로 시장 전체 시가총액은 1,186.4＋119.2
＝1,305.6(조 원)이다.
따라서 A＝430.6÷1,305.6×100≒33.0(%)이다.
㉡ 386.2÷0.312≒1,237.8(조 원)이므로 1,250조
원 미만이다.

ⓜ 16.1−11.8=4.3(조 원)으로 가장 크게 증가하였다.

| 오답풀이 |

ⓒ 2011년에 전년 대비 감소하였다.

ⓓ 보유금액이 가장 많은 해는 2016년이고, 비중이 가장 높은 해는 2013년이다.

33
| 정답 | ④

서비스 이용 제한 규정에 따라 회사는 별도의 공지 없이 서비스를 이용하는 회원에게 서비스 이용에 대하여 서비스를 제한할 수 있다. 이때 제한 조치는 서비스 이용의 일시 정지, 초기화, 이용 계약 해지 등이 될 수 있다. 따라서 고객의 말만 듣고 별도의 동의 없이 고객의 서비스 이용을 제한한 것이 운영진의 실수라고 보고 게임 아이템을 복구시켜 준다는 답변은 옳지 않다.

34
| 정답 | ②

제시된 [C2:C6] 셀 영역의 값을 모두 더한 후 0이 아닌 값의 개수로 나누면 주문량에서 0을 제외한 평균을 구할 수 있다. 따라서 'SUM(C2:C6)/COUNTIF(C2:C6,"<>O")'의 식으로 구할 수 있다.

| 오답풀이 |

①, ③, ④ (50+320+150)÷5의 결과인 104가 나온다.

⑤ [C2:C6] 영역에서 0인 값의 평균을 구하므로 0이 나온다.

35
| 정답 | ②

• 1안: 17,000원일 때 A, 16,000원일 때 F, 15,000원일 때 C가 구매의사를 나타낼 것이므로, 판매 가격은 15,000원이고 총수익은 (15,000−10,000)×3=15,000(원)이다. E의 경우 예산의 한계로 가격이 14,000일 때 구매의사를 나타낼 수 있고, B는 13,000원일 때 구매의사를 나타낼 수 있다.

• 2안: A는 17,000원, C는 15,000원에 구매의사를 나타낼 것이고, B는 예산의 한계로 13,000원에 구매하려고 할 것이다. 따라서 판매 가격은 13,000원이고 총수익은 (13,000−10,000)×3=9,000(원)이다.

따라서 1안으로 판매하여 15,000원의 수익을 얻을 수 있다.

36
| 정답 | ③

A는 자신의 평가 가치인 17,000원보다 1,000원 높은 18,000원 이상으로 판매하려는 반면, 이 가격에 구매할 수 있는 회원은 없다. 따라서 A는 재판매를 할 수 없다. B와 C는 16,000원 이상인 가격에 판매할 것이며, F가 B와 C 중 한 명에게서 16,000원에 구매할 것이다.

37
| 정답 | ③

ⓐ 문장의 앞부분에서 '보험설계사 등에게 말로써 알린 경우는 회사에 알리지 않은 것으로 간주된다'고 했으므로, 청약서에 글로 써서 알리는 방법을 택해야 함을 알 수 있다. 따라서 '일정한 내용을 적은 문서'를 뜻하는 '서면'이 적절하다.

ⓑ 문맥상 보험 보장의 대상이 되는 사람을 뜻하므로, '피보험자'가 적절하다.

ⓒ 보험나이, 적용보험요율 등의 변동에 따라 보험료가 변동된다는 것은 보험 계약을 연장한다는 뜻이므로 '갱신'이 적절하다.

ⓓ 문맥상 관리 및 경영의 뜻을 내포하고 있지 않으므로, '무엇을 움직이게 하거나 부리어 씀'의 의미인 '운용'이 적절하다.

| 오답풀이 |

• 구두는 '마주 대하여 입으로 하는 말'을 뜻한다.

• 계약자는 '회사와 계약을 체결하고 보험료 납입할 의무를 지는 사람'을 뜻한다. 하지만 보험금 지급사유가 발생하고 보험금을 받는 대상은 '계약자'가 아닌, 보험사고 발생의 대상이 되는 사람인 '피보험자'이다.

38
| 정답 | ②

'농심 실적으로 인정되는 구체적인 항목은~우수 농산물의 판매를 증진하고 우리 농업에 대한 관심을 고취하기 위한 내용으로 구성되어 있다'고 하였으므로, 농심 실적은 우수 농산물의 생산을 증대하는 것이 아니라 판매를 증진하기 위한 것임을 알 수 있다.

| 오답풀이 |

①, ⑤ 'NH농협은행은 농업·농촌 지원을 위한 농심(農心) 마케팅 실천을 위해 농협 경제 사업장 이용 실적과 금융 상품 금리 우대 조건을 연계한 'NH 농심-농부의 마음 정기 예금'을 오는 7일 출시한다'를 통해 알 수 있다.

③, ④ '아울러 NH농협은행은 강소농·미래 농업 경영체 육성 사업을 위해 상품 판매액의 0.02%를 중앙회의 미래농업지원센터에서 지원하는 (사)농촌사랑범국민운동본부에 공익 기금으

로 적립할 예정이다'를 통해 알 수 있다.

39

정답 | ③

- KTX를 이용할 경우 교통비 제한으로 인해 택시를 이용할 수 없다. 버스–KTX를 이용한다면 버스 이용시간＋대구역 내 이동시간이 40분인데, KTX는 매시간 정각에만 출발하므로 3시에 KTX를 타게 된다. 따라서 부산역 도착 시각은 3시 55분이다. 도보–KTX는 이보다 더 느리므로 고려할 필요가 없다.
- 새마을호를 이용한 경우 택시를 이용할 수 있다. 택시–새마을호를 이용한다면 택시 이용시간＋대구역 내 이동시간이 25분으로, 2시 30분에 출발하는 새마을호에 탑승할 수 있다. 따라서 부산역 도착 시각은 4시 5분이다. 도보–새마을호, 버스–새마을호는 이보다 더 느리므로 고려할 필요가 없다. 또한 무궁화호도 이동시간이 오래 걸리므로 고려할 필요가 없다.

따라서 버스–KTX를 이용하면 가장 빠르게 도착할 수 있다.

40

정답 | ④

단독룸을 보유하지 않은 C식당을 제외하고 각 식당별 총점을 구하면 다음과 같다(거리점수와 가격점수는 C식당도 포함하여 산정).

식당	거리점수	맛집사이트 평점	가격점수	총점
A	2점	4.0점	4점 (170,000원)	10.0점
B	4점	4.5점	1점 (190,000원)	9.5점
D	5점	4.0점	3점 (172,000원)	12.0점
E	1점	4.5점	2점 (178,000원)	7.5점

따라서 D식당의 총점이 가장 높으므로 D식당이 선정된다.

41

정답 | ⑤

제시된 기타 안내의 마지막 항목을 보면 해당 농·축협 대출심사 기준에 따라 대출이 불가할 수 있다고 명시되어 있다.

| 오답풀이 |
① 상품 특징을 보면 신용대출 시에만 대출한도에 혜택이 있다고 명시되어 있다.
② 대출 대상을 보면 CB 5등급 이상이라는 조건도 만족해야 한다는 것을 알 수 있으므로, 제시된 자료만으로 대출이 가능한지 확인할 수 없다.
③ 대출한도를 보면 담보대출과 신용대출이 모두 가능하지만, 담보가 있다 하더라도 신용등급이 CSS 6등급 이상, CB 5등급 이상이어야 대출이 가능하다.
④ 대출기간 및 상환 방법을 보면 만기 일시 상환, 원금 균등 분할 상환, 원리금 균등 분할 상환, 혼합 분할 상환 4가지 방법으로 대출금 상환이 가능함을 알 수 있다.

42

정답 | ②

우선 만기 일시 상환부터 계산하면 대출 금액이 1,800만 원이고, 대출금리는 연 6%이므로 1년 이자는 $1,800 \times 0.06 = 108$(만 원)이다. 따라서 3년 동안 $108 \times 3 = 324$(만 원)의 이자를 상환해야 한다. 그런데 실제로는 매월 이자를 납부하므로, 월이율을 활용하는 방식으로 이자를 계산하면 월이율은 $\frac{6}{12} = 0.5(\%)$이므로, 한 달 이자는 $1,800 \times 0.005 = 9$(만 원)이다. 1년에 12번, 3년 동안 상환하므로 대출이자 총상환액은 $9 \times 36 = 324$(만 원)으로 동일하게 구해진다.

한편, 원금 균등 분할 상환은 매월 이자와 함께 일정한 금액으로 원금도 상환한다. 첫 번째 달의 이자는 만기 일시 상환 때와 같을 것이므로 9만 원의 이자를 납부하고, 원금 납부액은 $1,800 \div 36 = 50$(만 원)이다. 따라서 두 번째 달에는 잔금 1,750만 원에 대한 이자 $1,750 \times 0.005 = 8.75$(만 원)과 원금 50만 원만 상환하면 된다. 이를 정리하면 다음과 같다.

회차	납입원금(원)	대출이자(원)	월상환금(원)	대출잔금(원)
1	500,000	90,000	590,000	17,500,000
2	500,000	87,500	587,500	17,000,000
3	500,000	85,000	585,000	16,500,000
4	500,000	82,500	582,500	16,000,000
...				
36	500,000	2,500	502,500	0

따라서 대출이자 총상환액은 $2,500 + 5,000 + 7,500 + \cdots + 90,000$인데, 모두 더한 값을 S라 하고 더하는 순서를 반대로 나열하여 $90,000 + 87,500 + \cdots + 2,500$으로 배치한 다음 순서를 반대로 나열하기 전과 더하면 $92,500 + 92,500 + \cdots + 92,500 =$

$92,500 \times 36 = 3,330,000$(원)이다. 이는 2S이므로 S=$3,330,000 \div 2 = 1,665,000$(원)이다.

따라서 두 상환 방식의 대출이자 총상환액 차이는 $3,240,000 - 1,665,000 = 1,575,000$(원)이다.

⏱ 시간단축 TIP

만기 일시 상환 방식의 월 이자 상환액은 90,000원으로 동일하다. 한편, 원금 균등 분할 상환 방식은 첫 달에 90,000원의 이자를 상환하고, 둘째 달에는 줄어든 원금 50만 원에 대한 이자를 제한만큼의 이자를 상환하므로, 50만$\times 0.005 = 2,500$(원)을 제한 87,500원의 이자를 상환하게 된다. 즉, 두 상환 방식의 대출이자 차이는 첫 달에 0원, 둘째 달에 2,500원, 셋째 달에 5,000원이므로 차이의 총합은 2,500+5,000+…+87,500이다. 이때 마지막 달에는 차이가 90,000원이 아닌 87,500원임에 주의해야 한다.

두 상환 방식의 대출이자 총상환액 차이의 총합인 ' 2,500+5,000+…+87,500'을 S라 하고, 위와 동일하게 더하는 순서를 반대로 나열한 후 더하면 $2S = 90,000 \times 35 = 3,150,000$(원)이다. 이때 두 상환 방식 모두 90,000원을 상환하는 1회차가 빠지므로 항의 개수는 35개임에 주의한다.

따라서 S=$3,150,000 \div 2 = 1,575,000$(원)이다.

43
| 정답 | ②

파일탐색기 창에서 이미지 파일의 미리 보기가 표시되지 않는 경우 [보기] 탭에서 [옵션]을 선택하고 [폴더 옵션] 창 – [보기] 탭의 고급 설정에서 '아이콘은 항상 표시하고 미리 보기는 표시하지 않음'을 선택한 후 [확인] 단추를 누르면 된다.

44
| 정답 | ②

사업자의 책임 있는 사유로 인하여 이용자가 온라인 콘텐츠이용계약을 해지한 경우에는 전체 대금에서 이용 금액을 차감한 후 잔여 대금의 10%의 손해배상금을 차감하는 것이 아니라 더한 금액으로 환급되어야 한다. 이용자가 임의적으로 온라인콘텐츠이용계약을 해지하거나 이용자의 책임 있는 사유로 인하여 사업자가 온라인콘텐츠이용계약을 해지한 경우에는 잔여 대금의 10%의 손해배상금을 추가로 공제하여야 하지만, 운영진의 운영 미숙으로 해지하는 것이므로 이용자의 책임이 아닌 사업자의 책임인 경우에 해당하는 사례이다.

콘텐츠 이용 대금은 3개월 이용 8만 원, 6개월 이용은 15만 원으로, 약정기간에 따라 이용 대금이 다르다. 현재 3개월 10일이 지났으므로, 제3항에 의해 단기 할인율인 3개월을 기준으로 이용 금액을 계산해야

한다. 따라서 이용 금액은 우선 3개월분에 해당하는 8만 원과, 여기에 3개월의 $\frac{1}{3}$($=1$개월)의 $\frac{1}{3}$에 해당하는 10일의 이용 금액인 $80,000 \times \frac{1}{3} \times \frac{1}{3} ≒ 8,889$(원)을 더한 88,889원이다. 88,889원을 제하면 남은 금액은 $150,000 - 88,889 = 61,111$(원)인데, 제2항에 의해 잔여 대금의 10%의 손해배상금을 더해야 하므로 최종적인 환급 금액은 $61,111 \times 1.1 ≒ 67,222$(원)이다.

45
| 정답 | ④

㉠ 전 세계의 우리나라 국민이 생산한 가치이면서, 예전 한 나라 국민소득을 나타내는 지표로 활용된 지수는 'GNP(Gross National Product, 국민총생산)'이다.

㉡ 우리나라 안에 있는 모든 사람이 생산한 가치이면서, 현재 각국의 국민소득을 지표로 활용되는 지수는 'GDP(Gross Domestic Product, 국내총생산)'이다.

㉢ 전 세계의 우리나라 노동자들이 받는 소득의 합이면서, 대외 교역조건의 변화를 반영한 국민소득 지표는 'GNI(Gross National Income, 국민총소득)'이다.

㉣ 우리나라 안 노동자들이 받은 소득의 합은 'GDI(Gross Domestic Income, 국내총소득)'이다. 국가 내에서 발생한 모든 소득의 합으로, 모든 임금·이익·세금의 합계에서 정부보조금을 뺀 수치를 말한다.

46
| 정답 | ⑤

철도기술을 국제 기준에 맞게 표준화하여(W) 해외 시장의 성장에 따른 기회(O)를 활용한 것이므로 WO 전략이다.

| 오답풀이 |

① 해외 시장을 고려한 역량 개발 및 가지고 있는 Know-how를 정리하는 것이므로 SO전략이다.

② 세계 철도 사업의 기술 경쟁력을 강화하기 위해 강점을 부각하고 있으므로 ST전략이다.

③ 복지 정책에 따른 철도 투자 감소를 예상하여 합리적인 건설 사업과 유지보수 비용의 합리화를 꾀하고 있으므로 ST전략이다.

④ 친환경, 고효율 교통수단의 확대라는 기회를 고려하여 약점인 연계성 강화를 추진하고자 하므로 WO전략이다.

47

제시된 납입한도에 따르면 월 납입 금액이 최대 500만 원이고 가입 기간을 보면 최대 3년까지 가입할 수 있으므로, 최대 $500 \times 12 \times 3 = 18,000$(만 원)까지 납입할 수 있다. 납입한도에는 초입금도 포함되므로 1억 8,000만 원+초입금(a)의 형태는 불가능하다.

| 오답풀이 |

② 우대금리를 보면 농·축협 채움/BC카드 거래실적으로 우대금리를 얻기 위해서는 가입월부터 만기전전월까지 승인 실적이 300만 원 이상이어야 한다. 따라서 1년 만기 가입 시 10개월간 300만 원의 승인 실적이 요구되므로 월 평균 30만 원 이상 사용해야 우대금리 혜택을 받을 수 있다.

③ 우대금리를 보면 농·축협의 조합원(준조합원 포함) 우대금리는 기타 우대에 속하며, 가입 시점에 조건을 충족해야만 혜택을 받을 수 있다. 따라서 가입 시점에 농·축협의 조합원 또는 준조합원이 아닌 개인은 가입 후 조합원이 되더라도 해당 우대금리 혜택을 받을 수 없으므로, 만기금리는 최고 연 2.9+0.1+0.1+0.1=3.2(%)까지 가능하다.

④ 부가서비스를 보면 가입 고객이 농·축협 창구에서 외화 환전 또는 해외 송금 거래 시 우대율이 적용된다고 명시되어 있으므로, 온라인 외화 환전 시에는 우대율이 적용되지 않는다.

⑤ 기타 안내를 보면 1인당 보호한도가 각 농·축협별로 적용된다고 나와 있으므로 남서울농협과 동서울농협의 원리금은 각각 5,000만 원까지 보호가 된다. 그러나 납입금이 5,000만 원이라면 이자를 더할 시 5,000만 원을 초과하게 되므로, 원금 손실의 위험은 없지만 원리금 손실의 위험이 없다고는 말할 수 없다.

48

가입 기간이 1년이므로 기본금리는 연 2.3%이고, 가입 기간 중 가족이 동반가입 하였으므로 0.1%p의 금리가 가산되어 최종금리는 연 2.4%이다. 이자 지급 방식을 보면 월 복리이므로 월이율을 구해보면 $\frac{2.4}{12}$ $=0.2(\%)$이다.

9월 5일 초입금 100만 원을 예치하고, 9월 25일부터 매월 25일에 200만 원씩 입금하여 2019년 8월 25일까지 총 12회 입금이 이루어지는데, 주의할 포인트는 초입금 100만 원도 함께 계산해야 한다는 점과 계좌에 예치된 기간이 1달 이상인 금액에 한하여 이자가 지급된다는 점이다. 이를 고려하여 원리금 합계 테이블을 만들면 다음과 같다.

따라서 2019년 9월 5일 만기일에 박 고객이 수령하는 원리금 합계는 $100 \times (1.002)^{12}$과 $200 + 200 \times (1.002) + 200 \times (1.002)^2 + \cdots + 200 \times (1.002)^{11}$의 합이다. 후자는 초항이 200, 공비가 1.002, 항의 개수가 12개인 등비수열의 합이다.

이를 계산하면 $\frac{200\{(1.002)^{12} - 1\}}{1.002 - 1} = \frac{200 \times 0.0243}{0.002}$

인데, 분모의 0.002와 분자의 0.0243에 각각 10,000을 곱하고, 분자의 200과 분모의 20을 소거하면 $10 \times 243 = 2,430$(만 원)을 얻을 수 있다. 또한 $100 \times (1.002)^{12} = 100 \times 1.0243 = 102.43$(만 원)이므로, 원리금 합계는 $2,430 + 102.43 = 2,532.43$(만 원)이며, 만 원 미만을 절사하면 2,532만 원이다.

🕐 시간단축 TIP

가입일과 만기일을 보면 초입금 100만 원에 대해서는 이자가 12번 붙는다는 사실을 알 수 있다. 9월 25일 입금하는 200만 원은 첫 번째 이자가 붙는 10월 5일 기준에서 예치된 기간이 아직 1달을 넘기지 않았으므로, 초입금액보다 이자가 1번 덜 붙는다. 따라서 이자가 11번 붙으며, 마지막 2019년 8월 25일에 입금하는 200만 원에는 이자가 붙지 않는다. 따라서 원리금 합계 테이블을 일일이 그리지 않더라도 $200 + 200 \times (1.002) + 200 \times (1.002)^2 + \cdots + 200 \times (1.002)^{11} + 100 \times (1.002)^{12}$이라는 식을 유도할 수 있다.

49

생산 일시는 총 여섯 자리로 '일-월-연도' 순으로 각각 두 자리가 적용된다. DHOU171120X 코드에서 171120은 2020년 11월 17일로 생산 일시를 의미하며, 유통 기한은 알 수 없다.

50

구미 공장 생산(A)-배추김치(G)-A조 생산(N)-D조 포장(U)-2020년 7월 29일 생산(290720)-정기 배송(Y)로 코드 번호가 옳게 부여되었다.

| 오답풀이 |

① 저염식 김치의 특수 코드는 X이다. 그러므로 BMQS070520X

이다.
② 열무김치의 생산 품목 코드는 L이다. 그러므로 ELOT220420W
이다.
③ 생산 공장 코드-생산 품목 코드-생산조-포장조-생산 일시 순
으로 부여되므로 FJPT100820Z이다.
④ 생산 일시의 경우 일, 월, 연도 순으로 기재되어야 하므로
CINR111020V이다.

직무상식평가   P.252~265

01	②	02	④	03	②	04	④	05	⑤
06	②	07	③	08	④	09	③	10	④
11	④	12	①	13	④	14	②	15	⑤
16	③	17	⑤	18	②	19	⑤	20	⑤
21	②	22	⑤	23	③	24	①	25	①
26	②	27	②	28	②	29	③	30	③

01 | 정답 | ②

협동조합을 운영할 때 현실적인 여건에 영향을 미치
는 세 가지 요소는 시장, 정부, 조합원이다.
• 시장: 협동조합이 사업을 운영해 나가는 터전으로,
경제 국면 등이 변화하면 협동조합의 운영에 영향
을 미친다.
• 정부: 협동조합에 관한 법률 제정, 경제 활동에 대
한 규제 및 감독으로 협동조합의 활동 범위가 설정
된다.
• 조합원: 협동조합의 소유자이며, 이용자인 동시에
관리자로서 협동조합의 전반적인 방향을 결정한다.

02 | 정답 | ④

국제협동조합연맹(ICA)은 협동조합의 보급과 조합
원의 이익 증진을 위해 활동하는 연합체이다. 1937년
영국의 '로치데일 원칙'을 기초로 협동조합 원칙을 세
워 시대의 변천에 따라 개정을 거듭하고 있다.
최고 정책 기관인 세계 총회와 대륙별 총회는 2년마
다 서로 겹치지 않도록 격년으로 번갈아 개최하고 있
으며, 세계 총회에서 결정한 사항을 지역과 분과별로
나누어 집행한다.

03 | 정답 | ②

㉠ 협동조합을 설립할 수 있는 최소 인원수: 5인
「협동조합기본법」 제15조(설립 신고 등)
㉡ 협동조합연합회를 설립할 수 있는 최소 조합 수: 3곳
「협동조합기본법」 제71조(설립 신고 등)
㉢ 협동조합의 날: 매년 7월 첫째 주 토요일
「협동조합기본법」 제12조(협동조합의 날)
따라서 ㉠+㉡+㉢=5+3+7=15이다.

04

| 정답 | ④

환경·안전 투자 지원금이란 안전 설비 및 노후 시설물 교체, 생활 SOC 투자 등 중소기업의 환경·안전 분야에 대한 신규 설비 투자를 촉진하는 지원책으로, KDB산업은행과 IBK기업은행 등이 공급하는 상품이다.

| 오답풀이 |

① 도농 상생 예금: 친환경 농업 육성 등 농업 경쟁력 강화를 위해 농협이 기금을 지원하는 공익 상품이다.

② 농기계 구입 자금: 정부 지원 대상 농기계 구입 자금을 낮은 금리로 지원받는 상품이다.

③ 스마트팜 종합 자금: 스마트팜 설치와 운영을 희망하는 농업인에게 지원하는 농업 정책 자금 상품이다.

⑤ 더하고 나눔 정기 예금: 농업·농촌 및 사회 공헌 관련 공익 기금을 조성하는 가치 소비형 상품이다.

05

| 정답 | ⑤

제시된 글에서 설명하고 있는 농업 경영 회생 자금은 농림축산식품부 소관에 따라 농협은행에서 보조하는 정책으로, 재해, 질병, 농산물 가격의 급락 등으로 일시적인 경영 위기에 처한 농업인이 경영 위기를 벗어날 수 있도록 융자를 지원한다. 그 외 「농업협동조합법」 제161조의11에 따라 농협은행은 국가나 공공 단체의 업무를 대리하거나, 농업인 및 조합에 필요한 자금을 대출하는 업무, 「은행법」에 따른 은행 업무를 수행할 수 있다.

06

| 정답 | ②

국제협동조합연맹(ICA)은 협동조합의 잉여금을 전 조합원의 기여에 따라 생겨난 것으로 판단하므로, 조합원 전체의 이익을 위하여 공평하게 사용될 수 있는 방안을 권고한다.

㉠ 농작에 필요한 비료나 농약 등 각자의 사업 이용 금액에 비례하여 배당하는 경우를 예로 들 수 있다.

㉢ 지역의 생산 및 소비 활동에 필요한 설비 증축 등 공동의 생활 여건에 이익을 줄 수 있는 경우를 예로 들 수 있다.

㉣ 적립한 준비금은 장기적으로 운용할 수 있으므로 협동조합 사업의 안정성을 제고할 수 있다.

| 오답풀이 |

㉡ 출자금이란 조합의 유지와 활동에 필요한 적정 금액으로 협동조합의 성격에 따라 손익 분기점 등의 차이가 있으므로 출자

금의 보전을 단언할 수 없다.

07

| 정답 | ③

NH스마트뱅킹은 은행 업무에 초점을 맞추어 전반적인 서비스를 제공하는 농협의 통합 애플리케이션이다. 올원뱅크는 공인인증서 없이도 송금, 공과금 납부, 환전 등 간편한 업무 처리가 가능하도록 편의성에 중점을 둔 애플리케이션으로, 타 은행 계좌로도 가입하여 사용할 수 있다.

08

| 정답 | ④

UI(User Interface)란 사용자가 디지털 기기를 작동시키기 위해 사용하는 명령어나 기법을 포함하는 매개 환경을 뜻한다. 모바일 기기의 화면, 아이콘, 체제 등의 전반적인 구성과 작동 방식을 예로 들 수 있다. 뛰어난 성능 또는 다양한 기능을 갖췄더라도 사용자의 편의를 고려하지 못할 경우 상품의 가치가 낮아진다.

| 오답풀이 |

① API(Application Programming Interface): 운영 프로그램의 제어에 사용되는 명령어나 기법 등을 뜻한다.

② GUI(Graphical User Interface): 그래픽을 중심으로 컴퓨터 운영 체제를 제어할 수 있는 시각적 환경을 뜻한다.

③ HCI(Human Computer Interaction): 인간과 컴퓨터 사이의 상호 작용과 관련된 학문 분야를 뜻한다.

⑤ UX(User Experience): 사용자가 제품이나 서비스를 사용할 때 느끼는 총체적인 경험을 뜻한다.

09

| 정답 | ③

GAFA는 미국의 구글(Google)·애플(Apple)·페이스북(Facebook)·아마존(Amazon), BATH는 중국의 바이두(Baidu)·알리바바(Alibaba)·텐센트(Tencent)·화웨이(Huawei)의 영문자 첫 글자를 모아 구성해 각 나라의 대표적인 IT기업을 통칭하는 명칭이다. 전자 상거래, 제조업, SNS, 검색 서비스를 중심으로 초기에 대립 구도가 형성되었으나, 사업 영역을 전방위로 확장하면서 미국과 중국 간의 분쟁으로 연결되기도 한다. '틱톡' 등 콘텐츠 서비스를 개발하는 중국의 바이트댄스는 세계 최대의 벤처 기업으로, BATH에 속하지 않는다.

10 | 정답 | ④

그래프는 편익과 관련된 것으로 소비 측면의 외부효과이고, 사적 편익이 사회적 편익보다 큰 경우이므로 소비의 외부비경제에 해당한다. 자가운전자들의 휘발유 소비로 인해 배기가스가 대기오염을 심화시켜 도시주민들에게 피해를 주는 것은 소비의 외부비경제에 해당한다.

| 오답풀이 |

① 대체관계를 설명한 것으로 외부효과와 관련 없다.
② 소비 측면의 외부경제 사례이다.
③ 공급 측면의 외부비경제 사례이다.
⑤ 소비 측면의 외부비경제이므로 조세를 부과해야 문제를 해결할 수 있다.

11 | 정답 | ④

사적재(사용재)의 경우 모든 사람이 동일한 가격에 직면해 있고, 각 수요자의 소비량이 다르므로 시장수요곡선은 개별수요곡선의 수평적 합으로 구한다. 하지만 공공재의 경우 모든 사람이 동일한 수요량에 직면해 있고, 각 수요자의 지불가격이 다르므로 시장수요곡선은 개별수요곡선의 수직적 합으로 구한다. 따라서 공공재의 경우에는 개인의 한계편익곡선을 수직으로 합하여 사회적 한계편익곡선을 도출한다.

| 오답풀이 |

① 소비의 비배제성과 비경합성을 동시에 가지고 있다면 순수공공재, 그중 하나만을 만족하면 비순수공공재이다. 둘 다 만족하지 않으면 사적재가 된다.
② 소비의 비경합성으로 공동소비가 가능하여 한계비용이 0이 되고, 소비의 비배제성으로 인한 무임승차의 문제가 발생한다.
③ 긍정적 외부성이 존재하면 과소생산되고, 부정적 외부성이 존재하면 과다 생산된다.
⑤ 공공재의 최적생산을 위해서는 경제주체들의 공공재 편익을 사실대로 파악해야 하는데 무임승차가 가능하므로, 자신의 편익을 진실되게 표출하지 않은 문제가 나타난다.

12 | 정답 | ①

㉠ 레그테크(Regtech): 정보 통신 기술을 활용해 금융 회사의 금융 규제 업무를 효율화하는 기술로, 수출입 선적 서류 심사, 보험금 착오 지급 방지 등의 업무에 활용할 수 있다. 규제(regulation)와 기술(technology)의 의미를 합성한 신조어이다.
㉡ 섭테크(Suptech): 금융감독원의 감시 업무를 지원하는 기술로, 불법 금융 광고를 수집해 적발하여 피해를 예방하거나 불완전 판매 사례를 적발하는 사례가 대표적이다. 감독(supervison)과 기술(technology)의 의미를 합성한 신조어이다.

13 | 정답 | ④

재정의 자동안정화장치(automatic stabilizer, built-in stabilizer)란 경기변동 시 정부가 의도적으로 재량적인 재정정책을 실시하지 않더라도 자동으로 정부지출이나 조세수입이 변하여 경기변동의 진폭을 완화해주는 재정제도를 말한다.
누진세제도는 경기가 호황일 때 누진적으로 세금을 징수하여 경기를 진정시키고, 실업보험은 경기가 불황일 때 실업급여 지급을 통해 총수요를 증가시키는 효과를 나타낸다.

| 오답풀이 |

① 재정의 자동안정화장치의 예로는 누진소득세제 또는 비례소득세제, 법인의 이윤에 부과하는 조세, 실업보험제도, 사회보장제도, 최저임금제도 등이 있다.
② 경기회복기의 누진세제하에서는 처분가능소득의 증가를 억제하므로 회복을 더디게 할 수 있는데, 이를 재정적 견인이라고 한다.
③ 한계소비성향이 클수록 처분가능소득의 변화에 대한 소비의 변동도 크게 나타나므로 자동안정화 효과가 크게 나타난다.
⑤ 재정의 자동안정화장치는 정책당국이 경기진단과 경제안정화를 위한 정책을 집행하는 내부시차를 줄일 수 있다.

14 | 정답 | ②

GDP의 산출 과정과 실질 GDP에 대한 이해를 묻는 문제이다. 농부는 생산한 밀을 200만 원에 소비시장에, 밀가루 제조회사에 150만 원에 판매하였다. 밀가루 제조회사는 100만 원의 부가 가치를 추가로 더해 250만 원에 시장에 판매했다. 이때 부가 가치의 총합은 450만 원이 된다. 그러므로 2018년의 명목GDP는 450만 원이다. 기준 연도가 2017년이므로, 물가를 감안한 실질 GDP를 계산해야 한다. 물가가 20% 상승하였으므로, $\dfrac{450 \times 100}{120} = 375$(만 원)이다.

15 | 정답 | ⑤

OLED와 LCD(액정표시장치)는 현재 보급되어 있는 평판 디스플레이의 종류로, 액정 패널에 빛을 공급하는 백라이트의 유무에 따라 구분할 수 있다. 형광성 유기 물질을 기반으로 한 OLED는 LCD와 달리 백라이트 없이도 자체적으로 빛을 발산할 수 있기 때문에 응답 속도가 빠르며 제품의 두께를 얇게 제작하여 자유롭게 구부릴 수 있는 특징이 있다.

16 　　　|정답| ③

USIM(Universal Subscriber Identity Module)카드는 휴대 전화 등 이동통신 단말기에 삽입하는 스마트카드이다. 카드 하나에 가입자의 개인 정보를 입력하여 인증, 로밍, 전자 상거래 등에 다양하게 활용할 수 있다.

| 오답풀이 |

① IC카드: 집적회로 칩이 부착된 전자식 카드이다.
② SD카드: 전자 기기에 사용되는 플래시 메모리 카드이다.
④ NFC: 10cm 이내의 가까운 거리에서 무선 데이터를 주고받는 비접촉식 근거리 통신 기술이다.
⑤ RFID: 무선인식으로, 무선 주파수의 신호를 이용하여 다양한 개체의 정보를 식별할 수 있는 통신 기술이다.

17 　　　|정답| ⑤

반도체 공정은 '回 웨이퍼 제조-ⓒ 회로 설계-ⓔ 웨이퍼 가공-ⓕ 검사-ⓑ 패키징'의 순서를 따른다. 산화·감각·식각·증착·연마 등의 단계를 여러 번 반복하는 웨이퍼 가공 단계를 기준으로 전 공정과 후 공정으로 구분할 수 있으며, 반도체 고유의 전기적 성질을 검사하여 작동 여부를 판별하고 전자 기기의 특성에 적합한 포장 형태로 변경하여 최종 출하한다.

18 　　　|정답| ②

보험에서는 도덕적 해이와 역선택의 두 가지 문제가 모두 나타나므로, 제시된 지문에서 나타나는 정보비대칭 문제가 무엇인지 정확하게 이해해야 한다. 지문의 내용은 본인부담금제로, 보험계약 후에도 계약자의 나태함을 막기 위한 목적으로 사용하는 제도이다. 계약 후의 행동에 대한 정보비대칭 문제는 도덕적 해이이며, 본인부담금제는 이를 해결하기 위한 인센티브 설계 방식의 일종이다.

19 　　　|정답| ⑤

A는 공급자의 수가 가장 적고, 시장지배력이 가장 높으므로 독점시장, B는 과점시장, C는 독점적 경쟁시장에 해당한다. 독점시장에서 공급자는 가격결정권을 가진다. 과점시장에서는 공급자 간 가격담합이 나타나기도 하는데, 이동통신시장과 정유시장 등을 사례로 들 수 있다. 독점적 경쟁시장에서는 비가격 경쟁이 발생하며 음식점과 미용실 등을 사례로 들 수 있다. 한 기업의 판매액이 전체 시장의 판매액과 동일한 것은 독점시장의 특징이다.

| 오답풀이 |

① A는 독점시장으로 공급자가 가격 결정력을 가진다.
② B는 과점시장으로 공급자 간 가격담합이 일어나는 경우가 많다.
③ 이동통신시장과 음식점은 각각 과점시장과 독점적 경쟁시장의 대표적 예시이다.
④ 독점적 경쟁시장에서는 상품의 질이 다른 비가격 경쟁이 나타난다.

20 　　　|정답| ⑤

캐나다의 블랙베리가 개발한 모바일 운영 체제는 블랙베리OS로, 2020년 기술 지원이 종료되었다. 우분투 터치는 캐노니컬 우분투 재단에서 개발한 운영 체제로, 2017년 이후 지원이 종료되었다. 현재 개발이 지속되고 있는 모바일 운영 체제는 구글의 안드로이드, 애플의 iOS, LG전자의 webOS 등이 있다.

21 　　　|정답| ②

작년의 재고증가분은 재고투자의 항목으로 작년의 GDP에 포함된다. 작년의 재고증가분이 올해에 수출되었다면 올해의 순수출은 증가하지만 그만큼 재고투자가 감소하여 올해의 GDP에는 영향을 미치지 않는다.

| 오답풀이 |

① A국에서 작년에 생산하여 재고로 보유했던 제품은 재고투자의 항목으로 작년의 GDP에 포함된다.
③ B국에서 수입하여 자국에서 소비자에게 판매하였다면 소비액만큼 수입액이 증가하여 상쇄되므로, B국의 GDP와 GNP에 영향을 미치지 않는다.
④ 작년의 B국 생산활동이 제시되어 있지 않으므로, B국의 작년 GDP는 알 수 없다.
⑤ 작년의 B국 생산활동이 제시되어 있지 않으므로, B국의 작년 수입은 알 수 없지만, 올해의 수입은 증가하였다.

22 　　　|정답| ⑤

주가수익비율(PER)은 주당순이익과 주식의 시장가격의 비율이다. 2017년 A기업은 200원의 주당순이익을 벌어들이고 있으며 시장에서 10,000원에 거래되고 있다. 그러므로 주가수익비율은 $\frac{10,000}{200}=50$이다. 같은 방식으로 B기업은 4,000원의 주당순이익에 16,000원의 주가를 나타내고 있으므로, 주가수익비율은 $\frac{16,000}{4,000}=4$이다.

23 | 정답 | ③

㉠, ㉡은 자산총계에서 부채총계를 빼면 구할 수 있다. 각각 1,500, 3,200이 된다. A기업의 이자보상배율은 영업이익을 이자비용으로 나누면 구할 수 있으며, 전년 대비 하락했음을 확인할 수 있다.

| 오답풀이 |

② A기업의 유동자산은 전년 대비 증가했다.
④ B기업의 순자산부채비율은 부채총액을 자기자본으로 나누어 구할 수 있으며 전년 대비 상승했다.

24 | 정답 | ①

• 지급준비율정책: 법정지급준비율↑ → 통화승수↓ → 통화량↓
• 공개시장운영: 국공채 매각 → 본원통화↓ → 통화량↓
• 재할인율정책: 재할인율↑ → 예금은행의 對 중앙은행 차입↓ → 본원통화↓ → 통화량↓

25 | 정답 | ①

저금리로 인한 해외 자본의 유출과 외국인 주식자금의 인출은 달러화에 대한 수요를 확대시켜 수요곡선을 우상향으로 이동시키고 원달러 환율의 상승을 유발한다(b로 이동).

| 오답풀이 |

②, ③ 경상수지 흑자 확대와 외국인 직접투자의 유입은 외환시장에 달러화 공급을 증가시켜 공급곡선을 우하향으로 이동시키고 원달러 환율을 하락시킨다(c로 이동).
⑤ 원유 수입대금이 줄어들면 달러화에 대한 수요가 줄어 수요곡선을 좌측으로 이동시키고 원달러 환율을 하락시킨다(d로 이동).

26 | 정답 | ②

경기부양을 위한 통화정책 유지와 자본유출 방지를 동시에 수행하기 어려운 딜레마에 대한 내용이다. 자

본유출을 막기 위해 금리를 인상한다면 원화가치는 유지되나 경기부양이 어려워진다.

| 오답풀이 |

① 금리가 역전되면 자본이 유출되며 국내 증시가 하락한다.
③ 미국의 금리가 높아진다면 확장적 통화정책을 사용하기 어려운 국내 경기는 더 침체될 가능성이 높다.
④ 달러의 높은 신용도 탓에 기본적으로 같은 금리에서도 달러화의 가치가 더 높게 평가된다.

27 | 정답 | ②

이자율이 최저수준으로 떨어지면 채권 가격이 최고로 높아 모든 채권을 매각하여 투기적 화폐수요가 최대가 된다. 최저 이자율수준에서는 유휴자금의 모든 증가분이 투기적 화폐 수요로 흡수되는데, 이 구간을 케인즈(J. M. Keynes)는 유동성 함정(liquidity trap)이라고 하였다.

최저 이자율수준에서 투기적 화폐수요곡선은 수평선이 되고, 투기적 화폐 수요가 이자율에 대해 무한탄력적이 된다.

| 오답풀이 |

① 경기침체가 발생하면 자금의 공급은 증가하지만 자금의 수요는 감소하여 이자율이 하락한다. 중앙은행은 경기부양을 위해 인위적으로 정책금리를 인하하게 되는데 낮아진 금리에도 불구하고, 미래의 불확실성 등으로 경기가 살아나지 않으면 이자율은 최저수준에서 그대로 머무르게 된다. 따라서 유동성 함정은 극심한 경기불황하에서 나타날 수 있다.
③ 유동성 함정의 최저 이자율수준에서는 더 이상 하락할 이자율 수준이 존재하지 않으므로, 대부분의 사람들이 미래에 이자율이 상승할 것으로 예상하는 상태이다.
④ 유동성 함정 상태에서 화폐 공급이 증가하더라도 이자율이 하락하지 않으므로 투자가 증가할 것으로 기대하기 어렵다. 따라서 금융정책은 효과가 없게 된다.
⑤ 유동성 함정 상태에서 금융정책은 효과가 없으므로 조세 감면을 통한 재정정책이 효과적일 수 있다.

28 | 정답 | ②

가격 변화와 상관없이 판매 수입이 일정하다면 단위탄력적, 가격변화율보다 판매 수입 변화율이 더 크다면 탄력적, 더 작다면 비탄력적으로 볼 수 있다. 가격에 대해 변하는 지표가 거래량인지, 판매 수입인지 확인할 필요가 있다. A국은 가격 변화에 비해 판매량이 더 크게 늘어나 총판매 수입이 증가했으므로 탄력적이고, B국은 단위탄력적이다.

29

| 정답 | ③

공헌이익이란 매출액에서 변동비를 뺀 것을 말한다. 고정비를 회수하는 데 공헌했다는 의미를 가지고 있다. 경제학에서는 인건비가 대표적 변동비이지만, 회계에서는 인건비를 고정비로 본다. 이때 인건비와 영화판권이 고정비로, 300억 원을 차지한다. 500만 명 관객이 1만 원씩 내고 영화를 봤으므로 매출액은 500억 원이 되고, 공헌이익은 400억 원이 된다.

30

| 정답 | ③

공헌이익을 통해 손익분기점을 쉽게 구할 수 있다. 공헌이익이 고정 비용과 같아지는 지점이 바로 손익분기점이다. 매출액과 변동비의 비율이 5:1이므로 8,000원×관객수가 공헌이익이 되며, 이 공헌이익이 고정비용인 300억 원과 같아지는 지점을 찾으면 된다. 이때의 관객수는 375만 명이다.

직무능력평가   P.266~309

01	②	02	④	03	①	04	⑤	05	②
06	①	07	③	08	④	09	⑤	10	②
11	②	12	④	13	②	14	⑤	15	④
16	②	17	①	18	②	19	①	20	④
21	⑤	22	④	23	④	24	②	25	①
26	①	27	⑤	28	④	29	③	30	②
31	②	32	②	33	②	34	①	35	④
36	⑤	37	①	38	④	39	④	40	④
41	②	42	④	43	④	44	④	45	①
46	②	47	④	48	③	49	⑤	50	④

01

| 정답 | ②

㉠ 제시된 자료는 2010년의 동 품목의 물가를 100으로 두었을 때의 물가지수이다. 따라서 다른 품목 간의 물가 비교는 할 수 없다.
㉣ 채소의 물가는 감소하였다.
㉤ 과실의 물가가 가장 높은 해는 2012년이고, 신선 갑각류의 물가가 가장 낮은 해는 2013년이다.

| 오답풀이 |

㉢ 2011년 콩류의 물가지수가 가장 높으므로 물가가 가장 높다.
㉣ 86.28:98.23=100:x → 86.28x=9,823 → x≒113.85이므로 115 미만이다.

02

| 정답 | ④

시간대별로 지하철역에 도착하는 직원의 수를 구하면 7시 30분에 240명, 8시에 360명, 8시 30분에 480명, 9시에 120명이다. 7시 30분에 지하철역에서 운송을 시작한 버스 한 대가 지하철역의 직원을 회사로 데려다 줄 수 있는 시간은 7시 40분, 8시, 8시 20분, 8시 40분, 9시, 9시 20분으로 총 여섯 번이다.

모든 직원들은 지하철역에 도착한 지 30분 이내에 회사에 출근해야 한다. 따라서 7시 30분에 지하철역에 도착한 직원 240명은 7시 40분, 8시까지 2회에 걸쳐 도착하면 된다. 버스 한 대가 두 번에 수송할 수 있는 직원이 80명이므로 최소 3대가 필요하다. 8시에 지하철역에 도착한 직원 360명은 8시 20분까지 회사에 도착해야 한다. 버스 한 대가 직원 40명을 수송할 수 있으므로 최소 9대가 필요하다.

그리고 8시 30분에 도착한 직원 480명은 8시 40분, 9시까지 2회에 걸쳐 도착해야 하고, 한 대당 80명을 수송할 수 있으므로 최소 6대가 필요하다. 9시에 도착한 직원 120명은 9시 20분까지 도착해야 하고, 한 대당 40명을 수송할 수 있으므로 최소 3대가 필요하다.

따라서 버스가 최대로 많이 필요한 시간대는 8시이고, 이때 9대가 필요하므로 모든 시간대의 직원들이 지각하지 않으려면 버스는 최소 9대가 필요하다.

03 | 정답 | ①

세 번째 문단의 '정부가 농가 소득을 끌어올리기 위해 비료와 농약 가격을 각각 인하함에 이어 농자재 가격을 인하하고 농작업 대행과 농식품 수출 확대의 추진, 그리고 농촌 복지 개선 등 여러 노력을 기울이고 있다'를 통해 추론할 수 있다.

| 오답풀이 |

② 농업·농촌의 공익적 가치를 헌법에 담아야 한다는 개헌의 논의는 정치권이 아닌 농업계에서 일어나고 있다.
③, ④ 우리나라도 농업직불금을 지급하고 있으나 선진국에 비하여 매우 저조한 편이다.
⑤ 도시민 80%가 '농업·농촌은 우리 사회를 지탱해온 근간'이라는 데는 동의하였으나, '농가 기능 유지를 위해 세금을 더 내겠다'의 비율은 55%에 그쳤다.

04 | 정답 | ⑤

1차 심사 과정에서 후보작 10점을 선정하고, 2차 심사 과정에서 국민이 직접 참여하는 국민생각함 투표 결과를 반영하므로 1차 심사에 비해 2차 심사가 집단지성을 적극 활용한 경우이다.

| 오답풀이 |

① 정부부처 간, 정부와 민간기업, 단체 간 협업을 통해 국민 불편이나 복잡한 사회문제 해결 방안 소재를 아이디어 과제로 공모하고 있으므로, '소방차 등 긴급차량의 아파트 차량 차단기 자동통과를 위한 민관협업'과 같은 소재도 공모 과제에 해당될 수 있다.
② 공모 방법은 '국민생각함'(idea.epeople.go.kr) 사이트를 통해 제출하는 것으로 컴퓨터나 스마트폰 등의 인터넷 접속이 가능한 기기를 활용할 수 있다.
③ 최우수상 1명과 우수상 3명에는 행정안전부 장관상 및 부상을, 장려상 6명에는 부상을 수여하게 된다. 이때 부상 시상금이 가장 작은 장려상이 20만 원의 시상금을 받게 된다.
④ 2차 심사에서 심사단 심사와 국민이 직접 참여하는 국민생각함 투표를 종합하여 수상자를 선정한다.

05 | 정답 | ②

세 번째 문단에서 '2008년 금융 위기 이후에는 전 세계가 전대미문의 통화·재정 완화 정책을 시행하고 있음에도 과거와 같은 효과가 나타나지 않고 있다'라고 하였으므로 옳지 않다.

| 오답풀이 |

① '1930년 세계 최대 '대공황(The Great Depression)' 시기에는 정부가 대규모 공공사업을 벌여 고용과 투자를 늘리고 소비를 촉진해 위기에서 벗어났다'에서 알 수 있다.
③ '외채 누적으로 1990년대 브라질, 아르헨티나, 멕시코 등 중남미 금융 위기와 1997년 말 우리나라 등 아시아 외환 위기가 발생하기도 했다'에서 알 수 있다.
④ '1970년대 1·2차 석유 파동 이후 발생한 경제 위기는 1980년대 초 미·영의 신자유주의를 통해 극복했다'에서 알 수 있다.
⑤ '지난 30~40년간 신자유주의 아래서 벌어진 자본가와 근로자 간의 소득 양극화와 인구 고령화, 집값 상승, 가계 대출 증가 등으로 주 소비 계층인 중산층의 소비 여력이 고갈돼 있기 때문이다'에서 알 수 있다.

06 | 정답 | ①

상실수익 산정 시 피해자의 나이가 67세라면 24개월의 취업가능월수를 기준으로 상실수익 선정이 가능하다. 59세 이상 67세 미만까지가 36개월의 취업가능월수를 적용받게 된다.

| 오답풀이 |

②, ⑤ 76세 이상의 나이도 12개월의 상실수익을 보장하고 있으므로, 아무리 고령이더라도 12개월의 취업가능월수를 적용받을 수 있다.
③ 상실수익 산정 시 피해자의 나이에 따라 취업가능월수를 차등 적용한다.
④ 상실수익액은 회사와 보상금 합의 시 일시에 지급하는 것을 원칙으로 한다.

07 | 정답 | ③

ⓒ 임차자금을 지원받았지만 모두 상환하였으므로 지원 가능하다.
ⓒ 3대가 함께 거주하는 것이므로 126m²까지 임차사택으로 지원 가능하다.

| 오답풀이 |

㉠ 1년 이상 근속한 직원만 지원 가능하다.
㉣ 자신의 직계 및 형제·자매 소유주택인 경우 지원이 불가능하다.

08
정답 | ④

제시된 전략은 내부 요인을 전혀 활용하지 않았으며, 고객층이 중장년 위주라는 약점을 극복하고 해외 주류 수입 확대라는 위협에 대처할 수 없다.

| 오답풀이 |

① 다수의 전통주 상품을 보유했다는 강점을 이용하여 외국인들의 전통주에 대한 관심 증대라는 기회를 살리는 SO전략이다.
② 중장년층 고객의 충성도를 바탕으로 주류 소비 감소라는 위협을 회피하는 ST전략이다.
③ 젊은 연령층을 대상으로 하여 중장년층에만 국한된 소비자층이라는 약점을 보완하고 캔 막걸리 출시라는 기회를 살리는 WO전략이다.
⑤ 중장년층에만 국한된 소비자층이라는 약점을 보완하고 다양한 맛의 막걸리에 대한 관심 증대라는 기회를 살리는 WO전략이다.

09
정답 | ⑤

2020년 1월 초 예금 통장에 남아 있는 금액은 2019년 12월 말 100만 원을 인출한 뒤 예금 통장에 남아 있는 금액과 동일하다. 즉, 2019년 1월 초 2,000만 원을 예금하였으면 이 금액은 1월 말 $2,000 \times (1.01)$만 원이 되고, 100만 원을 인출하면 1월 말 예금 통장의 금액은 $(2,000 \times 1.01 - 100)$만 원이 된다.

이 금액은 2월 말 $\{(2,000 \times 1.01 - 100) \times 1.01\}$만 원이 되고, 100만 원을 인출하면 2월 말 예금 통장의 금액은 $(2,000 \times 1.01 - 100) \times 1.01 - 100 = 2,000 \times 1.01^2 - (100 \times 1.01 + 100) = \{2,000 \times 1.01^2 - 100(1.01 + 1)\}$(만 원)이다.

그러므로 2019년 n월 말에 100만 원을 인출한 뒤 예금 통장에 남아 있는 금액을 a_n만 원이라 하면 $a_n = 2,000 \times (1.01)^n - 100(1.01^{n-1} + 1.01^{n-1} + \cdots + 1.01 + 1)$이다.

이를 계산하면 $(1.01^{n-1} + 1.01^{n-2} + \cdots + 1.01 + 1)$
$= \dfrac{1.01^n - 1}{1.01 - 1} = \dfrac{1.01^n - 1}{0.01}$이므로,

$a_{12} = 2,000 \times (1.01)^{12} - 100 \times \dfrac{1.01^{12} - 1}{0.01} = 2,000 \times 1.13 - 100 \times \dfrac{1.13 - 1}{0.01} = 960$(만 원)이 남아 있게 된다.

10
정답 | ②

• A: 10년 동안 얻는 이익이 $5 + 5 + 10 + 15 + 20 + 25 + 30 + 35 = 145$(억 원)으로 투자액을 회수하지 못한다.

• B: 5년째 되는 해에 투자액 100억 원을 회수하고, 10년 동안 얻는 순이익은 $20 \times 10 - 100 = 100$(억 원)이다.
• C: 7년째 되는 해에 투자액 100억 원을 회수하고, 10년 동안 얻는 순이익은 $50 \times 5 - 100 = 150$(억 원)이다.
• D: 5년째 되는 해에 투자액 200억 원을 회수하고, 10년 동안 얻는 순이익은 $100 \times 3 - 200 = 100$(억 원)이다.
• E: 10년째 되는 해에 투자액 200억 원을 회수하고, 10년 동안 얻는 순이익은 $150 + 200 - 200 = 150$(억 원)이다.

따라서 투자액을 가장 빨리 회수할 수 있는 프로젝트는 B와 D이다. B와 D 모두 10년 동안 얻을 수 있는 순이익이 100억 원으로 동일하므로, 투자액이 더 적은 B에 투자한다.

11
정답 | ②

• A는 10년 동안 투자액을 회수하지 못했으므로 계산하지 않아도 된다.

• B의 현재 가치는 $\left(\dfrac{20}{1.1} + \dfrac{20}{1.1^2} + \cdots + \dfrac{20}{1.1^{10}} = \dfrac{20 \times 1.1^9 + 20 \times 1.1^8 + \cdots + 20}{1.1^{10}} \right)$억 원이다. $1.1^5 = 1.6$이므로 $1.1^{10} = 1.6 \times 1.6 = 2.56$이다. 등비수열의 합을 이용해 분자를 계산하면 $\dfrac{20 \times (1.1^{10} - 1)}{1.1 - 1} = \dfrac{20 \times 1.56}{0.1} = 312$(억 원)이다. 분모가 2.56이므로 B의 현재 가치는 $312 \div 2.56 = 121.875$(억 원)이다. 따라서 NPV는 $121.875 - 100 = 21.875$(억 원)이다.

• C의 현재 가치는 $\left(\dfrac{50}{1.1^6} + \dfrac{50}{1.1^7} + \cdots + \dfrac{50}{1.1^{10}} = \dfrac{50 \times 1.1^4 + 50 \times 1.1^3 + \cdots + 50}{1.1^{10}} \right)$억 원이다. 등비수열의 합을 이용해 분자를 계산하면 $\dfrac{50 \times (1.1^5 - 1)}{1.1 - 1} = \dfrac{50 \times 0.6}{0.1} = 300$(억 원)이다. 분모가 2.56이므로 C의 현재 가치는 $300 \div 2.56 = 117.1875$(억 원)이다. 따라서 NPV는 $117.1875 - 100 = 17.1875$(억 원)이다.

• D의 현재 가치는 $\dfrac{100}{1.1} + \dfrac{100}{1.1^5} + \dfrac{100}{1.1^{10}} = \dfrac{100}{1.1} +$

$\dfrac{100}{1.6}+\dfrac{100}{2.56}≒192.5$(억 원)이다. 따라서 D의 NPV는 $192.5-200=-7.5$(억 원)이다.

- E의 현재 가치는 $\dfrac{150}{1.1}+\dfrac{200}{1.1^{10}}=\dfrac{150}{1.1}+\dfrac{200}{2.56}≒214.5$(억 원)이다. 따라서 E의 NPV는 $214.5-200=14.5$(억 원)이다.

따라서 순현재가치가 가장 큰 프로젝트는 B이므로, B를 채택하여 투자한다.

12 | 정답 | ④

제12조 제1항에서 결재권자 부재 시 직하위직위자가 권한을 대행한다고 규정하고 있으나, 결재권자 복귀 시 반드시 후결 처리한다는 규정은 명시되어 있지 않다.

| 오답풀이 |
① 제10조 제1항에 따라 옳은 내용이다.
② 제11조 제2항에 따라 옳은 내용이다.
③ 예산이 수반되는 사업이나, 기 수립된 건이며 변경집행의 경우도 아니므로 기획관리이사의 협조를 거치지 않아도 된다.
⑤ 결재권자가 한 명인 조직에서 직근 하위자가 결재권자를 대행하는 것은 직원에 대한 복무관리 범위에 한한다고 명시되어 있으므로, 중대한 사업 관련 업무인 경우 결재권자 부재 시에는 처리할 수 없게 된다.

13 | 정답 | ②

고등학생보다 대학생에 대한 지원 금액이 더 큰 것은 맞으나, 수혜 인원상으로는 대학생보다 고등학생들이 더 많이 지원받고 있다. 따라서 '고등학생보다 대학생에 대한 지원이 더 크다'는 추론 내용은 적절하지 않다.

| 오답풀이 |
① 농고 장학생과 농대 장학생의 '목적'에서 추론 가능하다.
③ 농고 장학생의 2. 지원 내용 중 '농고 장학생은 농대 장학생 선발 우대'에서 추론 가능하다.
④ 각각 장학생 '지원 실적'을 보면 매년 수혜 인원과 지원 금액이 상이함을 알 수 있다.
⑤ 2018년 농대 장학생은 $391,000,000÷94≒4,159,574$(원)으로, 평균 400만 원 이상의 학업장려금을 받은 것을 알 수 있다.

14 | 정답 | ⑤

프로그램을 실행하는 중 오류가 발생하여 프로그램 동작이 멈추고, 종료도 되지 않는 경우에는 [Ctrl]＋[Shift]＋[Esc]를 누르거나 [Ctrl]＋[Alt]＋[Delete]를 눌러 작업관리자를 실행한 후 [응용 프로그램] 탭에서 응답이 없는 프로그램을 선택하고 [작업 끝내기]를 눌러 프로그램을 강제로 종료한다.

15 | 정답 | ④

2000년대 이후 연도별 비농가 대비 농가의 1인당 연간 양곡 소비량을 구해 보면 2004년 $146.9÷85.2≒1.7$, 2009년 $135.0÷78.6≒1.7$, 2014년 $121.3÷70≒1.7$, 2019년 $104.2÷65.4≒1.6$이다. 따라서 농가의 1인당 연간 양곡 소비량은 비농가의 1.5배 이상이다.

| 오답풀이 |
① 제시된 자료는 1인당 연간 쌀 소비량이고, 농가와 비농가 인구가 주어져 있지 않으므로 연간 쌀 소비량은 알 수 없다.
② 1989년 비농가의 1인당 쌀 소비량은 113.0kg이고, 2019년 비농가의 1인당 쌀 소비량은 57.4kg이다. 따라서 $113.0÷2=56.5$(kg)이므로 절반 이상이다.
③ 2019년 10년 전 대비 농가의 1인당 양곡 소비량의 감소량은 $135.0-104.2=30.8$(kg)이고 1인당 쌀 소비량의 감소량은 $119.0-92.8=26.2$(kg)이므로, 1인당 양곡 소비량의 감소량이 더 크다.
⑤ 농가가 $92.8÷104.2≒0.89$이고, 비농가가 $57.4÷65.4≒0.88$이므로 농가가 비농가보다 높다.

16 | 정답 | ②

M대리가 지급받을 수 있는 출장비를 계산하면 다음과 같다.

- 일비: 대리급에 해당되고, 2박 3일이므로 $30,000×3=90,000$(원) 지급된다.
- 식비: 2박 3일이고, 식사·영수증 지참 여부에 관계없이 중식, 석식 각각 10,000원씩 지급되므로 $(10,000×2)×3=60,000$(원) 지급된다.
- 숙박비: 실비 지급이므로 사용한 160,000원이 지급된다.
- 교통비: 지하철, 택시비는 지급되지 않으므로, KTX 비용인 $64,800+63,200=128,000$(원)만 지급된다.

따라서 M대리는 출장비로 $90,000+60,000+160,000+128,000=438,000$(원)을 지급받게 된다.

17 | 정답 | ①

매월 초 저금하는 금액의 원리 합계가 1,000만 원이 되어야 한다. 매월 초에 저금하는 금액을 a만 원이라 하면 2021년 1월 초에 저금한 a만 원은 2023년 12월 말 $a(1.005)^{36}$만 원이 되고, 2021년 2월 초에 저금한 a만 원은 2023년 12월 말 $a(1.005)^{35}$만 원이 되고, 2023년 12월 초 저금한 a만 원은 2023년 12월 말 $a\times(1.005)$만 원이 된다. 즉, 초항이 $a\times(1.005)$만 원이고, 공비가 1.005, 항의 개수가 36개인 등비수열의 합이 1,000만 원이 되어야 하므로

$$\frac{1.005a\{(1.005)^{36}-1\}}{1.005-1}=\frac{1.005a\times(1.2-1)}{0.005}$$

$$=\frac{1.005a\times0.2}{0.005}=1,000(만\ 원)이고,$$

$$a=\frac{1,000\times0.005}{1.005\times0.2}(만\ 원)≒249,000(원)이다.$$

18
| 정답 | ④

금융 위기는 언제든지 발생할 수 있으며, 그중에서도 뱅크런(Bank Run)의 위험성과 뱅크런이 생각보다 발생하기 쉽다는 것을 말하고 있다. 따라서 제시된 글 이후에는 언제든지 발생할 수 있는 금융 위기를 대비해야 한다는 내용이 적절하다.

| 오답풀이 |
① 제시된 글은 신용도의 높고 낮음과 관계없이 금융 위기는 언제, 누구에게든 찾아올 수 있다는 뉘앙스가 강하므로 적절하지 않다.
② 금융 위기가 오는 것은 일반적인 현상이라고 전제하는 글이므로 적절하지 않다.
③ 제시된 글에서는 외환 위기보다는 뱅크런을 중심으로 설명하고 있으므로, 외환 위기에 대한 대비 방안 내용이 오는 것은 적절하지 않다.
⑤ 제시된 글에서는 글로벌 금융 위기뿐만 아닌 일반적인 금융 위기와 뱅크런에 대해 설명하고 있으므로, 글로벌 금융 위기에 대한 대비책이 뒤따르는 것은 적절하지 않다.

19
| 정답 | ①

대출계약 철회 유의사항에 따르면 대출계약 철회가 완료된 이후에는 철회 취소가 불가능하다. 그런데 대출계약 철회가 완료되려면 대출계약 철회 신청 후 대출실행일로부터 14일 이내 원금, 이자 및 부대 비용을 상환해야 대출계약 철회가 완료된다. 문의한 고객의 경우에는 대출계약 철회 의사를 표시한 상황이나 아직 원금과 부대 비용을 상환하지 않은 상황이므로 대출계약 철회가 완료되지 않았다. 따라서 철회 의사를 표시했다는 것만으로 철회 취소가 불가능한 것은 아니다.

20
| 정답 | ④

○○농협의 월 생산량에 따른 사과주스 이익은 다음과 같다.

월 생산량 (톤)	0톤	1톤	2톤	3톤	4톤	5톤
필요인력 (명)	5	8	15	20	28	40
인건비 총액 (만 원)	1,000	1,600	3,000	4,000	5,600	8,000
필요재료비 (만 원)	0	8,000	15,000	22,000	28,000	36,000
총비용 (만 원)	6,000	14,600	23,000	31,000	38,600	49,000
이익(만 원)	−6,000	−4,600	−3,000	−1,000	1,400	1,000

따라서 사과주스 4톤을 생산할 때 1,400만 원으로 이익이 가장 높다.

21
| 정답 | ⑤

사과주스의 가격이 1톤당 8,000만 원으로 하락하면 생산량이 1톤 이상일 경우 손실이 최소 6,600만 원에서 최대 9,000만 원까지 발생하므로, 생산량을 0톤으로 낮춰 6,000만 원 손실을 보는 것이 가장 나은 선택이다.

| 오답풀이 |
① 4톤 이상을 생산했을 때 이익이 발생한다.
② 1인당 생산량은 생산량이 1~5톤일 때 각각 $\frac{1}{8}$, $\frac{2}{15}$, $\frac{3}{20}$, $\frac{4}{28}$, $\frac{5}{40}$인데, 이 중 $\frac{3}{20}$이 가장 크므로 3톤을 생산할 때 1인당 생산량이 가장 많다.
③ 직원 1인당 100만 원씩 보조되면 5톤을 생산했을 때 이익이 5,000만 원으로 가장 높다.
④ 생산량이 0일 때 비용은 6,000만 원이다.

22
| 정답 | ④

납입한도를 보면 1인당 분기별 3백만 원 이내로 납입할 수 있으며, 계약기간 3/4 경과 후에는 이전 적립 누계액의 1/2 이내까지 납입할 수 있다. 따라서 만기 1년일 경우, 9개월 동안은 3개월마다 최대 3백만 원까지 납입할 수 있으므로 총 $300\times3=900$(만 원)을 납입할 수 있다.
열 번째 달부터는 이전 적립 누계액의 1/2 이내까지

납입할 수 있으므로, 900÷2=450(만 원), 열한 번째 달은 (900+450)÷2=675(만 원), 마지막 달에는 (900+450+675)÷2=1,012.5(만 원)을 납입할 수 있다. 따라서 최대 900+450+675+1,012.5= 3,037.5(만 원)까지 납입 가능하다.

④의 홍 고객이 말한 최대 1,350만 원이라는 수치는 계약기간 3/4 경과 이후 마지막 한 분기 전체 동안 900÷2=450(만 원)을 납입할 수 있다는 생각으로 산출된 수치이다. 월납이므로 매 월마다 적립 누계액의 액수가 커진다는 사실을 파악하고 있다면 1,350만 원보다 더 많이 납입할 수 있다는 사실을 추론할 수 있으므로 정확한 계산을 하지 않아도 ④가 옳지 않다는 것을 알 수 있다.

| 오답풀이 |
① 정기적으로 매달 50만 원 이상 급여를 이체하면 공통조건과 첫 번째 세부조건을 동시에 만족할 수 있으므로 0.3%p의 우대금리 혜택을 받을 수 있다.
② 공통조건을 만족한 상태에서 농협은행 적립식 펀드를 가입하면 두 번째 세부조건도 만족하게 되므로 0.2%p의 금리를 더 받을 수 있다.
③ 인터넷 또는 스마트뱅킹으로 본 적금에 가입 시 0.1%p의 금리를 더 받을 수 있다.
⑤ 가입 월부터 만기일 전월 말까지 결제 실적 100만 원을 달성해야 우대금리 0.2%p를 더 받을 수 있는데, 만기 1년이므로 11개월 동안 결제 실적 100만 원을 달성해야 한다. 매월 9만 천 원씩 이용하면 9.1×11=100.1(만 원)이므로 결제 실적 100만 원을 달성할 수 있다.

23 | 정답 | ④

가입 기간이 2년이므로 기본금리는 연 2.0%이고, 가입 기간 중 매달 당행 급여통장에 250만 원씩 급여를 이체하므로 우대금리의 공통조건과 첫 번째 세부조건을 만족한다. 또한 인터넷뱅킹을 통해 상품에 가입하였으므로 총 0.3+0.1=0.4(%p)의 금리가 가산된다.

월이율을 구해 보면 $\frac{2.4}{12}=0.2(\%)$이고, 이자 지급 방식은 월 복리이다.

8월 17일 최초금액 50만 원을 예치하고, 9월 1일부터 매월 1일에 50만 원씩 입금하여 2020년 8월 1일까지 총 24회 입금이 이루어지는데, 최초입금액 50만 원에는 이자가 24번 붙지만 9월 1일에 입금하는 50만 원은 첫 번째 이자가 붙는 9월 17일 기준에서 예치된 기간이 아직 1달을 넘지 않았으므로 최초입금액보다 이자가 1번 덜 붙는다. 따라서 이자가 23번 붙으며, 마

지막 2020년 8월 1일에 입금하는 50만 원에는 이자가 붙지 않는다.

따라서 2020년 8월 1일에 입금하는 50만 원부터 최초입금액까지 역순으로 더하면 50+50×(1.002)+50×(1.002)²+⋯+50×(1.002)²⁴이다. 이는 초항이 50, 공비가 1.002, 항의 개수가 25개인 등비수열의 합이므로 원리금 합계를 구하면 $\frac{50\{(1.002)^{25}-1\}}{1.002-1}$ $=\frac{50\times0.051}{0.002}$인데, 분모의 0.002와 분자의 0.051에 각각 1,000을 곱하고, 분자의 50과 분모의 2를 소거하면 25×51=1,275(만 원)을 얻을 수 있다.

24 | 정답 | ②

가입일은 2018년 8월 17일, 만기일은 2020년 8월 17일이므로 계약기간은 24개월이다.

| 오답풀이 |
① 총 우대금리 0.4%p 중 0.3%p는 가입 월부터 만기일 전월 말까지 조건 충족 시에 주어지는 것으로, 통장에 표기하지 않는다고 명시되어 있다. 한편 0.1%p는 가입 시점에 조건을 충족하면 주어지는 것으로, 통장에 표기한다고 명시되어 있다. 따라서 통장의 이율에는 연 2.1%가 표기되어 있어야 한다.
③ 본 상품의 첫 입금일은 최초입금액을 입금한 날이므로 180817이 적혀 있어야 한다.
④ 본 상품의 두 번째 입금일은 180901이다.
⑤ 두 번째 입금일의 계좌 잔액은 50+50=100(만 원)이다.

25 | 정답 | ①

H서점에서 출발하여 각 지점을 한 번씩 방문하는 방법은 다음과 같다.
ⅰ) H-G-B-C-F-E-D-A
　=24+25+19+34+23+38+41=204(km)
ⅱ) H-G-B-A-D-C-F-E
　=24+25+27+41+30+34+23=204(km)
ⅲ) H-G-B-A-D-E-F-C
　=24+25+27+41+38+23+34=212(km)
따라서 이동 거리가 가장 긴 경우는 212km이고, 가장 짧은 경우는 204km이다. 둘의 거리 차이는 8km이며, 김 씨는 시간당 5km를 이동하므로 이동 시간의 차이는 8÷5=1.6(시간)이다.

26 | 정답 | ①

농업용 부채는 2016년 26,730-14,806=11,924(천

원), 2017년 26,375−15,758=10,617(천 원)이므로 2017년에 전년 대비 감소하였다.

| 오답풀이 |

② 2014년 16,101÷27,878≒0.578(%), 2019년 21,212÷35,718≒0.594(%)이므로 농가부채 중 비농업용이 차지하는 비율은 2019년이 더 높다.

③ 2018년 33,269÷495,687≒0.0671(%), 2019년 35,718÷529,455≒0.0675(%)이므로 2019년 농가자산 대비 농가부채율은 전년 대비 증가하였다.

④ 당좌자산이 가장 많은 해는 2017년이며, 다른 해보다 농가부채가 적으므로 당좌자산 대비 농가부채율 또한 가장 낮다.

⑤ 차입처가 금융기관인 농가부채는 2014년에 27,878−5,523=22,355(천 원)이고, 2019년에는 35,718−3,603=32,115(천 원)이다. 따라서 32,115−22,355=9,760(천 원)=976만 원 증가하였다.

27 | 정답 | ⑤

생산량에 따른 A, B의 이익과 양사이익의 합은 다음과 같다.

생산량	6개	5개	4개	3개	2개	1개
A의 이익	30만 원	35만 원	36만 원	33만 원	26만 원	15만 원
B의 이익	48만 원	45만 원	40만 원	36만 원	28만 원	16만 원
양사이익의 합	78만 원	80만 원	76만 원	69만 원	54만 원	31만 원

따라서 두 회사가 합병하면 하루 생산량을 5개로 할 것이다.

28 | 정답 | ④

취사가 불가능한 A, C숙소를 제외한 나머지 숙소의 평가 총점을 구하면 다음과 같다(거리점수와 가격점수는 A, C숙소도 포함하여 산정).

숙소	거리 점수	예약사이트 평점	가격점수	총점
B숙소	3점	4.5점	1점(120,000원)	8.5점
D숙소	5점	3.5점	3점(105,000원)	11.5점
E숙소	1점	4.5점	2점(110,000원)	7.5점

따라서 김 상무는 총점이 가장 높은 D숙소를 예약한다.

29 | 정답 | ③

㉠ 임야 중 제주의 지가변동률이 가장 높지만 절대적인 수치는 알 수 없다.

㉢ 2016년 12월 대비 0.152% 상승하였다.

㉣ 1,000,000×1.00157=1,001,570(원)이다.

| 오답풀이 |

㉡ 세종의 변동률이 0.58%로 가장 높다.

㉢ 둘 다 변동률이 음수이므로 전월보다 지가가 하락했다.

30 | 정답 | ②

두 번째 문단의 '일방적 기부나 단순 일회성 봉사 활동을 넘어서 기업이 추구하는 사익과 사회가 추구하는 공익을 연계하려는 기업들이 증가하고 있다'를 통해 사익과 공익을 연계하려는 기업들의 증가를 알 수 있다.

| 오답풀이 |

① '환경, 빈곤, 보건, 복지, 식수, 일자리, 고령화 등 사회적으로 산적한 문제를 해결하기 위해 기업이 좀 더 적극적으로 참여하고 사회적 기여를 하도록 요구하는 정부와 국민의 기대치도 그만큼 높아졌다'를 통해 알 수 있다.

③ '주요 기관 투자자 등이 경제적 의사 결정을 하는 데 있어 기업의 사회적, 환경적 성과에 가치를 두는 사회 책임 투자(Socially Responsible Investment)가 활성화하고 있는 것도 기업이 사회적 책임 이행을 외면할 수 없는 강력한 요인이 되었다'를 통해 알 수 있다.

④ '아메리칸익스프레스의 '자유의 여신상 복원 프로젝트', 코카콜라의 '북극곰 돕기 캠페인' 등이 대표적 사례. 농협네트웍스의 경우에도~'농가 노후 주택 주거 환경 개선 사업'이 그 예다'를 통해 알 수 있다.

⑤ '조금 더 가격이 비싸더라도 사회적, 윤리적 상품을 구매하려는 윤리적 소비가 증가하고'를 통해 알 수 있다.

31 | 정답 | ②

농업인의 범위에 따르면 '가금'인 '닭'의 사육 기준은 100마리이다. 그러므로 120마리를 사육한다면 조합원 가입이 가능한 기준을 넘어선다. 하지만 제시된 자료만으로는 병아리가 사육 기준의 범위 안에 들어가는지 여부를 알 수 없으므로 적절한 추론 내용으로 볼 수 없다.

| 오답풀이 |

① '조합원의 가입 절차 시 필요 서류' 중에서 '지분양수도에 의한 가입의 경우'는 지분상속만으로도 조합원이 될 가능성이 있음을 추론할 수 있다.

③ '영농조합법인 및 농업회사법인으로서 그 주된 사무소를 농협의 구역 안에 두고 농업을 경영하는 법인으로서 출자 50좌 250,000원(법인은 500좌 2,500,000원) 이상을 납입하여 조합원으로 가입이 승인되어야 한다'를 통해 추론할 수 있다.

④ 농업인의 범위에 따르면 '1년 중 90일 이상 농업에 종사하는 자'를 기준으로 삼고 있으므로, 농번기에 △△시에 거주하며 400평을 관리한다면 조합원으로 가입할 가능성이 있음을 추론할 수 있다. 참고로 1,000㎡는 302.5평이다.
⑤ '조합원의 가입 절차 시 필요 서류'에서 지분상속 시에는 양수인과 양도인 2명의 서류가 모두 필요하지만, 상속일 경우는 가입자 본인의 서류만 필요하다는 내용을 통해 추론할 수 있다.

32
|정답| ②

준희는 연이율 3%짜리 상품에 50만 원씩 2010년 1월 1일부터 2019년 1월 1일까지 총 10번 저금하였고, 2019년 12월 31일이 되면 2019년 1월 1일에 저금한 50만 원까지 이자가 붙어 원리금 합계가 계산된다. 따라서 초항이 50만×1.03, 공비가 1.03, 항의 개수가 10개인 전형적인 원리금 합계 형태이므로, 공식을 바로 적용하면 원리금 합계는

$\dfrac{50만 \times 1.03 \times \{(1.03)^{10}-1\}}{1.03-1}$로 구할 수 있다.

진희도 준희와 마찬가지로 전형적인 원리금 합계 형태지만, 납입하는 금액이 100만 원, 납입기간이 5년이라는 차이점이 있다. 이를 반영하면 원리금 합계는

$\dfrac{100만 \times 1.03 \times \{(1.03)^{5}-1\}}{1.03-1}$이다.

준희가 받는 원리금 합계가 진희의 몇 배인지 묻고 있으므로 진희가 기준이 된다. 따라서 진희의 원리금 합계가 분모, 준희의 원리금 합계가 분자로 간 후, 분자의 1.03끼리, 분모끼리 서로 약분시켜 사라지고 50만과 100만끼리도 서로 약분시키면 $\dfrac{(1.03)^{10}-1}{2\{(1.03)^{5}-1\}}$이 된다.

그런데 $(1.03)^{10}-1=\{(1.03)^{5}\}^{2}-1=\{(1.03)^{5}+1\} \times \{(1.03)^{5}-1\}$이므로, 분자와 분모의 $\{(1.03)^{5}-1\}$을 약분하면 최종 형태는 $\dfrac{\{(1.03)^{5}+1\}}{2}$이다. 이를 계산하면 2.16÷2=1.08(배)다.

33
|정답| ②

'그 밖의 경우의 고객의 개인정보가 필요한 경우'를 보면 고객의 개인정보도 유선으로 물어볼 수 있다는 것을 알 수 있다.

|오답풀이|
① '그 밖의 경우 – 갑자기 기침이나 재채기가 나올 때'를 보면 곧바로 사과해야 함을 알 수 있다.

③ '고객의 입장만 반복할 경우 – 고객 말자름에 대한 사과와 양해'를 보면 고객의 말을 끊을 수 있다는 것을 알 수 있다.
④ '이유 없이 욕설 등 언어폭력을 행사하는 경우 – 고객 입장 표명'을 보면 흥분한 고객의 심정에 동의하며 흥분을 가라앉히는 것이 중요함을 알 수 있다.
⑤ '무조건 윗사람/책임자를 바꾸라고 하는 경우'의 어떤 경우에도 책임자를 연결하라는 지침은 없으며 최대한 자신의 선에서 마무리해야 함을 알 수 있다.

34
|정답| ①

DAVERAGE 함수는 조건에 맞는 셀의 평균을 구하는 함수로 DAVERAGE(데이터베이스 범위, 평균을 구할 열, 조건)의 형식으로 지정한다. [A1:D7] 영역의 4열에서 개발부서의 평균을 구하므로 결괏값은 (480+400)÷2=440이다.

35
|정답| ④

리보(LIBOR)금리는 'London inter-bank offered rates'의 약자로, '런던 은행 간 제공금리'라는 뜻을 가진다. 리보금리가 전 세계 금융거래의 기준이 된 것은 영국은행의 신용도가 세계 최고 수준을 자랑했기 때문이다. 그러나 현재 국제금융의 핵심 기능이 미국의 뉴욕 월가(Wall Street)로 옮겨지면서 최근 국제금융거래에 적용되는 리보금리는 대부분 뉴욕시장에서의 리보금리를 의미한다.

|오답풀이|
① Call금리: 금융기관 간 영업활동 과정에서 남거나 모자라는 자금을 30일 이내의 초단기로 빌려주고 받는 것을 '콜'이라 부르며, 이때 은행, 보험, 증권업자 간에 이루어지는 초단기 대차(貸借)에 적용되는 금리이다.
② CD금리: CD(Certificate of Deposit)란 양도성예금증서로, 시장에서 양도가 가능한 정기예금증서를 이른다. 은행은 자금조달을 위해 CD를 발행하고, 투자자는 투자의 목적으로 CD를 매입한다.
③ CP금리: CP(Commercial Paper)란 무담보 기업 어음을 이른다. 흔히 1년 이내의 단기로 발행하는데, 기업이 돈을 빌리기 위해 발행하며 증권사 등에서 인수한 후 일반인에게 판매되는 구조를 지닌다.
⑤ RP금리: RP는 환매조건부채권(RePurchase agreement)으로, 채권발행자가 일정기간이 지난 후에 다시 매입하는 조건으로 채권을 매도해 수요자가 단기자금을 조달하는 금융거래방식이다.

36

| 정답 | ④

- 애호박을 1,000개 수확하는 경우 개당 판매가는 2,500원이고, 이때 판매량은 700개이다. 즉, 총 판매수익은 $700 \times 2,500$원, 총 생산원가는 $1,000 \times 500$원이므로 이익은 $(700 \times 2,500) - (1,000 \times 500) = 1,250,000$(원)이다.
- 애호박을 1,200개 수확하는 경우 개당 판매가는 2,200원이고, 이때 판매량은 900개이다. 즉, 총 판매수익은 $900 \times 2,200$원, 총 생산원가는 $1,200 \times 500$원이므로 이익은 $(900 \times 2,200) - (1,200 \times 500) = 1,380,000$(원)이다.
- 애호박을 1,400개 수확하는 경우 개당 판매가는 2,000원이고, 이때 판매량은 1,000개이다. 즉, 총 판매수익은 $1,000 \times 2,000$원, 총 생산원가는 $1,400 \times 500$원이므로 이익은 $(1,000 \times 2,000) - (1,400 \times 500) = 1,300,000$(원)이다.
- 애호박을 1,600개 수확하는 경우 개당 판매가는 1,600원이고, 이때 판매량은 1,250개이다. 즉, 총 판매수익은 $1,250 \times 1,600$원, 총 생산원가는 $1,600 \times 500$원이므로 이익은 $(1,250 \times 1,600) - (1,600 \times 500) = 1,200,000$(원)이다.
- 애호박을 1,800개 수확하는 경우 개당 판매가는 1,200원이고, 이때 판매량은 1,600개이다. 즉, 총 판매수익은 $1,600 \times 1,200$원, 총 생산원가는 $1,800 \times 500$원이므로 이익은 $(1,600 \times 1,200) - (1,800 \times 500) = 1,020,000$(원)이다.
- 애호박을 2,000개 수확하는 경우 개당 판매가는 1,000원이고, 이때 판매량은 1,750개이다. 즉, 총 판매수익은 $1,750 \times 1,000$원, 총 생산원가는 $2,000 \times 500$원이므로 이익은 $(1,750 \times 1,000) - (2,000 \times 500) = 750,000$(원)이다.

따라서 애호박을 1,200개 수확할 때 이익이 1,380,000원으로 가장 크다.

37

| 정답 | ③

각 브랜드별 소파에 대한 갑과 을의 총점을 구하면 다음과 같다.

[표] 브랜드별 갑과 을의 평가 총점 및 평균   (단위: 점)

브랜드	갑의 평가 점수	을의 평가 점수	평균
A	$\dfrac{8 \times 0.3 + 10 \times 0.7}{9}$ ≒1.04	$\dfrac{9 \times 0.3 + 10 \times 0.7}{8}$ ≒1.21	1.13
B	$\dfrac{10 \times 0.3 + 10 \times 0.7}{10}$ $=1$	$\dfrac{9 \times 0.3 + 9 \times 0.7}{9}$ $=1$	1
C	$\dfrac{10 \times 0.3 + 6 \times 0.7}{6}$ $=1.2$	$\dfrac{9 \times 0.3 + 6 \times 0.7}{6}$ $=1.15$	1.18
D	$\dfrac{8 \times 0.3 + 8 \times 0.7}{7}$ ≒1.14	$\dfrac{9 \times 0.3 + 8 \times 0.7}{7}$ ≒1.19	1.16
E	$\dfrac{9 \times 0.3 + 10 \times 0.7}{9}$ ≒1.08	$\dfrac{10 \times 0.3 + 10 \times 0.7}{8}$ ≒1.25	1.17
F	$\dfrac{7 \times 0.3 + 9 \times 0.7}{6}$ $=1.4$	$\dfrac{8 \times 0.3 + 8 \times 0.7}{7}$ ≒1.14	1.27
G	$\dfrac{10 \times 0.3 + 8 \times 0.7}{8}$ ≒1.08	$\dfrac{10 \times 0.3 + 9 \times 0.7}{8}$ ≒1.16	1.12
H	$\dfrac{9 \times 0.3 + 9 \times 0.7}{7}$ ≒1.29	$\dfrac{8 \times 0.3 + 10 \times 0.7}{7}$ ≒1.34	1.32

만족도의 평균이 가장 높으면서 갑과 을의 평가 점수가 1.1점을 초과하는 브랜드는 H이다. 따라서 갑과 을이 구입하는 소파의 가격은 80만 원이다.

38

| 정답 | ④

마지막 문단의 '대외 부채에 비해 수익률이 높고 자본 이득이 큰 대외 자산을 소유하면 외국으로부터 부와 순소득을 얻을 수 있지만, 수익률이 낮고 자본 이득이 작은 대외 자산을 소유하면 외국에 부와 순소득을 지급하게 된다'를 통해 수익률이 낮고 자본 이득이 작은 대외 자산을 소유하면 외국에 부와 순소득을 지급함을 알 수 있다.

| 오답풀이 |

① '우리나라의 가장 주된 관심사는 '또다시 급격한 자본 유출이 발생해 외환 위기, 금융 위기가 재발하지 않을까'였다' 부분과 '우리나라는 이에 대비하기 위해 외환보유액, 글로벌 금융 안전망의 확대, 거시 건전성 정책의 강화 등 그동안 다방면으로 준비해 왔고'를 통해 알 수 있다.

② '우리나라의 금융 글로벌화 과정에서 나타난 가장 큰 문제점은 국제 자본의 급격한 유출으로 인해 외환 위기, 금융 위기가 발생한 것이었다'를 통해 알 수 있다.

③ '국제 무역의 부진에도 불구하고 최근 세계 경제의 글로벌화를 이끄는 또 다른 축인 국제 자산 거래, 금융 거래는 지속해서 증가하고 있다'를 통해 알 수 있다.

⑤ '국제 자산 거래와 금융 거래가 지속적으로 증가하면서 우리나라의 대외 자산과 대외 부채가 지속적으로 축적됐고'를 통

해 알 수 있다.

39
│정답│④

김 대리의 부주의로 인해 고장이 발생하였으므로 유상수리 대상이다. 비용은 부품비＋수리비로 구성되어 있으며 직접 방문하였으므로 출장비가 추가되지 않는다. 부품비는 액정 134,000원, 전면 카메라 33,000원으로 총 167,000원이고, 1시간 26분 소요되었으므로 수리비는 20,000＋8,000＝28,000(원)이다. 따라서 총비용은 167,000＋28,000＝195,000(원)이다.

40
│정답│③

제품 이상이긴 하지만 무상 보증 기간 이후이므로 유상수리 적용 대상이다. 부품비는 145,000원이고, 수리비는 20,000원이다. 평일 오전에 출장 수리를 맡겼으므로 출장비는 15,000원이다. 따라서 총비용은 145,000＋20,000＋15,000＝180,000(원)이다.

41
│정답│④

상속 관계에 있는 클래스의 경우 서브 클래스의 생성자를 실행하기 전에 먼저 슈퍼 클래스에서 매개 변수가 없는 기본 생성자가 자동으로 호출된다.
B a ＝ new B("#") ; 구문이 실행될 때 A 클래스의 기본 생성자가 먼저 호출되므로 "A"가 출력되고 B 클래스의 매개 변수가 있는 생성자가 수행되므로 "D"가 출력된다.

42
│정답│④

B b＝new B( ) ; 구문이 실행될 때 A 클래스의 기본 생성자가 먼저 호출되므로 "A"가 출력되고 B 클래스의 기본 생성자가 수행되므로 "C"가 출력된다.

43
│정답│④

할인 혜택을 반영한 A의 최종 결제액
• 무 5개: 5개 이상 구매 시, 개당 400원이 할인이므로 총 2,000원이 할인된다.
• 배추 12포기: 3포기 구매 시, 1포기가 추가 증정되므로 9포기만 계산하면 된다.
따라서 A의 결제액은 $(2,000 \times 5) - 2,000 + (3,000 \times$

$9) + (2,500 \times 3) + (5,000 \times 2) = 52,500$(원)이고, 50,000원 이상 구매하였으므로 배송료는 무료이다.
할인 혜택을 반영한 B의 최종 결제액
• 양파 2kg: 2kg 이상 구매 시, 3,000원 할인이므로 총 3,000원 할인된다.
• 감자 1.8kg: 1.5kg 이상 구매 시, 15% 할인이 적용되므로 감자 가격에 할인이 적용된다.
• 당근 15개: 10개 이상 구매 시, 5개당 500원 할인이 적용되므로 총 1,500원이 할인된다.
따라서 B의 결제액은 $(5,000 \times 4) - 3,000 + (4,000 \times 6 \times 0.85) + (4,000 \times 3) - 1,500 = 47,900$(원)이고, 50,000원 미만으로 주문하여 배송료가 추가되므로 최종 결제액은 47,900＋4,000＝51,900(원)이다.
그러므로 A와 B의 결제액은 각각 52,500원, 51,900원이다.

44
│정답│④

계약을 청약하면서 보험설계사에게 고혈압 병력을 구두로만 전하고 청약서의 계약 전 알릴 사항에 아무런 기재도 하지 않을 경우에는 보험설계사에게 고혈압 병력을 이야기하였다고 하더라도, 회사는 계약 전 알릴 의무 위반을 이유로 계약을 해지하고 보험금은 지급하지 않을 수 있다. 다만, 계약자 또는 피보험자가 고의 또는 중대한 과실로 중요한 사항에 대하여 사실과 다르게 알린 경우이더라도 제14조(계약 전 알릴 의무 위반의 효과) 각 항에 해당하는 경우에는 회사가 일방적으로 계약을 해지할 수 없다.
약관 제14조 제2항 '회사가 그 사실을 안 날부터 1개월 이상 지났거나 또는 제1회 보험료를 받은 날부터 보험금 지급사유가 발생하지 않고 2년(진단계약의 경우 질병에 대해서는 1년)이 지났을 때'는 회사가 계약을 해지할 수 없는 경우이다. 문의한 고객은 이미 보험료를 2년을 초과해서 납부했으므로, 회사가 보험을 강제로 해지하는 것은 약관을 위반하는 행위에 해당한다고 할 수 있다.

45
│정답│①

㉠ 약정서의 사본을 대출거래자가 받는 것이므로, 사전적으로 '1) 내어줌 2) [법률] 물건을 인도하는 일'을 의미하는 '교부'가 적절하다.
㉡ 약정서의 내용을 승인하고 확인했다는 결정 및 확인에 대한 내용이 들어가야 하므로, '확실하게 약속함. 또는 그런 약속'을 의미하는 '확약'이 적절하다.

ⓒ 대출금을 만료일에 갚는다는 뜻이므로, '갚거나 돌려줌'의 의미인 '상환'이 적절하다.
ⓔ 문맥상 대출개시일로부터 6년간 갚지 않다가, 7년차부터 원금을 분할하여 상환한다는 뜻이다. 따라서 원금을 갚지 않고 이자만 내는 기간인 '거치'가 적절하다.

46 | 정답 | ②

수제버거 수요가 증가하고 테이크아웃 문화가 확산되는 것은 기업 내부가 아닌 외부환경에서 일어난 긍정적인 요인으로 기회요인(O)이다. 식재료 물가가 상승하고 일회용품 등 포장용기 사용을 제한하는 정책은 가게에 불리하게 작용하는 외부환경의 요인이므로 위협요인(T)이다. 반면에 신선한 재료만을 사용하고, 넓은 매장을 보유하고 있는 점은 경쟁사와 비교되는 기업 자체의 내부 강점(S)에 해당되며, 높은 가격의 한정된 메뉴는 기업 내부의 약점(W)에 해당된다.
따라서 A는 O(기회), B는 위협(T), C는 S(강점), D는 W(약점)요인이다.

47 | 정답 | ④

내수용 1,000대의 1대당 판매이익은 20만 원, 수출용 1,000대의 1대당 판매이익은 70만 원이며, 전체 판매이익은 9억 원이다. 따라서 2,000대를 생산하여 1,000대는 국내에 판매하고, 1,000대는 일본에 수출하는 것이 가장 큰 판매이익을 얻는 방안이다.

| 오답풀이 |
① 1대당 판매이익은 30만 원이고 1,000대를 생산하므로 전체 판매이익은 3억 원이다.
② 1대당 판매이익은 20만 원이고 2,000대를 생산하므로 전체 판매이익은 4억 원이다.
③ 1대당 판매이익은 80만 원이고 1,000대를 생산하므로 전체 판매이익은 8억 원이다.
⑤ 내수용 2,000대의 1대당 판매이익은 0원, 수출용 1,000대의 1대당 판매이익은 50만 원이므로 전체 판매이익은 5억 원이다.

48 | 정답 | ③

김 이사가 B방안과 C방안을 거부하면, 박 이사는 자신의 2순위인 D방안이 선정되도록 하기 위해 A방안을 거부하고, 최 이사는 남은 두 방안 중 E방안을 거부하여 D방안이 선정된다.

| 오답풀이 |
① 김 이사가 A방안과 B방안을 거부하면, 박 이사가 D방안을 거부하든 E방안을 거부하든 자신의 1순위인 C방안을 제외한 나머지 방안을 최 이사가 거부하게 된다. 따라서 C방안이 선정된다.
② 김 이사가 A방안과 E방안을 거부하면, 박 이사는 자신의 1순위인 C방안이 선정되도록 하기 위해 B방안을 거부하고, 최 이사는 D방안을 거부하여 C방안이 선정된다.
④ 김 이사가 B방안과 E방안을 거부하면, 박 이사가 D방안을 거부하든 A방안을 거부하든 자신의 1순위인 C방안을 제외한 나머지 방안을 최 이사가 거부하게 된다. 따라서 C방안이 선정된다.
⑤ D방안은 김 이사의 1순위이므로 거부해서는 안 된다.

49 | 정답 | ⑤

P씨의 한 달 수익을 계산하면 다음과 같다.
• 전공 학생 레슨: $400,000 \times 3 = 1,200,000$(원)
• 라이브 카페 공연: $100,000 \times 2 = 200,000$(원)
• 교회 반주: $50,000 \times 4 = 200,000$(원)
• T음악학원 출강: $150,000 \times 3 = 450,000$(원)
• 음악 관련 서적 감수: $200,000 \times 3 = 600,000$(원)
따라서 P씨의 한 달 총수익은 $1,200,000 + 200,000 + 200,000 + 450,000 + 600,000 = 2,650,000$(원)이다.
만약 P씨가 T음악학원에 고용될 경우 교회 반주 업무만 지속 가능하므로, 포기하게 되는 금액은 $2,650,000 - 200,000 = 2,450,000$(원)이다. T음악학원에서 이 금액의 120%를 월급으로 제시할 경우 $2,450,000 \times 1.2 = 2,940,000$(원)이다. 이를 연봉으로 계산하면 $2,940,000 \times 12 = 35,280,000$(원)이다.

50 | 정답 | ④

ⓒ 대중교통 수송 분담률은 전년보다 높아졌지만, 육상 교통수단 총 여객 수송 실적과 대중교통수단을 이용한 인원이 달라질 수 있으므로, 대중교통수단을 이용한 이동 거리가 증가한 것인지는 알 수 없다.
ⓔ 육상 교통수단 총 여객 수송 실적이 커지면 나누는 값이 커지는 것이므로, 대중교통 수송 분담률은 낮아진다.
ⓕ 육상 교통수단을 이용한 인원과 대중교통 여객을 이용한 인원이 같지 않을 수 있으므로 알 수 없다.

| 오답풀이 |
⊙ 연도별 대중교통 수송 분담률 추이를 보았을 때 가장 낮은 국가는 호주일 것이고, 두 번째로 낮은 국가는 네덜란드 또는 영국일 것이다. (영국 평균)−(네덜란드의 평균)=(영국−네덜란드)의

평균과 같으므로, (영국-네덜란드)의 평균을 구해 보면 (0.2+0.6+0.3+0.1-0.1-0.6)÷6=0.5÷6＞0이므로 영국이 네덜란드보다 평균 대중교통 수송 분담률이 높다. 따라서 두 번째로 낮은 곳은 네덜란드이다.
ⓜ 대중교통 수송 분담률은 매년 우리나라 다음으로 스위스가 높다.

직무상식평가								P.310~321	
01	④	02	⑤	03	⑤	04	⑤	05	④
06	①	07	①	08	⑤	09	②	10	②
11	③	12	⑤	13	③	14	③	15	①
16	③	17	⑤	18	①	19	②	20	④
21	③	22	③	23	④	24	②	25	④
26	③	27	③	28	①	29	②	30	⑤

01
| 정답 | ④

농협은 '우리 땅에서 생산된 먹거리가 우리 몸에 좋다'라는 의미인 신토불이(身土不二)를 기치로 내세워 1989년 농산물 애용 운동인 신토불이운동을 전개하였으며, 쌀 시장 개방을 반대하는 범국민 서명 운동에 1,300만여 명의 국민의 서명을 모았다. 이외에 2011~2015년 식생활과 식문화 운동을 이끈 '식사랑 농사랑운동'을 진행하였으며, 2020년 이후로 농촌 봉사 활동 등 '국민과 함께하는 도농 상생 활성화' 프로그램을 통해 시대 변화에 부응한 농촌 운동을 전개하고 있다.

02
| 정답 | ⑤

주식회사는 상법에 의한 신고에 따라 설립할 수 있다. 영리성을 띠는 일반적인 협동조합은 협동조합기본법에 따라 신고를 통해 설립되며, 비영리적 성격을 띠는 사회적 협동조합의 경우 인가를 통해 설립된다.
이외에도 주식회사의 경우 주주총회의 결정에 따라 자율적으로 배당하지만, 협동조합의 경우 출자금의 10% 이하로 배당을 제한하는 차이점이 있다.

03
| 정답 | ⑤

서비스 농협은 조합원이 농기계, 저장시설, 차량 등과 같은 설비를 공동으로 이용하려는 목적으로, 물자·노동력 등을 제공하여 조직하는 형태이다.

| 오답풀이 |
① 구매 농협: 조합원이 생산 과정에 필요한 물자를 공동으로 구매하여 생산 원가를 낮추기 위해 조직된다.
② 신용 농협: 조합원 간 자금의 과잉이나 부족을 자족적으로 해결하고 융통하기 위하여 조직된다.
③ 종합 농협: 구매 농협, 신용 농협, 판매 농협을 아울러 농업과 관련된 다양한 사업을 동시에 수행하는 농협의 유형이다.
④ 판매 농협: 조합원이 생산한 농산물을 공동으로 판매하여 대량 거래를 통해 시장 교섭력을 강화하기 위한 목적으로 조직된다.

04

'쌀의 날'은 '쌀 미(米)'에 포함된 자획을 풀고 나누어 '㉠ 八·十·八(8·10·8)'로 표시해 매년 ㉡ 8월 18일로 지정되었다. 2015년부터 농협과 정부의 협력으로 추진된 쌀 소비 촉진 운동은 2020년에 제6회 행사가 개최되어 다양한 홍보 활동을 통해 쌀에 대한 시민들의 관심을 환기하였다.

05

| 정답 | ④

빅데이터, AI, 블록체인 등 4차 산업혁명 기술을 융합한 NH스마트뱅킹, 올원뱅크 등의 플랫폼 서비스를 제공하여 미래 성장 동력을 창출하는 디지털 혁신 가치를 구현하고 있다. 가상 화폐 거래소 신설은 농협과 관련이 없는 사업이다.

| 오답풀이 |

① '농업인과 소비자가 함께 웃는 유통 대변화'를 구현한 사례이다.
② '정체성이 살아 있는 든든한 농협'을 구현한 사례이다.
③ '지역과 함께 만드는 살고 싶은 농촌'을 구현한 사례이다.
⑤ '경쟁력 있는 농업, 잘 사는 농업인'을 구현한 사례이다.

06

| 정답 | ①

청탁(請託)이란 '청하여 남에게 부탁함'이라는 뜻이다. NH농협은행은 '청탁 등록 시스템'을 운영하여 외부 청탁을 사전에 방지하고 공정한 업무 수행을 장려하고 있다.

| 오답풀이 |

② 행동 지침 상담 센터: 업무 과정에서 겪을 수 있는 윤리적 갈등 상황에 대한 해결책을 제시하고 있다.
③ NH윤리실천 프로그램: 법규 준수 점검, 명절 선물 반송 센터 운영 등을 통해 내부 규정 준수를 생활화하고 있다.
④ 계약 사무 모니터링 및 클린 콜: 계약 사무상의 위법이나 부당한 행위를 예방하여 신뢰를 형성하고 있다.
⑤ 임직원 금융 투자 상품 매매 신고: 내부자 거래 및 이해 상충 행위 금지 등 분기마다 법규 위반 여부를 점검하고 있다.

07

| 정답 | ①

데이터 라벨링(Data labelling)이란 인공지능의 알고리즘 고도화를 위해 학습이 가능한 형태로 데이터를 가공하는 작업이다. 인공지능 시스템을 초기에 구축할 때에는 특정한 음성이나 영상, 사진 등이 어떤 내용을 담고 있는지 하나씩 지정해야 하므로, 시간이 오래 걸리고 소모되는 비용이 크다. 이때 양질의 데이터를 사용하는 것이 중요하지만, 자료를 수집하여 무작위로 표본을 추출하는 과정만으로는 학습에 적합한 데이터로 활용할 수 없으므로 사례로 적절하지 않다.

08

| 정답 | ⑤

㉠ 스마트 계약(Smart contract)은 거래 조건에 부합하면 계약이 이행되는 디지털 계약 방식이다. 기존 방식보다 거래 절차가 간소하여 거래 비용을 절감할 수 있는 장점이 있어 해외 금융 업계에서 순차적으로 도입하고 있다. 스마트 계약을 최초로 구현한 암호 화폐 플랫폼인 ㉡ 이더리움(Ethereum)은 거래 정보 외에도 특정 조건에 부합할 때 거래가 일어날 수 있다는 내용을 프로그램으로 설정이 가능하도록 하여 거래의 투명성을 보장한다.

09

| 정답 | ②

O4O(Online for Offline)란 온라인을 중심으로 수집한 데이터를 차별화된 상품 기획이나 판매 등에 적용하여 오프라인 매장으로 사업을 확장하는 현상이다. 온라인 쇼핑몰이 오프라인 지점을 개설하여 운영하는 사례를 예로 들 수 있다.

| 오답풀이 |

① O2O(Online to Offline): 온라인과 오프라인이 결합하여 전자 상거래나 마케팅 분야에서 나타나는 현상이다.
③ P2P(People to People): 온라인 등을 통해 개인의 수요와 그에 따른 공급자를 연결하는 거래 형태이다.
④ B2B(Business to Business): 도매업과 소매업, 제조사와 판매사 등 기업 간에 이루어지는 거래 형태이다.
⑤ B2C(Business to Consumer): 전자 상거래 등 기업과 소비자 간에 직접적으로 이루어지는 거래 형태이다.

10

| 정답 | ②

- 회계적 비용: 1억 원에 대한 은행 이자 100만 원＋원자재 500만 원＋가게의 임대료 300만 원＋인건비 200만 원＝1,100만 원
- 암묵적 비용: 귀속임금 300만 원＋귀속이자 100만 원＝400만 원
- 경제적 비용: 회계적 비용＋암묵적 비용
$$=1,100+400=1,500(만 원)$$
- 경제적 이윤: 회계적 수입－경제적 비용
$$=2,000-1,500=500(만 원)$$

11
| 정답 | ③

- (가)의 상황: 자본축적은 공급능력을 향상시켜 총공급이 증가하므로, 총공급곡선이 우측으로 이동한다.
- (나)의 상황: 중앙은행의 국공채 매입으로 통화량이 증가하므로, 총수요가 증가하여 총수요곡선을 우측으로 이동시킨다.

총수요의 증가와 총공급의 증가는 갑국의 생산을 증가시키므로 경기를 활성화시키는 요인이 된다.

| 오답풀이 |

① (가)의 상황은 총공급곡선을 우측으로 이동시킨다.
② (나)의 상황은 총수요곡선을 우측으로 이동시킨다.
④ 총수요의 증가는 물가를 상승시키고, 총공급의 증가는 물가를 하락시킨다. 따라서 총수요의 증가효과가 총공급의 증가효과보다 크다면 물가는 상승한다.
⑤ (가)의 상황은 총공급곡선의 우측 이동이고, (나)의 상황은 총수요곡선의 우측 이동이다.

12
| 정답 | ⑤

후불 버스나 편의점 현장에서 주로 발생하는 금융거래는 소액 결제이다. 따라서 제시된 핀테크 기술 중 소액 결제를 보다 간편하게 할 수 있도록 하는 지급결제가 가장 적합하다. 간편송금도 정답이 될 수 있을 것 같지만, 간편송금은 단순히 돈을 이동시키는 것으로 사업자의 매출이 발생하는 결제와는 별개의 개념이다.

13
| 정답 | ③

사용자들 간에 아이템이나 게임 화폐를 자주 거래하므로, 소비자들의 편의를 위해 간편하게 게임 화폐를 충전하거나 아이템을 거래할 수 있는 시스템을 지급결제 기술을 활용하여 구축할 수 있다.

| 오답풀이 |

① 크라우드 펀딩은 소액의 사업자금을 모집하는 행위이므로, 대규모 신규 프로젝트의 개발 자금 추가 조달에는 적합하지 않다.
② 해당 회사는 투자 및 자금 운용 회사가 아닌 스마트폰 게임회사이므로, 로드바이저 시스템을 활용한 투자 자금 유치는 적합하지 않다.
④ 일반적인 생체인증을 활용한 로그인 시스템은 소비자들의 편의를 높일 수 있지만, 걸음걸이는 스마트폰 게임 소비자 편의 증진에 적합하지 않다.
⑤ 수집한 고객 정보를 고객의 동의 없이 타 기업에 판매하는 행위는 법률적인 문제를 야기할 수 있으므로 적합하지 않다.

14
| 정답 | ③

관세가 철폐되면 Y재의 국내 거래량은 총 Q_2가 된다. 이 중 Q_1까지는 국내 생산자들이 공급하는 물량이고, $Q_1 \sim Q_2$만큼은 수입 물량으로 채워진다. 따라서 관세가 철폐되어 수입이 이루어지면 $Q_0 \sim Q_2$만큼 Y재의 거래량은 증가한다.

| 오답풀이 |

① 관세가 부과되던 시기에는 칠레산 Y재의 수입 가격은 P_1로 국내 가격보다 높으므로 수입은 되지 않는다. 따라서 칠레산 Y재의 국내 거래량은 없다.
② 관세가 철폐되면 칠레산 Y재의 수입 가격은 P_2로 하락하고 국내 가격보다 싸기 때문에 수입이 이루어진다. 이때 칠레산 Y재의 수입량은 $Q_1 \sim Q_2$이다.
④ 수입이 개시되면 우리나라의 국제수지는 수입물량의 가치 $(P_2 \times (Q_1 \sim Q_2))$만큼 악화된다.
⑤ 관세가 부과되던 시기에는 수입은 되지 않으므로 국내 가격은 P_0이다.

15
| 정답 | ①

㉠ 실망실업자는 구직을 단념한 사람으로, 비경제 활동 인구에 해당한다.
㉡ 파업, 병가, 휴가 등의 이유로 인한 일시휴직자는 취업자로 분류된다.

| 오답풀이 |

㉢ 지난달에 비해 실업자 수가 늘었더라도 비경제 활동 인구에서 취업자로 직접 이동한 사람이 많았다면 실업률이 하락하는 것이 가능하다.
㉣ 취업자 수의 변화가 없을 때에도 구직활동을 새로 시작한 사람이 증가하면 실업자가 증가한 것이므로 실업률이 상승한다.
㉤ 비경제 활동 인구만 증가하면 생산 가능 인구가 증가한 채 경제 활동 인구는 불변이므로 경제 활동 참가율은 낮아진다.

16
| 정답 | ③

최저가격을 균형가격보다 높게 책정하면 규정된 최저가격 이하로 판매하려는 공급자가 출현하며, 이로 인해 암시장이 나타날 수 있다.

| 오답풀이 |

①, ② 최고가격제(가격상한제)는 시장의 균형가격이 너무 높다고 판단하여 정부가 최고가격(상한가격)을 책정하는 것이므로 최고가격(상한가격)은 시장의 균형가격보다 아래에 존재한다. 가격상한제가 실시되면 시장에서 초과수요와 암시장이 발생하면서 사회적 후생손실이 발생한다.
④ 최저가격제(가격하한제)는 시장의 균형가격이 너무 낮다고 판

단하여 정부가 최저가격(하한가격)을 책정하는 것이므로 최저가격(하한가격)은 시장의 균형가격보다 위에 존재한다. 만약 최저가격(하한가격)이 균형가격 미만에서 책정되면 정책효과는 없다.

⑤ 미숙련 노동자의 노동수요에 대한 임금탄력성은 매우 크게 나타나므로 최저임금제 실시 후 임금이 상승하면 상대적으로 노동수요량 감소율이 크게 나타난다. 따라서 최저임금제는 미숙련 노동자의 취업을 더 어렵게 만든다.

17 | 정답 | ⑤

㉠ 인플레이션이 일어나는 경우에는 기업이 수시로 자신들이 공급하는 재화나 서비스의 가격표를 교체해야 한다. 즉, 음식점은 메뉴판을 새로 만들어야 하고, 백화점은 카탈로그를 다시 인쇄해야 하는 메뉴 비용이 증가하게 된다.

㉣ 인플레이션이 발생하였는데도 메뉴 비용이 커서 가격조정을 하지 않으면 연말의 가격은 상대적으로 저렴해서 연초에 비해 판매량이 증가한다. 이로 인해 자원배분 비용이 증가한다.

㉤ 인플레이션은 명목이자율을 상승시켜 화폐보유의 기회비용을 증가시키고 사람들의 화폐보유량을 줄이게 한다. 화폐보유량은 줄었으나 현금 사용 금액은 변하지 않았다면 더 자주 은행을 방문해야 하고 현금인출기를 이용해야 한다.

| 오답풀이 |

㉡ 기대된 인플레이션하에서는 계약의 장·단기를 불문하고 인플레이션의 영향을 모두 반영할 수 있기 때문에 계약기간에 대한 선호가 있을 수 없다.

㉢ 상품을 구매한 후 신용카드로 결제하여 현금 지급을 늦추는 경우 인플레이션 때문에 현금으로 구매하였을 때보다 실질구매가격이 하락하여 신용카드의 사용을 선호하게 만든다.

18 | 정답 | ①

별(star)에 해당하는 사업 영역은 시장 예측에 기반을 두어 사업을 더 확장하고 자원을 추가 투입한다.

| 오답풀이 |

②, ④는 개(dog)에 해당하는 전략이다.
③ 현금젖소(cash cow)에 해당하는 전략이다.
⑤ 물음표(question mark)에 해당하는 전략이다.

19 | 정답 | ②

• 물가가 변동하면 총수요곡선상의 변화를 가져오고, 물가 이외의 요인에 의해 총수요가 변하면 총수요곡선 자체가 변동한다.

• 물가의 하락 → 명목화폐수요의 감소 → 이자율의 하락 → 자본유출 → 국제수지 적자 → 환율 상승 → 수출의 증가, 수입의 감소 → 순수출의 증가 → 총수요의 증가(but 총수요곡선상의 변화)

| 오답풀이 |

① 확장적 통화정책 → 화폐공급의 증가 → 이자율의 하락 → 소비와 투자의 증가 → 총수요의 증가
③ 투자세액공제 확대 → 투자의 증가 → 총수요의 증가
④ 향후 물가상승의 예상 → 물가상승 이전에 가수요의 증가 → 총수요의 증가
⑤ 기술진보 → 총생산 증가 → 장기총공급곡선 우측 이동

20 | 정답 | ④

선택에서 발생하는 비용과 편익을 비교하여 가장 큰 대안을 선택하는 것이 합리적 선택이다. 갑이 떡볶이를 먹을 때 순편익은 0원이며, 커피를 마실 때 순편익은 −2,000원이므로 편익보다 비용이 더 크다. 연극 관람을 할 때 순편익은 2,000원으로, 갑의 취미 활동 중 연극 관람의 순편익이 가장 크다.

| 오답풀이 |

①, ② 순편익이 큰 연극 관람이 가장 합리적 선택이다.
③ 커피를 마실 때 순편익은 −2,000원이다.
⑤ 기회비용은 선택하지 않은 행동 중 가장 가치가 큰 것이다. 연극 관람의 기회비용은 떡볶이를 먹는 것이지만, 커피를 마시는 기회비용은 연극 관람이기 때문에 둘의 기회비용은 다르다.

21 | 정답 | ③

전일 대비 주가 상승률이 가장 높은 종목은 B이다. 주가가 상승한 종목은 D와 B뿐인데, 둘을 비교하면 B의 상승률이 높다는 것을 알 수 있다. 주가상승률을 구하기 위해서는 [표]에 나타난 금일 종가와 등락폭을 이용해 구한 전일 종가와의 비율을 계산하면 된다.

| 오답풀이 |

① 발행 주식 수가 나타나 있지 않기 때문에 시가총액에 대한 정보는 알 수 없다.
② 전일 주가가 가장 높은 종목은 B이다.
④ D종목은 거래량은 크지만 금액이 작아 거래액은 가장 작다.
⑤ C종목은 전일 종가에 비해 오늘 고가가 낮으므로, 상승 출발하지 않았음을 알 수 있다.

22
|정답| ③

BCG 매트릭스는 상대적 시장점유율은 1을 기준으로 고·저로 구분하고, 시장(산업)성장률은 10%를 기준으로 고·저로 분류한다. 따라서 우리기업은 현재 시장에서 시장점유율 1위를 차지하고 있기 때문에 상대적 시장점유율은 1보다 크고, 시장성장률이 15%이기 때문에 시장성장률도 높다. 따라서 우리기업은 별(star)에 해당한다.

23
|정답| ④

을은 X재를 'Y재 1개'의 비용으로 생산하고 갑은 X재를 'Y재 2개'의 비용으로 생산하는 셈이다. 따라서 을이 X재 1개를 Y재 1~2개 사이에서 교환하자고 제안할 때, 거래는 성립될 것이다. 만약 을이 X재 1개를 Y재 2개 이상과 교환하자고 제안하면, 갑은 자신이 직접 X재를 생산할 것이기 때문이다. 이상과 같은 논리로 X재의 교환조건은 항상 갑과 을의 X재 생산의 기회비용 사이에서 결정된다.

|오답풀이|
① 갑은 X재 1개를 생산하면 Y재 2개의 생산을 포기해야만 한다. 따라서 갑의 X재 생산의 기회비용은 Y재 2개이다.
② 을은 X재 2개를 생산하면 Y재 2개의 생산을 포기해야만 한다. 따라서 을의 X재 생산의 기회비용은 Y재 1개이다.
③ X재 생산의 기회비용은 을이 적다. 따라서 X재는 을이 특화하여 생산한다.
⑤ 시간당 X재의 생산량이 갑은 1단위이고 을은 2단위이므로, 갑은 X재 생산에 절대열위에 있다.

24
|정답| ②

• 한라산수가 광고함을 선택했을 때 백두산수가 광고함을 선택하면 백두산수의 보수는 25이고, 광고 안 함을 선택하면 백두산수의 보수는 15이므로 백두산수는 광고함을 선택한다. 한라산수가 광고 안 함을 선택했을 때 백두산수가 광고함을 선택하면 백두산수의 보수는 30이고, 광고 안 함을 선택하면 백두산수의 보수는 40이므로 백두산수는 광고 안 함을 선택한다. 따라서 백두산수의 우월전략은 존재하지 않는다.
• 백두산수가 광고함을 선택했을 때 한라산수가 광고함을 선택하면 한라산수의 보수는 15이고, 광고 안 함을 선택하면 한라산수의 보수는 0이므로 한라산수는 광고함을 선택한다. 백두산수가 광고 안 함을 선택했을 때 한라산수가 광고함을 선택하면 한라산수의 보수는 20이고, 광고 안 함을 선택하면 한라산수의 보수는 5이므로 한라산수는 광고함을 선택한다. 따라서 한라산수의 우월전략은 광고함이 된다.
• 한라산수의 우월전략은 광고함이 되고, 한라산수가 광고함을 선택했을 때 백두산수는 광고함을 선택하므로 내쉬균형은 (광고함, 광고함)이 된다.

|오답풀이|
ⓒ 한라산수가 광고함을 선택했을 때 백두산수는 광고함을 선택하고, 한라산수가 광고 안 함을 선택했을 때 백두산수는 광고 안 함을 선택하므로 백두산수의 우월전략은 존재하지 않는다.

25
|정답| ④

세금을 납부하는 납세자와 실제 세금을 부담하는 담세자가 일치하는 경우를 직접세라고 하고, 일치하지 않는 경우를 간접세라고 한다. 따라서 (가)는 직접세이고, (나)는 간접세이다. 직접세와 비교해 간접세는 소득재분배효과가 작고, 조세전가가 나타나는 문제 등이 있다.

|오답풀이|
① 조세전가가 나타나는 조세는 (나)이다.
② (가)는 직접세, (나)는 간접세이다.
③ 소득, 재산에 부과되는 조세는 납세자와 담세자가 일치하는 직접세이다.
⑤ 부가가치세는 간접세, 법인세는 직접세의 대표적인 세목이다.

26
|정답| ③

기대수익률은 발생 확률과 기대가격을 곱한 뒤 더하는 기대가격을 통해 구할 수 있다. A기업의 기대가격은 $0.25 \times 20,000 + 0.75 \times 10,000 = 12,500$(원)이고, B기업의 기대가격은 $0.25 \times 4,000 + 0.75 \times 1,000 = 1,750$(원)이다. 이때 기대수익률은 각각 25%, 75%이다.

27
|정답| ③

• [표1]은 지출 측면의 국민소득, [표2]는 분배 측면의 국민소득이다.
• 지출국민소득을 구성하는 항목 중 투자에는 외국에서 생산된 기계구입대금이 포함된다. 소비와 투자에서는 외국 상품에 대한 소비와 투자가 포함된다. 이들은 모두 마지막 항목 순수출(=수출−수입)에서 한꺼번에 공제된다.

① 지출국민소득 중 순수출이 차지하는 비율이 5%라는 것은 수출액에서 수입액을 차감한 값이 지출 국민소득 중 5%라는 의미이지, 수출액과 수입액의 차이를 의미하는 것은 아니다.
② [표1]은 지출 측면의 GDP를 의미한다.
④ 분배국민소득은 '갑'국 내에서 생산하는 과정에서 받은 임금이다. 따라서 '갑'국 내에서 받은 임금이라면 자국민 근로자의 임금뿐만 아니라 외국인 근로자의 임금 역시 포함된다.
⑤ 분배국민소득을 구성하는 항목으로서의 이윤은 '갑'국 내에서 얻은 이윤만 포함된다. 따라서 ⓒ에는 '갑'국 기업이 해외 공장에서 얻은 이윤은 포함되지 않는다.

28 | 정답 | ①

CES(Consumer Electronics Show)는 소비자기술협회(CTA)가 주관하는 전자 제품 박람회로, 1967년부터 미국 라스베이거스에서 매년 1월 개최되고 있다. 세계 3대 가전 정보 통신 전시회로 미국의 CES, 독일의 IFA, 스페인의 MWC가 꼽힌다.

29 | 정답 | ②

디스플레이 기술은 'CRT-PDP-LCD-OLED'의 순서를 따라 발전했다. CRT는 전자총에서 전자를 발사하여 브라운관의 유리에 칠해진 형광 물질을 자극하는 원리로 1897년 개발되었으며, PDP는 두 장의 유리 사이에 배치된 전극에 방전을 일으켜 발생하는 자외선으로 화상을 재현하는 원리로 출시되었으나, 저가형 LCD와의 경쟁에서 밀려나 생산이 종료되었다. LCD는 두 장의 유리 사이에 주입한 액정에 전압을 가하여 나타나는 빛의 투과도 차이를 이용하며, OLED는 전류가 흐르면 자체적으로 빛을 내는 유기 물질을 이용하여 시각 정보를 구현하는 기술이다.

30 | 정답 | ⑤

NH농협은행은 2019년 4월 금융권 최대 규모의 NH디지털혁신캠퍼스를 출범하여 핀테크 기업과 협력을 통해 지속 가능한 상생 모델을 만드는 한편, AI·블록체인·클라우드 등 신기술을 활용한 디지털 금융을 확장하고 있다.

| CHAPTER 03 | 실전모의고사 3회 |

직무능력평가   P.322~362

01	⑤	02	③	03	③	04	①	05	②
06	④	07	①	08	④	09	⑤	10	②
11	②	12	①	13	④	14	②	15	②
16	⑤	17	②	18	①	19	④	20	⑤
21	③	22	②	23	①	24	④	25	④
26	⑤	27	⑤	28	⑤	29	③	30	⑤
31	②	32	③	33	⑤	34	③	35	⑤
36	②	37	①	38	②	39	②	40	②
41	⑤	42	⑤	43	①	44	⑤	45	⑤
46	②	47	②	48	④	49	⑤	50	⑤

01 | 정답 | ⑤

㉠ '출금'은 돈을 내어 쓰는 것이므로, 이와 유사한 뜻을 지닌 '증권 또는 대금을 주고받아 매매 당사자 사이의 거래 관계를 끝맺는 일'의 의미인 '결제'가 적절하다.
㉡ 혜택에 해당하는 것이므로, '받을 몫에서 일정한 금액이나 수량을 뺌'의 의미인 '공제'가 적절하다.
㉢ 용도가 여러 가지라는 것이므로, '한 가지를 여러 가지 목적으로 씀'의 의미인 '겸용'이 적절하다.
㉣ 신용카드의 사용 금액이 나가는 것이므로 '계좌'가 적절하다.

| 오답풀이 |

· 서류를 상관에게 허가받는 상황이 아니므로 '결재'는 적절하지 않다.
- 결재(決裁): 결정할 권한이 있는 상관이 부하가 제출한 안건을 검토하여 허가하거나 승인함.
· '세금'은 혜택에 해당하지 않는다.
- 세금(稅金): 『행정』 국가 또는 지방공공단체가 필요한 경비로 사용하기 위해 국민이나 주민으로부터 강제로 거두어들이는 금전.
· 함께, 공동으로 쓴다는 것이 아니므로 ㉢에는 '공용'이 적절하지 않다.
· '통장'은 계좌에 대한 장부일 뿐이다.

02 | 정답 | ③

㉡ 2014년: $150,502-100,771=49,731$(천 원)
2015년: $163,304-104,950=58,354$(천 원)
2016년: $166,167-109,734=56,433$(천 원)이므

로 2016년에 감소하였다.

ⓒ 2014년: 16,171－11,155＝5,016(천 원)

2016년: 15,241－10,351＝4,890(천 원)이므로 2014년이 더 높다.

ⓔ (27,640＋27,364＋26,952)÷3≒27,319(천 원)＝2,731.9(만 원)이므로 2,700만 원 이상이다.

| 오답풀이 |

ⓐ 21,818-16,013=5,805(천 원)=5,805,000(원)이다.

ⓓ 일반밭작물 농업 경영비 11,545×2=23,090(천 원)으로, 23,582천 원보다 낮으므로 옳은 설명이다.

03 | 정답 | ③

'1안'이 연구소이므로 연구소와의 투표에서는 이길 수 있으면서 기숙사에게는 지는 것을 '2안'으로 건의하여야 한다. 운동장, 주차장을 건의하면 연구소가 2차 투표에 올라와 기숙사를 이기고, 기숙사를 건의하면 1차 투표에서 연구소에게 진다. '2안'을 건의하지 않으면 결선투표에는 연구소와 기숙사가 올라가 기숙사가 진다.

반면, 식당을 건의하면 1차 투표에서 식당이 올라가고 2차 투표에서 기숙사와 맞붙어 기숙사에게 진다. 따라서 '2안'으로는 식당을 건의해야 한다.

04 | 정답 | ①

연구소와 운동장 간의 투표에서는 연구소가 이긴다. 기숙사와 주차장의 투표에서는 기숙사가 이기고, 기숙사와 식당의 투표에서도 기숙사가 이긴다. 연구소와 기숙사의 투표에서는 연구소가 이긴다.

05 | 정답 | ②

ⓐ 우리나라 화폐 단위인 '원'과 미국의 화폐 단위인 '달러'에 대한 시세에 대한 내용이므로 '환율'이 적절하다.

ⓑ 문맥상 ⓑ이 폭락한 이유를 원유 수요 감소 우려와 산유국의 협의 결렬 때문이라고 보고 있다. 따라서 석유 판매 가격을 뜻하는 '유가'가 적절하다.

ⓒ 우리나라의 자본거래가 아닌 수출입에 대한 것이므로, 자본거래를 제외한 대외거래로 수출한 것에서 수입과 지출을 뺀 것을 의미하는 '경상수지'가 적절하다.

ⓓ 신흥국 통화에 비해 상대적으로 안전자산으로 간주된다는 것을 통해 통화 중에서 안전자산인 '기축

통화'가 적절하다.

| 오답풀이 |

• 금리는 이자, 이자에 대한 비율 등을 뜻하는 단어로, ⓐ에 들어가기에 적절하지 않다.

• 배럴은 원유나 각종 석유 제품의 계량 단위이며, 1배럴＝158.987리터이다.

• 자본수지는 국내 기업 및 금융기관과 외국 기업 및 금융기관이 서로 거래하는 금전관계에 따른 수입과 지출의 차를 뜻한다. 문맥상 금융 거래가 아니므로 '자본수지'는 적절하지 않다.

• 무역통화는 국가 간 거래에서 널리 사용되는 화폐로, 유럽연합의 유로, 일본의 엔, 영국의 파운드 스털링, 스위스의 프랑, 중국의 위안 등이 있다.

06 | 정답 | ④

연도별 총대손충당금 잔액을 '대손충당금 적립률×고정이하 여신÷100'으로 구하면 다음과 같다.

• 2014년: 124×24.2÷100≒30.0(조 원)

• 2015년: 112×30÷100＝33.6(조 원)

• 2016년: 82.7×24.7÷100≒20.4(조 원)

• 2017년: 91.8×21÷100≒19.3(조 원)

• 2018년: 104.9×18.2÷100≒19.1(조 원)

• 2019년: 113.2×15.3÷100≒17.3(조 원)

따라서 총대손충당금 잔액이 가장 적은 해는 2019년이다.

| 오답풀이 |

① 고정이하 여신과 고정이하 여신비율 모두 2015년에 전년 대비 증가하였고, 이후 계속 감소하였다.

② 2019년 대손충당금 적립률이 113.2%이고, 5년 전인 2014년 대손충당금 적립률은 124%이다. 따라서 2014년 대비 2019년의 대손충당금 적립률은 124-113.2=10.8(%p) 감소하였다.

③ 고정이하 여신비율이 낮을수록 은행이 보유하고 있는 여신의 건전성이 양호하다. 대손충당금 적립률이 100%를 상회하는 경우 문제여신이 은행 경영에 크게 영향을 미치지 않는 것으로 판단한다. 따라서 은행이 보유하고 있는 여신의 건전성이 가장 양호하지 않은 해는 고정이하 여신비율이 가장 높은 2015년이고, 2015년 대손충당금 적립률이 112%이므로 문제여신이 은행 경영에 크게 영향을 미치지 않았다.

⑤ 총여신=고정이하 여신÷고정이하 여신비율×100이다. 2018년 18.2÷1×100=1,820(조 원), 2019년 15.3÷0.8×100=1,912.5(조 원)이므로, 2019년 총여신은 전년 대비 증가하였다.

07 | 정답 | ①

월요일에 흐리고 화요일에 맑은 후, 수요일에 약간의

비가 내리고 목요일부터 날씨가 개며 주말까지 당분간 선선하고 맑은 전형적 가을 날씨가 유지될 것으로 예측하고 있다.

08
| 정답 | ④

접대비는 '식대'의 경우 본부장, '기타'의 경우 팀장이 전결권자이므로, 두 경우 모두 사장과 부사장의 결재는 받지 않는다.

| 오답풀이 |

① 팀장급 인수인계서는 부사장 전결사항이므로, 담당자를 제외하고 팀장, 본부장, 부사장 3명의 결재를 거치게 된다.
② 업무활동비 집행을 위한 결재 문서는 본부장 전결사항이므로, '사장' 결재란에 본부장이 결재하게 된다.
③ 시내교통비 집행을 위한 문서는 본부장 전결사항이므로 '부사장' 결재란에는 아무도 서명하지 않으나, 해외연수비 집행을 위한 문서는 사장 전결사항이므로 '부사장' 결재란에는 부사장이 서명을 해야 한다.
⑤ 임원 해외출장을 위한 결재 문서는 사장 전결사항이므로 부사장이 결재를 해야 하나, 직원 해외출장을 위한 결재 문서는 본부장 전결사항이므로 부사장의 결재는 받지 않는다.

09
| 정답 | ⑤

먼저 간접 환거래만 가능한 엔화의 원화 환율을 계산하면 다음과 같다.

$$\frac{원}{엔} = \frac{원}{달러} \times \frac{달러}{엔} = 1,080 \times \frac{1}{90} = 12(원/엔)$$

각 국가별 지갑 구매에 드는 비용을 계산하면 다음과 같다.

- 우리나라: $340,000 \times 0.92 = 312,800$(원)
- 미국: $300 - 10 = 290$(달러),
  $290 \times 1,080 = 313,200$(원)
- 중국: $2,100 \times 0.9 = 1,890$(위안),
  $1,890 \times 170 = 321,300$(원)
- 일본: $26,900 \times 12 = 322,800$(원)
- 독일: $218 \times 1.1 = 239.8$(유로),
  $239.8 \times 1,270 = 304,546$(원)

따라서 지갑을 가장 저렴하게 구매할 수 있는 국가는 독일이다.

10
| 정답 | ②

만약 상대가 2%를 공약하였다면 자신은 3%를 공약하는 것이 4%를 공약하는 것보다 유리하다. 3%를 공약하면 3~6%를 선호하는 조합원의 득표를 가져올

수 있지만, 4%를 공약하면 3%를 선호하는 조합원의 득표를 반반씩 나누어야 하기 때문이다.

| 오답풀이 |

① 박수진이 2%, 김명철이 4%를 공약하였다면 3%의 80표를 두 후보가 동일하게 나누게 되고 박수진은 0~2%의 60+70+50=180(명), 김명철은 4~6%의 40+30+10=80(명)의 표를 얻으므로 득표 수 차이는 100표이다.
③ 상대 후보와 비슷하게 공약하는 것이 유리하므로, 상대방의 공약을 관찰한 후 그에 맞춰 공약하는 것이 유리하다.
④ 박수진은 180표, 김명철은 160표를 얻으므로 박수진이 당선된다.
⑤ 조합원들의 선호가 0%나 6%에 극단적으로 몰릴 수도 있으므로 중앙값 수치를 공약하는 것이 반드시 유리한 것은 아니다. 실제로 0~6%의 중앙값인 3%를 공약하여도, 상대방이 2%를 공약한다면 패배하게 된다.

11
| 정답 | ②

누적 조합원 수 중에서 전체 조합원의 중간인 170명에 해당하는 수치를 공약하면 반드시 승리할 수 있다. 누적 조합원 수는 다음과 같다.

0%	1%	2%	3%	4%	5%	6%
60명	130명	180명	260명	300명	330명	340명

따라서 박수진 후보가 2%를 공약한 후 상대 후보가 3%를 공약하면 20표 차이로 승리하고, 상대 후보가 1%를 공약하면 80표 차이로 승리한다.

12
| 정답 | ①

할인 혜택을 반영한 A의 최종 결제액

- 갈치 8마리: 5마리 이상 구매 시, 1마리 추가 증정이므로 7마리 가격만 계산하면 된다.
- 전복 2kg: kg당 2,000원 할인이므로 총 4,000원이 할인된다.

따라서 최종 결제액은 $(4,000 \times 7) + (15,000 \times 4) - 4,000 + (10,000 \times 2) = 104,000$(원)이다.

할인 혜택을 반영한 B의 최종 결제액

- 광어 10마리: 8마리 이상 구매 시, 2마리 추가 증정이므로 8마리 가격만 계산하면 된다.
- 도미 5마리: 4마리 이상 구매 시, 4,000원 할인을 받을 수 있다.

따라서 최종 결제액은 $(7,000 \times 4) + (5,000 \times 5) - 4,000 + (10,000 \times 1) = 59,000$(원)이다.

그러므로 A와 B 결제액의 총합은 $104,000 + 59,000 = 163,000$(원)이다.

13

| 정답 | ④

마일리지 적립이 가능한 항공권으로 ○○항공을 20회를 초과하여 탑승하더라도 국내선은 0.5회로 계산되므로 회원 혜택을 상실할 수도 있다.

| 오답풀이 |

① 2년간 총 4회에 한하여 ○○항공이 직접 운영하는 프레스티지 클래스 라운지를 이용할 수 있다.
② 모닝캄 클럽 자격 유효기간은 2년이므로, 이미 회원이라면 2년 동안은 회원 혜택을 누릴 수 있다.
③ ○○항공 3만 마일 이상 적립은 모닝캄 클럽 자격 유지 조건에 해당한다.
⑤ 모닝캄 회원 혜택으로 모닝캄 클럽 전용 탑승수속 카운터를 이용할 수 있다.

14

| 정답 | ②

[그래프]를 통해 2009~2013년 동안 연간 총급수량은 증가하고 있다는 것을 알 수 있다.

| 오답풀이 |

① 2012년에는 전년보다 1인당 일평균 물 사용량이 적어졌지만, 연간 총급수량은 높아졌다.
③ 분수량 및 급수인구에 대한 정보가 없으므로 알 수 없다.
④ 유수량과 분수량이 같을 때 급수인구가 증가할수록 1인당 일평균 물 사용량이 감소한다. 따라서 2012년의 급수인구는 전년 대비 증가하였다.
⑤ 2008~2012년의 연평균 연간 총급수량은 (5,804+5,760+5,910+6,021+6,029)÷5=5,904.8(백만 m^3)이다.

15

| 정답 | ②

둘이 일을 항상 같이 한다면 배나무 40그루에 100분, 사과나무 30그루에 60분, 포도나무 60그루에 40분이 걸리므로 총 200분이 걸린다. 둘이 따로 일을 할 때는 주아는 철민보다 빠른 포도나무 수확을 먼저 시작하고, 철민이는 사과나무 수확을 먼저 한다. 주아가 혼자 포도나무를 수확하는 데 걸리는 시간은 60분, 철민이가 혼자 사과나무를 수확하는 데 걸리는 시간은 100분이다. 주아는 포도나무 수확을 먼저 끝내고 철민이가 사과나무 수확을 끝낼 때까지 40분 동안 혼자 배나무 8그루를 수확한다. 그리고 남은 32그루를 둘이 같이 수확하면 80분이 걸리므로, 총 180분이 걸려 항상 같이 일을 할 때보다 20분 빠르다.

16

| 정답 | ⑤

의류 한 벌이 400달러이므로, 세금은 400×0.1=40 (달러)이다. 따라서 의류 한 벌의 원가는 440달러이다. 이익이 30%라면 정가는 440×1.3=572(달러)이다. 0.8달러가 1,000원이므로 1달러는 1,000÷0.8=1,250(원)이다. 따라서 원화로 의류 한 벌의 정가는 572×1,250=715,000(원)이다.

17

| 정답 | ②

[보기]의 대화에서는 조폐공사에서 보증해주고, NH 농협은행에서 판매한다는 점에서 믿을 수 있고, 한정 수량이라 더욱 구입할 만하다고 하였다. 따라서 투자 가치와 수집 가치를 모두 만족하는 제품이라고 볼 수 있다.
또한, 신문기사의 '지금형(Bullion) 사업', '수집상들의 관심을 불러일으킬 것' 등의 단서로 볼 때 불리온 메달은 일상생활에서의 실제 경제 활동의 수단이라기보다는 귀금속의 보관 수단 또는 투자 대상으로 보는 것이 적절하다.

| 오답풀이 |

① 불리온 메달이 실제 경제 생활에서 사용된다고 보기 어렵다. 순금으로 만들어져 있기 때문에 장기적인 투자 효과를 기대하고 있다고 보는 것이 적절하다.
③ NH농협은행에서 불리온 메달을 단독으로 판매하는 것은 맞으나, 판매처의 수익을 올려 주는 것이 소비자의 주된 기대 효과라고 보기는 어렵다.
④ 불리온 메달은 표창식 등에서 수여하는 메달이 아니라, 개인이 구입하는 메달이다.
⑤ 불리온 메달이 우리나라를 상징하는 동물인 호랑이를 주제로 한 것이기는 하지만, 애국심을 고취하는 것을 주된 기대 효과로 보기는 어렵다.

18

| 정답 | ①

A~E 영상 크리에이터들의 항목별 점수와 총점을 각각 계산하면 다음과 같다.

구분	구독자 수	최근 한 달 평균 조회 수	주 구독자 층	광고 비용	총점
A	8점	8점	9점	9점	8×0.1+8×0.4+9×0.2+9×0.3=8.5(점)

B	7점	8점	10점	10점	$7 \times 0.1 + 8 \times 0.4 + 10 \times 0.2 + 10 \times 0.3 = 8.9$(점)
C	9점	9점	8점	9점	$9 \times 0.1 + 9 \times 0.4 + 8 \times 0.2 + 9 \times 0.3 = 8.8$(점)
D	10점	10점	7점	8점	$10 \times 0.1 + 10 \times 0.4 + 7 \times 0.2 + 8 \times 0.3 = 8.8$(점)
E	8점	9점	10점	9점	$8 \times 0.1 + 9 \times 0.4 + 10 \times 0.2 + 9 \times 0.3 = 9.1$(점)

따라서 총점이 가장 높은 E가 선정되고 이에 대한 인센티브가 $23 \times 20 = 460$(만 원)이므로, 총 광고비는 $2,500 + 460 = 2,960$(만 원)이다.

19
| 정답 | ④

A~C조합원은 농사를 선택할 것이고, 네 번째로 들어온 D조합원은 농사를 짓거나 행정업무를 해도 소득이 같으므로 본인 성향에 따라 업무를 결정할 것이다. 만약 D조합원이 농사를 짓는다면 마지막 E조합원은 반드시 행정업무를 할 것이다. 반대로 D조합원이 행정업무를 한다면 E조합원도 농사를 짓거나 행정업무를 했을 때의 수입이 같으므로 본인 성향에 따라 업무를 결정할 것이다. 따라서 가능한 결과는 농사 4명, 행정업무 1명 또는 농사 3명, 행정업무 2명이다. 농사 3명, 행정업무 2명인 경우 농사를 짓는 3명은 월소득이 150만 원이지만 행정업무를 보는 2명의 월소득은 120만 원으로 조합원들끼리의 소득이 달라진다.

| 오답풀이 |

③ 2명이 농사를 지을 때 총소득은 960만 원이고, 3명일 때는 690만 원이다.

⑤ 농사 4명, 행정업무 1명인 경우 총소득은 600만 원, 농사 3명, 행정업무 2명인 경우 총소득은 690만 원이다.

20
| 정답 | ⑤

1명만 농사를 짓고, 나머지 4명은 행정업무를 할 때 총소득이 $500 + 480 = 980$(만 원)으로 가장 높다.

21
| 정답 | ③

의무 가입 기간을 보면 청년형 가입자는 의무 가입 기간이 3년이며, 세제 혜택을 보면 의무 가입 기간 이

내에 해지하게 되면 해지 수수료는 없으나 세제 혜택이 사라진다고 명시되어 있다. 따라서 청년형 가입자는 3년 이내에 해지하게 되면 ISA의 세제 혜택을 누릴 수 없다.

| 오답풀이 |

① 가입 대상을 보면 근로소득 또는 사업소득이 있는 자 외에 농어민도 가입 가능하며, 농어민의 경우 소득에 대한 제한은 명시되어 있지 않다.

② 납입한도를 보면 기가입한 재형저축 한도를 납입한도에서 차감하게 되어 있는데, 한도는 연간으로 계산하므로 분기별 납입한도가 300만 원인 재형저축은 연간 $300 \times 4 = 1,200$(만 원)의 납입한도를 가지게 된다. 따라서 이 경우 ISA의 연간 납입한도는 $2,000 - 1,200 = 800$(만 원)이다.

④ 기타 안내를 보면 ISA에 편입된 금융상품 중 예금보호 대상으로 운영되는 금융상품에 '한하여' 최대 5천만 원까지 보호가 되므로 모든 금액이 보호받는 것은 아니다. 또한 기타 안내 하단에도 일부 금융투자상품은 원금손실이 발생할 수 있다고 명시되어 있다.

⑤ 농협 직원의 답변에 따르면 손익통산 대상이 아닌 항목이 있다는 것을 확인할 수 있다.

22
| 정답 | ②

농협 직원의 답변에 따르면 청년형 상품은 병역이행기간 차감 연령이 만 15세 이상 만 29세 이하인 경우에만 가입 가능하다. A씨는 2년 만기 제대한 만 30세이므로, 병역이행기간 차감 시 만 29세 이하에 해당된다. 따라서 청년형 상품이 가입 가능하며, 세제 혜택을 보면 이 경우 의무 가입 기간은 3년, 세제 혜택은 손익통산 후 순이익 중 200만 원까지 가능하다.

23
| 정답 | ①

- 예금 이자: 100만 원 모두 손익통산 대상이다.
- 채권형 펀드: 매매차손 100만 원과 배당수익 100만 원 모두 손익통산 대상이며, 매매차손은 손실이므로 손익을 합산하면 0원이다.
- 국내주식형 펀드: 배당수익 100만 원만 손익통산 대상이며, 매매차익 100만 원은 비과세다.
- 미국 ETF: 배당수익 100만 원만 손익통산 대상이며, 매매차손 200만 원은 손실이므로 세금이 부과되지 않는다.

따라서 손익통산 대상금액은 $100 + 0 + 100 + 100 = 300$(만 원)이며, A씨는 청년형 가입자이므로 200만 원까지 비과세, 초과분 100만 원에 대해서만 9.9% 분리과세한다. 따라서 발생하는 세금은 100만 $\times$

$0.099 = 99,000$(원)이다.

24

| 정답 | ④

청년형 상품은 의무 가입 기간이 3년으로, 가입 2년 차에 계좌를 해지하면 각 상품에서 실현한 이익금의 15.4%를 세금으로 내게 된다. 이때 해지수수료는 발생하지 않지만 200만 원까지의 비과세 혜택과 200만 원 초과분에 대한 9.9% 분리과세, 손익통산 등의 세제 혜택이 사라지므로 과세 대상은 다음과 같다.

- 예금 이자: 100만 원
- 채권형 펀드: 배당수익 100만 원(매매차손 100만 원 손익통산 하지 않음)
- 국내주식형 펀드: 배당수익 100만 원(매매차익 100만 원은 비과세)
- 미국 ETF: 배당수익 100만 원

따라서 발생하는 세금은 $400 \times 0.154 = 61.6$(만 원)이다.

25

| 정답 | ④

「운수 좋은 날」의 저자는 현진건이다. 현진건의 이름 첫 글자는 '진'이므로 자음은 'ㅈ', 모음은 'ㅣ'이다. 따라서 옳게 부여된 고유번호는 813.6현78ㅇ이다.

26

| 정답 | ⑤

24의 숫자는 저자 이름 중 첫 글자의 자음이 'ㄷ'이거나 'ㄸ'이고, 모음은 'ㅓ', 'ㅔ', 'ㅕ', 'ㅖ' 중 하나임을 의미한다. 자음이 'ㄹ'일 경우 2 대신 29가 들어가야 한다.

27

| 정답 | ⑤

양식 뷔페보다 저렴하다는 것을 홍보하는 것은 한식 뷔페와의 경쟁 시 회피 전략이 될 수 없다.

| 오답풀이 |

① 시기마다 새로운 메뉴를 제공한다는 강점을 이용하여 건강한 식단에 대한 관심 증대라는 기회를 살리는 SO전략이다.
② 시기마다 새로운 메뉴를 제공한다는 강점을 이용하여 원재료 가격 상승이라는 위협을 회피하기 위한 ST전략이다.
③ 맛집 블로거 증가라는 기회를 활용하여 인지도가 낮다는 약점을 보완하고자 하는 WO전략이다.
④ 제휴 카드 및 할인 혜택이 부족하다는 약점을 보완하고 저렴한 가격으로 음식을 제공하여 외식 소비 위축이라는 위협을 회피하는 WT전략이다.

28

| 정답 | ⑤

철거에 필요한 비용을 계산하면 다음과 같다.

- 평일 주간 기본철거비: 20,000원
- 천장형 에어컨(40평 3개): $145,000 \times 3 = 435,000$(원)
- 스탠드형 에어컨(20평 2개): $85,000 \times 2 = 170,000$(원)

따라서 지불해야 할 총비용은 $20,000 + 435,000 + 170,000 = 625,000$(원)이다.

29

| 정답 | ③

신고 방법에 제시된 내용에 따르면 신고인의 이름을 밝히지 않고도 신고가 가능하다. 하지만 인적사항 기입 정도에 따라 후속 조사에 한계가 발생할 수 있다.

| 오답풀이 |

① 제시된 신고센터를 통해서는 의료용품을 재사용한 것으로 의심되는 의료기관에 대한 신고를 할 수 있다. 1회용 비닐봉지나 1회용 플라스틱 컵에 대한 신고와 관련해서는 별도의 내용을 확인하기 어렵다.
② 신고 상담이 거주지에 한정되어서 이루어진다는 내용은 확인할 수 없다. 거주지와 상관없이 보건복지부 콜센터를 통해서도 신고 상담은 가능하다.
④ 신고 접수는 이메일, 방문, 우편, 팩스, 인터넷으로 가능하다. 전화는 신고 관련 상담 문의만 가능하다. 따라서 전화로 신고 관련 상담 문의만 이루어진 경우에는 신고 접수가 자동으로 되지 않는다.
⑤ 우편 접수는 의료기관 관리지원단에서 가능하다. 관할 국민건강보험공단 지사는 방문 접수를 할 때 활용할 수 있다.

30

| 정답 | ②

두 번째 문단의 '정기 보험은 아직까지 낮은 인지도와 종신 보험의 탄탄한 아성에 밀려 가입률이 저조한 편이다'로 볼 때 정기 보험의 판매율이 저조한 것은 종신 보험에 비해 인지도가 낮기 때문임을 알 수 있다. 또한, 정기 보험은 보장을 원하는 기간을 정해 보장받는 상품이며, 납입 기간이 길어서 유지가 쉽지 않은 것은 종신 보험의 특징이다.

| 오답풀이 |

① '사업비와 보험 설계사 수수료가 낮아 대면 채널에서 적극적으로 판매하지 않는'을 통해 알 수 있다.
③ '가성비(가격 대비 성능)가 상대적으로 높다는 점을 내세우고 있다.~젊은 세대를 타깃으로 한다'와 '경영인과 전문직 종사자 등 고액 자산가를 위한 VIP 정기 보험도 내놓고 있다'를 통

④ '온라인 보험은 소비자가 직접 가입하는 형태로 설계사 수수료나 점포 임대료 등 중간 유통 비용이 없어 보험료가 낮다'를 통해 알 수 있다.

⑤ '가입자의 건강 상태를 표준체(흡연체), 비흡연체, 건강체, 슈퍼 건강체로 분류한 후 보험료 할인 혜택을 제공하는 것'을 통해 알 수 있다.

31
| 정답 | ②

B가 창업 시 보증금 3억 원을 현금 1억 원(기회비용 연이자 200만 원)과 부동산 담보대출 2억 원(연이자 1,200만 원)으로 마련하면 연 1,400만 원의 비용이 발생한다. 따라서 B가 창업하면 $40,000-1,400-6,000-14,000-4,500-5,800=8,300$(만 원)의 수익을 얻을 수 있다. 따라서 연봉을 최소 8,300만 원으로 제시하여야 B를 영입할 수 있다.

32
| 정답 | ③

보험금 지급과 관련하여 특히 유의할 사항에서 '암은 원칙적으로 조직검사, 미세바늘 흡인검사(미세한 침을 이용한 생체검사 방법) 또는 혈액검사에 대한 현미경 소견을 기초로 한 진단만 인정됩니다'는 항목을 바탕으로 MRI 소견을 바탕으로 한 암 진단은 약관에서 인정하는 암 확정 진단이 될 수 없으므로, 보험금을 지급받을 수 없다.

| 오답풀이 |

① 보험계약일부터 90일 이내에 암으로 진단 확정된 경우에는 보험금을 지급하지 않는다.

② 계약일부터 그 날을 포함하여 90일이 지난 날의 다음 날부터 암 보장이 개시된다.

④ 암 진단일이 보험계약일부터 일정 기간(2년 등) 이내의 경우에는 보험금이 삭감(전체 보장금액의 50%)된다.

⑤ 약관에서 인정하는 암은 원칙적으로 조직검사, 미세바늘 흡인검사 또는 혈액검사에 대한 현미경 소견을 기초로 한 진단만 인정되므로 보장받을 수 있다.

33
| 정답 | ⑤

[Esc]를 누를 때까지 슬라이드 쇼를 반복하려면 '대화형 자동 진행(전체 화면)'을 선택한다. '웹 형식으로 진행'을 선택하면 제목 표시줄이 나타나고 슬라이드를 앞·뒤로 이동할 수 있는 단추가 표시된다.

| 오답풀이 |

① 처음부터 슬라이드 쇼를 진행하려면 [F5], 현재 슬라이드부터 슬라이드 쇼를 진행하려면 [Shift]+[F5]를 누른다.

② [슬라이드 쇼] 탭의 [슬라이드 쇼 시작] 그룹의 [슬라이드 쇼 재구성]을 선택한다.

③ 포인터를 펜으로 변경하려면 [Ctrl]+[P], 다시 화살표로 변경하려면 [Ctrl]+[A]를 누른다.

④ [슬라이드 쇼] 탭의 [설정 그룹]에서 예행연습을 클릭하면 예행연습 도구 모음이 나타나고 슬라이드 시간 상자에 프레젠테이션 시간이 기록되기 시작한다.

34
| 정답 | ③

우선 선택지를 보면 ㉠에는 '명시' 또는 '판결'이 올 가능성이 매우 높다. '토지공개념의 헌법 판결'이라는 표현보다는 토지공개념을 헌법에 포함시킨다는 '토지공개념의 헌법 명시'라는 표현이 더 자연스럽다. 그리고 ㉡에는 '규제' 또는 '판결'이 와야 하는데 ㉡에 '규제'와 '판결'을 대입해 보면 문맥상 '위헌 판결을 받았던 토지초과이득세'가 더 자연스럽다. 그러므로 정답은 ③이다.

35
| 정답 | ③

㉡ 2019년의 5년 전 대비 농가소득 증가율은 50대가 $(66,745-57,816)÷57,816×100≒15.4$(%)이고, 40대가 $(55,211-45,083)÷45,083×100≒22.5$(%)이다. 따라서 2014년 대비 2019년의 40대의 농가소득 증가율이 50대보다 높다.

| 오답풀이 |

㉠ 50~59세, 60~69세의 농가소득은 매해 증가하지만, 2016년 40~49세의 농가소득이 전년 대비 감소하였다. 따라서 제시된 자료만으로는 40세 이상 70세 미만의 농가소득이 증가하였는지 감소하였는지 알 수 없다.

㉢ 2017년의 농업소득률은 증가하였지만 농업의존도는 감소하였다.

㉣ 정확한 값을 요구하는 것이 아니므로 대략적인 차이를 판단하도록 한다. 2013년은 약 12,100천 원, 2014년은 13,000천 원, 2015년은 16,000천 원, 2016년은 18,200천 원, 2017년은 18,300천 원, 2018년은 17,400천 원, 2019년은 19,000천 원가량 차이가 난다. 따라서 2018년에는 2017년보다 차이가 감소하였다.

36
| 정답 | ②

농업소득은 농업의존도×농가소득÷100, 농업총수입은 농업소득÷농업소득률×100의 식을 통해 구할 수 있다. 이에 대입하여 계산하면 2019년 농업소득은 $24.9×41,182÷100≒10,254$(천 원)이므로, 농업총

수입은 $10,254 \div 29.8 \times 100 ≒ 34,409$(천 원)$=3,441$ 만 원이다.

37 |정답| ①

(가) 4년간 유기합성농약과 화학비료를 사용하지 않았으므로 유기농인증을 얻을 수 있다. 현재가가 5,500원이므로 적정가는 $130 \times 5,500 \div 125$ $=5,720$(원)이다.

(나) 저농약인증을 얻을 수 있는 경우이므로, 적정가는 $122 \times 6,000 \div 110 ≒ 6,655$(원)이다.

(다) 농약을 전혀 사용하지 않고 화학비료만 일부 사용하였으므로 무농약인증을 얻을 수 있다. 현재가가 6,500원이므로 적정가는 $124 \times 6,500 \div 115 ≒ 7,009$(원)이다.

38 |정답| ②

COUNTIF 함수는 조건에 맞는 셀의 개수를 구하는 함수로, COUNTIF(검색범위,조건)의 형식으로 지정한다. 판매수량이 있는 셀은 D3부터 D8까지이고, 15개 이상인 것을 세야 하므로 정답은 ②다.

| 오답풀이 |
① [D3:D8] 범위의 데이터 개수를 표시한다.
③ 제품명이 '홍삼정'인 데이터 개수를 표시한다.
④ DCOUNT의 형식에 맞지 않으므로 '#VALUE!' 오류를 표시한다.
⑤ 판매수량이 15개 이상인 상품의 판매수량 합계를 표시한다.

39 |정답| ②

[보기]와 같이 가입하면 농협 직원의 답변을 통해 연금개시시점 연금재원평가액이 5,361만 원임을 계산하지 않아도 알 수 있다. 연금수령요건을 보면 연금수령한도가 $\dfrac{연금재원평가 잔금총액}{(확정기간+1)-연금수령연차} \times 120\%$ 이므로 A씨가 연금수령 1년차에 받을 수 있는 세전 연금액의 최댓값은 $\dfrac{5,361}{(10+1)-1} \times 120\%$이다. 정확히 계산해도 되지만 빠른 문제풀이를 위해 대략적으로 계산해보자. $5,361 \div 10=536.1$의 10%는 대략 53.6이므로 20%는 107.2 정도이다. 따라서 $536.1+107.2=643.3$(만 원)이 세전 연금액의 최댓값이다.

한편, A씨는 만 40세에 보험을 가입하여 20년 후인 만 60세에 연금을 개시하고, 확정기간 10년에 공무원연금 외에는 어떠한 연금소득도 없으므로 5.5%의 연금소득세가 적용된다. 643.3의 1%를 대략 6.4로 잡으면 5%는 32, 5.5%는 35.2이므로, 대략 $643.3-35.2=608.1$(만 원)을 세후에 수령할 수 있다. 선택지 중 가장 가까운 값은 607만 원의 ②이다.

실제로 모든 과정을 정확히 계산해 보면 연금수령 1년차에 받을 수 있는 세후 연금액의 최댓값은 $\dfrac{5,361}{(10+1)-1} \times 1.2 \times 0.945=607.9374$(만 원)으로 근사치와 거의 비슷하다.

40 |정답| ②

납입보험료 세액공제를 보면 종합소득금액 4천만 원 이하인 사람은 세액공제 대상 납입액이 400만 원이며 세액공제율은 16.5%임을 알 수 있다. 따라서 연간 최대 $400 \times 0.165=66$(만 원)까지 세액공제 혜택을 받을 수 있다. 연금저축계좌 합산이라는 뜻은 연금지축보험 외에도 연금저축신탁, 연금저축펀드 등의 연금 저축 관련 상품을 모두 합산한 금액에 대하여 세액공제 혜택 한도가 정해진다는 뜻이다.

| 오답풀이 |
① 보험료 납입기간·연금개시나이·연금지급 방법·납입주기를 보면 만 50세에 5년납으로 가입한 후 만 55세부터 연금개시를 시작하면 거치기간이 없는 방식으로도 가입할 수 있다는 것을 추론할 수 있다. 이 외에도 거치기간이 없을 수 있는 다양한 세팅이 있을 수 있다.
③ 제시된 조건은 농협 직원의 답변 예시에서 월 납입액만 60만 원으로 올린 것 외에는 모든 것이 동일하다. 월 33만 4천 원을 납입했을 때 5년 동안 연간 1,116만 원을 연금액으로 지급받으므로 동일한 조건에서 월 60만 원을 납입한다면 5년 동안 연간 1,200만 원 이상을 연금액으로 지급받는다는 것을 추론할 수 있다. 연금수령 해당 금액과세의 1)을 보면 연간 1,200만 원을 초과할 경우 연금소득세가 적용되지 않고 계약자의 다른 소득과 합산하여 종합과세한다는 것을 알 수 있다.
④ 보험 해지 시 발생하는 기타소득세율과 세액공제율의 최댓값은 16.5%로 서로 같다. 따라서 기타소득세율이 적용되는 액수가 세액공제율이 적용되는 액수보다 작다면 기타소득세가 세액공제 혜택 총액보다 작을 것이다. 그런데 농협 직원의 답변을 보면 월 33만 4천 원을 납입하여 세액공제 혜택을 최대로 받을 때 10년간 납입보험료 누계액(세액공제율 적용대상)이 4,008만 원이고, 거치기간 10년을 거쳐 20년 후 해지환급금(기타소득세율 적용대상)이 5,361만 원으로 기타소득세율이 적용되는 액수가 더 크다. 만약 세액공제 혜택을 더 적게 받는 사람이라면 세액공제 혜택 총액이 줄어들고, 월 납입액이 33만 4천 원 이상이라면 기타소득세가 늘어나 둘의 차이

는 더욱 커질 것이다.

한편, 월 납입액이 33만 4천 원 미만이어도 세액공제 혜택 총액과 기타소득세가 동일한 비율로 함께 줄어들게 되므로 둘의 크기는 역전되지 않는다. 따라서 세액공제 혜택 총액보다 보험 해지 시 발생하는 기타소득세가 더 크다는 것을 알 수 있다.

⑤ 농협 직원의 답변을 보면 적립기간 외에 거치기간에도 이자가 붙는다는 것을 알 수 있지만 연금지급개시 이후에도 이자가 붙는지는 알 수 없다. 그러나 1) 연금지급액 예시를 보면 연금지급개시 이후에도 이자가 붙는다는 것을 추론할 수 있다. 연금개시시점 연금재원평가액은 5,361만 원인데, 확정기간 5년 동안 연금을 지급받는다면 매년 1,116만 원으로 5년 동안 총 1,116×5=5,580(만 원)을 지급받아 연금개시시점 연금재원평가액보다 많다는 것을 알 수 있다. 이는 연금지급개시 이후에도 이자가 붙는다는 것을 시사한다. 만약 확정기간 10년 동안 연금을 지급받는다면 매년 591만 원으로 10년 동안 총 591×10=5,910(만 원)을 지급받아 연금 수령 기간을 오래 가져갈수록 연금 총액이 늘어난다는 것을 알 수 있다. 이는 연금재원을 투자하여 이자를 받는 기간이 길어짐에 따라 발생하는 현상이다.

41 | 정답 | ③

B씨는 근로소득만 한 해에 1억 500만 원이므로 총급여액 5천 500만 원 초과 1억 2천만 원 이하에 해당한다. 따라서 400만 원까지 세액공제대상 납입액으로 인정되며, 세액공제율은 13.2%이다. 그러므로 한 달에 50만 원씩, 1년 동안 600만 원을 납입하였을 때 얻을 수 있는 세액공제 혜택액수는 $400 \times 0.132 = 528,000$(원)이다.

42 | 정답 | ⑤

출력 값의 순서에 따라 4자리 값을 역순으로도 출력할 수 있다.

| 오답풀이 |

① 6행은 양수이면 num 값 그대로 입력하고, 음수이면 (-)를 붙여 양수로 바꿔주는 코드다.

② num이 음수이면 (-)를 붙여 8672가 된다.

③ /와 % 연산자는 우선순위가 같으므로 앞 연산자부터 처리하여 결과는 같다.

④ num에 반드시 네 자릿수의 정수만 입력될 때, 11행의 출력 결과로 가장 작은 수는 10000이 입력됐을 때의 1이다.

43 | 정답 | ①

first와 second 모두 8의 배수이면, 즉 8672의 첫째, 둘째 자릿수가 모두 8이면 first를 출력하고, 둘 중 하나라도 8의 배수가 아닌 경우에는 0을 출력하므

로 0을 출력한다.

44 | 정답 | ⑤

6급 직원들의 평가점수를 계산해 보면 다음과 같다.

• C: $17.6 \times 5 + (94 + 17 \times 0.1) + 5 = 188.7$(점)
• D: $16.8 \times 5 + (94 + 19 \times 0.1) + 3 = 182.9$(점)
• F: $16.2 \times 5 + (94 + 16 \times 0.1) + 5 = 181.6$(점)
• I: $19.4 \times 5 + (94 + 12 \times 0.1) = 192.2$(점)

따라서 점수가 가장 높은 I가 승진한다.

45 | 정답 | ⑤

5만 원권은 일상생활에서 사용되기도 하지만, 주로 가계나 기업의 비상금으로 선호되고 있다는 내용이므로, 지하 경제에서 은닉 자금으로 사용될 수도 있음을 추론할 수 있다.

| 오답풀이 |

①, ②, ③ 제시된 글의 내용과는 관련이 없다.

④ '부조금이나 용돈 등으로 5만 원권이 자주 사용되고 상점에서 고가품을 살 때도 5만 원권을 건네는 경우도 많아졌다'를 통해 일상에서도 5만 원권이 자주 사용되고 있음을 알 수 있다.

46 | 정답 | ②

소비 생활의 개성화라는 기회를 이용하여 단일 점포 간의 매출 격차를 줄이려는 것은 WO전략이다.

| 오답풀이 |

① 국내 최대의 오프라인 종합 유통망을 보유한 강점을 살려 동남아 시장 성장이라는 기회를 이용하는 SO전략이다.

③ 동남아인들의 고급 상품에 대한 소비 욕구 증가라는 기회를 살려 부정적인 기업 이미지라는 약점을 극복하고자 하는 WO전략이다.

④ 소비 생활의 다양화라는 기회를 살려 낮은 고객 만족도라는 약점을 극복하고자 하는 WO전략이다.

⑤ 단일 점포 간의 매출 격차가 심하다는 약점과 경쟁 백화점 매출 성장이라는 위협을 회피하고자 하는 WT전략이다.

47 | 정답 | ②

기존 치료법의 QALY는 $8 \times 0.9 = 7.2$(QALYs)이다.

• 대안A의 QALY는 $11 \times 0.6 = 6.6$(QALYs)이다. 대안A는 효용이 기존 치료법보다 낮아졌으므로 채택하지 않는다.

• 대안B의 QALY는 $10 \times 0.8 = 8$(QALYs)이다. 즉, $\Delta C = 2 - 3 = -1$(백만 원)이고, $\Delta U = 8 -$

$7.2=0.8(\text{QALYs})$이므로 ICUR$=-1\div0.8=$ -1.25(백만 원/QALYs)이다.

- 대안C의 QALY는 $14\times0.5=7(\text{QALYs})$이다. 대안C는 효용이 기존 치료법보다 낮아졌으므로 채택하지 않는다.
- 대안D의 QALY는 $10\times0.8=8(\text{QALYs})$이다. 즉, $\varDelta C=3.5-3=0.5$(백만 원)이고, $\varDelta U=8-7.2=0.8(\text{QALYs})$이므로 ICUR$=0.5\div0.8=0.625$(백만 원/QALY)이다.
- 대안E의 QALY는 $10\times0.9=9(\text{QALYs})$이다. 즉, $\varDelta C=4-3=1$(백만 원)이고, $\varDelta U=9-7.2=1.8(\text{QALYs})$이므로 ICUR$=1\div1.8\fallingdotseq0.56$(백만 원/QALY)이다.

즉, 갑 병원은 효용이 기존보다 좋으면서 ICUR이 가장 낮은 대안B를 채택하게 된다.

48
| 정답 | ④

대안D의 효용은 $10\times0.8=8(\text{QALYs})$, 대안E의 효용은 $10\times0.9=9(\text{QALYs})$이므로, 대안D에 대한 대안E의 점증적 비용-효용비는 $(4-3.5)\div(9-8)=0.5$(백만 원/QALYs)$=50$만 원/QALYs이다.

| 오답풀이 |

① 대안A의 효용은 $11\times0.6=6.6(\text{QALYs})$이다. 따라서 대안A의 평균 비용-효용비는 $2.5\div6.6\fallingdotseq0.38$(백만 원/QALYs)이다. 대안C의 효용은 $14\times0.5=7(\text{QALYs})$이다. 이에 따라 대안C의 평균 비용-효용비는 $4.5\div7\fallingdotseq0.64$(백만 원/QALYs)이다. 따라서 대안A의 평균 비용-효용비는 대안C보다 작다.

② $\varDelta C$는 $4-3=1$(백만 원), $\varDelta E=10-8=2$(년)이다. 그러므로 기존 치료법에 대한 대안E의 점증적 비용-효과비는 $1\div2=0.5$(백만 원/년)이다.

③ 대안A: $(2.5-3)\div(11-8)\fallingdotseq-0.17$(백만 원/년), 대안B: $(2-3)\div(10-8)=-0.5$(백만 원/년), 대안C: $(4.5-3)\div(14-8)=0.25$(백만 원/년), 대안D: $(3.5-3)\div(10-8)=0.25$(백만 원/년), 대안E$=(4-3)\div(10-8)=0.5$(백만 원/년)이다. 그러므로 점증적 비용-효과비의 임계값이 50만 원/년인 경우 모든 대안이 채택될 수 있다.

⑤ 평균 비용-효과비가 더 크다는 것은 기대여명 1년에 대한 비용이 더 크다는 것이다. 동일한 효과에 대하여 비용이 더 크다면 채택될 확률이 더 낮다.

49
| 정답 | ⑤

응용 프로그램을 삭제하려면 [제어판]의 [프로그램 및 기능]에서 해당 응용 프로그램을 선택하고 [제거/변경]을 클릭한다.

| 오답풀이 |

① 파일탐색기에서 응용 프로그램 폴더를 삭제하면 프로그램이 완전히 제거되지 않고 레지스트리에 남아 충돌을 일으킬 수 있으므로 주의해야 한다.

② 바로 가기 아이콘의 삭제는 해당 응용 프로그램에 영향을 미치지 않는다.

③ [시작 화면에서 제거]는 시작 화면에 고정된 응용 프로그램을 시작 화면에서 제거하는 기능으로, 프로그램의 삭제와는 상관이 없다.

④ [작업 표시줄에서 제거]는 작업 표시줄에 고정된 응용 프로그램을 작업 표시줄에서 제거하는 기능으로, 프로그램의 삭제와는 상관이 없다.

50
| 정답 | ⑤

상환 기간은 2년이며, 최대 4회까지 연장 갱신이 가능한 상품이다. 자격 요건을 갖추어 대출이 실행된다면 대출 실행 후 초회 상환은 2년까지이며, 1회 갱신 때마다 2년씩 연장되므로 4회(최대 갱신 8년 연장)까지 갱신한다면 최대 10년 후에 상환할 수 있는 대출 상품이다. 따라서 대출 실행 후 최장 8년 후까지 상환해야 하는 상품이라는 답변 내용은 옳지 않다.

| 오답풀이 |

① 대출 신청일 현재 만 19세 이상 만 25세 미만 청년 단독세대주에 해당되어야 자격 요건의 일부를 만족할 수 있다.

②, ③ 임차 보증금 5% 이상을 납입했다는 영수증을 받아야 하므로, 집주인에게 전세자금대출이 가능한지 여부를 확인해 두어야 한다.

④ 연소득이 4천 5백만 원이므로 해당 구간에서의 적용 금리는 연 2.7%이다.

01	③	02	④	03	①	04	③	05	②
06	①	07	④	08	②	09	⑤	10	④
11	⑤	12	③	13	②	14	③	15	③
16	④	17	③	18	①	19	④	20	①
21	③	22	①	23	④	24	④	25	③
26	②	27	④	28	③	29	③	30	①

01

| 정답 | ③

환경 영향 평가는 도시 및 산업 단지 조성 등의 개발 사업을 대상으로 유해한 요인을 줄이는 방안을 관리하는 기술이다. 이와 관련한 평가 분야와 절차 등을 밝힌 조례 제정의 주체는 각 시·도의 지방자치단체이며, 환경 영향 평가 대상 사업자는 이에 따라 평가서 제출, 심의 등의 절차를 이행한다.

| 오답풀이 |

① 녹색금융사업단은 농업·공공금융 부문 산하에 2020년 9월 신설된 조직으로, 녹색금융과 ESG 추진 등에 필요한 투자 및 여신 지원 업무를 총괄한다.
② 농촌 태양광 사업, 친환경 스마트팜 농가와 식품 기업 등 신재생 에너지 업체를 지원한다.
④ 환경 개선과 신재생 에너지 프로젝트 등의 사회 문제 해결을 목적으로, 소셜 본드 등 ESG 채권을 발행한다.
⑤ 여신심사 시 거래 기업의 신재생 에너지 활용, 탄소배출권 보유 여부 등을 대출이나 금리 산정에 반영하여 적용한다.

02

| 정답 | ④

ⓒ은 은행·보험·증권 부문으로 구성된 '농협금융지주'이다. 유통·제조·식품 부문은 '농협경제지주'가 관할하며, 농업하나로유통, 농협케미컬, 농협목우촌 등 17개의 계열사가 속해 있다.

| 오답풀이 |

① ㉠은 조합원으로, 농가 인구(약 225만 명) 중 개인과 법인으로 구성되어 약 211만 명이다.
② ㉡은 농협중앙회로, 교육지원 산하에 '기획조정본부, 농업농촌지원본부, IT전략본부, 디지털혁신부'의 4본부, 상호금융 산하에 '상호금융기획본부, 상호금융사업지원본부, 상호금융자산전략본부, 상호금융자산운용본부'의 4본부가 설치되어 있다.
③ 농협중앙회 산하에서 관할하는 4개의 계열사로 농협정보시스템, 농협자산관리, 농협네트웍스, 농협파트너스 등이 있다.
⑤ 농협금융지주 산하에 은행 부문으로 NH농협은행, 보험 부문으로 NH농협생명, 증권 부문으로 NH투자증권 등 9개의 계열사가 속해 있다.

03

| 정답 | ①

국제협동조합연맹(ICA)의 7대 원칙은 협동조합의 본질을 바탕으로 조직의 운영 및 관리를 위한 규율을 정립한 내용이다. 협동조합의 가치를 실천하는 데 지침이 될 만한 사항을 7가지로 구분하여 민주적 운영과 자주적 관리, 성공적인 유지 등을 제시하였다.
7대 원칙 중 제1원칙은 '자발적이고 개방적인 조합원 제도'로, 조합원으로서 책임을 다하는 모든 이에게 성·사회·인종·정치·종교적 차별 없이 조합을 개방할 것을 명시하고 있다.

04

| 정답 | ③

로치데일 공정 개척자 상은 조합원을 위해 혁신적이고 지속 가능한 기여를 한 개인이나 단체를 국제협동조합연맹이 선정하여 역대 18명의 수상자를 배출하였다. 세계 최초의 협동조합인 로치데일 협동조합은 산업혁명으로 급변하는 시대에서도 성공적인 운영으로 소비자의 권리를 지키고, 사업 영역을 넓혀 협동조합의 개념을 정립하는 데 기여했다고 평가받는다.

05

| 정답 | ②

1920년대 식민지 수탈 정책과 고리대 등으로 인해 경제적으로 궁핍해진 농민들이 중심이 되어 민간 협동조합 운동이 등장했다. 대표적으로 협동조합운동사, 조선농민사, 기독교계 농촌 협동조합 등이 결성되어 세력을 넓혔으나, 자생적인 협동조합 조직의 확장세에 위협을 느낀 총독부의 탄압으로 강제 해산되거나 경영의 미숙으로 해체되었다.

06

| 정답 | ①

협동조합의 총회는 회기 중에만 기능을 발휘하는 최고 의결 기관으로 사업 계획의 수립, 예산 편성, 임원의 선출과 해임 등을 결정한다. 협동조합에 소속된 조합원은 총회를 통해 자신의 이해를 반영하는 한편, 경영진에 대한 책임을 물을 수 있다.

• 감사기관: 조합에 대한 통제 기능을 수행하는 기관
• 이사회: 조합의 업무를 집행하는 대표적인 기관
• 경영자: 총회 및 이사회에서 결정된 사항을 실현하는 주체
• 조합원: 협동조합에 대한 권리와 의무가 있는 구성원

07

|정답| ④

④는 혹스 메일(Hoax mail)에 대한 설명으로, 혹스 메일은 거짓 정보를 토대로 메일을 보내 사용자를 속이는 방식의 협박성 사기 메일이다. 혹스 메일은 주로 발신자가 전문 프로그램을 통해 임의로 발송자 메일 주소를 변조해 발송하는 방식으로 이루어지기 때문에 메일에 삽입된 링크를 클릭하거나 비트코인을 송금하는 등의 대응을 하지 않도록 주의해야 한다.

08

|정답| ②

데이터 3법은 개인정보보호법, 정보통신망법, 신용정보법을 통칭하는 말이다. 개인정보와 관련하여 발생하는 불필요한 규제와 혼란을 해결하기 위해 데이터 3법 개정안 시행으로 가명 정보라는 개념이 도입되었다. 가명 정보를 취급하는 기업은 기술적으로 조치하고, 학술 연구 등 공익적인 목적으로만 사용해야 한다. 한편, 익명 정보는 개인을 식별할 수 없는 정보이기 때문에 개인정보의 범주에 속하지 않으며, 개인정보보호법의 적용을 받지 않아 조금 더 자유롭게 활용할 수 있다.

09

|정답| ⑤

등대 공장(Lighthouse factory)은 세계경제포럼(WEF)과 맥킨지 그룹이 선정하는 제조업의 혁신을 보이는 공장이다. 우리나라에서는 2019년 이후 선정된 등대 공장은 1곳으로, 포항의 포스코이다. 포스코는 생산성과 품질 향상을 위해 AI 기술을 활용하며, 산학과 협력하여 스마트 공장 플랫폼을 구축한 점이 긍정적으로 평가되고 있다. 등대 공장으로 선정되면 등대 공장 간 협력 네트워크에 참여할 자격이 주어지므로 기술 혁신을 더욱 고도화할 수 있다.

10

|정답| ④

효율성 임금이론이란 기업들이 시장실질임금보다 더 높은 실질임금인 효율성임금(efficiency wage)을 지급하면 노동자의 생산성이 향상된다는 것이다.
효율성임금은 실질임금 1단위당 노동자의 생산성이 최대가 되도록 하는 실질임금수준으로서 노동시장의 균형임금보다 높은 수준이고, 단기에서는 그 수준이 변하지 않는다. 각 기업이 시장실질임금보다 높은 효율성임금을 지급하게 되면 노동의 초과공급과 비자발

적 실업이 유발된다.

| 오답풀이 |
① 노동자들에게 효율성임금을 지급하면 노동자들은 해고당하지 않고 계속 그 직장에 다니기 위해서 열심히 일할 것이므로 노동자의 근무태만이 줄어든다.
② 효율성임금제도하에서 만약 열심히 일하지 않아 해고당하게 되면 다시 높은 임금을 주는 직장을 찾기가 어렵기 때문에 노동자의 이직동기가 낮아진다.
③ 효율성임금을 지급하면 회사에 대한 애사심이 증가하고 근무태만이 줄어들어 생산성이 향상된다.
⑤ 저소득 국가의 경우 효율성임금을 지급받는 노동자는 영양상태가 호전되므로 생산성이 향상된다.

11

|정답| ⑤

경합성이란 동일한 재화를 여러 소비자가 동시에 소비하는 것이 불가능하여 소비에 참여하는 사람이 많아지면 어떤 개인의 소비 수준이 줄어드는 특징을 말한다. 즉, 공동소비가 불가능한 성격을 지닌 재화를 경합적이라고 한다. 비배제성이란 어느 사람의 소비를 인위적으로 배제할 수 없음을 의미한다. 경합적이지만 비배제성을 지닌 준공공재에는 공유자원(공용지)이 있으며, 바다의 어족자원이 대표적이다.

12

|정답| ③

데카콘(Decacorn)은 경제 분야에서 기업 가치가 100억 달러(약 11조 원) 이상인 스타트업을 일컫는 용어이다. 기업 가치가 높은 유니콘 기업이 늘어나자 기업 가치가 100억 달러 이상인 스타트업을 유니콘보다 희소하다는 의미로, 머리에 10개의 뿔이 달린 상상 속의 동물인 데카콘이라고 명칭한다.

| 오답풀이 |
• 유니콘(Unicorn): 기업 가치가 10억 달러 이상인 비상장 스타트업을 총칭하는 용어이다.
• 헥토콘(Hectocorn): 기업 가치가 1,000억 달러(약 113조 원) 이상의 비상장 스타트업을 일컫는 용어로, 중국의 바이트댄스가 대표적이다. 유니콘보다 기업 가치가 100배 더 크다는 의미에서 접두사 헥토(hecto)를 사용하여 명명되었다.

13

|정답| ②

인포데믹(Infodemic)이란 정보(Information)와 유행병(epidemic)의 합성어로, 정보 전염 현상을 이르는 신조어이다. 잘못된 정보가 온라인 등을 통해 전염병처럼 퍼지는 현상이 대중의 불안과 공포를 자극

하여 혼란과 차별을 야기하기도 한다.

| 오답풀이 |
① 에코데믹(Ecodemic): 환경 파괴로 인해 일어나는 각종 전염병이 유행하는 상황을 의미한다.
③ 트윈데믹(Twindemic): 코로나19와 독감 등 유사한 질병이 동시에 확산하는 상황을 의미한다.
④ 엔데믹(Endemic): 말라리아 등 특정 지역의 풍토병이다.
⑤ 팬데믹(Pandemic): 신종 플루, 코로나19 등 특정한 전염병이 전 세계적으로 크게 유행하는 상황을 의미한다.

14 | 정답 | ③

가격차별(price discrimination)이란 동일한 재화와 서비스에 대해 서로 다른 가격을 책정하는 것을 말한다.
• 학생 B: 공원에서 입장료와 시설 이용료를 따로 받는 것은 이부가격설정으로서 광의의 개념인 가격차별에 해당한다.
• 학생 D: 규모의 경제가 발생하면 자연독점이 발생하므로 가격차별이 쉽게 발생할 가능성이 있다.

| 오답풀이 |
• 학생 A: 비행기의 이코노미석과 비즈니스석은 제품의 질이 동질적이지 않으므로, 서로 다른 재화에 해당하여 가격차별이라고 볼 수 없다.
• 학생 C: 독점적경쟁시장과 과점시장에서도 가격차별이 발생할 수 있지만, 가격차별은 독점의 형태에서 주로 발생한다. 완전경쟁시장에서는 일물일가의 법칙이 성립하므로 가격차별이 발생할 수 없다.

15 | 정답 | ③

㉠은 임금, ㉡은 기업의 투자이다. 기업이 업무를 위해 구입한 자동차는 소비가 아니라 투자에 해당된다.

| 오답풀이 |
① 임금은 생산요소시장의 가격이므로 생산요소시장에서 결정된다.
② 국내총생산을 계산할 때 소비, 투자, 정부지출에 수입품의 지출이 모두 포함되어 계산되고, 마지막 순수출에서 공제된다.
④ 임금은 가계가 분배받는 몫이기 때문에 임금의 상승이 투자를 증가시키기 위한 필수적 요소는 아니다. 기업의 이윤이 투자의 재원이 될 수 있다.
⑤ (가)는 분배 측면의 국민소득, (나)는 지출 측면의 국민소득이다.

16 | 정답 | ④

㉠ 자국 금리 하락은 국내 자본유출로 인한 외국통화의 수요 증가로 자국통화가치를 하락시킨다.

㉢ 현실적으로 자본 이동에 대한 제약, 즉 거래 비용이 발생하므로 자국과 외국 간 금리 차이는 환율의 기대변화율과 괴리를 나타내고 있다.
㉣ 이자율 평가식은 국가 간 자본 이동에 제약이 없을 때 외국과 자국에 대한 투자수익률이 일치된다는 것으로, 자국과 외국 간 금리 차이는 환율의 기대변화율과 같다.

| 오답풀이 |
㉡ 외국자본 유입은 외환시장에서 자국통화수요를 증가시켜 자국통화가치를 상승시키고, 동시에 국내 자금공급증가로 국내 금리를 하락시킨다.

17 | 정답 | ③

은행조직 전체의 대출가능총액은 순예금창조액과 일치한다. 본원적 예금에 의해 추가로 창출된 요구불예금을 파생적 예금(derivative deposits) 또는 순예금창조액이라고 한다.
순예금창조액은 총예금창조액에서 본원적 예금을 차감한 값으로 정의된다. 총예금창조액 $= \dfrac{1,000}{0.1} = 10,000$ (원)이므로, 순예금창조액은 $10,000 - 1,000 = 9,000$ (원)이다.

18 | 정답 | ③

원화가치의 하락은 원화표시 수입원자재 가격을 인상시키므로 물가상승을 유발하는 요인이다. 이 경우 순수출이 증가하여 총수요가 증가하게 되므로 물가상승은 더욱 커진다.

| 오답풀이 |
① 이자율이 인상되면 소비와 투자가 감소하여 총수요가 감소하므로 물가가 하락한다.
② 통화공급이 감소하면 이자율이 상승하여 총수요가 감소하므로 물가가 하락한다.
④ 재정지출이 감소하면 총수요가 감소하므로 물가가 하락한다.
⑤ 공개시장 운영을 통하여 중앙은행이 채권을 매각하면 본원통화가 감소하여 통화량이 감소한다. 통화량이 감소하면 총수요가 감소하므로 총수요곡선이 좌측으로 이동하여 물가하락을 가져온다.

19 | 정답 | ④

eCRM(electronic Customer Relationship Management)은 인터넷을 이용한 고객 관리 기법

이다. 고객 정보를 분석한 자료를 바탕으로 차별화된 마케팅, 세일즈, 서비스 등을 연계하여 수익성을 높일 수 있으며, 시·공간의 제약으로부터 자유롭기 때문에 관리 비용을 줄이고 사업 영역을 넓힐 수 있는 장점이 있다.

| 오답풀이 |

① BPR(Business Process Reengineering): 기업 혁신을 위하여 업무 구조를 재구성하는 경영 기법이다.
② ERP(Enterprise Resource Planning): 기업 전체의 자원을 관리하기 위한 경영 수단이다.
③ PRM(Partner Relationship Management): 협력사와 지점 등 업체 간의 관계 정립을 위한 관리 기법이다.
⑤ eSCM(electronic Supply Chain Management): 인터넷을 이용한 공급망 관리 기법이다.

20 | 정답 | ①

순현재가치인 NPV는 $-C_0 + \dfrac{R_1}{(1+r)} + \dfrac{R_2}{(1+r)^2}$ 으로 구할 수 있다.

$$NPV = -250 + \frac{120}{(1+0.2)} + \frac{144}{(1+0.2)^2}$$
$$= -250 + \frac{120}{1.2} + \frac{144}{1.44}$$
$$= -250 + 100 + 100 = -50 (억\ 원)$$

21 | 정답 | ③

㉠ J−곡선효과란 경상수지 적자 시 경상수지의 개선을 위하여 환율인상(평가절하)을 단행했을 때 일정 기간 경상수지가 개선되지 못하고, 오히려 악화되다가 상당한 기간이 경과하여야 비로소 경상수지가 개선되는 효과를 말한다.

㉣ J−곡선효과가 발생하는 이유는 환율인상에 따른 수출입상품의 가격변동과 수출입물량의 변동 간에 시차가 존재하기 때문이다. 환율이 인상되면 수출상품가격(달러표시)의 하락과 수입상품가격(원화표시)의 상승은 즉시 나타나지만, 수출물량의 증가와 수입물량의 감소는 시간을 두고 서서히 나타나기 때문에 환율인상이 단기에는 경상수지적자를 확대시키는 것이다.

22 | 정답 | ①

갑은 4월과 5월 모두 취업자로 분류된다. 을은 4월에는 취업자였으나 5월에는 구직활동을 하는 실업자로 분류된다. 병은 4월에는 실업자로 분류되었으나 5월에는 구직활동을 하지 않는 비경제 활동 인구로 분류된다. 이에 따라 실업률(=실업자 수/경제 활동 인구 수)을 계산하면, 실업자 수는 변함이 없고, 경제 활동 인구는 1명 감소하였다. 따라서 실업률은 증가한다.

| 오답풀이 |

② 정규직이나 비정규직이나 모두 주당 1시간 이상 수입을 목적으로 일하였다면 취업자로 분류된다. 따라서 갑은 4월, 5월 모두 취업자로 분류된다. 반면, 을은 4월에는 취업자였으나, 5월에는 실업자로 분류된다. 따라서 취업자 수는 1명 감소하였다. 병은 취업자가 아니었으므로, 취업자 수의 변화와 관련 없다.
③ 갑과 을은 모두 4월, 5월 경제 활동 인구로 분류된다. 그러나 병은 4월에는 실업자였으나, 5월에는 비경제 활동 인구로 분류되어 비경제 활동 인구는 1명 증가하였다.
④ 비경제 활동 인구가 1명 증가하였다는 것은 경제 활동 인구가 1명 감소하였다는 것을 의미한다. 따라서 경제 활동 참가율은 낮아졌다.
⑤ 을은 취업자에서 실업자로 변경되었고, 병은 실업자에서 비경제 활동 인구로 변경되었으므로 실업자 수는 변함이 없다.

23 | 정답 | ④

단지 내 20가구가 살고 있으므로 주택단지의 한계효용은 가구당 한계효용에 20을 곱한 값이다. 가로등 수가 4개가 될 때 추가 설치비용은 200만 원이며 한계효용은 300만 원이 된다. 그러므로 가로등이 4개일 때까지는 추가로 설치하고, 5개가 건설될 때의 한계효용은 100만 원이 되므로 설치하지 않는 것이 효율적이다.

24 | 정답 | ④

우리나라의 농협은 국제협동조합(ICA) 이사국, 국제협동조합농업기구(ICAO) 의장 기관으로 활동하고 있으며, 2016년 기준으로 세계 4위, 농업 부문 1위 협동조합으로 선정되었다.
따라서 ⓒ 국제협동조합연맹 정회원 자격 획득(1973년)−ⓛ 국제협동조합농업기구 의장 기관(1998년)−ⓔ 국제협동조합연맹 서울 총회 개최(2001년)−㉠ 국제협동조합연맹 이사국(2007년)−ⓜ 국제협동조합농업기구 서울 총회 개최(2019년) 순으로 나열할 수 있다.

25 | 정답 | ③

국가의 경제 규모를 측정하는 대표적인 경제 지표는 GDP이다. GNP와의 차이점은 국내의 생산과 국민의 생산이 다르다는 점이다. GDP에는 국내 거주 외국인의 생산이 포함되고, GNP에는 해외 거주 내국인의 생산이 포함된다. 해외 자회사의 매출액은 해당 국가의 GDP로 산정된다.

| 오답풀이 |

① 국내 기업의 매출액은 국내 GDP가 된다.
② 국방비 또한 GDP 계산에 포함된다.
④ 국내 업체에서 생산한 제품을 수출한 것이므로 GDP에 포함된다.
⑤ 외국인 근로자라고 하더라도 국내에서 근무한 대가로 받은 월급은 GDP에 포함된다.

26 | 정답 | ②

CIO(Chief Information Officer)는 최고정보책임자를 뜻한다. 정보 시스템을 총괄하는 동시에 외부의 최신 기술을 사내에 원활하게 보급할 수 있도록 경영 전략을 설정하고 적용한다.

| 오답풀이 |

① CFO(Chief Finance Officer): 최고재무책임자
③ COO(Chief Operating Officer): 최고운영책임자
④ CSO(Chief Security Officer): 최고보안책임자
⑤ CTO(Chief Technical Officer): 최고기술책임자

27 | 정답 | ④

국내 기업의 해외공장 설립이 증가하면 자본유출(외환의 수요)의 증가로 인해 환율이 상승한다.

| 오답풀이 |

① 해외의 경기가 호황이면 자국의 수출(외환의 공급)이 증가하여 환율이 하락한다.
② 미국의 이자율이 하락하면 국내 시장에서 자본유입(외환의 공급)이 증가하여 환율이 하락한다.
③ 국내 기업의 해외 투자가 감소하면 자본유출(외환의 수요)의 감소로 인해 환율이 하락한다.
⑤ 외국인 관광객의 국내 방문이 증가하면 자본유입(외환의 공급)의 증가로 인해 환율이 하락한다.

28 | 정답 | ③

대출의 상환부담은 실질이자율로 측정할 수 있는데, 4년 중 실질이자율이 가장 높은 Y1년에 대출의 상환부담이 가장 크다고 볼 수 있다.

| 오답풀이 |

① Y1년의 명목이자율이 0보다 크므로 현금을 보유하는 것보

다는 예금하는 것이 더 낫다.
② Y1년과 Y2년의 물가상승률은 2%로 동일하지만, 둘 모두 양수이므로 물가수준 자체는 Y2년이 Y1년보다 더 높다.
④ 명목이자율과 실질이자율의 차이를 통해 물가상승률을 파악할 수 있다. 물가상승률은 각각 Y1년 2%, Y2년 2%, Y3년 3%, Y4년 0.5%로 Y3년이 가장 높다.
⑤ 물가상승률이 매년 양수이므로 물가는 매년 상승했고, 반대로 화폐 가치는 매년 하락했다.

29 | 정답 | ③

환율이 상승하면 원화가치가 하락하므로 내국인의 해외여행은 감소한다. 환율이 상승하면 달러 가치가 상승하므로 외국인의 국내여행은 증가한다.

| 오답풀이 |

① 환율이 상승하면 수출품의 달러표시 가격이 하락한다. 이는 미국 시장에 수출되는 상품의 가격경쟁력을 높인다. 예를 들어 우리나라에서 생산된 재화의 가격은 1,000원이고, 환율의 변동과 상관없이 일정하다고 할 때 환율이 '1,000원/1달러'일 때, 달러로 표시되는 우리나라 재화의 가격은 1달러이다. 이때 환율이 '2,000원/1달러'로 상승했고, 우리나라 재화의 가격이 변하지 않았다면, 달러로 표시되는 가격은 0.5달러로 하락한다.
② 환율이 상승하면 원화의 가치가 하락하여, 우리나라 상품과 우리나라 서비스를 외국인이 구입하기 쉬워진다. 따라서 수출 증가로 경상수지가 개선된다. 다만 환율 상승으로 인한 원화의 가치 하락은 국내 물가를 상승시킨다.
④ 환율이 상승하면 외채를 갚아야 하는 기업의 부담은 증가한다.
⑤ 환율이 상승하면 수출품의 국제 가격이 하락하여 교역조건이 악화된다.

30 | 정답 | ①

정부가 원/달러 환율을 끌어올리기 위해서는 달러의 수요를 증가시키거나 달러의 공급을 감소시켜야 한다. 한국은행이 달러를 매입하면 달러의 수요가 증가하여 원/달러 환율은 상승할 것이다.

| 오답풀이 |

② 정부가 미국 기업을 국내에 유치하면 미국 기업의 국내 투자가 증가할 것이다. 이는 달러의 공급을 증가시켜 원/달러 환율은 하락할 것이다.
③ 환율이 인상되면 외채상환 부담이 증가한다. 따라서 달러 표시 외채가 많은 기업은 반대할 것이다.
④, ⑤ 환율이 인상되면 수출은 증가하고 수입은 감소한다. 따라서 수출하는 사람은 이를 지지하지만, 수입하는 사람은 반대할 것이다.

MEMO

✄ NH농협은행

직무능력시험

성명

감독확인란

독확인란

답안지

수험번호

출생(생년을 제어한) 월일

수험생 유의사항

(1) 아래와 같은 방식으로 답안지를 바르게 작성한다.
[보기] ① ② ● ④ ⑤
(2) 성명란은 왼쪽부터 빠짐없이 순서대로 작성한다.
(3) 수험번호는 각자 자신에게 부여 받은 번호를 표기하여 작성한다.
(4) 출생 월일은 출생연도를 제외하고 작성한다.
(예) 1991년 4월 14일은 0414로 표기한다.

☢NH농협은행

직 무 능 력 시 험

답 안 지

	01	① ② ③ ④ ⑤	21	① ② ③ ④ ⑤	41	① ② ③ ④ ⑤	61	① ② ③ ④ ⑤
	02	① ② ③ ④ ⑤	22	① ② ③ ④ ⑤	42	① ② ③ ④ ⑤	62	① ② ③ ④ ⑤
	03	① ② ③ ④ ⑤	23	① ② ③ ④ ⑤	43	① ② ③ ④ ⑤	63	① ② ③ ④ ⑤
	04	① ② ③ ④ ⑤	24	① ② ③ ④ ⑤	44	① ② ③ ④ ⑤	64	① ② ③ ④ ⑤
	05	① ② ③ ④ ⑤	25	① ② ③ ④ ⑤	45	① ② ③ ④ ⑤	65	① ② ③ ④ ⑤
	06	① ② ③ ④ ⑤	26	① ② ③ ④ ⑤	46	① ② ③ ④ ⑤	66	① ② ③ ④ ⑤
	07	① ② ③ ④ ⑤	27	① ② ③ ④ ⑤	47	① ② ③ ④ ⑤	67	① ② ③ ④ ⑤
	08	① ② ③ ④ ⑤	28	① ② ③ ④ ⑤	48	① ② ③ ④ ⑤	68	① ② ③ ④ ⑤
	09	① ② ③ ④ ⑤	29	① ② ③ ④ ⑤	49	① ② ③ ④ ⑤	69	① ② ③ ④ ⑤
	10	① ② ③ ④ ⑤	30	① ② ③ ④ ⑤	50	① ② ③ ④ ⑤	70	① ② ③ ④ ⑤
	11	① ② ③ ④ ⑤	31	① ② ③ ④ ⑤	51	① ② ③ ④ ⑤	71	① ② ③ ④ ⑤
	12	① ② ③ ④ ⑤	32	① ② ③ ④ ⑤	52	① ② ③ ④ ⑤	72	① ② ③ ④ ⑤
	13	① ② ③ ④ ⑤	33	① ② ③ ④ ⑤	53	① ② ③ ④ ⑤	73	① ② ③ ④ ⑤
	14	① ② ③ ④ ⑤	34	① ② ③ ④ ⑤	54	① ② ③ ④ ⑤	74	① ② ③ ④ ⑤
	15	① ② ③ ④ ⑤	35	① ② ③ ④ ⑤	55	① ② ③ ④ ⑤	75	① ② ③ ④ ⑤
	16	① ② ③ ④ ⑤	36	① ② ③ ④ ⑤	56	① ② ③ ④ ⑤	76	① ② ③ ④ ⑤
	17	① ② ③ ④ ⑤	37	① ② ③ ④ ⑤	57	① ② ③ ④ ⑤	77	① ② ③ ④ ⑤
	18	① ② ③ ④ ⑤	38	① ② ③ ④ ⑤	58	① ② ③ ④ ⑤	78	① ② ③ ④ ⑤
	19	① ② ③ ④ ⑤	39	① ② ③ ④ ⑤	59	① ② ③ ④ ⑤	79	① ② ③ ④ ⑤
	20	① ② ③ ④ ⑤	40	① ② ③ ④ ⑤	60	① ② ③ ④ ⑤	80	① ② ③ ④ ⑤

감 독
확인란

성 명

수 험 번 호

⓪ ① ② ③ ④ ⑤ ⑥ ⑦ ⑧ ⑨

출생(생년을 제외한) 월일

⓪ ① ② ③ ④ ⑤ ⑥ ⑦ ⑧ ⑨

수험생 유의 사항

[보기]   ①   ②   ●   ④   ⑤

(1) 아래와 같은 방식으로 답안지를 바르게 작성한다.

(2) 성명란은 왼쪽부터 빠짐없이 순서대로 작성한다.

(3) 수험번호는 각자 자신에게 부여 받은 번호를 표기하여 작성한다.

(4) 출생 월일은 출생연도를 제외하고 작성한다.

(예) 1991년 4월 14일은 0414로 표기한다.

⑥NH농협은행

답안지 문항 01–80: 각 문항 ① ② ③ ④ ⑤

2021

에듀윌 NH농협은행 6급

5급 대비 가능

정답과 해설

에듀윌 NH농협은행 6급

5급 대비 가능

고객의 꿈, 직원의 꿈, 지역사회의 꿈을 실현한다

펴낸곳 (주)에듀윌   **펴낸이** 박명규   **출판총괄** 김형석
개발책임 김기임   **개발** 심재훈, 김성미
주소 서울시 구로구 디지털로34길 55 코오롱싸이언스밸리 2차 3층
대표번호 1600-6700   **교재문의** 02)2650-3912   **등록번호** 제25100-2002-000052호
협의 없는 무단 복제는 법으로 금지되어 있습니다.

※ 학습자료 및 정오표 | 에듀윌 도서몰 book.eduwill.net

1위 20.11월 · 24개월 베스트 1위! 높아진 1급 합격도 에듀윌 2주끝장!
에듀윌 한국사 2주끝장
한국사능력검정시험 기본서/기출문제집/2주끝장

1위 20.11월 · 조리기능사 5종목 통합 필기끝장
47개월 베스트셀러 1위 한식 양식 중식 일식 전 분야 1위
조리기능사 필기/실기

1위 20.11월 · 제과·제빵기능사 필기끝장
20개월 베스트셀러 1위 혼자서도 초단기 합격!
제과제빵기능사 필기/실기

1위 20.10월 · SMAT 모듈A 1주끝장 비즈니스 커뮤니케이션
SMAT 베스트셀러 1위 시험 주관처 공식인증 교재
SMAT 모듈A/B/C

1위 20.11월 · ERP 1위 교재 &무료특강으로 단번에 합격!
에듀윌 ERP 인사1급
ERP정보관리사 회계/인사/물류/생산(1, 2급)

1위 20.11월 · 베스트셀러 1위 나온 것만, 유형별로! 독학으로 50일 합격
에듀윌 전산세무 1급
EBS 전산세무회계 기초서/기본서/기출문제집

1위 20.11월 · 12개월 연속 1위 2주만에 끝내는 암기특화 교재
에듀윌 상공회의소 2주끝장
진흥회 한자 3급 | 상공회의소한자 3급

1위 20.11월 · 50개월 1위 시험에 나올 개념만 2주 초단기 마스터
에듀윌 ToKL 2주끝장
ToKL 한권끝장/2주끝장

1위 20.11월 · 54개월 판매 1위 기록이 증명하는 단기 공략서
에듀윌 KBS 2주끝장
KBS한국어능력시험 한권끝장/2주끝장/문제집/기출문제집

1위 20.11월 · 59개월 연속 1위 2주면 충분한 실용글쓰기 대표교재
에듀윌 한국실용글쓰기 2주끝장
한국실용글쓰기

1위 20.11월 · 에듀윌 매경TEST 2주끝장
39개월 베스트셀러 1위 꼭 나올 핵심테마로 2주합격
매경TEST 기본서/문제집/2주끝장

1위 20.11월 · 에듀윌 TESAT 한권끝장
29개월 베스트셀러 1위 이론+문제 한권으로 올킬!
TESAT 기본서/문제집/기출문제집

1위 20.11월 · 47만뷰 동작별 영상, 구술 모범 답안까지 실기 합격 풀세트
에듀윌 스포츠지도사 한권끝장
스포츠지도사 필기/실기·구술 한권끝장

1위 20.11월 · 前 출제위원 검증! 무료특강+기출로 초단기 합격
에듀윌 위험물산업기사 2주끝장
위험물산업기사 | 산업안전기사

1위 20.11월 · 무역영어 1위, 합격 풀패키지로 한달 끝장!
에듀윌 무역영어1급 이론+특강+기출
무역영어 1급 | 국제무역사 1급·2급

1위 20.11월 · 운전면허 판매 1위 빨간색 답안보고 초고속 합격
에듀윌 운전면허 이 책에서 100% 출제
운전면허 1종·2종

1위 20.11월 · 최신판 에듀윌 ROTC 학사장교 이론·유형·실전
47개월 베스트셀러 1위 이론부터 실전까지 2주 끝장!
ROTC·학사장교 | 부사관

1위 20.2월 · 취업상식 72개월 베스트셀러 1위! 월간시사상식 12
월간시사상식 | 일반상식

1위 20.10월 · 에듀윌 공기업 NCS 통합 기본서
공사공단 NCS 1위 '모듈형+PSAT형 단 한권'으로!
NCS 통합 기본서/모듈형 기본서/봉투모의고사

이것이 NCS다! 에듀윌 NCS의 정석
NCS의 정석/PSAT형 자료해석실전서

1위 20.10월 · 에듀윌 코레일 NCS 봉투모의고사 3+3회
한국철도공사 기본서/봉투모의고사

1위 20.9월 3주 · 에듀윌 국민건강보험공단 NCS 봉투모의고사 4+2회
국민건강보험공단 기본서/봉투모의고사

1위 20.11월 · 에듀윌 한국전력공사 NCS 봉투모의고사 5+3회
한국전력공사 기본서/봉투모의고사

한수원 맞춤 PSAT형 특별판 별책 한수원 판매 1위 에듀윌이 만든 바짝치기 봉모
에듀윌 한국수력원자력 NCS 봉투모의고사 2회
한국수력원자력 | 한국수자원공사

1위 20.11월 · 에듀윌 교통공사 통합 NCS 봉투모의고사 6회
서울교통공사 | 부산교통공사

1위 20.11월 · 100% 신규 문항 에듀윌 GSAT 수리·추리 봉투모의고사 4+1회
GSAT 기본서/봉투모의고사

1위 20.11월 · 에듀윌 SKCT SK그룹 종합역량검사 최신기출유형+실전모의고사 4회
12개월 베스트셀러 1위 기출유형+직무 1주 끝장!
LG | SKCT | CJ

실제 면접관의 합격 코칭 에듀윌 면접관이 말하는 자소서와 면접
NCS 자소서&면접

- 공인중개사 2019년 최다 합격자 배출 공식 인증 (한국의 기네스북, KRI 한국기록원)
- 취업 1위, 공무원 1위, 경찰공무원 1위, 소방공무원 1위, 계리직 공무원 1위, 군무원 1위, 한국사능력검정 1위, 전산세무회계 1위,
  검정고시 1위, 경비지도사 1위, 직업상담사 1위, 재경관리사 1위, 도로교통사고감정사 1위, ERP정보관리사 1위, 물류관리사 1위,
  한경TESAT 1위, 매경TEST 1위, 유통관리사 1위, 한국어능력시험 1위, 국제무역사 1위, 무역영어 1위, 공인중개사 1위, 주택관리사 1위,
  사회복지사 1위, 행정사 1위, 부동산실무 1위 (2020 한국브랜드만족지수 교육 부문, 주간동아/G밸리뉴스 주최)
- 전기기사 1위, 소방설비기사 1위, 소방시설관리사 1위, 건축기사 1위, 토목기사 1위, 전기기능사 1위, 산업안전기사 1위
  (2020 한국소비자만족지수 교육 부문, 한경비즈니스/G밸리뉴스 주최)

eduwill